한국산업인력공단 시행 국가공인

KB084653

박문각
손해평가사

2차 한권으로 합격하기

1과목 농작물재해보험 및 가축재해보험의 이론과 실무

· 농업정책보험금융원의 2023년 「농업재해보험·손해평가의 이론과 실무」 이론서
  최종본(2023.4.28.) 완벽 반영

김봉호, 손송운 편저

50년 시간이 만든 **합격비결**
합격 노하우가 다르다!

QMG 박문각

손해평가사란 농업재해보험의 손해평가를 전문적으로 수행하는 자로 농어업재해보험법에 따라 신설되는 국가자격인 국가전문자격을 취득한 자를 의미합니다. 즉 공정하고 객관적인 손해액 산정과 보험금 지급을 위하여 농작물의 농업재해로 인한 손해에 대해 보험관련 법규와 약관을 근거로 전문적인 능력과 지식을 활용하여 보험사고를 조사·평가하는 일을 수행하는 국가자격시험에 합격한 자를 말하는 것입니다. 농림축산식품부는 농어민들의 재해로 인한 피해를 전문자격증을 보유한 손해평가사가 신속하고 공정하게 평가하여, 원활한 농어업 발전을 도모하고 농어업인의 안정된 생활이 가능하도록 손해평가사 자격제도를 도입·운영하고 있습니다.

최근 농업재해보험 선택대상품목의 수가 늘어남에 따라 농업 관련 재해 피해보상의 범위도 확대되었습니다. 그에 따라 보험의 필요성에 대한 인식이 개선되면서 가입 농가수가 증가하고 있으며 정부의 지원 규모도 커질 것으로 예측되고 있습니다. 농업재해로 인한 피해평가는 전문적인 견해에 따른 공정하고 전문적인 지식을 요하므로 장기적으로 전문성을 갖춘 손해평가사의 수요도 증가할 것으로 예상되어 직업적 전망도 밝아지고 있습니다.

물론 손해평가사는 전문자격증으로 시험 난이도가 평이하지 않기 때문에 어렵고 생소한 전문이론을 이해하고 시험을 철저하게 준비하기 위해서는 무엇보다 교재의 선택이 중요합니다. 손해평가사 1차와 2차 시험을 전략적으로 대비하기 위해 박문각은 전문강사진이 직접 집필한 교재를 시리즈로 기획하여 출간하게 되었습니다. 본서는 반드시 숙지해야 할 핵심 주요이론을 정리하였을 뿐만 아니라 2015년부터 2022년까지의 기출문제를 철저하게 분석하였으며, 2023년 최신 개정법령과 농업정책보험금융원의 업무방법서 최종본(2023.4.28.)을 완벽하게 반영하여 수험생들의 합격을 위한 최적화된 교재로 구성하였습니다.

50년 역사의 대한민국 대표 교육브랜드 박문각이 손해평가사를 준비하는 수험생 여러분들의 합격을 진심으로 기원합니다.

저자 및 박문각 출판팀 일동

🔲 손해평가사 자격시험 소개

❶ 손해평가사란?

농업재해보험의 손해평가를 전문적으로 수행하는 자로서 농어업재해보험법에
따라 신설되는 국가자격인 국가전문자격을 취득한 자를 말한다.

❷ 손해평가사의 직무분야

농업재해보험의 손해평가사는 공정하고 객관적인 농업재해보험의 손해평가를
하기 위해 피해사실의 확인, 보험가액 및 손해액의 평가, 그 밖의 손해평가에
필요한 사항에 대한 업무를 수행한다.

❸ 시험과목 및 배점

구분	시험과목	문항수	시험시간	시험방법
제1차 시험	1. 「상법」보험편 2. 농어업재해보험법령(「농어업재해보험법」, 「농어업재해보험법 시행령」 및 농림축산식품부 장관이 고시하는 손해평가 요령을 말한다.) 3. 농학개론 중 재배학 및 원예작물학	과목별 25문항 (총 75문항)	90분	객관식 4지 택일형
제2차 시험	1. 농작물재해보험 및 가축재해보험의 이론과 실무 2. 농작물재해보험 및 가축재해보험 손해평가의 이론과 실무	과목별 10문항	120분	주관식

④ 시험일정

구분	원서접수[5일간]	시험 일자	합격자 발표
제1차 시험	2023. 5. 8.(월) 09:00 ~ 2023. 5. 12.(금) 18:00	2023. 6. 10.(토)	2023. 7. 12.(수)
제2차 시험	2023. 7. 24.(월) 09:00 ~ 2023. 7. 28.(금) 18:00	2023. 9. 2.(토)	2023. 11. 22.(수)

⑤ 응시자격 및 결격사유

응시자격	• 제한 없음 • 단, 다음에 해당하는 사람은 그 처분이 있은 날부터 2년이 지나지 아니한 경우 손해평가사 자격시험에 응시하지 못한다(「농어업재해보험법」 제11조의4 제4항). 　(1) 다음에 따라 정지 · 무효 처분을 받은 사람 　　① 부정한 방법으로 시험에 응시한 사람 　　② 시험에서 부정한 행위를 한 사람 　(2) 농어업재해보험법 제11조의5에 따라 손해평가사 자격이 취소된 사람
결격사유	해당 없음

※ 「농어업재해보험법」 제11조의5(손해평가사의 자격 취소)

① 농림축산식품부장관은 다음 각 호의 어느 하나에 해당하는 사람에 대하여 손해평가사 자격을 취소할 수 있다. 다만, 제1호 및 제5호에 해당하는 경우에는 자격을 취소하여야 한다. 〈개정 2020. 2. 11.〉
　1. 손해평가사의 자격을 거짓 또는 부정한 방법으로 취득한 사람
　2. 거짓으로 손해평가를 한 사람
　3. 제11조의4 제6항을 위반하여 다른 사람에게 손해평가사의 명의를 사용하게 하거나 그 자격증을 대여한 사람
　4. 제11조의4 제7항을 위반하여 손해평가사 명의의 사용이나 자격증의 대여를 알선한 사람
　5. 업무정지 기간 중에 손해평가 업무를 수행한 사람
② 제1항에 따른 자격 취소 처분의 세부기준은 대통령령으로 정한다. 〈신설 2020. 2. 11.〉

⑥ 합격기준 및 합격자 발표

1. 합격기준

구분	합격결정기준
제1차 시험 제2차 시험	매 과목 100점을 만점으로 하여 매 과목 40점 이상과 전 과목 평균 60점 이상을 득점한 사람을 합격자로 결정

2. 합격자 발표

구분	발표일시	발표방법
제1차 시험	2023. 7. 12.(수)	• 큐넷 손해평가사 홈페이지 : 60일간 (http://www.q-net.or.kr/site/loss)
제2차 시험	2023. 11. 22.(수)	• ARS (☎1666-0100) : 4일간

❼ 시험실시기관 및 소관부처

- 시험실시기관 : 한국산업인력공단(https://www.q-net.or.kr/site/loss)
- 소관부처 : 농림축산식품부(재해보험정책과)
- 운용기관 : 농업정책보험금융원

❽ 손해평가사 시험 통계자료(최근 5년)

구분		2018	2019	2020	2021	2022
1차	대상	3,716명	6,614명	9,752명	15,385명	15,796명
	응시	2,594명	3,901명	8,193명	13,230명	13,361명
	응시율	69.8%	59.0%	84.0%	85.9%	84.5%
	합격	1,949명	2,486명	5,748명	9,508명	9,067명
	합격률	75.1%	63.7%	70.2%	71.8%	67.8%
2차	대상	2,372명	3,254명	5,855명	10,136명	10,686명
	응시	1,934명	2,712명	4,937명	8,699명	9,016명
	응시율	81.5%	83.3%	84.3%	85.8%	84.3%
	합격	129명	153명	566명	2,233명	1,017명
	합격률	6.7%	5.6%	11.5%	25.6%	11.2%

【 제2차 시험 수험자 유의사항 】

1. 국가전문자격 주관식 답안지 표지에 기재된 '답안지 작성 시 유의사항'을 준수하시기 바랍니다.

2. 수험자 인적사항·답안지 등 작성은 반드시 검은색 필기구만 사용하여야 합니다.
   (그 외 연필류, 유색필기구 등으로 작성한 답항은 채점하지 않으며 0점 처리)
   ※ 필기구는 본인 지참으로 별도 지급하지 않음
   ※ 지워지는 펜 사용 불가

3. 답안지의 인적사항 기재란 외의 부분에 특정인임을 암시하거나 답안과 관련 없는 특수한 표시를 하는 경우, 답안지 전체를 채점하지 않으며 0점 처리합니다.

4. 답안 정정 시에는 반드시 정정부분을 두 줄(=)로 긋고 다시 기재하여야 하며, 수정액 등을 사용했을 경우 채점상의 불이익을 받을 수 있으므로 사용하지 마시기 바랍니다.

CONTENTS

이 책의
차례

CONTENTS

이 책의
차례

PART

01

농업재해보험 관련 용어

CHAPTER 01

농어업재해보험 관련 용어

1. 농어업재해보험 관련 용어

(1) **농어업재해** : 농작물·임산물·가축 및 농업용 시설물에 발생하는 자연재해·병충해·조수해·질병 또는 화재와 양식수산물 및 어업용 시설물에 발생하는 자연재해·질병 또는 화재

(2) **농어업재해보험** : 농어업재해로 발생하는 재산 피해에 따른 손해를 보상하기 위한 보험

(3) **보험가입금액** : 보험가입자의 재산 피해에 따른 손해가 발생한 경우 보험에서 최대로 보상할 수 있는 한도액으로서 보험가입자와 재해보험사업자 간에 약정한 금액

(4) **보험가액** : 재산보험에 있어 피보험이익을 금전으로 평가한 금액으로 보험목적에 발생할 수 있는 최대 손해액(재해보험사업자가 실제 지급하는 보험금은 보험가액을 초과할 수 없음)

(5) **보험기간** : 계약에 따라 보장을 받는 기간

(6) **보험료** : 보험가입자와 재해보험사업자 간의 약정에 따라 보험가입자가 재해보험사업자에게 내야 하는 금액

(7) **계약자부담보험료** : 국가 및 지방자치단체의 지원보험료를 제외한 계약자가 부담하는 금액

(8) **보험금** : 보험가입자에게 재해로 인한 재산 피해에 따른 손해가 발생한 경우 보험가입자와 재해보험사업자 간의 약정에 따라 재해보험사업자가 보험가입자에게 지급하는 금액

(9) **시범사업** : 보험사업을 전국적으로 실시하기 전에 보험의 효용성 및 보험 실시 가능성 등을 검증하기 위하여 일정 기간 제한된 지역에서 실시하는 보험사업

CHAPTER 02

농작물재해보험 관련 용어

1. 농작물재해보험 계약 관련 용어

(1) **가입(자)수** : 보험에 가입한 농가, 과수원(농지)수 등

(2) **가입률** : 가입대상면적 대비 가입면적을 백분율(100%)로 표시한 것

(3) **가입금액** : 보험에 가입한 금액으로, 재해보험사업자와 보험가입자 간에 약정한 금액으로 보험사고가 발생할 때 재해보험사업자가 지급한 최대 보험금 산출의 기준이 되는 금액

(4) **계약자** : 재해보험사업자와 계약을 체결하고 보험료를 납부할 의무를 지는 사람

(5) **피보험자** : 보험사고로 인하여 손해를 입은 사람(법인인 경우에는 그 이사 또는 법인의 업무를 집행하는 그 밖의 기관)

(6) **보험증권** : 계약의 성립과 그 내용을 증명하기 위하여 재해보험사업자가 계약자에게 드리는 증서

(7) **보험의 목적** : 보험의 약관에 따라 보험에 가입한 목적물로 보험증권에 기재된 농작물의 과실 또는 나무, 시설작물 재배용 농업용 시설물, 부대시설 등

(8) **농지** : 한 덩어리의 토지의 개념으로 필지(지번)에 관계없이 실제 경작하는 단위로 보험가입의 기본 단위임. 하나의 농지가 다수의 필지로 구성될 수도 있고, 하나의 필지(지번)가 다수의 농지로 구분될 수도 있음

(9) **과수원** : 한 덩어리의 토지의 개념으로 필지(지번)와는 관계없이 과실을 재배하는 하나의 경작지

(10) **나무** : 계약에 의해 가입한 과실을 열매로 맺는 결과주

(11) **농업용 시설물** : 시설작물 재배용으로 사용되는 구조체 및 피복재로 구성된 시설

(12) **구조체** : 기초, 기둥, 보, 중방, 서까래, 가로대 등 철골, 파이프와 이와 관련된 부속자재로 하우스의 구조적 역할을 담당하는 것

(13) **피복재** : 비닐하우스의 내부온도 관리를 위하여 시공된 투광성이 있는 자재

(14) **부대시설** : 시설작물 재배를 위하여 농업용 시설물에 설치한 시설

(15) **동산시설** : 저온저장고, 선별기, 소모품(멀칭비닐, 배지, 펄라이트, 상토 등), 이동 가능(휴대용) 농기계 등 농업용 시설물 내 지면 또는 구조체에 고정되어 있지 않은 시설

(16) **계약자부담 보험료** : 국가 및 지방자치단체의 지원보험료를 제외한 계약자가 부담하는 보험료

(17) **보험료율** : 보험가입금액에 대한 보험료의 비율

(18) **환급금** : 무효, 효력상실, 해지 등에 의하여 환급하는 금액

(19) **자기부담금**

　　1) 손해액 중 보험가입 시 일정한 비율을 보험가입자가 부담하기로 약정한 금액. 즉, 일정 비율 이하의 손해는 보험가입자 본인이 부담하고, 손해액이 일정비율을 초과한 금액에 대해서만 재해보험사업자가 보상

　　2) **자기부담제도** : 소액손해의 보험처리를 배제함으로써 비합리적인 운영비 지출의 억제, 계약자 보험료 절약, 피보험자의 도덕적 위험 축소 및 방관적 위험의 배제 등의 효과를 위하여 실시하는 제도로, 가입자의 도덕적 해이를 방지하기 위한 수단으로 손해보험에서 대부분 운용

(20) **자기부담비율** : 보험사고로 인하여 발생한 손해에 대하여 보험가입자가 부담하는 일정 비율로 보험가입금액에 대한 비율

2. 농작물재해보험 보상 관련 용어

(1) **보험사고** : 보험계약에서 재해보험사업자가 어떤 사실의 발생을 조건으로 보험금의 지급을 약정한 우연한 사고(사건 또는 위험이라고도 함)

(2) **사고율** : 사고수(농가 또는 농지수) ÷ 가입수(농가 또는 농지수) × 100

(3) **손해율** : 보험료에 대한 보험금의 백분율

(4) **피해율** : 보험금 계산을 위한 최종 피해수량의 백분율

(5) **식물체피해율** : 경작불능조사에서 고사한 식물체(수 또는 면적)를 보험가입식물체(수 또는 면적)으로 나누어 산출한 값

(6) **전수조사** : 보험가입금액에 해당하는 농지에서 경작한 수확물을 모두 조사하는 방법

(7) **표본조사** : 보험가입금액에 해당하는 농지에서 경작한 수확물의 특성 또는 수확물을 잘 나타낼 수 있는 일부를 표본으로 추출하여 조사하는 방법

(8) **재조사** : 보험가입자가 손해평가반의 손해평가결과에 대하여 설명 또는 통지를 받은 날로부터 7일 이내에 손해평가가 잘못되었음을 증빙하는 서류 또는 사진 등을 제출하는 경우 재해보험사업자가 다른 손해평가반으로 하여금 실시하게 할 수 있는 조사

(9) **검증조사** : 재해보험사업자 또는 재보험사업자가 손해평가반이 실시한 손해평가결과를 확인하기 위하여 손해평가를 실시한 보험목적물 중에서 일정수를 임의 추출하여 확인하는 조사

3. 수확량 및 가격 관련 용어

(1) **평년수확량** : 가입연도 직전 5년 중 보험에 가입한 연도의 실제 수확량과 표준수확량을 가입 횟수에 따라 가중 평균하여 산출한 해당 농지에 기대되는 수확량

(2) **표준수확량** : 가입품목의 품종, 수령, 재배방식 등에 따라 정해진 수확량

(3) **평년착과량** : 가입수확량 산정 및 적과종료 전 보험사고 시 감수량 산정의 기준이 되는 착과량

(4) **평년착과수** : 평년착과량을 가입과중으로 나누어 산출한 것

(5) **가입수확량** : 보험 가입한 수확량으로 평년수확량의 일정범위(50~100%) 내에서 보험계약자가 결정한 수확량으로 가입금액의 기준

(6) **가입과중** : 보험에 가입할 때 결정한 과실의 1개당 평균 과실무게

(7) **기준착과수** : 보험금을 산정하기 위한 과수원별 기준 과실수

(8) **기준수확량** : 기준착과수에 가입과중을 곱하여 산출한 양

(9) **적과후착과수** : 통상적인 적과 및 자연낙과 종료 시점의 착과수

(10) **적과후착과량** : 적과후 착과수에 가입과중을 곱하여 산출한 양

(11) **감수과실수** : 보장하는 자연재해로 손해가 발생한 것으로 인정되는 과실 수

(12) **감수량** : 감수과실수에 가입과중을 곱한 무게

(13) **평년결실수** : 가입연도 직전 5년 중 보험에 가입한 연도의 실제결실수와 표준결실수(품종에 따라 정해진 결과모지당 표준적인 결실수)를 가입 횟수에 따라 가중평균하여 산출한 해당 과수원에 기대되는 결실수

   ※ 결과지 : 과수에 꽃눈이 붙어 개화 결실하는 가지(열매가지라고도 함)

   ※ 결과모지 : 결과지보다 1년이 더 묵은 가지

(14) **평년결과모지수** : 가입연도 직전 5년 중 보험에 가입한 연도의 실제결과모지수와 표준결과모지수(하나의 주지에서 자라나는 표준적인 결과모지수)를 가입 횟수에 따라 가중 평균하여 산출한 해당 과수원에 기대되는 결과모지수

(15) **미보상감수량** : 감수량 중 보상하는 재해 이외의 원인으로 감소한 양

(16) **생산비** : 작물의 생산을 위하여 소비된 재화나 용역의 가치로 종묘비, 비료비, 농약비, 영농광열비, 수리비, 기타 재료비, 소농구비, 대농구 상각비, 영농시설 상각비, 수선비, 기타 요금, 임차료, 위탁 영농비, 고용노동비, 자가노동비, 유동자본용역비, 고정자본용역비, 토지자본용역비 등을 포함

(17) **보장생산비** : 생산비에서 수확기에 발생되는 생산비를 차감한 값

(18) **가입가격** : 보험에 가입한 농작물의 kg당 가격

(19) **표준가격** : 농작물을 출하하여 통상 얻을 수 있는 표준적인 kg당 가격

(20) **기준가격** : 보험에 가입할 때 정한 농작물의 kg당 가격

(21) **수확기가격** : 보험에 가입한 농작물의 수확기 kg당 가격

   ※ 올림픽 평균 : 연도별 평균가격 중 최댓값과 최솟값을 제외하고 남은 값들의 산술평균

   ※ 농가수취비율 : 도매시장 가격에서 유통비용 등을 차감한 농가수취가격이 차지하는 비율로 사전에 결정된 값

4. 조사 관련 용어

(1) **실제결과주수** : 가입일자를 기준으로 농지(과수원)에 식재된 모든 나무 수. 다만, 인수조건에 따라 보험에 가입할 수 없는 나무(유목 및 제한 품종 등) 수는 제외

(2) **고사주수** : 실제결과나무수 중 보상하는 손해로 고사된 나무 수

(3) **미보상주수** : 실제결과나무수 중 보상하는 손해 이외의 원인으로 고사되거나 수확량(착과량)이 현저하게 감소된 나무 수

(4) **기수확주수** : 실제결과나무수 중 조사일자를 기준으로 수확이 완료된 나무 수

(5) **수확불능주수** : 실제결과나무수 중 보상하는 손해로 전체주지·꽃(눈) 등이 보험약관에서 정하는 수준 이상 분리되었거나 침수되어, 보험기간 내 수확이 불가능하나 나무가 죽지는 않아 향후에는 수확이 가능한 나무 수

(6) **조사대상주수** : 실제결과나무수에서 고사나무수, 미보상나무수 및 수확완료나무수, 수확불능나무수를 뺀 나무 수로 과실에 대한 표본조사의 대상이 되는 나무 수

(7) **실제경작면적** : 가입일자를 기준으로 실제 경작이 이루어지고 있는 모든 면적을 의미하며, 수확불능(고사)면적, 타작물 및 미보상면적, 기수확면적을 포함

(8) **수확불능(고사)면적** : 실제경작면적 중 보상하는 손해로 수확이 불가능한 면적

(9) **타작물 및 미보상면적** : 실제경작면적 중 목적물 외에 타작물이 식재되어 있거나 보상하는 손해 이외의 원인으로 수확량이 현저하게 감소된 면적

(10) **기수확면적** : 실제경작면적 중 조사일자를 기준으로 수확이 완료된 면적

5. 재배 및 피해형태 구분 관련 용어

(1) 재배

1) **꽃눈분화** : 영양조건, 기간, 기온, 일조시간 따위의 필요조건이 다 차서 꽃눈이 형성되는 현상

2) **꽃눈분화기** : 과수원에서 꽃눈분화가 50% 정도 진행된 때

3) **낙과** : 나무에서 떨어진 과실

4) **착과** : 나무에 달려있는 과실

5) **적과** : 해거리를 방지하고 안정적인 수확을 위해 알맞은 양의 과실만 남기고 나무로부터 과실을 따버리는 행위

6) **열과** : 과실이 숙기에 과다한 수분을 흡수하고 난 후 고온이 지속될 경우 수분을 배출하면서 과실이 갈라지는 현상

7) **나무** : 보험계약에 의해 가입한 과실을 열매로 맺는 결과주

8) **발아** : (꽃 또는 잎) 눈의 인편이 1~2mm 정도 밀려나오는 현상

9) **발아기** : 과수원에서 전체 눈이 50% 정도 발아한 시기

10) **신초발아** : 신초(당년에 자라난 새가지)가 1~2mm 정도 자라기 시작하는 현상

11) **신초발아기** : 과수원에서 전체 신초(당년에 자라난 새가지)가 50% 정도 발아한 시점

12) **수확기** : 농지(과수원)가 위치한 지역의 기상여건을 감안하여 해당 목적물을 통상적으로 수확하는 시기

13) **유실** : 나무가 과수원 내에서의 정위치를 벗어나 그 점유를 잃은 상태

14) **매몰** : 나무가 토사 및 산사태 등으로 주간부의 30% 이상이 묻힌 상태

15) **도복** : 나무가 45° 이상 기울어지거나 넘어진 상태

16) **절단** : 나무의 주간부가 분리되거나 전체 주지·꽃(눈) 등의 2/3 이상이 분리된 상태

17) **절단(1/2)** : 나무의 주간부가 분리되거나 전체 주지·꽃(눈) 등의 1/2 이상이 분리된 상태

18) **신초 절단** : 단감, 떫은감의 신초의 2/3 이상이 분리된 상태

19) **침수** : 나무에 달린 과실(꽃)이 물에 잠긴 상태

20) **소실** : 화재로 인하여 나무의 2/3 이상이 사라지는 것

21) **소실(1/2)** : 화재로 인하여 나무의 1/2 이상이 사라지는 것

22) **이앙** : 못자리 등에서 기른 모를 농지로 옮겨심는 일

23) **직파(담수점파)** : 물이 있는 논에 파종 하루 전 물을 빼고 종자를 일정 간격으로 점파하는 파종방법

24) **종실비대기** : 두류(콩, 팥)의 꼬투리 형성기

25) **출수** : 벼(조곡)의 이삭이 줄기 밖으로 자란 상태

26) **출수기** : 농지에서 전체 이삭이 70% 정도 출수한 시점

27) **정식** : 온상, 묘상, 모밭 등에서 기른 식물체를 농업용 시설물 내에 옮겨 심는 일

28) **정식일** : 정식을 완료한 날

29) **작기** : 작물의 생육기간으로 정식일(파종일)로부터 수확종료일 가지의 기간

30) **출현** : 농지에 파종한 씨(종자)로부터 자란 싹이 농지표면 위로 나오는 현상

31) **(버섯)종균접종** : 버섯작물의 종균을 배지 혹은 원목에 접종하는 것

6. 기타 보험 용어

(1) **연단위 복리** : 재해보험사업자가 지급할 금전에 이자를 줄 때 1년마다 마지막 날에 그 이자를 원금에 더한 금액을 다음 1년의 원금으로 하는 이자 계산방법

(2) **영업일** : 재해보험사업자가 영업점에서 정상적으로 영업하는 날을 말하며, 토요일, '관공서의 공휴일에 관한 규정'에 따른 공휴일과 근로자의 날을 제외

(3) **잔존물제거비용** : 사고 현장에서의 잔존물의 해체비용, 청소비용 및 차에 싣는 비용. 다만, 보장하지 않는 위험으로 보험의 목적이 손해를 입거나 관계법령에 의하여 제거됨으로써 생긴 손해에 대해서는 미보상

(4) **손해방지비용** : 손해의 방지 또는 경감을 위하여 지출한 필요 또는 유익한 비용

(5) **대위권보전비용** : 제3자로부터 손해의 배상을 받을 수 있는 경우에는 그 권리를 지키거나 행사하기 위하여 지출한 필요 또는 유익한 비용

(6) **잔존물 보전비용** : 잔존물을 보전하기 위하여 지출한 필요 또는 유익한 비용

(7) **기타 협력비용** : 재해보험사업자의 요구에 따르기 위하여 지출한 필요 또는 유익한 비용

　※ 청소비용 : 사고 현장 및 인근 지역의 토양, 대기 및 수질 오염물질 제거 비용과 차에 실은 후 폐기물 처리비용은 포함되지 않는다.

01-02 단원평가 적중예상문제

01 "농어업재해보험법 목적"에 대하여 쓰시오.

02 다음은 "농어업재해보험법의 목적"이다. Ⓐ~Ⓓ에 들어갈 알맞은 말을 쓰시오.

> 농어업재해보험법은 농어업재해로 인하여 발생하는 (Ⓐ), (Ⓑ), (Ⓒ), (Ⓓ)의 피해에 따른 손해를 보상하기 위한 농어업재해보험에 관한 사항에 대한 처리기준의 정함을 목적으로 한다.

03 다음 농작물재해보험 업무방법 통칙 용어 정의에서 ( ) 안에 들어갈 알맞은 말을 쓰시오.

> (1) ( ) : 가입연도 직전 5년 중 보험에 가입한 연도의 실제수확량과 표준수확량을 가입횟수에 따라 가중평균하여 산출한 해당 과수원(농지)에 기대되는 수확량을 말한다.
> (2) ( ) : 감수량 중 보상하는 재해 이외의 원인으로 감소한 양을 말한다.
> (3) ( ) : 보험에 가입하는 수확량으로 평년수확량의 일정범위(50~100%) 내에서 계약자가 결정한 수확량으로 가입금액의 기준을 말한다.
> (4) ( ) : 가입품목의 품종, 수령, 재배방식 등에 따라 정해진 수확량을 말한다.

04 다음 ( ) 안에 들어갈 알맞은 말을 쓰시오.

> ( )란 영양조건, 기간, 기온, 일조시간 따위의 필요조건이 다 차서 꽃눈이 형성되는 현상을 말한다.

05 "꽃눈 분화기"란 과수원에서 꽃눈 분화가 (   ) 정도 진행된 때를 말한다. (   ) 안에 들어갈 알맞은 말을 쓰시오.

06 신초(新梢, 햇가지)가 1~2mm 정도 자라기 시작하는 현상을 무엇이라고 하는지 쓰시오.

07 "신초 발아기"란 과수원에서 전체 신초가 (   ) 정도 발아한 시점을 말한다. (   ) 안에 들어갈 알맞은 말을 쓰시오.

08 "개화기"란 꽃이 피는 시기를 말하며, 작물의 생물조사에서의 개화기는 꽃이 (   ) 정도 핀 날의 시점을 말한다. (   ) 안에 들어갈 알맞은 말을 쓰시오.

09 다음에 제시한 용어의 정의를 쓰시오.
    (1) 평년착과량 :
    (2) 적과후착과수 :

10 다음에 제시한 용어의 정의를 쓰시오.
    (1) 표준수확량 :
    (2) 평년수확량 :
    (3) 가입수확량 :

11 다음 농작물재해보험 업무방법 통칙 용어 정의에서 (   ) 안에 들어갈 알맞은 말을 쓰시오.

> (1) 회사와 계약을 체결하고 (   )를 납입할 의무를 지는 사람을 말한다.
> (2) (   )는 농업인 및 임차농 여부와 관계없이 국내에서 보험대상 농작물을 실제 재배하는
>   주된 경작자를 말한다.

12 농작물재해보험 업무방법 통칙 용어 정의에서 "계약자(가입자)"라 함은 다음과 같다. Ⓐ~Ⓓ에
    들어갈 알맞은 말을 쓰시오.

> "(Ⓐ)"은 보험에 가입한 농작물로 보험증권에 기재된 농작물 또는 (Ⓑ), (Ⓒ), (Ⓓ) 및
> 농작물을 말한다.

13 "(Ⓐ)(농지)"이라 함은 한 덩어리의 토지의 개념으로 필지(지번)와는 관계없이 과실(농작물)
    을 재배하는 하나의 경작지를 의미한다. Ⓐ에 들어갈 알맞은 말을 쓰시오.

14 다음 농작물재해보험 업무방법 통칙 용어 정의에서 (   ) 안에 들어갈 알맞은 말을 쓰시오.

> (1) (   ) : 보험사고로 인하여 손해를 입은 사람
> (2) (   ) : 계약의 성립과 그 내용을 증명하기 위하여 회사가 계약자에게 드리는 증서
> (3) (   ) : 보험에 가입한 농작물로 보험증권에 기재된 농작물 또는 나무, 시설작물 재배
>   용 농업용 시설물, 부대시설 및 농작물

15 다음 농작물재해보험 업무방법 통칙 용어 정의에서 (   ) 안에 들어갈 알맞은 말을 쓰시오.

(1) (   ) : 회사와 계약자 간에 약정한 금액으로 보험사고가 발생할 때 회사가 지급할 최대보험
금 산출에 기준이 되는 금액이다.

(2) (   ) : 농작물재해보험에 있어 피보험이익을 금전으로 평가한 금액으로 보험목적에 발생할
수 있는 최대 손해액을 말한다.

(3) (   ) : 보험사고로 인하여 발생한 손해에 대하여 계약자 또는 피보험자가 부담하는 일정
비율로 보험가입액에 대한 비율을 말한다.

01 농어업재해보험법은 농어업재해로 인하여 발생하는 농작물, 임산물, 양식수산물, 가축과 농어업용 시설물의 피해에 따른 손해를 보상하기 위한 농어업재해보험에 관한 사항을 규정함으로써 농어업 경영의 안정과 생산성 향상에 이바지하고 국민경제의 균형 있는 발전에 기여함을 목적으로 한다. 〈개정 2011. 7. 25.〉

02 Ⓐ 농작물, Ⓑ 임산물, Ⓒ 양식수산물, Ⓓ 가축과 농어업용 시설물

03 (1) 평년수확량, (2) 미보상 감수량, (3) 가입수확량, (4) 표준수확량

04 꽃눈 분화

05 50%

06 신초 발아

07 50%

08 40%

09 (1) 평년착과량 : 가입수확량 산정 및 적과종료전 보험사고 시 감수량 산정의 기준이 되는 착과량을 말한다.
(2) 적과후착과수 : 통상적인 적과 및 자연낙과 종료시점의 나무에 달린 과실수(着果樹, 착과수)를 말한다.

10 (1) 표준수확량 : 가입품목의 품종, 수령, 재배방식 등에 따라 정해진 수확량을 말한다.
(2) 평년수확량 : 가입연도 직전 5년 중 보험에 가입한 연도의 실제수확량과 표준수확량을 가입횟수에 따라 가중평균하여 산출한 해당 과수원(농지)에 기대되는 수확량을 말한다.
(3) 가입수확량 : 보험에 가입한 수확량으로 평년수확량의 일정범위(50~100%) 내에서 계약자가 결정한 수확량으로 가입금액의 기준을 말한다.

11 (1) 보험료
    (2) 계약자

12 Ⓐ 보험의 목적, Ⓑ 나무, Ⓒ 시설작물 재배용 농업용 시설물, Ⓓ 부대시설

13 Ⓐ 과수원

14 (1) 피보험자, (2) 보험증권, (3) 보험의 목적

15 (1) 보험가입금액, (2) 보험가액, (3) 자기부담비율

PART

02

보험의 이해

CHAPTER 01

위험과 보험

1. 일상생활과 위험

(1) 우리는 일상생활에서 많은 위험에 직면한다. 개인의 경우 아침에 잠에서 깨어나서부터 아침 식사를 하고 일터로 가서 하루 일과를 마치고 집으로 돌아와 저녁 식사를 하고 잠자리에 들 때까지 곳곳에서 다양한 위험에 노출된다.

1) 농업인은 농기계를 몰고 농장으로 가는 도중에 교통사고 위험에 노출되고 농장에서는 농기계로 농사일을 하다가 고장이 날 위험은 없는지 주의해야 한다.

2) 일할 때만이 아니라 여행을 갈 때에도 위험은 존재한다.

3) 개인뿐만 아니라 기업이나 국가 입장에서도 위험은 산재해 있다.

① 기업의 경우 제품을 생산하는 공장에서 화재가 발생하지 않을지 활발히 영업활동을 하는 직원이 질병이나 사고를 당하지는 않을지 경쟁업체의 신제품 출시로 판매량(액) 이 급감하지는 않을지 자금 회전이 제때에 이루어지지 않아 부도날 위험은 없는지 걱정한다.

② 국가적으로는 국민의 생명과 재산을 보호할 책무가 있는데 언제 어디서 위험한 상황 이 벌어질지 예측하기 어렵다.

㉠ 대형 건물에서의 화재나 붕괴, 육·해·공에서의 교통사고, 공단에서의 폭발사고, 강력한 태풍으로 인한 대규모 정전이나 인명 피해 및 농작물 피해 등 많은 위험이 곳곳에 산재해 있다.

㉡ 국제적으로는 외교상의 마찰, 무역 마찰, 전쟁 등의 위험도 상존한다.

(2) 개인이든 기업이든 국가든 일단 위험이 발생하면 육체적 및 정신적 고통과 아울러 막대한 경제적 손실을 초래한다.

1) 위험이 항상 발생하는 것이 아니라 발생 가능성이 상존하는 것이며, 실제로 언제 어떤 규모로 발생할지는 누구도 알 수 없다.

2) 위험 발생 가능성이 있다고 해서 불안해할 필요는 없으며 일상생활이 위축되어서도 안 된다.

3) 평소에 정상적인 주의를 가지고 위험에 대비하면서 활동하면 대부분의 위험은 피할 수 있기 때문이다.

2. 위험의 개념 정의 및 분류

(1) 위험의 정의

1) **위험의 종합적 정의의 의미(최정호 2014; 4)**

위험에 대해 합의된 정의는 없지만 제시된 다양한 정의를 종합 정리해 보면 손실의 기회(the chance of loss), 손실의 가능성(the possibility of loss), 불확실성(uncertainty), 실제 결과와 기대했던 결과와의 차이(the dispersion of actual from expected result), 기대와는 다른 결과가 나올 확률(probability of any outcome different from the one expected) 등이라고 할 수 있다.

2) **논자의 관점에 따른 위험의 정의(석승훈 2020; 14)**

일반적으로 위험은 '앞으로 안 좋은 일이 일어날 수 있는 가능성'을 뜻하는 말로 쓰이는데, 이 말을 들여다보면 ① 미래의 일이고, ② 안 좋은 일이며, ③ 가능성으로 구성되어 있다고 볼 수 있다.

3) 우리가 흔히 위험을 영어로는 '리스크(risk)'로 번역하지만, 위험과 리스크(risk)는 엄밀하게는 다른 의미라고 하여 영어 발음대로 '리스크'를 그대로 쓰는 경우도 있다[김창기(2020)].

① 리스크(Risk)를 사전에서 찾아보면 "위험에 직면할[손해를 볼, 상처(따위)를 입을] 가능성이나 기회"(possibility or chance of meeting danger, suffering, loss, injury, etc)로 정의되어 있다.

② 여기에서는 위험(危險, risk)으로 표현하기로 한다.

(2) 위험과 관련 개념

위험(risk)과 관련이 깊으나 혼동하지 말아야 할 용어가 있다. 손인(peril)과 위태(hazard)는 사전에서는 '위험 또는 모험'으로 해석하여 위험(risk)과 혼동하기 쉬운데 유사하지만 다른 의미이므로 이를 정확하게 사용해야 한다.

1) **손인(Peril)**

① 손인(Peril)은 손해(loss)의 원인으로서 이를 줄여 손인(損因)이라고 하기도 한다.

② 일반적으로 '사고(peril)'라고 부르는 화재, 폭발, 지진, 폭풍우, 홍수, 자동차 사고, 도난, 사망 등이 바로 손인(peril)이다.

2) **위태(Hazard)**

① 위태(Hazard)는 위험 상황 또는 위험한 상태를 말하며, 이를 줄여 '위태'(危殆)라고 한다.

② 위태(Hazard)를 '위험 상황'이나 '위험' 또는 '해이' 등으로 사용하기도 하는데 여기에서는 위태(危殆)로 사용하기로 한다.

③ 위태(Hazard)는 특정한 사고로 인하여 발생할 수 있는 손해의 가능성을 새로이 창조하거나 증가시킬 수 있는 상태를 말한다.

3) 손해(Loss)

위험(위태)한 상황(hazard)에서 사고(peril)가 발생하여 초래되는 것이 물리적·경제적
·정신적 손해이다. 즉, 손해(損害, Loss)는 손인의 결과로 발생하는 가치의 감소를 의
미한다.

4) 위태(Hazard), 손인(Peril) 및 손해(損害, Loss)의 관계

위태(Hazard)와 손인(Peril) 및 손해(損害, Loss)의 관계를 그림으로 나타내면 아래와
같다.

① 위태(Hazard)는 사고 발생 가능성은 있으나 사고가 발생하지는 않은 단계이다.

② 손인(Peril)은 이러한 위험 상황에서 실제로 위험이 발생한 단계를 말한다.

③ 손해(損害, Loss)는 위험사고가 발생한 결과 초래되는 가치의 감소 즉 손실을 의미
한다.

▼ 위태와 손인과 손해의 구분

(3) 위험(risk)의 분류

위험은 위험의 속성을 측정할 수 있는가 또는 손실의 기회(chance of loss)나 이득의 기회
(chance of gain)가 존재하는가, 위험(risk)의 속성이 시간에 따라 변하는가, 그리고 위험
이 미치는 범위가 얼마나 큰가에 따라 구분할 수 있다. 위험의 분류가 중요한 이유는 위험이
지니는 속성에 따라 보험이라는 사회적 장치를 통해 전가할 수 있는지를 판가름하기 때문이
다(허연 2000; 23~26). 위험은 여러 가지로 분류할 수 있는데 보험에 적합한 위험은 객관
적 위험, 순수위험, 정태적 위험 및 특정적 위험이라고 할 수 있다. 기본적 위험과 동태적
위험의 경우 어떤 종류는 설령 손실규모가 너무 크고 손실 발생의 예측이 어렵기는 하지만
사회복지나 경제 안정을 위해 국가가 직접 또는 간접적으로 개입하여 보험화하는 위험도
있다.

1) 객관적 위험과 주관적 위험
   ① 객관적 위험(objective risk)은 실증자료 등이 있어 확률 또는 표준편차와 같은 수단을 통해 측정 가능한 위험으로 보험대상이 되는 위험이다.
   ② 주관적 위험(subjective risk)은 개인의 특성에 따라 평가가 달라져 측정이 곤란한 위험(risk)을 말한다.
   ③ 페퍼(Irving Pfeffer)와 나이트(Frank H. Knight)처럼 측정 가능한 것을 위험(risk), 측정이 불가능한 것을 불확실성으로 분류하는 학자도 있다(보험경영연구회 2021; 11).
2) 순수위험과 투기적 위험
   위험의 속성에 손실의 기회만 있는가, 이득의 기회도 함께 존재하는가에 따라 구분한다.
   ① 순수위험(pure risk)
      ㉠ 순수위험은 손실의 기회만 있고 이득의 기회는 없는 위험이다.
      ㉡ 순수위험은 이득의 범위가 0에서 −∞이다. 흔히 '잘해야 본전'이라는 말을 하는데 이러한 경우를 말한다.
      ㉢ 홍수, 낙뢰, 화재, 폭발, 가뭄, 붕괴, 사망이나 부상 및 질병 등이 여기에 해당한다.
      ㉣ 순수위험에는 재산손실위험, 간접손실위험, 배상책임위험 및 인적손실위험이 있다.
         ⓐ 재산손실위험(property loss risk)
            ㉮ 문자 그대로 각종 재산상의 손실을 초래하는 위험이다.
            ㉯ 재산손실위험은 재산의 형태에 따라 가치 평가기법이 다른데, 부동산은 고정되어 있는 데 비해 동산은 이동하기 쉽기 때문이다.
            ㉰ 유형재산 외에 특허권이나 상표권과 같은 무형자산이 있는데 이들은 가치 평가가 상대적으로 더 어렵다.
         ⓑ 간접손실위험(indirect loss risk)
            ㉮ 재산손실위험에서 파생되는 2차적인 손실위험을 말한다.
            ㉯ 화재로 공장 가동이 중단되거나 영업활동을 못 하게 되는 경우 생산을 못 하고 영업을 할 수 없더라도 고정비용은 지출되어야 하고 추가적인 비용도 발생한다.
            ㉰ 생산 중단이나 영업 중단으로 순소득도 감소하게 되는데, 이러한 것들을 간접손실이라고 한다.
         ⓒ 배상책임위험(liability risk)
            ㉮ 배상책임위험은 민사적으로 타인에게 위법행위로 인해 손해를 입힌 경우에 부담해야 하는 법적 손해배상책임위험을 말한다.
            ㉯ 배상책임위험은 피해자가 야기한 손해의 법적 회복에 필요한 추가 비용의 발생, 기업 활동의 제약 또는 법규의 준수 강제, 벌금 납부, 기업 이미지 손상 등을 동반한다.

ⓓ 인적손실위험(human risk)

㉮ 인적손실위험은 개인의 사망, 부상, 질병, 퇴직, 실업 등으로 인해 초래되는 위험이다.

㉯ 인적손실위험은 소득의 감소 및 단절, 신체 및 생명의 손실 등을 야기하는 데 단기적인 것도 있지만 장기적이거나 영구적인 것도 있다.

② 투기적 위험(speculative risk)

㉠ 손실의 기회도 있지만 이익을 얻는 기회도 있는 위험을 말한다.

㉡ 투기적 위험의 이득의 범위는 $-\infty$부터 $+\infty$까지 광범위하다.

3) 정태적 위험과 동태적 위험

위험의 발생빈도나 발생 규모가 시간에 따라 변하는지 그 여부에 따라 정태적 위험과 동태적 위험으로 구분한다.

① 정태적 위험(static risk)

화산 폭발, 지진 발생, 사고와 같이 시간의 경과에 따라 성격이나 발생 정도가 크게 변하지 않을 것으로 예상되는 위험을 말한다.

② 동태적 위험(dynamic risk)

시간 경과에 따라 성격이나 발생 정도가 변하여 예상하기가 어려운 위험으로 소비자 기호의 변화, 시장에서의 가격 변동, 기술의 변화, 환율 변동과 같은 것이 이에 해당한다.

4) 특정적 위험과 기본적 위험

위험이 미치는 범위가 얼마나 넓은가 혹은 좁은가에 따라 특정적 위험과 기본적 위험으로 구분할 수 있다.

① 특정적 위험(specific risk)

㉠ 한정적 위험으로, 기본적 위험은 근원적 위험으로 불리기도 한다.

㉡ 특정적 위험은 피해 당사자에게 한정되거나 매우 제한적인 범위 내에서 손실을 초래하는 위험을 말한다.

㉢ 주택 화재나 도난, 가족의 사망이나 부상 등은 가족이나 가까운 친척에 영향을 준다.

② 기본적 위험(fundamental risk)

㉠ 불특정 다수나 사회 전체에 손실을 초래하는 위험을 의미한다.

㉡ 대규모 파업, 실업, 폭동, 태풍 같은 위험은 사회 전체에 영향을 준다.

㉢ 2020년 초부터 발생하여 아직 해소되지 않는 코로나(covid-19)는 전 세계적으로 영향을 미치고 있는데, 이는 대표적인 기본적 위험이라고 할 수 있다.

5) 담보위험과 비담보위험 및 면책위험

보험계약이 성립되었을 때 보험자가 책임을 부담하는지 그 여부에 따라 담보위험, 비담보위험 및 면책위험으로 구분할 수 있다.

① 담보위험

ㄱ 보험자가 책임을 부담하는 위험이다.

ㄴ 자동차보험에서 운행으로 인한 사고 등이 여기에 해당한다.

② 비담보위험(부담보위험)

ㄱ 보험자가 담보하는 위험에서 제외한 위험이다.

ㄴ 자동차보험에서 산업재해에 해당하는 위험을 제외한 경우 등을 예로 들 수 있다.

ㄷ 어디까지가 면책위험이고 어디까지가 비담보위험에 해당하는가는 명확하지 않아서 자주 다툼이 발생하기도 한다.

③ 면책위험

보험자가 책임을 면하기로 한 위험이다. 계약자 등의 고의에 의한 사고 또는 전쟁위험 등이 여기에 해당한다.

3. 위험관리의 의의 및 중요성

(1) 위험관리의 의의

1) 위험관리란 위험을 발견하고 그 발생빈도나 심도를 분석하여 가능한 최소의 비용으로 손실 발생을 최소화하기 위한 제반 활동을 의미한다.

2) 위험관리[1]는 우연적인 손실이 개인이나 조직에 미칠 수 있는 바람직하지 않은 영향을 최소화하기 위한 합리적·조직적인 관리 또는 경영활동의 한 형태이다.

3) 위험관리의 일반적인 목표

① 최소의 비용으로 손실(위험비용)을 최소화하는 것이다.

② 개인이나 조직의 생존을 확보하는 것이다.

4) 위험관리의 목적

① 사전적 목적

경제적 효율성 확보, 불안의 해소, 타인에 전가할 수 없는 법적 의무의 이행 그리고 기업의 최고 경영자에게 예상되는 위험에 대하여 안심을 제공하는 것 등이다.

② 사후적 목적

생존, 활동의 계속, 수익의 안정화, 지속적 성장, 사회적 책임의 이행 등을 들 수 있다.

---

1) 최근에는 위험관리보다 광범한 위험처리(危險治理, risk governance)라는 용어가 쓰이기 시작했다. 위험처리는 현대 사회에서 위험이 거대해짐에 따라 개인이나 조직의 입장에서 위험에 대처하고 관리하는 데 한계가 있음을 깨닫고 국가나 국제적인 차원의 대처가 필요하다는 자각과 함께 발전된 개념이라고 할 수 있다(석승훈 2020; 50).

(2) 위험관리의 중요성

1) 보험사업은 위험을 대상으로 하고 위험을 이용하여 사업을 운용할 뿐만 아니라 신용사업의 성격을 가지고 있어 사업을 안정적이고 건실하게 운영하여야 한다.

2) 보험사업을 운영하는 과정에서 잠재하고 있는 각종 위험을 인식, 분석, 평가하여 그러한 위험의 발생 원인과 발생 결과에 대하여 사전적으로나 사후적으로 대처하는 위험관리가 매우 중요하다.

4. 위험관리 방법

위험관리 방법은 발생할 위험을 어떻게 대응하느냐에 따라 크게 두 가지로 나뉜다. 위험통제를 통한 대비 방법은 발생하는 위험을 줄이거나 해소하기 위하여 동원하는 물리적 방법을 의미하며, 위험자금 조달을 통한 대비 방법은 위험 발생으로 인한 경제적 손실을 해결하는 재무적 방법을 의미한다.

(1) 물리적 위험관리 : 위험 통제(risk control)를 통한 대비

1) 위험회피

① 위험회피(risk avoidance)는 가장 기본적인 위험 대비 수단으로서 손실의 가능성을 원천적으로 회피해버리는 방법이다.

② 손실 가능성을 회피하면 별다른 위험관리 수단이 필요 없다는 점에서 가장 편리한 방법일 수 있으나 위험회피가 항상 가능한 것은 아니다.

③ 위험회피는 또 다른 위험을 초래할 수도 있으며, 상당한 이득을 포기해야 하는 경우도 발생한다.

㉠ 자동차 사고가 위험하다고 생각해 자동차를 타지 않는다던가 고소공포증이 있어 비행기를 타지 않는다던가 물에 빠지는 것을 무서워해 배를 타지 않는 것 등이 위험회피에 해당한다.

㉡ 자동차 사고가 무서워 자동차를 타지 않으면 다리도 아프고 시간이 많이 걸려 매우 비효율적이다.

2) 손실통제

① 손실통제(loss control)는 손실의 발생 횟수나 규모를 줄이려는 기법, 도구, 또는 전략을 의미한다.

② 손실통제는 손실이 발생할 경우 그것을 복구하기 위해 소요되는 비용은 간접비용과 기타 비용으로 인해 급격히 증가할 수 있으므로 손실의 발생을 사전적으로 억제, 예방, 축소하는 것이 바람직하다는 인식을 전제로 하고 있다.

③ 손실통제는 손실예방과 손실감소로 구분할 수 있다.

ㄱ 손실예방(loss prevention)

ⓐ 특정 손실의 발생 가능성 또는 손실 발생의 빈도를 줄이려는 조치를 말한다.

ⓑ 고속도로의 속도제한, 홍수 예방 댐 건설, 음주단속, 방화벽 설치, 교통사고 예방 캠페인 등이 손실예방에 해당한다.

ㄴ 손실감소(loss reduction)

ⓐ 스프링클러와 같이 특정 손실의 규모를 줄이는 조치를 말한다. 자동차에 에어백을 설치하는 것도 이에 해당한다.

ⓑ 손실감소는 다시 사전적 손실감소와 사후적 손실감소로 구분할 수 있다.

㉮ 사전적 손실감소

특정 사건이나 사고로부터 피해를 입을 수 있는 재산, 인명 또는 기타 유가물의 수와 규모를 줄이는 데 초점을 둔다.

㉯ 사후적 손실감소

손실의 확대를 방지하고 사고의 영향이 확산되는 것을 억제하기 위하여 비상 대책이나 구조대책, 재활 서비스, 보험금 또는 보상금의 청구 등에 초점을 둔다. 자동차의 에어백과 안전띠 장착도 손실 감소의 예에 해당한다.

3) 위험요소의 분리

① 위험요소의 분리는 잠재적 손실의 규모가 감당하기 어려울 만큼 커지지 않도록 하는 데 초점을 두는 것이다.

② 위험 분산 원리에 기초하며, 복제(duplication)와 격리(separation)로 구분할 수 있다.

ㄱ 복제

주요한 설계 도면이나 자료, 컴퓨터 디스크 등을 복사하여 원본이 파손된 경우에도 쉽게 복원하여 재난적 손실을 방지할 수 있다.

ㄴ 격리

ⓐ 손실의 크기를 감소시키기 위하여 시간적·공간적으로 나누는 방법으로써 위험한 시간대에 사람들이 한꺼번에 몰리지 않도록 하거나 재산이나 시설 등을 여러 장소에 나누어 격리함으로써 손실규모가 커지지 않도록 한다.

ⓑ 위험물질이나 보관물품을 격리 수용하는 방법도 이에 해당한다.

③ 위험 요소의 분리와 반대로 위험 결합을 통한 위험관리 방법도 가능하다.

ㄱ 제품의 다양화를 통해 단일 제품 생산으로 인한 위험 집중을 완화할 수 있다.

ㄴ 대규모 시설을 분산 설치하여 큰 위험 발생으로 인한 경제적 손실 가능성을 감소시키며, 위험의 심도와 빈도를 줄일 수 있다.

4) 계약을 통한 위험 전가

① 계약을 통한 위험 전가(risk transfer)란 발생 손실로부터 야기될 수 있는 법적, 재무적 책임을 계약을 통해 제3자에게 전가하는 방법이다.

② 임대차 계약이나 하도급 또는 하청 작업 등이 이에 해당한다.

5) 위험을 스스로 인수

① 위험에 대해 어떠한 조치도 취하지 않고 방치하는 경우이다. 즉 스스로 위험을 감당(risk taking)하는 것이다.

② 위험으로 인한 손실이 크지 않을 수도 있고, 위험으로 인식하지 못하거나 인식하지만 별다른 대응방법이 없을 경우에 해당된다고 할 수 있다.

(2) 재무적 위험관리 : 위험자금 조달(risk financing)을 통한 대비

1) 위험보유

① 위험보유(risk retention)는 우발적 손실을 자신이 부담하는 것을 말한다.

② 위험을 스스로 인수하여 경제적 위험을 완화하는 것으로 각자의 경상계정에서 손실을 흡수하는 것을 말한다. 즉, 준비금이나 기금의 적립, 보험 가입 시 자기책임분 설정, 자가보험 등이 이에 해당한다.

③ 위험보유는 자신도 모르는 사이에 위험을 보유하는 소극적 위험보유와 위험 발생 사실을 인지하면서 위험관리의 효율적 관리를 목적으로 위험을 보유하는 적극적 위험보유로 구분할 수 있다.

2) 위험을 제3자에게 전가

계약을 통해 제3자에게 위험을 전가하는 것을 말한다. 물론 제3자에게 위험을 전가하는 데에는 그만큼 비용이 발생한다.

3) 위험 결합을 통한 위험 발생 대비

① 다수의 동질적 위험을 결합하여 위험 발생에 대비하는 것으로 보험이 이에 해당한다.

② 비슷한 위험을 가진 사람들끼리 모여 공동으로 위험에 대응함으로써 개인이 감당할 수 없는 규모의 위험을 대비하는 방법이다.

③ 보험(insurance)은 계약자 또는 피보험자(이하 계약자로 함)의 위험을 계약에 의해 보험자에게 떠넘기는 것으로 위험전가의 대표적인 방법이다.

(3) 위험관리 방법의 선택

1) 개인이나 기업 차원에서 위험관리에 동원할 수 있는 방법은 다양하다.

2) 개인이나 기업의 사정에 따라 위험관리를 선택할 방법은 상이하고 경우에 따라서는 제한적일 수 있다.

3) 현실적으로는 각자가 처한 상황에서 최선의 방법을 선택하는 것이고 어느 하나의 방법만을 고집할 필요는 없고 가능한 한 다양한 방법을 동원하면 그만큼 위험관리가 신축성이 있고 효과도 클 것이다.

4) 위험관리 방법을 선택할 경우에는 다음 세 가지 사항을 고려(예측)할 필요가 있다.
   ① 예상 손실의 발생빈도와 손실규모를 예측해야 한다.
   ② 각각의 위험통제 기법과 위험재무 기법이 위험의 속성(발생빈도 및 손실규모)에 미칠 영향과 예정손실 예측에 미칠 영향을 고려해야 한다.
   ③ 각각의 위험관리 기법에 소요될 비용을 예측해야 한다.
      위험관리 방법은 다양하여 모든 것을 활용할 수 없고 할 필요도 없으며 각자에게 가장 바람직한 방법을 선택하면 된다.

5) 위험의 발생빈도와 평균적인 손실규모에 따라 아래와 같은 네 가지 위험관리 수단이 고려될 수 있다.
   ① 손실규모와 발생빈도가 낮은 경우(㉠)는 개인이나 조직 스스로 발생 손실을 부담하는 자가보험과 같은 위험보유가 적절하다.
   ② 손실의 빈도는 낮지만 발생 손실의 규모가 큰 경우(㉡)에는 외부의 보험기관에 보험을 가입함으로써 개인이나 조직의 위험을 전가하는 것이 바람직하다.
   ③ 발생빈도가 높지만 손실규모가 상대적으로 작은 경우(㉢)에는 손실통제를 위주로 한 위험보유 기법이 경제적이다.
   ④ 손실 발생빈도가 높고 손실규모도 큰 경우(㉣)에는 위험회피가 적절하다.

▼ 위험 특성에 따른 위험관리 방법

손실규모(심도) \ 손실횟수(빈도)	적음(少)	많음(多)
작음(小)	㉠ 보유 – 자가보험	㉢ 손실통제
큼(大)	㉡ 전가 – 보험	㉣ 위험회피

CHAPTER 02

보험의 의의와 원칙

1. 보험의 정의와 특성

(1) 보험의 정의

1) 보험(保險, insurance)은 위험관리의 한 방법으로 자신의 위험을 제3자에게 전가하는 제도이다. 보험에 대한 정의도 논자의 관점에 따라 다양하다.

2) 다양한 보험의 정의를 종합하면, 보험이란 위험 결합으로 불확실성을 확실성으로 전환시키는 사회적 시설을 말한다.

① 보험은 다수의 동질적인 위험을 한 곳에 모으는 위험 결합 행위(pooling)를 통해 가계나 기업이 우연적인 사고 발생으로 입게 되는 실제 손실(actual loss)을 다수의 동질적 위험의 결합으로 얻게 되는 평균손실(average loss)로 대체하는 것이다.

② 좀 더 구체적으로 말하면 보험은 다수가 모여 보험료를 각출하여 공동재산을 조성하고, 우연적으로 사고가 발생한 경우 손실을 입은 자에게 일정한 방법으로 보험금을 지급하는 제도(수단)라고 정의할 수 있다.

3) 보험에 대한 정의가 다양한 것은 보험이 본질적으로 다양한 속성을 지니고 있기 때문이며, 적어도 경제적, 사회적, 법적 및 수리적 관점에서 정의될 수 있다(이경룡 2013; 105).

① **경제적 관점** : 보험의 근본 목적은 재무적 손실에 대한 불확실성, 즉 위험의 감소(reduction of risk)이다.

㉠ 위험의 감소를 달성하기 위하여 위험전가(transfer of risk) 및 위험결합(pooling or combination of risk)을 이용한다.

㉡ 보험은 개별적 위험과 집단적 위험을 모두 감소시키는 기능을 갖고 있다.

㉢ 경제적 관점에서 특히 중요한 보험의 속성은 위험을 결합하여 위험을 감소시키는 것이다.

㉣ 위험의 합리적 결합 방법을 이용하지 않는 수단 또는 제도는 보험이라고 할 수 없다.

② **사회적 관점** : 보험은 사회의 구성원에게 발생한 손실을 다수인이 부담하는 것을 목적으로 한다.

㉠ 손실의 분담(sharing of loss)을 가능케 하는 것은 다수인으로부터 기금을 형성하는 것이다.

㉡ 예기치 못한 손실이 사회에 발생하지만 그 손실이 누구에게 나타나는가는 불확실하며, 이러한 불확실성(위험)에 대비하기 위하여 사회적 제도로서 보험을 고안한 것이다.

ⓒ 보험의 사회적 특성을 가장 잘 표현하고 있는 문구는 "만인은 일인을 위하여, 일인은 만인을 위하여"라고 할 수 있다.
　　ⓐ 우선 보험은 소수인으로 성립할 수 없고 다수인이 참여할 때 보험다운 보험이 성립할 수 있다는 것이다.
　　ⓑ 다음에 상부상조의 정신에 입각해 다수의 힘으로 소수를 돕는 운영원리이다.
　　ⓒ 끝으로 보험의 건전한 운영과 발전을 위하여 구성원 모두가 각각 개별적으로 중요한 책임을 갖고 있다는 것이다.
③ 법적인 관점 : 보험은 보험자와 피보험자 또는 계약자 사이에 맺어진 재무적 손실의 보전(indemnity of financial loss)을 목적으로 하는 법적 계약이다.
　ⓐ 법적인 관점에서 보험의 이해가 중요한 것은 보험과 다른 제도를 명확히 구별하고 실질적 제도 운용의 원칙과 방법을 파악하는 데에 있다.
　ⓑ 법에 의한 제도적 뒷받침 없이 보험은 현실적으로 존재할 수 없다.
④ 수리적 관점 : 보험은 확률이론과 통계적 기법을 바탕으로 미래의 손실을 예측하여 배분하는 수리적 제도이다. 즉 보험제도의 실제 운영은 수리적 이론과 기술을 바탕으로 하고 있기 때문에 보험에 대한 이해가 수리적 관점에서 필요하다.

(2) 보험의 특성

1) 예기치 못한 손실의 집단화

① 예기치 못한 손실
　ⓐ 계약자나 피보험자의 입장에서 전혀 예상할 수 없었던 불의의 손실을 의미하며, 계약자나 피보험자의 고의적인 손실은 보상하지 않는다는 의미이다.
　ⓑ 계약자나 피보험자의 입장에서 고의적이지 않은 손실은 모두 보상된다는 의미이다.
② 손실의 집단화(the pooling of fortuitous losses)
　ⓐ 손실을 한데 모음으로써 개별위험을 손실집단으로 전환시키는 것을 의미한다.
　ⓑ 위험을 집단화하기 전에는 각자가 개별위험에 대해 책임을 져야 하지만 손실을 집단화함으로써 개별적 위험의 의미는 퇴색하고 개인이 부담해야 하는 실제 손실은 위험집단의 평균손실로 대체된다.
　ⓒ 손실을 집단화할 때 중요한 것은 발생빈도와 평균손실의 규모 면에서 동종의 손실이거나 그와 비슷한 것이어야 한다는 것이다.
　ⓓ 이질적인 손실을 집단화하게 되면 보험료 책정이나 보상 측면에서 동일한 기준을 적용하는 과정에서 많은 문제가 발생하게 된다.

2) 위험 분담

① 위험의 집단화 : 다른 측면에서 보면 위험을 서로 나누어 부담하는 위험 분담(risk sharing)이 된다.

② 위험 분산 : 개별적으로 부담하기 힘든 손실을 나누어 분담함으로써 손실로부터의 회복을 보다 용이하게 한다.

③ 상호부조 관계가 당사자 간의 자율적인 시장거래를 통해 달성된다는 점이 보험의 주요한 특징이다.

3) 위험 전가

① 보험은 계약에 의한 위험의 전가(risk transfer)이다.

② 계약을 통해 재정적으로 능력이 취약한 개인이나 조직이 재정적인 능력이 큰 보험자에게 개인의 위험을 전가하는 것이다.

③ 특히 빈도는 적지만 규모가 커서 스스로 부담하기 어려운 위험을 보험자에게 전가함으로써 개인이나 기업이 위험에 대해 보다 효과적으로 대응할 수 있게 해주는 장치이다.

4) 실제 손실에 대한 보상

① 보험자가 보상하는 손실 보상(indemnification)은 실제로 발생한 손실을 원상회복하거나 교체할 수 있는 금액으로 한정되며 보험 보상을 통해 이익을 보는 경우는 없다.

② 실제 손실에 대한 보상(實損補償)은 중요한 보험의 원칙 중 하나로 발생한 손실만큼만 보상을 받게 되면 보험사기 행위와 같은 도덕적 위태를 줄일 수 있다.

▼ 위험의 분담, 전가, 결합 및 보험의 관계

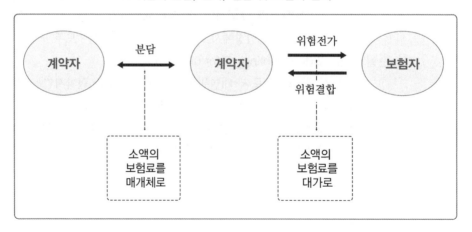

5) 대수의 법칙(the law of large numbers)
  ① 표본이 클수록 결과가 점점 예측된 확률에 가까워진다는 통계학적 정리이다.
  ② 표본의 수가 늘어날수록 실험 횟수를 보다 많이 거칠수록 결과값은 예측된 값으로 수렴하는 현상을 대수의 법칙 또는 평균의 법칙(the law of averages)이라고 한다.
  ③ 계약자가 많아질수록 보험자는 보다 정확하게 손실을 예측할 수 있다.

2. 보험의 성립 조건

보험은 위험관리의 한 방법이다. 위험 분류상으로 순수위험과 객관적 위험이 보험 가능한 위험이라고 했으나, 이들 위험도 일정한 조건을 갖추어야 보험으로 성립할 수 있고 제 기능을 할 수 있다. 아래의 조건을 모두 충족하면 가장 이상적이지만 현실적으로는 쉽지 않으며, 분야에 따라서는 가능하지 않을 수도 있다. 그렇다고 해서 보험이 전혀 불가능한 것은 아니며, 보완적인 방법이나 유사한 조건으로 불완전하지만 보험을 설계할 수는 있다.

(1) 동질적 위험의 다수 존재

동질적 위험이란 발생의 빈도와 피해 규모가 같거나 유사한 위험을 의미한다.
  1) 특성이 같거나 유사한 위험끼리 결합되어야 동일한 보험료(체계)가 적용되어도 형평성을 유지할 수 있기 때문이다.
    ① 자가용 승용차와 영업용 택시에게 동일한 보험료 체계가 적용되면 상대적으로 운행 거리가 짧고 운행 시간도 적은 자가용 승용차가 불리할 것이다.
    ② 마찬가지로 일반주택과 고층 아파트 및 고층 건물을 동일하게 취급할 수는 없다.
  2) 동질적 위험이 '다수' 존재해야 한다는 것은 손실 예측이 정확해지기 위해서는 대수의 법칙이 적용될 수 있을 정도로 사례가 많아야 하는데, 이를 위해서는 계약자가 많을수록 좋다.
  3) 동질적 위험이 각각 독립적이어야 한다.
    ① 독립적이라는 것은 하나의 손실 발생이 다른 손실 발생과 무관하다는 것을 의미한다.
    ② 예를 들어, 1미터 간격으로 건설된 공장건물의 경우 한 공장건물에서 화재가 발생하면 인접한 공장건물로 옮겨붙을 가능성이 매우 높기 때문에 개별 위험으로 보지 않고 하나의 위험으로 간주하게 된다.
  4) 동질적 위험 특성을 너무 엄격히 적용하다가는 개별위험에 대한 동질성 여부를 파악하는 데 많은 시간과 노력이 소모되고 대수의 법칙을 적용할 수 있는 수준에 도달하지 못하면 개별위험에 대한 속성 파악과 보험료 산정에 지나친 비용을 소비하는 비효율이 발생하게 된다.
  5) 일반적으로는 위험 속성이 크게 다르지 않고 유사하다면 동질적 위험으로 보고 보험을 실행하면서 문제점을 보완해 간다.

(2) 손실의 우연적 발생

보험이 가능하려면 손실이 인위적이거나 의도적이지 않고, 누구도 예기치 못하도록 순수하게 우연적으로 발생한 것이어야 한다.

1) 계약자의 고의나 사기 의도가 개입될 여지가 없는 통제 불가능한 위험만이 보험화가 가능하다.
2) 사고 발생여부가 고의성이 있는지 모호할 경우 보험자가 고의성을 입증해야 하며, 입증하지 못하면 우연적인 것으로 간주된다.

(3) 한정적 손실

보험이 가능하기 위해서는 피해 원인과 발생 시간, 장소 및 피해 정도 등을 명확하게 판별하고 측정할 수 있는 위험이어야 한다.

1) 피해 원인과 피해 장소 및 범위, 그리고 피해 규모 등을 정확하게 판단하기 어려우면 정확한 손실 예측이 어렵고 이에 따라 보험료 계산이 불가능하기 때문에 보험으로 인수하기 어렵다.
2) 급속하게 퍼지는 전염병이나 질병의 경우 언제, 어떻게, 어느 정도의 규모로 발생할지와 후유증 유무 및 정도 등을 예측할 수 없어 손실을 한정지을 수 없다.
   ① 전염병이나 대규모로 발생하는 질병은 보험 대상으로 하기 어렵다.
   ② 전염병이나 질병의 경우 국민의 건강과 직결되기 때문에 국가 차원에서 대응하는 것이 보통이며, 상황에 따라서는 국가의 적극적 개입하에 보험화하는 경우가 있다.

(4) 비재난적 손실

손실규모가 지나치게 크지 않아야 한다.

1) 손실이 재난적일 만큼 막대하다면 보험자가 감당하기 어려워 파산하게 되고 결국 대다수 계약자가 보장을 받을 수 없는 상황으로 전개될 수 있다.
2) 보험자가 안정적으로 보험을 운영하기 위해서는 감당할 만한 수준의 위험을 인수해야 한다.
3) 재난적 규모의 손실 발생은 천재지변의 경우에 자주 발생한다.
   ① 지진이나 쓰나미 등이 이러한 천재지변에 해당한다.
   ② 최근에는 천재지변만이 아닌 9 · 11사건과 같이 인위적인 사고도 재난적 규모로 발생하기도 한다.
   ③ 천재지변에 해당하는 재난적 손실도 국가 차원에서 국민의 생명과 재산을 보호하기 위해 국가가 직접 보험사업을 추진하거나 민영보험사를 통해 운영하기도 한다.

(5) 확률적으로 계산 가능한 손실

보험으로 가능하기 위해서는 손실 발생 가능성, 즉 손실발생확률을 추정할 수 있는 위험이어야 한다.

1) 장차 발생할 손실의 빈도나 규모를 예측할 수 없으면 보험료 계산이 어렵다.
2) 정확하지 않은 예측을 토대로 보험을 설계할 경우 보험을 지속적으로 운영하기 어려우며, 결국 보험을 중단하게 되는 상황도 벌어진다.

(6) 경제적으로 부담 가능한 보험료

1) 확률적으로 보험료 계산이 가능하더라도, 즉 계산할 수는 있다고 하더라도 산출되는 보험료 수준이 너무 높아 보험 가입대상자들에게 부담으로 작용하면 보험을 가입할 수 없어 보험으로 유지되기 어렵다.
2) 보험이 가능한 위험이 되기 위해서는 그 위험이 발생하는 빈도와 손실규모로 인한 손실이 종적(시간적) 및 횡적(계약자 간)으로 분산 가능한 수준이어야 한다.

CHAPTER 03

보험의 기능

위험관리 수단으로 활용되는 보험은 보험 가입 당사자는 물론 국가·사회적으로 다양한 순기능이 있다. 그러나 다른 한편으로는 보험의 역기능(비용 발생)도 발생한다.

1. 보험의 순기능

(1) 손실 회복

1) 보험의 일차적 기능은 손실이 발생하였을 경우 계약자에게 보험금을 지급함으로써 경제적 손실을 회복하거나 최소화한다.

2) 보험에 가입하지 않은 상황에서 불시에 발생한 위험으로 인한 경제적 충격이 클 경우 개인이나 기업이 파산에 이르기도 하는데 보험금은 이러한 극단적인 상황을 피할 수 있게 해준다.

3) 보험금을 바탕으로 경제활동을 지속할 수 있어 단기간에 원상회복이 가능할 수 있다.

(2) 불안 감소

보험은 개인이나 기업에게 불안감을 해소시켜준다.

1) 개인이나 기업은 언제 어떻게 발생할지 불확실한 위험에 보험으로 대비함으로써 안심하고 경제활동을 할 수 있다.

2) 이렇다 할 대책이 마련되지 않은 상황에서 대규모 재해가 발생하면 피해 당사자는 물론 국가·사회적으로도 불안 요인으로 작용한다.

3) 보험을 통해 이러한 위험에 대비하여 다수의 개인과 기업이 안정되면 사회도 안정되고 국가도 국정을 원만하게 운영할 수 있다.

(3) 신용력 증대

보험은 계약자의 신용력을 높여준다.

1) 보험은 예기치 않은 대규모 위험이 닥치더라도 일정 수준까지는 복구할 수 있는 보호 장치이기 때문에 그만큼 계약자의 신용력은 높아진다.

2) 금융기관에서 개인이나 기업에게 대출할 경우 보험 가입 여부를 확인하거나 일정한 보험을 가입하도록 권유하는 것은 보험을 통해 계약자의 일정 수준의 신용력을 확보하기 위해서이다.

(4) 투자 재원 마련

1) 계약자에게는 소액에 불과할지라도 다수의 계약자로부터 납부된 보험료가 모이면 거액의 자금이 형성된다.

2) 이러한 자금을 자금이 필요한 기업 등에게 제공함으로써 경제성장에도 기여할 수 있다. 보험자 입장에서는 수익을 올려 보험사업을 보다 안정적으로 운용할 수 있게 되고, 기업 입장에서는 원활하게 필요자금을 조달함으로써 기업경영에 도움이 된다.

(5) 자원의 효율적 이용 기여

1) 개인이나 기업 등의 경제주체는 한정된 자원을 효율적으로 투자하여 최대의 성과를 얻으려고 한다.

2) 각 경제주체는 투자할 때 각각의 자원 투입에 따른 기대수익 및 위험도 등을 고려하여 의사결정을 하게 된다.

3) 설령 기대수익이 높은 것으로 판단되어도 손실 발생이 우려된다고 판단하면 투자를 주저하게 된다. 이런 경우에 보험을 통해 예상되는 손실 위험을 해소할 수 있다면 투자자 입장에서는 유한한 자원을 보다 효율적으로 활용하게 된다. 이는 개인이나 기업이나 마찬가지이다.

(6) 안전(위험 대비) 의식 고양

보험에 가입한다는 것은 이미 위험에 대비할 필요성을 인지하고 있다고 볼 수 있다.

1) 보험에 가입하더라도 보험료 부담을 줄이기 위해서는 각종 위험 발생에 스스로 대비하는 노력을 하도록 한다.

2) 보험의 제도적 측면에서는 일정한 요건을 갖추어야 보험 가입이 가능하다거나 보험 가입 중이더라도 위험에 대비하는 조치나 장치를 한 경우에는 보험료를 경감해 주는 것도 위험에 대한 대비를 권장하기 위한 것이다.

3) 안전 의식이 고양되면 보험 운영은 보다 안정적으로 운영될 수 있을 것이다.

2. 보험의 역기능

(1) 사업비용의 발생

보험사업을 유지하기 위해서는 불가피하게 비용이 초래된다.

1) 비용(지출)은 보험이 없다면 다른 분야에 유용하게 사용될 수 있는 것이다.

① 즉, 사회 전체로 보면 기회비용이라고 할 수 있다.

② 주요 비용 항목은 보험자 직원의 인건비를 비롯해 보험 판매 수수료, 건물 임차료 및 유지비, 각종 세금 및 공과금, 영업이윤 등이다.

③ 광고비 및 판촉비도 적지 않다. 보험시장이 경쟁적일수록 이러한 비용은 커지게 된다.

PART 01 PART 02 PART 03 PART 04 PART 05 PART 06

2) 보험사업을 운영하기 위해 어느 정도의 비용 발생은 불가피하다고 하더라도 운영을 방만하게 하면 계약자의 위험 대비 수단으로써의 기능은 저하될 것이다.

3) 우리나라의 여건에 맞지 않게 보험자가 난립한다면 국가·사회적으로도 자원의 낭비라고 할 수 있다.

(2) 보험사기의 증가

1) 보험은 만일의 경우에 대비하는 것인데 보험금을 타기 위해 보험에 가입하는 경우도 발생한다.

2) 더욱이 고의로 사고를 발생시켜 보험금을 받는 보험사기도 종종 발생한다.

① 다수가 결합하여 위험에 대비하는 건전한 제도임에도 불구하고 이를 악용하는 사례가 증가하면 보험 본연의 취지를 퇴색시키고 사회 질서를 문란하게 한다.

② 이러한 사례가 증가할 경우, 이로 인해 발생하는 추가 비용은 다수의 선의의 계약자에게 부담으로 전가되어 보험사업의 정상적 운영을 어렵게 하고 극단적인 경우에는 보험 자체가 사라지는 결과를 초래할 수도 있다.

(3) 손실 과장으로 인한 사회적 비용 초래

보험에 가입한 손실이 발생할 경우 손실의 크기를 부풀려 보험금 청구 규모를 늘리려는 경향이 있다.

1) 자동차 충돌로 인한 사고 발생 시 충돌로 인한 고장이나 부품만이 아니라 사고 전에 있던 결함이 있는 부분까지도 자동차보험으로 청구하는 경우가 있다.

2) 경미한 자동차 사고로 병원에 입원한 경우 과잉진료를 하거나 완치되었음에도 불구하고 진료비를 늘리기 위하여 퇴원을 미루어 결과적으로 보험금이 과잉 지급되는 결과를 초래하기도 한다.

3) 보험금 과잉 청구도 보험의 정상적인 운영에 지장을 초래하며, 사회적으로도 불필요한 비용을 발생시킨다.

3. 역선택 및 도덕적 위태

보험은 보험자가 계약자의 정보를 완전히 파악한 상태에서 설계하는 것이 가장 이상적이다.

(1) 보험자가 최대한 노력하여 계약자의 정보를 완전히 확보하려고 하지만 현실적으로 쉽지 않다.

(2) 보험자가 계약자에 대한 정보를 완전히 파악하지 못하고 계약자는 자신의 정보를 보험자에게 제대로 알려주지 않는 비대칭 정보(asymmetric information)가 발생하면 역선택(adverse selection)과 도덕적 위태(moral hazard)가 발생한다.

(3) 역선택과 도덕적 위태의 특성

1) 역선택

① 보험자는 보험에 가입하려는 계약자의 위험을 정확하게 파악하고 측정할 수 있어야 손실을 정확히 예측할 수 있으며, 적정한 보험료를 책정·부과할 수 있다.

② 보험자는 계약자의 위험 특성을 파악하여 보험을 판매할 것인지 거부할 것인지를 결정한다.

③ 보험자가 계약자의 위험 특성을 제대로 파악하지 못하면, 즉 계약자 또는 피보험자가 보험자보다 더 많은 정보를 가지고 있는 상태가 되면, 오히려 계약자 측에서 손실 발생 가능성이 커 자신에게 이득이 되는 보험을 선택하게 되는데 이를 역선택이라고 한다.

> **Tip 역선택**
>
> 역선택이란 경제학 용어는 중고차 시장에서 유래되었다고 한다(보험경영연구회 2021; 211). 중고차를 구입하려는 소비자들이 중고차의 품질을 평가하기는 쉽지 않다. 시장에 나온 중고차가 좋은 차(peach car)인지 외형상으로는 멀쩡하지만 고장이 잦은 엉터리 차(lemon car)인지 간단히 파악할 수 없다. 좋은 차와 엉터리 차를 구별하지 못하면 중고차 가격은 두 차 가격의 중간이나 평균값으로 결정될 것이다. 이와 같이 좋은 차와 나쁜 차를 구별하지 못하면 나쁜 차의 주인은 자신만이 알고 있는 자동차의 결함에 대한 정보를 숨기고 구입자는 이러한 정보를 모른다는 점을 이용하여 고가에 차를 팔려고 한다. 반대로 좋은 차 주인은 차를 구입하려는 소비자가 자신의 차를 평가절하하여 평균 가격으로 구입하려고 하면 팔기를 꺼릴 것이다. 이렇게 정보의 비대칭으로 역선택 문제가 팽배해지면 중고차 시장은 엉터리 차가 주로 매물로 나오게 되고 중고차 시장에 나오는 차의 품질은 점점 떨어질 것이다. 이를 소비자들이 알게 되면 찾아오는 소비자가 점점 줄게 되고 결국 그 중고차 시장은 문을 닫는 상황에 이를 수 있다. 보험시장에서도 이러한 역선택 문제가 발생할 가능성은 상존하고 있다.

2) 도덕적 위태

① 도덕적 위태는 어느 한 쪽이 보험계약을 충실히 이행하지 않아 발생되는 문제로 계약자 또는 피보험자가 고의나 과실로 보험사고의 발생 가능성을 높이거나 손해액을 확대하려는 성향을 의미한다.

② 보험에 가입한 후부터 평소의 관리를 소홀히 한다거나 손실이 발생할 경우 경감하려는 노력을 하지 않고 심한 경우 방치하거나 손실의 규모를 키우는 경우 등이 이에 해당한다.

3) 역선택과 도덕적 위태의 상관관계

'보험은 역선택과 도덕적 위태와의 싸움'이라는 말을 뒤집어 보면 보험이 있는 곳에는 역선택과 도덕적 위태가 상존한다는 의미라고 할 수 있다.

역선택과 도덕적 위태를 완전히 해결하기는 어렵다고 하더라도 이들을 완화할 수 있는 방안을 다양하게 모색할 필요가 있으며, 건실한 보험 운영을 위해서는 지속적으로 대책을 모색할 필요가 있다.

① 역선택과 도덕적 위태의 공통점(황희대 2010; 334∼335)
   ㉠ 실손을 보상하는 계약의 경우에는 거의 발생하지 않으며 보험가액에 비해 보험금액의 비율이 클수록 발생 가능성이 높다.
   ㉡ 이익은 역선택이나 도덕적 위태를 야기한 당사자에게 귀착된다.
   ㉢ 피해는 보험자와 다수의 선의의 계약자들에 돌아가 결국 보험사업의 정상적 운영에 악영향을 미친다는 점에서 유사하다.

② 역선택과 도덕적 위태의 차이점
   ㉠ 역선택은 계약 체결 전에 예측한 위험보다 높은 위험(집단)이 가입하여 사고 발생률을 증가시키는 데 있다.
   ㉡ 도덕적 위태는 계약 체결 후 고의나 인위적 행동으로 사고 발생률이 높아지게 한다.

CHAPTER 04 손해보험의 이해

보험의 종류는 다양하며, 보험 내용이나 체계도 각양각색이다. 다양하고 제각각이지만 큰 틀에서 보면 재물과 관련된 손해보험과 인간의 생명과 관련된 생명보험으로 구분할 수 있다.

보험목적물에 따라 내용은 달라지지만 보험체계는 유사하다. 보험의 형식을 취하고 있지만 정책적으로 추진되는 정책보험은 일반손해보험과 다른 측면이 많다. 농작물재해보험이나 가축재해보험과 같은 정책보험도 기본적으로는 손해보험의 틀을 유지하고 있기 때문에 일반 손해보험에 대한 내용을 살펴보는 것은 정책보험을 이해하는 데에도 도움이 된다.

1. 손해보험의 의의와 원리

(1) 손해보험의 의의

손해보험은 보험사고 발생 시 손해가 생기면 생긴 만큼 손해액을 산정하여 보험금을 지급하는 보험이라고 할 수 있다.

1) 우리나라에서 보험과 직접 관련이 있는 법률은 상법과 보험업법이다.

① 상법에서는 손해보험에 관한 정의를 내리지 않고, 보험업법에서는 제2조(정의)에서 '보험상품'을 정의하면서 '손해보험상품'을 정의하고 있다.

② 보험업법에서는 손해보험상품을 "위험보장을 목적으로 우연한 사건(질병·상해 및 간병은 제외)으로 발생하는 손해(계약상 채무불이행 또는 법령상 의무 불이행으로 발생하는 손해를 포함)에 관하여 금전 및 그 밖의 급여를 지급할 것을 약속하고 대가를 수수하는 계약으로서 대통령령으로 정하는 계약"으로 정의하고 있어 이를 통해 손해보험의 의미를 유추할 수 있다.

2) 실제로 '손해보험'이라는 보험상품은 없으며, 생명보험을 제외한 대부분의 보험을 포괄하는 의미라고 할 수 있다.

3) 엄격한 의미에서는 손해보험은 재산보험을 말하지만, 실질적으로는 생명보험 중 생명침해를 제외한 신체에 관한 보험도 포함한다고 할 수 있다(김창기 2020; 217).

(2) 손해보험의 원리

1) 위험의 분담

① 소액의 보험료를 매개체로 하여 큰 위험을 나누어 가짐으로써 경제적 불안으로부터 해방되어 안심하고 생활할 수 있도록 해주는 제도가 보험이다.

② 손해보험은 계약자가 보험단체를 구성하여 위험을 분담하게 되는데 독일의 보험학자 마네즈는 보험을 일컬어 "1인은 만인을 위하여, 만인은 1인을 위하여" 서로 위험을 분담하는 제도라고 하였다.

2) 위험 대량의 원칙

① 수학이나 통계학에서 적용되는 대수의 법칙을 보험에 응용한 것이 위험 대량의 원칙이다.

② 보험이 성립하기 위해서는 일정 기간 중에 그 위험집단에서 발생할 사고의 확률과 함께 사고에 의해 발생할 손해의 크기를 파악할 수 있어야 한다.

③ 위험 대량의 원칙의 의의 및 특성

   ㉠ 보험에 있어서 사고 발생 확률이 잘 적용되어 합리적 경영이 이루어지려면 위험이 대량으로 모여서 하나의 위험단체를 구성해야 한다는 것이다. 이로 인해 보험계약은 단체성의 특성을 갖게 된다.

   ㉡ 계약자가 1만 명, 10만 명, 100만 명으로 늘어나게 되면 사고 발생 확률이 보다 잘 적용되어 안정적인 보험경영이 가능해진다.

3) 급부·반대급부 균등의 원칙(給付·反對給付 均等의 原則)

① 급부·반대급부 균등의 원칙의 의의 및 특성

   ㉠ 위험집단 구성원 각자가 부담하는 보험료는 지급보험금에 사고 발생의 확률을 곱한 금액과 같다. 이를 급부·반대급부 균등의 원칙이라 한다.

> 보험료 = 지급보험금 × 사고 발생 확률

   ㉡ 계약자 전체 관점에서보다 계약자 개개인의 관점에서 본 원칙이라 할 수 있다.

   ㉢ 예를 들어, 1만 명이 1억 원짜리(땅값을 뺀 건물값만) 집을 한 채씩 가지고 있고 평균적으로 1년에 한 채씩 화재가 나서 소실된다면 1만원씩 내서 1억 원을 모아 두었다가 불이 난 집에 건네주기로 하면 되는데 이때 보험료 1만원은 보험금 1억 원에 사고발생확률 1만분의 1을 곱한 금액과 같게 된다.

② '급부(給付)'는 계약자가 내는 보험료를 의미하며, '반대급부(反對給付)'는 보험자로부터 받게 되는 보험금에 대한 기대치를 의미한다.

4) 수지상등의 원칙(收支相等의 原則)

① 수지상등의 원칙의 의의 및 특성

   ㉠ 보험자가 받아들이는 수입 보험료 총액과 사고 시 지급하는 지급보험금 총액이 같아져야 한다는 것이다.

> 수입 보험료 합계 = 지출 보험금의 합계
> 계약자 수 × 보험료 = 사고 발생 건수 × 평균 지급보험금

ⓒ 보험자가 받은 보험료가 지급한 보험금보다 부족하거나 또는 반대로 지나치게 많아서는 안 된다.

ⓒ '수(收)'는 보험자가 받아들이는 수입(보험료)을 말하며, '지(支)'는 지출(보험금)을 의미한다.

② 수지상등의 원칙이 계약자 전체 관점에서 본 보험 수리적 원칙인데 반하여, 급부·반대급부 균등의 원칙은 계약자 개개인의 관점에서 본 원칙이라 할 수 있다.

㉠ 위에서 예를 든 화재보험의 경우 보험자가 1인당 1만원씩 1만 명에게 받은 총 보험료는 1억 원이 되고 이는 곧 지급하는 총 보험금 1억 원과 같아진다는 것이다.

ⓒ 실제로는 앞의 수입부분에는 계약자가 납부하는 보험료 외에 자금운용수익, 이자 및 기타 수입 등이 포함되며, 지출부분에는 지급보험금 외에 인건비, 사업 운영비, 광고비 등 다양한 지출항목이 포함된다.

5) 이득금지의 원칙

① 이득금지의 원칙의 의의 및 특성

㉠ 손해보험의 가입 목적은 손해의 보상에 있으므로 피보험자는 보험사고 발생 시 실제로 입은 손해만을 보상받아야 하며, 그 이상의 보상을 받아서는 안 된다.

ⓒ 계약자가 손해보험에 가입하고 사고가 발생한 결과 피보험자가 사고 발생 직전의 경제 상태보다 더 좋은 상태에 놓이게 된다면 보험에 의해 부당한 이익을 얻는 것이 된다.

ⓒ 그 이득을 얻기 위해 인위적인 사고를 유발할 요인이 될 수 있고 결과적으로 공공 질서나 미풍양속을 해칠 우려가 있어 「보험에 의해 이득을 보아서는 안 된다」는 이득금지의 원칙이 손해보험의 대원칙으로 적용되고 있다.

② 이득금지의 원칙을 실현하기 위한 대표적인 법적 규제로는 초과보험, 중복보험, 보험자대위 등에 관한 규정이 있다.

2. 손해보험 계약의 의의와 원칙

(1) 손해보험 계약의 의의

1) 손해보험은 피보험자의 재산에 직접 생긴 손해 또는 다른 사람에게 입힌 손해를 배상함으로써 발생하는 피보험자의 재산상의 손해를 보상해주는 보험이다.

2) 상법(제638조)에서는 "보험계약은 당사자 일방이 약정한 보험료를 지급하고 재산 또는 생명이나 신체에 불확정한 사고가 발생할 경우에 상대방이 일정한 보험금이나 그 밖의 급여를 지급할 것을 약정함으로써 효력이 생긴다."라고 보험계약의 의의를 정의하고 있다.

(2) 손해보험 계약의 법적 특성

1) 불요식 낙성계약성

① 손해보험 계약은 특별히 정해진 요식행위를 필요로 하지 않고 계약자의 청약과 보험자의 승낙이라는 당사자 쌍방 간의 의사 합치만으로 성립하여 불요식·낙성계약(諾成契約)이다.

② 특별한 요식행위를 요구하지 않는다는 점에서 불요식(不要式)이며, 당사자 간의 청약과 승낙으로 계약이 이루어진다는 점에서 낙성(諾成)이다.

2) 유상계약성

손해보험 계약은 계약자의 보험료 지급과 보험자의 보험금 지급을 약속하는 유상계약(有償契約)이다.

3) 쌍무계약성

보험자인 손해보험회사의 손해보상 의무와 계약자의 보험료 납부 의무가 대가(對價) 관계에 있으므로 쌍무계약(雙務契約)이다.

4) 상행위성

손해보험 계약은 상행위이며(상법 제46조) 영업행위이다.

5) 부합계약성

① 손해보험 계약은 동질(同質)의 많은 계약을 간편하고 신속하게 처리하기 위해 계약조건을 미리 정형화(定型化)하고 있어 부합계약(附合契約)에 속한다.

② 부합계약이란 당사자 일방이 만들어 놓은 계약조건에 상대방 당사자는 그대로 따르는 계약을 말한다.

③ 보험계약의 부합계약성으로 인해 약관이 존재하게 된다.

6) 최고 선의성

손해보험 계약에 있어 보험자는 사고의 발생 위험을 직접 관리할 수 없기 때문에 도덕적 위태의 야기 가능성이 큰 계약이다. 따라서 신의성실의 원칙이 무엇보다도 중요시되고 있다.

7) 계속계약성

손해보험 계약은 한 때 한 번만의 법률행위가 아니고 일정 기간에 걸쳐 당사자 간에 권리 의무 관계를 존속시키는 법률행위이다.

(3) 보험계약의 법적 원칙

1) 실손보상(實損補償)의 원칙(principle of indemnity)

① 실손보상의 원칙은 문자 그대로 실제 손실을 보상한다는 것이다.

㉠ 보험의 기본인 이득금지 원칙과 일맥상통하는 것으로 보험으로 손해를 복구하는 것으로 충분하며, 이득까지 보장하는 것은 지나치다는 원칙이다.

ⓛ 가격이 2,000만원인 자동차가 사고로 300만원의 물적 손해를 입었다면 300만원 까지만 보험으로 보상해주는 것이다.

② **실손보상 원칙의 목적**

㉠ 피보험자의 재산인 자동차를 손해 발생 이전의 상태로 복원시키는 것이다. 사고 이전의 상태로 회복시키는 것을 넘어 이득을 얻을 수는 없다.

㉡ 도덕적 위태를 감소시키는 것이다. 손실(사고)이 발생하면 보험으로부터 보상받 는데 원상회복을 넘어 이득을 얻을 수 있다면 고의로 사고를 일으킬 가능성이 크 기 때문이다.

③ 실손보상 원칙의 예외로는 기평가계약, 대체비용보험 및 생명보험이 있다(보험경영 연구회 2021; 118).

㉠ **기평가계약(valued policy)**

ⓐ 전손(全損)이 발생한 경우 미리 약정한 금액을 지급하기로 한 계약이다.

ⓑ 골동품, 미술품 및 가보 등과 같이 손실 발생 시점에서 손실의 현재가치를 산 정할 수 없는 경우 계약자와 보험자가 합의한 금액으로 계약을 하게 된다.

㉡ **대체비용보험(replacement cost insurance)**

손실지급액을 결정할 때 감가상각을 고려하지 않는 보험이다.

ⓐ 손실이 발생한 경우, 새것으로 교체할 수밖에 없는 물건이나 감가상각을 따지 는 것이 아무 의미도 없는 경우 대체비용보험이 적용된다.

ⓑ 화재가 발생해 다 타버린 주택의 지붕은 새것으로 교체할 수밖에 없으며, 이 때 감가상각을 따지는 것은 무의미하다.

㉢ **생명보험(life insurance)**

생명보험은 실손보상의 원칙이 적용되지 않는다.

ⓐ 사망이나 부상의 경우 실제 손실이 얼마나 되는지 측정할 방법이 없어 인간의 생명에 감가상각의 개념을 적용할 방법이 없기 때문이다.

ⓑ 생명보험의 경우 미리 약정한 금액으로 보험계약을 체결하고 보험사고가 발 생하면 약정한 금액을 보험금으로 지급받는다.

2) **보험자대위의 원칙**

① 보험사고로 인하여 손해가 생긴 경우에 보험자가 피보험자에 대하여 보험금을 지급 하는 것은 보험료 납부에 대한 반대급부이기 때문에 보험사고가 보험관계 밖에서 어 떻게 피보험자에게 영향을 주는가는 보험계약과는 관계가 없다.

② 보험사고 발생 시 피보험자가 보험의 목적에 관하여 아직 잔존물을 가지고 있거나 또는 제3자에 대하여 손해배상청구권을 취득하는 경우가 있다. 이런 경우 보험자가 이에 개의치 않고 보험금을 지급한다면 오히려 피보험자에게 이중의 이득을 주는 결 과가 된다.

③ 상법은 보험자가 피보험자에게 보험금을 지급한 때에는 일정한 요건 아래 계약자 또는 피보험자가 가지는 권리가 보험자에게 이전하는 것으로 하고 있는데 이를 보험자대위라 한다. 상법은 제681조에서 보험의 목적에 관한 보험대위, 즉 목적물대위 또는 잔존물대위에 관해 규정하고 있고 제682조에서 제3자에 대한 보험대위, 즉 청구권대위에 관해 규정하고 있다.

④ 목적물대위(잔존물대위)

㉠ 보험의 목적이 전부 멸실한 경우 보험금액의 전부를 지급한 보험자는 그 목적에 대한 피보험자의 권리를 취득하는데(제681조), 이것을 보험의 목적에 관한 보험자대위라 한다.

㉡ 보험 목적물이 보험사고로 인하여 손해가 발생한 경우 전손해액에서 잔존물 가액을 공제한 것을 보상하면 되지만, 그렇게 하려면 계산을 위하여 시간과 비용이 들어 비경제적일 뿐만 아니라 한시라도 빨리 피보험물에 투하한 자본을 회수할 것을 희망하는 피보험자의 이익을 보호할 수 없다.

㉢ 보험자가 보험금액 전액을 지급하고 잔존물에 대한 가치까지 피보험자에게 남겨준다면 피보험자에게 부당한 이득을 안겨주는 셈이 될 것이다.

㉣ 잔존물을 도외시하고 전손으로 보아 보험자는 보험금액의 전부를 지급하고 그 대신 잔존물에 대한 권리를 취득하게 한 것이다.

⑤ 제3자에 대한 보험대위(청구권대위)

㉠ 제3자에 대한 보험대위(청구권대위)의 의의 및 특성

ⓐ 손해가 제3자의 행위로 인하여 발생한 경우 보험금을 지급한 보험자는 그 지급한 금액의 한도 내에서 그 제3자에 대한 계약자 또는 피보험자의 권리를 취득하는데, 이것을 제3자에 대한 보험자대위라 한다.

ⓑ 피보험자가 손해배상청구권을 가지므로 보험에 의해 보상될 피보험이익의 결손은 없다고 할 수 있으나, 이렇게 한다면 피보험자는 그 제3자를 상대로 권리의 실현을 시도하여야 하는데 소송의 종결 또는 제3자의 무자력(無資力) 등으로 인하여 소기의 결과를 얻을 수 없는 위험이 있다.

ⓒ 보험자가 보험금을 지급하고서도 제3자에 대한 피보험자의 손해배상청구권을 피보험자가 행사하도록 한다면 피보험자는 이중의 이득을 보게 된다. 그래서 피보험자에게 보험금 청구권을 인정하는 한편, 이중이득을 막기 위해 제3자에 대한 권리를 보험자가 취득하게 한 것이다.

㉡ 보험자대위의 원칙(principle of subrogation)은 3가지 목적이 있다(보험경영연구회 2021; 123).

ⓐ 피보험자가 동일한 손실에 대해 책임이 있는 제3자와 보험자로부터 이중보상을 받아 이익을 얻는 것을 방지하는 목적이 있다.

ⓑ 보험자가 보험자대위권을 행사하게 함으로써 과실이 있는 제3자에게 손실 발생의 책임을 묻는 효과가 있다.

ⓒ 보험자대위권은 계약자나 피보험자의 책임 없는 손실로 인해 보험료가 인상되는 것을 방지한다. 즉, 보험자는 대위권을 통해 피보험자에게 지급한 보험금을 과실이 있는 제3자로부터 회수할 수 있으므로 계약자의 책임 없는 손실에 대한 보험료를 인상하지 않아도 된다.

3) 피보험이익의 원칙

① 피보험이익의 원칙의 의의 및 특성

㉠ 피보험이익은 계약자가 보험담보물에 대해 가지는 경제적 이해관계를 의미한다. 즉, 계약자가 보험목적물에 보험사고가 발생하면 경제적 손실을 입게 될 때 피보험이익이 있다고 한다.

㉡ 피보험이익이 존재해야 보험에 가입할 수 있으며, 피보험이익이 없으면 보험에 가입할 수 없다. "피보험이익이 없으면 보험도 없다(No insurable interest, no insurance)"는 말이 이를 잘 나타낸다.

② 피보험이익의 원칙(principle of insurable interest)은 3가지 목적을 가지고 있다 (보험경영연구회 2021; 120).

㉠ 피보험이익은 도박을 방지하는 데 필수적이다. 피보험이익이 적용되지 않는다면 전혀 관련이 없는 주택이나 제3자에게 화재보험이나 생명보험을 들어놓고 화재가 발생하거나 일찍 사망하기를 바라는 도박적 성격이 강하기 때문에 사회 질서를 해치는 결과를 초래할 수 있다.

㉡ 피보험이익은 도덕적 위태를 감소시킨다. 보험사고로 경제적 손실을 입는 것이 명확한데 고의로 사고를 일으킬 계약자는 없을 것이다.

㉢ 피보험이익은 결국 계약자의 손실규모와 같으므로 손실의 크기를 측정하게 해 준다. 즉, 보험자는 보험사고 시 계약자의 손실을 보상할 책임이 있는데, 보상금액의 크기는 피보험이익의 가격(가액)을 기준으로 산정한다.

4) 최대선의(신의성실)의 원칙(principle of utmost good faith)

① 최대선의의 원칙의 의의 및 특성

㉠ 보험계약 시에 계약당사자에게 일반 계약에서보다는 매우 높은 정직성과 선의 또는 신의성실이 요구되는데, 이를 최대선의(신의성실)의 원칙이라고 한다.

㉡ 통상적인 상거래(계약)는 서로 거래할 의사가 있으면 성사되는 것이지 자신에 대해 추가적인 정보를 제공할 필요는 없지만, 보험계약의 경우는 이와 다르다. 보험은 대상으로 하는 내용이 미래지향적이며 우연적인 특성이 있기 때문에 당사자 쌍방은 모든 사실에 대해 정직할 것이 요구되고 있다.

ⓒ 보험계약에서는 자신에게 불리한 사실도 보험자에게 고지해야 하는데, 계약 체결 후에도 위험의 증가, 위험의 변경 금지의무 등이 부과되기 때문이다.

② 최대선의의 원칙은 고지, 은폐 및 담보 등의 원리에 의해 유지되고 있다(보험경영연구회 2021; 124).

  ㉠ 고지(또는 진술)

    ⓐ 계약자가 보험계약이 체결되기 전에 보험자가 요구하는 사항에 대해 사실 및 의견을 제시하는 것을 말한다.

    ⓑ 보험자는 계약을 체결할 때 진술된 내용을 토대로 계약의 가부 및 보험료를 결정한다.

      ㉮ 진술된 내용이 사실과 다르면 보험자는 제대로 된 판단이나 결정을 할 수 없게 되어 보험자의 안정적인 경영을 어렵게 할 뿐만 아니라 보험제도 자체에도 부정적인 영향을 미친다.

      ㉯ 진술한 내용이 사실과 달라 보험자가 계약 전에 알았다면 보험계약을 체결하지 않거나 다른 계약조건으로 체결되었을 정도라면 허위진술(misrepresentation)에 해당해 보험자의 선택에 의해 계약이 해제될 수 있다.

    ⓒ 계약자는 보험계약과 관련한 진술에서 고의가 아닌 실수 또는 착오에 의해 사실과 다른 내용을 진술할 수도 있으나 효과는 허위진술과 동일하다. 따라서 계약자는 보험계약 시에는 매우 신중하고 성실하게 보험자에게 진술해야 한다.

    ⓓ 상법 제651조

      '보험계약 당시에 계약자 또는 피보험자가 고의 또는 중대한 과실로 인하여 중요한 사항을 고지하지 아니하거나 부실의 고지를 한 때에는 보험자는 그 사실을 안 날로부터 1월 내에, 계약을 체결한 날로부터 3년 내에 한하여 계약을 해지할 수 있다. 그러나 보험자가 계약 당시에 그 사실을 알았거나 중대한 과실로 인하여 알지 못한 때에는 그러하지 아니하다.'라고 규정하여 계약자가 고지의무를 위반하면 보험계약이 해지될 수 있음을 규정하고 있다.

  ㉡ 은폐(의식적 불고지)

    ⓐ 계약자가 보험계약 시에 보험자에게 중대한 사실을 고지하지 않고 의도적이거나 무의식적으로 숨기는 것을 말한다.

    ⓑ 법적인 효과는 기본적으로 고지의무 위반과 동일하나 보험의 종류에 따라 차이가 있다. 중대한 사실은 보험계약 체결에 영향을 줄 수 있는 사항을 말한다.

ⓒ 담보(보증)
ⓐ 보험계약의 일부로서 피보험자가 진술한 사실이나 약속을 의미한다.
ⓑ 담보는 보험계약의 성립과 효력을 유지하기 위하여 계약자가 준수해야 하는 조건이다.
ⓒ 담보의 내용은 여러 가지 형태를 취할 수 있는데 어떤 특정한 사실의 존재, 특정한 조건의 이행, 보험목적물에 영향을 미치는 특정한 상황의 존재 등이 될 수 있다.
ⓓ 담보는 고지(진술)와 달리 계약자가 보험자에게 약속한 보험계약상의 조건이기 때문에 위반하게 되면 중요성의 정도에 관계없이 보험자는 보험계약을 해제 또는 해지할 수 있다.
ⓔ 담보는 사용되는 형태에 따라 다음과 같이 구분된다(이경룡 2013; 185).
㉮ 묵시담보(implied warranty) : 상호 간에 묵시적으로 약속
㉯ 명시담보(expressed warranty) : 계약서에 명시적으로 약속
ⓕ 담보는 보증 내용의 특성에 따라 다음과 같이 구분된다(이경룡 2013; 185).
㉮ 약속보증(promissory warranty) : 약속보증은 피보험자가 보험계약의 전 기간을 통해 이행할 것을 약속한 조건을 의미한다.
㉯ 긍정보증(affirmative warranty) : 긍정보증은 보험계약이 성립되는 시점에서 어떤 특정의 사실 또는 조건이 진실이거나 이행되었다는 것을 약속하는 것이다.

3. 보험계약 당사자의 의무

보험계약은 최대선의의 원칙에 따라 쌍방이 최대한의 신의와 성실을 가지고 계약에 임해야 한다. 여기에서는 보험자의 의무와 계약자 또는 피보험자의 의무에 대해 개략적으로 살펴보기로 한다.

(1) 보험자의 의무

1) 보험계약에서 보험자의 기본적인 의무는 계약자 또는 피보험자가 자신의 여건에 적합한 보험상품을 선택하여 각종 위험에 대비하고, 만일의 경우 보험사고가 발생하면 신속하게 손해사정 과정을 추진하여 지체 없이 보험금을 지급함으로써 계약자 또는 피보험자가 곤란한 상황에 처하지 않고 경제활동을 재개할 수 있도록 하는 것이다.
2) 보험계약과 관련하여 보험자의 의무를 정리해 보면 다음과 같다.
① 보험계약 시 계약자에게 보험상품에 대해 상세하게 설명하여 계약자가 충분히 이해한 상황에서 보험상품을 선택할 수 있도록 도와야 한다.
② 만일의 경우 보험사고가 발생하면 신속하게 손해사정 절차를 거쳐 피보험자에게 보험금이 지급되도록 해야 한다.

㉠ 손해사정 과정에서도 전문적인 분야라는 점을 강조하여 계약자 또는 피보험자를 일방적으로 배제할 것이 아니라 손해사정의 과정을 계약자 또는 피보험자가 이해할 수 있도록 설명하여 손해사정 결과를 수긍할 수 있도록 해야 한다.

㉡ 계약자 또는 피보험자가 손해사정 과정을 제대로 이해하지 못하면 보험상품에 대한 불신과 불만이 커져 다툼으로 확대될 가능성이 있다.

③ 보험자는 보험경영을 건실하게 운영하여야 한다. 보험경영은 다수의 선의의 계약자들이 기여한 보험료를 밑천으로 하여 이루어지기 때문에 안정적이면서도 효율적으로 운영할 필요가 있다.

④ 보험자는 소비자인 계약자 또는 피보험자의 이익을 해치지 않고 보호하는 관점에서 최선을 다해야 할 것이다.

(2) 보험계약자 또는 피보험자의 의무

보험계약은 쌍방의 정보를 기반으로 이루어지기 때문에 각자 계약과 관련한 정보를 상대방에게 제공할 필요가 있다. 실제로는 보험자는 취급하는 보험상품의 정보(내용)를 공개하기 때문에 계약자가 주의 깊게 살펴보면 내용을 파악할 수 있다. 그러나 계약자 또는 피보험자와 관련한 정보는 계약자가 제공하는 정보에 의존할 수밖에 없다. 보험자가 계약자 또는 피보험자에 관한 정보를 확보하는 데에는 한계가 있기 때문이다. 따라서 관련 법령 등에서는 계약자 또는 피보험자가 지켜야 할 의무를 명시적으로 규정하고 있기도 하다.

1) 고지의무(duty of disclosure)

① 고지의무는 계약자 또는 피보험자가 보험계약 체결에 있어 보험자가 보험사고 발생 가능성을 측정하는 데 필요한 중요한 사항에 대하여 진실을 알려야 할 보험 계약상의 의무를 말한다(한낙현·김흥기 2008; 96).

② 고지의무를 이행하지 않는다고 해서 보험자가 강제적으로 그 수행을 강요하거나 불이행을 이유로 손해배상을 청구할 수 있는 것은 아니며, 보험자는 고지의무 위반을 사유로 보험계약을 해지할 수 있을 뿐이다.

③ 고지는 법률상으로 구두 또는 서면의 방법 등 어느 것도 가능하고 명시적이든 묵시적이든 상관은 없다.

④ 고지는 현실적으로는 표준약관에 의하여 청약서에 기재하는 서면의 방법으로 이루어지고 있는 것이 보통이다.

⑤ 고지해야 할 시기는 보험계약 체결 당시이다.

2) 통지의무

계약자 또는 피보험자의 의무에는 고지의무 외에 위험 발생과 관련하여 보험자에게 통지해야 하는 의무가 있다.

① 위험변경·증가의 통지의무

㉠ 계약자 또는 피보험자가 보험사고 발생의 위험이 현저하게 변경 또는 증대된 사실을 안 때에는 지체 없이 보험자에게 통지하여야 한다.

㉡ 이러한 위험변경·증가 통지의무의 발생 요건으로는 보험기간 중에 발생한 것이어야 하며, 또한 계약자 또는 피보험자가 개입할 수 없는 제3자의 행위이어야 한다.

② 위험 유지 의무

㉠ 보험기간 중에 계약자 또는 피보험자나 보험 수익자는 스스로 보험자가 인수한 위험을 보험자의 동의 없이 증가시키거나 제3자에 의해 증가시키도록 하여서는 안 될 의무를 지고 있다.

㉡ 계약자 또는 피보험자, 보험수익자의 고의 또는 중대한 과실로 인하여 사고 발생의 위험이 현저하게 변경 또는 증대한 때에는 보험자는 그 사실을 안 날로부터 1월내에 보험료의 증액을 청구하거나 계약을 해지할 수 있다.

③ 보험사고 발생의 통지의무

㉠ 계약자 또는 피보험자, 보험수익자는 보험사고의 발생을 안 때에는 지체 없이 보험자에게 통지해야 한다.

㉡ 보험사고 발생 통지의무의 법적 성질에 대해서는 고지의무나 위험변경·증가 통지의무와 같이 계약자 또는 피보험자, 보험수익자에게 그 의무 이행을 강제할 수는 없으나 보험금 청구를 위한 전제조건인 동시에 보험자에 대한 진정한 의무라고 할 수 있다.

3) 손해 방지 경감 의무

① 손해 방지 경감 의무의 의의

우리나라 상법은 손해보험 계약에서 계약자와 피보험자는 보험사고가 발생한 경우, 손해의 방지와 경감을 위하여 노력하여야 한다고 규정(상법 제680조)하고 있는데, 이를 손해 방지 경감 의무라 한다.

② 인정 이유

㉠ 손해 방지 경감 의무는 보험계약의 신의성실의 원칙에 기반을 둔 것으로서 보험자나 보험단체 및 공익 보호라는 측면에서 인정된다.

㉡ 보험사고의 우연성 측면에서도 고려해 볼 수 있는데 손해 방지 경감 의무를 이행하지 아니함으로써 늘어난 손해는 우연성을 결여한 것으로 볼 수 있다는 점이다.

③ 손해 방지 경감 의무의 범위

  ㉠ 손해 방지 경감 의무를 지는 자의 범위

    ⓐ 상법상 손해 방지 경감 의무를 지는 자는 계약자와 피보험자이다(상법 제680조).

      ㉮ 계약자나 피보험자의 대리권이 있는 대리인과 지배인도 손해 방지 경감 의무를 진다.

      ㉯ 계약자나 피보험자가 다수인 경우, 각자 이 의무를 지는 것으로 본다.

    ⓑ 이 의무는 손해보험에서만 발생하는 의무로서 인보험의 보험수익자는 손해 방지 경감 의무를 부담하지 아니한다.

  ㉡ 손해 방지 경감 의무의 존속기간

    ⓐ 발생 시점

      ㉮ 우리나라 상법에서는 손해 방지 경감 의무에 대하여 "계약자와 피보험자는 손해의 방지와 경감을 위하여 노력하여야 한다"라고만 규정되어 있을 뿐 언제 이러한 의무를 부담하여야 하는가에 대해서는 언급하고 있지 않다.

      ㉯ 그러나 대부분의 손해보험 약관에서는 '보험사고가 생긴 때에는' 또는 '보험사고가 생긴 것을 안 때에는'이라고 규정하여 손해 방지 경감 의무의 시점은 보험사고가 발생하여 손해가 발생할 것이라는 것을 계약자나 피보험자가 안 때부터라고 해석할 수 있다.

    ⓑ 사고 자체의 예방이 포함되는지 여부

      따라서 보험사고 발생 전의 보험기간은 손해 방지 경감 의무 존속기간이 아니며, 사고 자체를 막아야 하는 것은 이 의무에 포함되지 않는다.

    ⓒ 소멸 시점

      계약자나 피보험자가 손해 방지 경감 의무를 부담하는 기간은 손해방지 가능성이 있는 기간 동안 존속하는 것으로 보아야 하므로 손해 방지 경감 의무의 소멸 시점은 손해방지의 가능성이 소멸한 때이다.

  ㉢ 손해 방지 경감 의무의 방법과 노력의 정도

    ⓐ 방법과 노력의 정도

      ㉮ 손해 방지 경감 의무의 방법은 계약자나 피보험자가 그 상황에서 손해방지를 위하여 일반적으로 기대되는 방법이면 된다.

      ㉯ 손해 방지 경감 의무 이행을 위한 노력은 계약자나 피보험자가 그들의 이익을 위하여 할 수 있는 정도의 노력이면 된다고 본다.

      ㉰ 그러나 손해 방지 경감 의무의 방법과 노력의 정도는 임의로 정할 수 있는 것은 아니며, 보험계약의 최대선의의 원칙에 의거하여 사안별로 판단되어야 한다.

ⓑ 보험자의 지시에 의한 경우

㉮ 보험사고 발생 시 사고 통보를 받은 보험자가 손해방지를 위하여 계약자 나 피보험자에게 지시한 경우, 계약자 등이 이를 따라야 하는가 하는 문제 와 보험자가 직접 손해 방지 행위를 하는 경우, 계약자 등이 이를 허용하 여야 하는가 하는 문제가 있을 수 있다.

㉯ 그러나 손해 방지 경감 의무가 보험단체와 공익 보호 측면에서 인정되고 있다는 점에서 허용되는 것으로 보아야 한다.

④ 손해 방지 경감 의무 위반의 효과

㉠ 계약자 또는 피보험자가 손해 방지 경감 의무를 해태한 경우의 효과에 대해서는 상법상 별다른 규정이 없다. 그러나 개별 손해보험 약관에서는 계약자 등이 고의 또는 중대한 과실로 이를 게을리한 때에는 방지 또는 경감할 수 있었을 것으로 밝혀진 값을 손해액에서 공제한다고 규정하고 있다.

㉡ 즉 우리나라 손해보험 약관에서는 경과실로 인한 손해 방지 경감 의무 위반의 경우에는 보험자의 보험금 지급책임을 인정하고 중과실 또는 고의의 경우에만 보험자의 보험금 지급책임(늘어난 손해)을 면제하고 있다. 이는 손해 방지 경감 의무 위반을 구분하는 기준이 모호하고 이로 인한 계약자 또는 피보험자의 불이익을 방지하고자 하는 의도로 보인다.

⑤ 손해 방지 경감 비용의 보상

㉠ 보험금액을 초과한 경우도 보상

ⓐ 손해방지는 보험단체나 공익에 도움이 될 뿐만 아니라 결과적으로 보험자가 보상하는 손해액이 감소되므로 보험자에게도 이익이 된다. 이에 따라 우리나라 상법에서는 손해방지를 위하여 계약자 등이 부담하였던 필요 또는 유익한 비용과 보상액이 보험금액을 초과한 경우라도 보험자가 이를 부담하게 하였다(상법 제680조).

ⓑ 여기서 필요 또는 유익한 비용이란 비용지출 결과 실질적으로 손해의 경감이 있었던 것만을 의미하지는 않고 그 상황에서 손해경감 목적을 가지고 한 타당한 행위에 대한 비용이 포함된다고 본다.

㉡ 일부보험의 경우

일부보험의 경우에는 손해방지 비용은 보험금액의 보험가액에 대한 비율에 따라서 보험자가 부담하고 그 잔액은 피보험자가 부담한다.

4. 보험증권 및 보험약관

(1) 보험증권

1) 보험증권의 의미

① 보험증권(insurance policy)은 보험계약 체결에서 그 계약이 성립되었음과 그 내용을 증명하기 위하여 보험자가 작성하여 기명, 날인 후 계약자에게 교부하는 증서이다 (권오 2011; 232).

② 보험자는 보험계약이 성립한 때 지체 없이 보험증권을 작성하여 보험계약자에게 교부하여야 한다. 그러나 보험계약자가 보험료의 전부 또는 최초의 보험료를 지급하지 아니한 때에는 그러하지 아니하다.

2) 보험증권의 특성

① 보험증권은 보험계약 성립의 증거로서 보험계약이 성립한 때 교부한다. 보험계약서는 유가증권이 아니라 단지 증거증권으로서 배서나 인도에 의해 양도된다.

② 보험증권은 보험자가 사전에 작성해 놓고 보험계약 체결의 사실을 인정하는 것이기 때문에 이를 분실하더라도 보험계약의 효력에는 어떤 영향도 미치지 않는다.

3) 보험증권의 내용

① 보험계약청약서의 기재 내용에 따라 작성되는 표지의 계약자 성명과 주소, 피보험자의 성명과 주소, 보험에 붙여진 목적물, 보험계약기간, 보험금액, 보험료 및 보험계약 체결 일자 등이 들어가는 부분으로 구성되어 있다.

② 보험자가 보상하는 손해와 보상하지 아니하는 손해 등의 계약 내용이 인쇄된 보통보험약관부분으로 구성되어 있다.

③ 어떠한 특별한 조건을 더 부가하거나 삭제할 때 쓰이는 특별보험약관으로 구성되어 있다.

4) 보험증권의 법적 성격

① 요식증권성

㉠ 보험증권에는 일정 사항을 기재해야 한다는 의미에서 요식증권의 성격을 갖는다 (보험경영연구회 2021; 134).

> [보험자가 보험증권에 기재하여야 하는 기본적 사항]
> ⓐ 보험의 목적, ⓑ 보험사고의 성질, ⓒ 보험금액, ⓓ 보험료와 그 지급 방법, ⓔ 보험기간을 정한 때에는 그 시기(始期)와 종기(終期), ⓕ 무효와 실권(失權)의 사유, ⓖ 계약자의 주소와 성명 또는 상호, ⓗ 보험계약의 연월일, ⓘ 보험증권의 작성지와 그 작성연월일

㉡ 기본적인 사항 이외에도 상법은 보험의 종류에 따라 각각 별도의 기재 사항을 규정하고 있다.

② 증거증권성

㉠ 보험증권은 보험계약의 성립을 증명하기 위해 보험자가 발행하는 증거(證據)증권이다.

㉡ 계약자가 이의 없이 보험증권을 수령하는 경우 그 기재가 보험관계의 성립 및 내용에 대해 사실상의 추정력을 갖게 되지만, 그 자체가 계약서는 아니다.

③ 면책증권성

㉠ 보험증권은 보험자가 보험금 등의 급여 지급에 있어 제시자의 자격과 유무를 조사할 권리는 있으나 의무는 없는 면책(免責)증권이다.

㉡ 그 결과 보험자는 보험증권을 제시한 사람에 대해 악의 또는 중대한 과실이 없이 보험금 등을 지급한 때에는 그가 비록 권리자가 아니더라도 그 책임을 면한다.

④ 상환증권성

실무적으로 보험자는 보험증권과 상환(相換)으로 보험금 등을 지급하고 있으므로 일반적으로 상환증권의 성격을 갖는다.

⑤ 유가증권성

일부보험의 경우에 보험증권은 유가증권의 성격을 지닌다.

㉠ 법률상 유가증권은 기명식에 한정되어 있지 않으므로 지시식(指示式) 또는 무기명식으로 발행될 수도 있다.

ⓐ 실제로 운송보험, 적하보험 등에서 지시식 또는 무기명식 보험증권이 이용되고 있다. 적하보험과 같이 보험목적물이 운송물일 경우 보험증권이 선하증권과 같은 유통증권과 같이 유통될 필요가 있으므로 지시식으로 발행되는 것이 일반적이다.

ⓑ 생명보험과 화재보험 등과 같은 일반손해보험의 경우 보험증권의 유가증권성을 인정하는 것은 실익이 없을 뿐만 아니라 이를 인정하면 도덕적 위태와 같은 폐해가 발생할 수 있다.

㉡ 다만 운송보험, 적하보험에서와 같이 보험목적물에 대한 권리가 증권에 기재되어 유통되는 경우 보험증권의 유가증권성을 인정하여 배서에 의한 보험금 청구권의 이전을 가능하게 하는 것이 타당하다.

(2) 보험약관

1) 보험약관의 의미

① 보험약관의 개념

㉠ 보험약관은 보험자와 계약자 또는 피보험자 간에 권리 의무를 규정하여 약속하여 놓은 것이다.

ⓛ 보험약관에는 계약의 무효, 보상을 받을 수 없는 경우 등 여러 가지 보험계약의 권리와 의무에 관한 사항들이 적혀 있다.

② 보험약관은 통상 표준화하여 사용되고 있다.

ⓐ 보험이라는 금융서비스의 성격상 다수의 계약자를 상대로 수많은 보험계약을 체결해야 하므로 그 내용을 정형화하지 않을 경우, 보험자 및 계약자 또는 피보험자의 관점에서 많은 불편이 생기기 때문이다.

ⓛ 통일성이 결여된 경우 약관 조항의 의미에 대한 다양한 법적 시비가 발생하고, 일반 소비자가 일일이 약관의 내용을 확인하는 것이 어렵다.

2) 보험약관의 유형

보험약관은 보통보험약관과 특별보험약관으로 구분된다.

① 보통보험약관

보험자가 일반적인 보험계약의 내용을 미리 정형적으로 정하여 놓은 약관이다.

② 특별보험약관

ⓐ 보통보험약관을 보충, 변경 또는 배제하기 위한 보험약관을 특별보험약관이라고 한다.

ⓛ 특별보험약관이 보통보험약관에 우선하여 적용되나 특약조항을 이용하여 법에서 금지하는 내용을 가능케 할 수는 없다.

3) 보통보험약관의 효력

① 보험약관의 구속력

ⓐ 보통보험약관의 내용을 보험계약의 내용으로 하겠다는 구체적인 의사가 있는 경우뿐 아니라 그 의사가 명백하지 아니한 경우에도 보험약관의 구속력을 인정하지 않을 수 없다.

ⓛ 보통보험약관은 반대의 의사표시가 없는 한 당사자가 그 약관의 내용을 이해하고 그 약관에 따를 의사의 유무를 불문하고 약관의 내용이 합리적인 한 보험계약의 체결과 동시에 당사자를 구속하게 된다.

② 허가를 받지 않는 보험약관의 사법상의 효력

ⓐ 금융위원회의 허가를 받지 아니한 보통보험약관에 의하여 보험계약이 체결된 경우, 사법상의 효력의 문제는 그 효력을 인정하는 것이 타당하다.

ⓛ 물론 허가를 받지 않은 약관을 사용한 보험자가 보험업법상의 제재를 받는 것은 당연하다.

ⓒ 금융위원회의 허가를 받지 아니하고 자신의 일방적인 이익을 도모하거나 공익에 어긋나는 약관을 사용한 때에는 그 효력은 인정되지 않는다.

4) 보통보험약관의 해석
  ① 기본 원칙
    ㉠ 당사자의 개별적인 해석보다는 법률의 일반 해석 원칙에 따라 보험계약의 단체성·기술성을 고려하여 각 규정의 뜻을 합리적으로 해석해야 한다(한낙현·김홍기 2008; 95).
    ㉡ 보험약관은 보험계약의 성질과 관련하여 신의성실의 원칙에 따라 공정하게 해석되어야 하며, 계약자에 따라 다르게 해석되어서는 안 된다.
    ㉢ 보험 약관상의 인쇄 조항(printed)과 수기 조항(hand written) 간에 충돌이 발생하는 경우 수기 조항이 우선한다.
    ㉣ 당사자가 사용한 용어의 표현이 모호하지 아니한 평이하고 통상적인 일반적인 뜻(plain, ordinary, popular; POP)을 받아들이고 이행되는 용례에 따라 풀이해야 한다.
  ② 작성자 불이익의 원칙(contra proferentem rule)
    보험약관의 내용이 모호한 경우 즉, 하나의 규정이 객관적으로 여러 가지 뜻으로 풀이되는 경우나 해석상 의문이 있는 경우에는 보험자에게 엄격·불리하게 계약자에게 유리하게 풀이해야 한다는 원칙을 말한다.

5. 재보험

(1) 재보험의 의의와 특성

1) 재보험의 의의
  ① 재보험
    보험자가 계약자 또는 피보험자와 계약을 체결하여 인수한 보험의 일부 또는 전부를 다른 보험자에게 넘기는 것으로 보험기업 경영에 중요한 역할을 한다.
  ② 최근 산업발전과 함께 위험이 대형화됨에 따라 재보험의 역할은 날로 중요해지고 있다.
    ㉠ 재보험은 원보험자가 인수한 위험을 또다른 보험자에게 분산함으로써 보험자 간에 위험을 줄이는 방법이다.
    ㉡ 원보험자와 재보험자 간에 위험 분담을 어떻게 하느냐 하는 것은 매우 중요하다.
2) 재보험 계약의 독립성
  ① 보험자는 보험사고로 인하여 부담할 책임에 대하여 다른 보험자와 재보험 계약을 체결할 수 있다.
  ② 재보험 계약은 원보험 계약의 효력에 영향을 미치지 않는다(상법 제661조). 이것은 원보험 계약과 재보험 계약이 법률적으로 독립된 별개의 계약임을 명시한 것이다.

3) 재보험 계약의 성질

① 재보험 계약은 책임보험의 일종으로서 손해보험 계약에 속한다. 따라서 원보험이 손해보험인 계약의 재보험은 당연히 손해보험이 되지만 원보험이 인보험인 계약의 재보험은 당연히 인보험이 되지 않고 손해보험이 된다.

② 그러나 재보험은 보험업법상 예외 규정에 따라 생명보험회사도 인보험의 재보험을 겸영할 수 있다.

4) 상법상 책임보험 관련 규정의 준용

상법상 책임보험에 관한 규정(상법 제4편 제2장 제5절)은 재보험 계약에 준용된다(상법 제726조).

(2) 재보험의 기능

1) 위험 분산

재보험의 기능은 위험 분산이라는 데서 찾을 수 있다. 이를 세분하면 양적 분산, 질적 분산, 장소적 분산 등으로 나누어 볼 수 있다.

① 양적 분산

재보험은 원보험자가 인수한 위험의 전부 또는 일부를 분산시킴으로써 한 보험자로서는 부담할 수 없는 커다란 위험을 인수할 수 있도록 하는데, 이것이 위험의 양적 분산 기능이다.

② 질적 분산

원보험자가 특히 위험률이 높은 보험 종목의 위험을 인수한 경우 이를 재보험으로 분산시켜 원보험자의 재정적 곤란을 구제할 수 있도록 하는데, 이것이 위험의 질적 분산 기능이다.

③ 장소적 분산

원보험자가 장소적으로 편재한 다수의 위험을 인수한 경우, 이를 공간적으로 분산시킬 수 있도록 하는데, 이것은 위험의 장소적 분산 기능이다.

2) 원보험자의 인수 능력의 확대로 마케팅 능력 강화

① 원보험자의 인수 능력(capacity)의 확대로 마케팅 능력을 강화하는 기능을 한다.

② 원보험자는 재보험을 통하여 재보험이 없는 경우 인수할 수 있는 금액보다 훨씬 더 큰 금액의 보험을 인수(대규모 리스크에 대한 인수 능력 제공)할 수 있게 된다.

3) 경영의 안정화

① 실적의 안정화 및 대형 이상 재해로부터 보호해 주는 등 원보험사업의 경영 안정성(재난적 손실로부터 원보험사업자 보호)을 꾀할 수 있다. 즉 예기치 못한 자연재해 및 대형 재해의 발생 등으로 인한 보험영업실적의 급격한 변동은 보험사업의 안정성을 저해하게 된다.

② 재보험은 이러한 각종 대형 위험 등 거액의 위험으로부터 실적의 안정화를 지켜주므로 보험자의 경영 안정성에 큰 도움을 준다.

4) 신규 보험상품의 개발 촉진

① 재보험은 신규 보험상품의 개발을 원활하게 해주는 기능을 한다. 원보험자가 신상품을 개발하여 판매하고자 할 때 손해율 추정 등이 불안하여 신상품 판매 후 전액 보유하기에는 불안한 경우가 많다.

② 이 경우 정확한 경험통계가 작성되는 수년 동안 재보험자가 재보험사업에 참여함으로써 원보험자의 상품개발을 지원하는 기능을 하고 있다.

01 위태(Hazard), 손인(Peril), 손해(Loss)의 관계에 대하여 간략하게 서술하시오.

02 다음은 위험의 분류상 내용이다. 각 내용에 알맞은 위험의 종류를 쓰시오.

> (1) 실증자료 등이 있어 확률 또는 표준편차와 같은 수단을 통해 측정 가능한 위험
> (2) 손실의 기회만 있고 이득의 기회는 없는 위험
> (3) 시간 경과에 따라 성격이나 발생 정도가 변하여 예상하기가 어려운 위험
> (4) 피해 당사자에게 한정되거나 매우 제한적 범위 내에서 손실을 초래하는 위험
> (5) 보험자가 책임을 면하기로 한 위험

03 재무적 위험관리의 위험관리 기법을 3개만 쓰시오(단, 상세한 설명을 할 필요는 없다).

04 다음 표는 위험 특성에 따른 위험관리 방법이다. 각 항목에 알맞은 내용을 쓰시오.

손실규모(심도) ＼ 손실 횟수(빈도)	적음(少)	많음(多)
작음(小)	(①)	(③)
큼(大)	(②)	(④)

05 보험의 성립조건을 5가지만 기술하시오.

06 다음 [보기]의 (   ) 안에 들어갈 알맞은 말을 쓰시오.

> [보기]
>
> 보험은 보험자가 계약자의 정보를 완전히 파악한 상태에서 설계하는 것이 가장 이상적이다. 따라서 보험자가 최대한 노력하여 계약자의 정보를 완전히 확보하려고 하지만 현실적으로 쉽지 않다. 보험자가 계약자에 대한 정보를 완전히 파악하지 못하고 계약자는 자신의 정보를 계약자에게 제대로 알려주지 않는 비대칭 정보(asymmetric information)가 발생할 때 나타나는 보험의 역기능을 (   )이라고 한다.

07 다음은 손해보험의 원리와 관련된 설명이다. 각 설명에 알맞은 보험의 원리를 쓰시오.

> (1) 손해보험의 가입 목적은 손해의 보상에 있으므로 피보험자는 보험사고 발생 시 실제로 입은 손해만을 보상받아야 하며, 그 이상의 보상을 받아서는 안 된다는 원칙
> (2) 보험자가 받은 보험료가 지급한 보험금보다 부족하거나 또는 반대로 지나치게 많아서는 안 된다는 원칙
> (3) 위험집단 구성원 각자가 부담하는 보험료는 평균 지급보험금에 사고 발생의 확률을 곱한 금액과 같다는 원칙
> (4) 수학이나 통계학에서 적용되는 대수의 법칙을 보험에 응용한 원칙
> (5) 독일의 보험학자 마네즈가 보험을 일컬어 "1인은 만인을 위하여, 만인은 1인을 위하여"라고 하여 보험제도가 갖는 손해보험 원리를 설명한 원칙

08 피보험이익의 원칙이 가지는 3가지 목적을 간략하게 서술하시오.

09 보험계약은 쌍방의 정보를 기반으로 이루어지기 때문에 각자 계약과 관련한 정보를 상대방에게 제공할 필요가 있다. 보험계약자 또는 피보험자에게 부과되는 법적 의무의 종류 3가지를 기술하시오.

10 보험증권이 갖는 법적 성격(특성) 5가지를 기술하시오.

단원평가 적중예상문제 정답

01   위태는 사고 발생 가능성은 있으나 사고가 발생하지는 않은 단계이고, 손인은 이러한 위험 상황에서 실제로 위험이 발생한 단계를 말하며, 손해는 위험사고가 발생한 결과 초래되는 가치의 감소, 즉 손실을 의미한다.

02   (1) 객관적 위험, (2) 순수위험, (3) 동태적 위험, (4) 특정적 위험, (5) 면책위험

03   위험보유, 위험의 제3자 전가, 위험결합

04   ① 보유 – 자가보험,   ② 전가 – 보험,   ③ 손실통제,   ④ 위험회피

05   (1) 다수의 동질적 위험의 존재
     (2) 손실의 우연성
     (3) 손실의 한정성
     (4) 비재난적 손실
     (5) 확률적으로 계산 가능한 손실
     기타
     (6) 경제적으로 부담 가능한 보험료

06   역선택

07   (1) 이득금지의 원칙, (2) 수지상등의 원칙, (3) 급부・반대급부 균등의 원칙,
     (4) 위험 대량의 원칙, (5) 위험의 분담의 원칙

08   첫째, 피보험이익은 도박을 방지하는 데 필수적이다.
     둘째, 피보험이익은 도덕적 위태를 감소시킨다.
     셋째, 피보험이익은 결국 계약자의 손실규모와 같으므로 손실의 크기를 측정하게 해 준다.

09   (1) 고지의무, (2) 통지의무, (3) 손해방지・경감의무

10   (1) 요식증권성, (2) 증거증권성, (3) 면책증권성, (4) 상환증권성, (5) 유가증권성

손해평가사 _ 2차 제1과목
농작물재해보험 및 가축재해보험의
이론과 실무

PART

03

농업재해보험 특성과 필요성

CHAPTER 01

농업의 산업적 특성

1. 농업과 자연의 불가분성

(1) 농업은 자연과의 관련성 및 영향의 정도가 타 산업과는 크게 다르다.

1) 물(수분), 불(온도, 빛) 및 흙(토양) 등 자연조건의 상태에 따라 성공과 실패, 풍흉이 달라지는 산업적 특성 때문이다.

▼ **자연과 농산업의 관계**

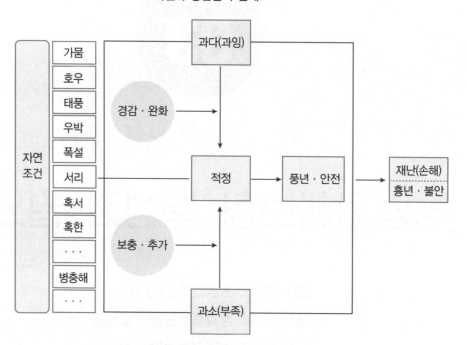

2) 생물(농작물)을 생산(재배)하는 농업은 물(水), 불(火, 光), 땅(土)과 바람(風) 같은 자연조건이 알맞아야 한다.

3) 농작물 생육기간에 이러한 자연요소들이 조화를 이루면서 적절하게 주어질 때 풍성한 수확을 기대할 수 있다.

① 자연요소들 중 어느 하나라도 과다하거나 과소하면 수확량의 감소를 초래하게 되는데 이것이 재해(災害, disaster)라고 할 수 있다.

② 적절한 물, 불, 흙 및 바람 등은 생명체의 생장에 없어서는 안 될 필수요소들이지만 과다하거나 부족하면 생명체에 위협 요인으로 작용한다.

③ 농업은 자연조건을 얼마나 잘 활용하느냐에 성패가 달려 있다.

ⓐ 과학기술의 발달로 어느 정도의 부정적인 자연조건은 극복하거나 줄일 수 있지만 자연의 영향으로부터 완전히 벗어날 수는 없다.

ⓑ 기본적으로는 자연에 순응하는 농업을 영위하게 된다.

ⓒ 지역마다 토질은 물론 기온 및 강수량 등의 여건이 다르기 때문에 해당 지역의 자연조건에 적합한 작물과 품종을 선택하는 것이 바람직하다.

ⓓ 지역 여건에 적합한 작물을 선택하는 적지적작(適地適作)이 중요하며, 이렇게 하다 보면 자연스럽게 동일 작물 또는 유사 작물을 재배하는 농가가 일정 지역에 모여 단지를 형성하게 되는데 이렇게 형성되는 것이 주산지이다.

(2) 농업은 생물인 농작물을 기르는 산업이기 때문에 물이 절대적으로 필요하다. 그러나 물이 너무 많아도 안 되고 너무 적어도 안 된다. 또한 작물과 시기에 따라 필요한 양이 달라 물(수분)은 제때에 적절하게 공급되어야 한다.

1) 물이 지나치게 많으면 농작물에 나타나는 현상

① 비가 많이 내리면 농작물 생육에 지장을 초래하고 농작물 자체가 잠기거나 유실되어 생산량의 감소를 초래한다.

② 비가 많이 내리는 것이 호우(豪雨)이며, 비가 장기간 내리는 것이 장마이다.

③ 우리나라는 온대기후에 속해 여름철에 비가 많이 내리고 봄·가을에는 적게 내리는 계절적 특성이 있다.

④ 그러나 최근 들어 지구온난화로 인한 이상기후로 인해 여름철 강우는 적어지는가 하면 가을장마가 자주 발생하기도 한다.

2) 물이 지나치게 부족하면 농작물에 나타나는 현상

① 농작물 생육을 저해하고 심한 경우에는 농작물이 고사(枯死)하기도 한다.

② 비가 장기간 오지 않아 물 부족이 심한 가뭄이 발생하면 인간의 노력으로 대처하는 데 한계가 있다.

3) 물 부족이나 과잉에 대비하기 위한 노력

① 저수지 설치나 농업용 또는 다목적 댐을 건설하는 것이다.

② 비가 오는 장마철에는 물을 최대한 가두어 홍수 조절 기능을 하고 가뭄 때에는 농업용수로 공급하기 위해서다.

③ 1960~70년대에는 가뭄과 홍수가 연례행사처럼 발생했으나 전국적으로 저수지 설치와 개·보수 및 다목적 댐 건설 등으로 과거에 비해 가뭄과 홍수는 많이 줄어들었다.

④ 가뭄이나 호우가 장기간 대규모로 발생하면 인간이 대처하는 데는 한계가 있어 재해로 발전한다.

(3) 농업에서 온도(빛)도 필수이다.

1) 파종부터 생육 과정을 거쳐 결실을 맺어 수확하기까지의 과정에서 온도와 빛이 적당하게 주어져야 한다.

이들이 부족하게 되면 생육이 더디거나 불완전하여 결실이 불충분하므로 수확량이 적어지고 너무 많으면 웃자라거나 시들어 버려 결실을 맺지 못한다.

2) 빛의 필요성

① 농작물이 생육에 필요한 광합성 작용을 하기 위해서는 빛이 절대적으로 필요하다.

  ㉠ 햇빛은 적정 온도를 유지하는 것 외에도 농작물의 광합성에 없어서는 안 된다.

  ㉡ 구름에 가려 햇빛이 비치지 않는 흐린 날이 장기간 지속되면 농작물 생육에 지장을 초래한다.

② 열과 빛을 동시에 공급하는 햇빛(일조시간)은 농업에서 중요한 역할을 한다.

3) 기온

① 기온이 지나치게 낮으면(이상저온) 작물에 나타나는 현상

  ㉠ 생육을 멈추거나 심한 경우 동해(凍害)를 입게 된다.

  ㉡ 근래 들어 사과와 배 등 과수의 경우 꽃 필 무렵에 이상저온이 며칠간 이어져 꽃이 어는 피해가 자주 발생한 것이 대표적이다.

  ㉢ 개화기뿐만 아니라 작물 생육기간에 이상저온이 발생하면 생장 및 결실에 부정적 영향을 미친다.

② 기온이 적정 수준보다 높으면 작물에 나타나는 현상

  ㉠ 작물 생장에 지장(고온 장애)을 초래한다.

  ㉡ 기온이 지나치게 높으면 생장을 멈출 뿐만 아니라 심한 경우 시들거나 고사(枯死)하기도 한다.

  ㉢ 몇 년 전 여름철 고온이 장기간 지속되어 사과 등 과일이 햇빛에 데는 일소(日燒) 피해가 발생한 적이 있다.

(4) 아울러 농업을 영위하기 위해서는 적당한 토지(땅)가 필수적이다.

  1) 토지는 인간이 만든 것이 아니라 지구의 지각변동에 의해 만들어진 것이다.

  2) 인간은 농업에 사용할 목적으로 토지를 변용하여 농지를 조성한다.

    ① 모든 토지가 농업용으로 적합한 것은 아니며, 농업에 적합한 토지는 매우 제한적이다.

    ② 토지라 해도 동일하지 않고 토지를 구성하는 요소들의 내용에 따라 토지의 성질은 다양하다.

    ③ 농작물 생육에 적합한 토지에서 농사를 지으면 질 좋은 농작물을 많이 생산할 수 있지만, 적합하지 않은 토지에서 작물을 재배하면 기대하는 만큼의 수확을 하기 어렵다.

    ④ 토양 성분이 지역마다 다르기 때문에 해당 토양에 적합한 작물과 품종을 선택해야 한다.

2. 농업재해의 특성

농업은 자연과 불가분의 관계에 있다. 농업은 주어진 자연조건에 적응하면서 때로는 적절히 활용하여 농작물을 생산한다. 농업인은 자연조건에 가장 적합한 방법들을 택해 영농활동을 한다. 농업인 나름대로는 최선을 다한다고는 하지만 때로는 다양한 농업재해들이 발생하는데 이들의 특징을 살펴보면 다음과 같다.

(1) 불예측성

1) 농업재해는 언제 어디에서 어느 정도로 발생할지 예측하기가 어렵다.
　① 기상청에서는 장기예보 및 단기예보를 발표한다.
　　㉠ 실시간 기상 상황의 변화도 알려주고 있다.
　　㉡ 여러 위성으로부터 정보를 받아 대형 컴퓨터 등 첨단 과학 장비를 동원하여 전문가들이 분석한 결과를 발표하는 것이다.
　　㉢ 과거에 비해 정확도가 많이 높아지기는 했지만 아직도 기상 발표와 실제 날씨가 맞지 않는 경우가 적지 않다.
　　　ⓐ 첨단장비의 결함이나 전문가의 분석력이 부족한 탓이라기보다는 기상 변화가 그만큼 심하기 때문이라고 볼 수 있다.
　　　ⓑ 특히 지구온난화로 인한 이상기후로 인해 과거에는 발생하지 않던 패턴이 나타나기 때문에 기상 변화를 예측하기가 쉽지 않다.
　② 농업인들은 기상재해로 인한 피해를 막거나 최소화하기 위해서는 항상 기상예보와 기상 상황에 주의를 기울일 필요가 있다.
2) 농업인들은 본인의 경험과 장기예보를 토대로 한 해 농사를 계획하는데 장기예보가 맞지 않으면 일 년 농사를 망치게 된다.

(2) 광역성

1) 기상재해는 발생하는 범위가 매우 넓다.
　① 몇 개 지역에 걸쳐 발생하기도 하고 때로는 전국적으로 발생하기도 한다.
　② 발생하는 지역의 범위도 시시각각으로 변한다. 예를 들어 농업인들은 태풍이 어느 경로를 통해 어느 정도의 폭으로 지나갈지 모르기 때문에 태풍이 발생해서 소멸될 때까지 주시해야 한다.
2) 일단 재해가 발생하면 인근 지역 전체가 재해를 입기 때문에 농업인들은 각자의 재해 복구에도 손이 모자라기 때문에 다른 농가를 도울 여력이 없다.
3) 재해가 일정 지역을 넘어서 대규모 재해가 발생하면 특정 지역의 문제가 아니라 범국가적인 문제가 된다.

(3) 동시성·복합성

기상재해는 한 번 발생하면 동시에 여러 가지 재해가 발생한다. 몇 개의 재해가 동시에 발생하면 농업인들은 그만큼 대응하기가 더 어려워진다.

1) 여름철에는 장기간 비가 계속 내리는 장마가 발생하는데 장마가 오래 지속되면 습해 및 저온 피해가 발생한다. 2020년에는 장마가 54일 동안이나 지속되어 기상관측 사상 가장 긴 장마로 기록되었다.

2) 장마 중에 강풍을 동반한 집중호우가 발생하기도 한다. 태풍은 집중호우를 동반하는 것이 일반적이다.

3) 긴 장마가 끝나면 병충해가 연례행사로 발생한다.

(4) 계절성

1) 우리나라는 온대지역에 속해 4계절이 있다. 최근 지구온난화로 봄과 가을은 짧아지고 여름과 겨울이 길어지는 경향이 있지만 아직 4계절은 뚜렷하다.

2) 동일한 재해라도 계절에 따라 영향은 달라진다.

　① 비

　　㉠ 연중 비가 고르게 내린다면 재해가 아니라 농사에 지원군이 된다.

　　㉡ 우리나라의 경우 연간 강수량 중 절반 이상이 여름철에 집중된다. 이 기간은 농작물이 한창 생육하는 때라서 장마나 집중호우는 풍흉에 직접적으로 영향을 미친다.

　　㉢ 겨울철에 드물기는 하지만 장마가 발생하는 경우가 있다.

　　　ⓐ 겨울철에 농사를 짓는 일부 작목에는 막대한 영향을 주겠지만 여름철에 비해 농사에 미치는 영향은 적다.

　　　ⓑ 오히려 겨울철 비나 눈은 봄철 모내기나 농사에 필요한 농업용수의 중요한 공급원이 된다.

　② 태풍

　　㉠ 주로 영농철인 여름에 발생하는데, 집중호우와 강풍을 동반한 태풍 피해는 엄청나다.

　　㉡ 태풍의 경우 언제나 막대한 피해를 초래하지만, 특히 늦여름이나 가을 태풍은 일 년 농사에 치명적이다.

　　㉢ 벼의 경우 이삭이 패 조금만 바람이 불어도 쓰러지고, 과일은 비대해질 대로 비대해져 태풍이 지나가면 일 년 농사 결실이 다 떨어진다.

(5) 피해의 대규모성

1) 가뭄이나 장마, 태풍 등이 발생하면 이로 인한 피해는 막대하다.

2) 개별 농가 입장에서도 감당하기가 어려울 뿐만 아니라 지역(지자체 수준)에서도 감당하기가 쉽지 않다.

3) 2020년의 긴 장마는 전국적으로 발생한 것으로 이상저온으로까지 이어져 전국적으로 막대한 손실을 초래하였으며 농작물재해보험의 보험금도 가장 많이 지급되었다.

(6) 불가항력성

1) 최근 들어 지구온난화에 의한 이상기후로 자연재해는 예측하기도 어렵고 일단 발생하면 피해 규모도 막대하다.

2) 각종 기상재해를 방지하거나 최소화하기 위해 다양한 수단과 방법이 동원된다.

① **농가**

지역의 기후조건에 적합한 작목과 품종을 선택하여 비배관리도 적절히 함으로써 최대의 수확을 거두려고 한다.

② **국가**

저수지나 댐을 만들어 가뭄과 홍수에 대비하고 경지정리와 관·배수시설 등 농업 생산 기반을 조성하여 농업인의 영농활동을 수월하게 한다.

3) 농가 및 국가 차원에서는 지속적으로 대비책을 강구하고 있지만 이러한 노력에도 불구하고 각종 자연재해가 발생하고 농업재해는 불가항력적인 부분이 크다. 그러나 불가항력적이라고 해서 재해대비책을 게을리해서는 안 될 것이다.

CHAPTER 02

농업재해보험의 필요성

1. 농업재해보험의 필요성

(1) 국가적 재해대책과 한계

1) 농업 분야는 재해에 취약한 산업적 특성을 고려하여 국가적 재난 대책 외에 별도의 법령 인 「농어업재해대책법」에 근거해 농업재해대책을 시행하고 있다.

① 그러나 농업재해대책은 개별 농가의 재해로 인한 손실을 보전하는 것이 아니라 집단 적으로 발생한 재해 지역의 농가에게 재해복구를 지원하는 데 목적이 있다.

② 즉, 농업재해대책은 재해복구지원대책이지 재해로 인한 손실을 보전하는 제도는 아니기 때문에 재해 입은 농가의 손실을 보전하는 데에는 한계가 있다.

2) 국가는 국민의 생명과 재산을 보호할 책임이 있다.

① 헌법은 "국가는 재해를 예방하고 그 위험으로부터 국민을 보호하기 위해 노력하여야 한다(제34조 제6항)."라고 국가의 책임을 규정하고 있다.

② 「재난 및 안전관리 기본법」에서는 다음과 같이 규정하여 국가책임을 명확히 하고 있다.

㉠ 국가와 지방자치단체는 재난이나 그 밖의 각종 사고로부터 국민의 생명·신체 및 재산을 보호할 책무를 지고, 재난이나 그 밖의 각종 사고를 예방하고 피해를 줄이 기 위하여 노력하여야 한다.

㉡ 발생한 피해를 신속히 대응·복구하기 위한 계획을 수립·시행하여야 한다.

(2) 농업(재해)의 특수성 : 대규모성 및 불가항력성

1) 농업재해는 일단 발생하면 광역적이며 대규모로 발생하여 사람의 노력으로 대처하는 데 에는 한계가 있다.

2) 농업재해가 불시에 광범위한 지역에서 대규모로 발생할 경우 개별 농가 수준에서 대처 하여 농가 스스로 재해의 충격 및 손실을 극복하는 데에는 한계가 있다.

3) 농업재해의 특성을 다시 요약해보면 다음과 같다.

① 불시에 광범위한 지역에서 동시다발적으로 발생한다.

㉠ **예측 불가능성** : 기상관측기술의 발달로 어느 정도 예측 및 대응이 가능하지만, 그 영향이 어느 범위까지 미칠지를 알기 어렵다.

㉡ **동시 광역성** : 광범위한 지역에서 동시에 발생하기 때문에 설령 예측이 가능하다 고 하더라도 대처하는 데 한계가 있다.

② 발생지역에 따라 피해 정도의 차이가 크다.

　　　㉠ 피해의 불균일성 : 동일한 재해라고 하더라도 지역에 따라 피해가 심한 지역이
　　　　있는가 하면, 경미한 피해에 불과한 지역도 있다.
　　　㉡ 따라서 재해 규모만으로 피해를 획일적으로 규정하기 어렵다.
　③ 계절별로 다른 재해의 발생
　　　작물 및 계절별로 발생하는 재해의 종류가 상이하다. 반대로, 동일한 재해라도 농작
　　　물에 주는 영향이 계절에 따라 다르다(피해 발생의 이질성).
　④ 대부분 자연재해의 불가항력성
　　　기상관측기술의 발달과 각종 생산기반시설의 확충 및 영농기술의 발달 등으로 어느
　　　정도의 자연재해는 극복할 수 있지만, 이상기상으로 인한 대규모 재해는 인간이 대응
　　　하는 데 한계가 있다(불가항력성).

(3) WTO협정의 허용 대상 정책

1) 각국의 열악한 농업을 보완하는 정책은 허용되는데, 직접지불제와 농업재해보험 등이
　이에 해당한다. 따라서 WTO 체제하에서도 허용되는 정책인 농업재해보험을 농가 지원
　을 위한 수단으로 적극 활용할 필요가 있다.
2) WTO 체제가 출범하면서 그동안 농가를 직접 지지해오던 가격정책은 축소하거나 폐지해
　야 한다. 자유무역질서에 영향을 줄 수 있는 각국의 농업정책들은 축소하거나 폐지하기
　로 합의했기 때문이다.

(4) 시장 실패와 정책보험

1) 자유경쟁시장에서는 보험을 포함한 모든 상품은 수요와 공급이 일치하는 점에서 가격이
　결정되고 거래가 이루어진다.
2) 그림으로 설명하면 그림 (A)에서 수요(D)와 공급(S)이 만나는 점에서 가격(P)이 결정되
　어 Q만큼의 거래가 이루어진다.
3) 수요와 공급이 만나지 않으면 거래가 이루어지지 않는데 이를 시장실패라고 한다.
　① 시장실패는 그림 (B)에서 보는 바와 같이 수요는 너무 낮은 데 비해 가격이 너무
　　낮은 수준에서는 공급이 어려운 경우이다.
　② 농업재해보험이 이러한 경우로 보험시장에만 의존하면 농업재해보험은 거래가 이루
　　어지기 어렵다.
　③ 농업인 입장에서는 농업재해보험이 필요하다는 것은 알지만 높은 가격(보험료)을
　　지불하고 보험을 구입(가입)하기에는 경제력이 부족하여 망설일 수 있다.
4) 보험자의 입장에서는 농업재해보험을 운영하기 위해서는 일정한 가격을 유지해야 한다.
　① 가격을 낮추어 회사가 손해를 보면서까지 농업재해보험을 판매할 수는 없다.
　② 이러한 상황에서는 보험자가 농업재해보험상품을 판매한다고 하더라도 거래가 이루
　　어지기는 어렵다.

▼ 수요와 공급

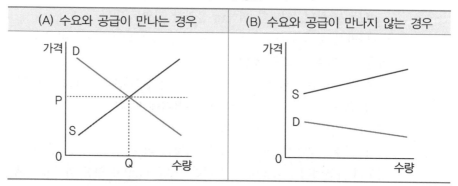

(A) 수요와 공급이 만나는 경우	(B) 수요와 공급이 만나지 않는 경우

5) 농업재해보험을 활성화하기 위해서는 국가가 나서야 하는 이유가 여기에 있다.
① 아래에서 보는 바와 같이 국가가 농가가 부담할 보험료의 일부를 지원함으로써 농가의 구매력을 높여 수요를 증가시키고(D → D'), 공급자인 보험자에는 운영비를 지원한다든가 재보험을 통해 위험비용을 줄여줌으로써 저렴한 가격에서도 공급이 가능하도록 한다(S → S'). 결국은 변경된 수요와 공급이 만나는 수준에서 가격(P_0)이 결정되어 Q_0만큼의 농업재해보험이 거래된다.
② 농업재해보험이 보험시장에서 시장원리에 의해 거래되기 어려운 경우에 국가가 개입하게 되는데 국가 개입의 정도는 각국의 보험시장 상황에 따라 다르기 때문에 일률적으로 판단할 사항은 아니다.
③ 농업재해보험을 민영보험시장에 맡기기 어려운 상황인 국가에서는 직접 국가가 농업재해보험을 운영하기도 한다.

▼ 정책보험으로서의 농업재해보험

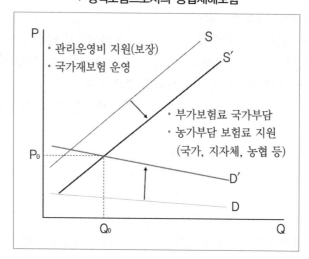

CHAPTER 03

농업재해보험의 특징

1. 농작물재해보험의 특징

(1) 보험 대상 재해가 자연재해임

1) 민영보험사에서 취급하는 일반보험은 자연재해로 인한 피해를 보상하지 않는다.

2) 농작물재해보험은 자연재해로 인한 피해를 대상으로 하는 특수한 보험이다.

> 자연재해는 한 번 크게 발생하면 그 피해가 너무 크고 전국적으로 발생하여 민영보험사에서 이를 감당하기 곤란하기 때문에 보험시장이 발달한 현재도 농작물재해보험만은 민영보험사에서 쉽게 접근하지 못하고 있다.

(2) 손해평가의 어려움

1) 생물(生物)인 농작물의 특성상 손해액을 정확하게 평가하는 것은 어렵다.

2) 재해 발생 이후 어느 시점에서 파악하느냐에 따라 피해의 정도가 달라질 수도 있다.

3) 농작물은 생물이기 때문에 재해가 발생한 이후의 기상조건이 어떠하냐에 따라 재해 발생 이후의 작황이 크게 달라지기 때문이다.

4) 농작물은 재해가 동시다발적으로 광범위한 지역에서 발생하는 데 비해 재해 입은 농작물은 부패 변질되기 쉽기 때문에 단기간에 평가를 집중해야 하므로 손해평가에 큰 비용 및 인력이 소요된다.

(3) 위험도에 대한 차별화 곤란

위험의 정도에 따라 보험료를 부과함으로써 위험이 낮은 계약자와 높은 계약자를 구분해야 하나 농작물 재해는 그 위험을 세분화하기가 쉽지 않다.

(4) 경제력이 낮은 농업인 대상

1) 계약자의 경제력이 일정 수준에 도달해야 보험에 대한 가입 욕구가 발생한다.

2) 농산물가격이 전반적으로 정체된 상태에서 농자재가격은 계속 상승하여 농가경제가 전반적으로 취약한 상황에서는 농업인은 보험 가입을 망설이는 경향이 있다.

(5) 물(物)보험 - 손해보험

1) 농작물재해보험은 농업생산과정에서의 재해로 인한 농작물 손실을 보험 대상으로 하고 있다.

2) 즉, 사람을 대상으로 하는 인(人)보험이 아니라 농작물이라는 물질을 대상으로 하는 물(物)보험이다. 또한 농작물의 손실을 보전하는 손해보험이다.

(6) 단기 소멸성 보험

1) 농작물재해보험은 농작물의 생육이 확인되는 시기부터 농작물을 수확할 때까지의 기간에 발생하는 재해를 대상으로 하고 있다.

2) 따라서 농작물재해보험의 보험기간은 농작물이 생육을 시작하는 봄부터 농작물을 수확하는 가을까지로 그 기간은 1년이 채 안 된다.

> 일부 보험상품의 경우에는 보험기간이 연중인 경우도 있으며, 과수작물의 경우 꽃눈이 형성되어 과실로 결실을 맺어 수확하기까지 1년 이상 걸리는 경우도 있지만 이를 포함한다고 해도 농작물재해보험의 보험기간은 2년 미만으로 단기보험에 해당한다고 할 수 있다.

(7) 국가재보험 운영

1) 농작물재해보험은 대부분의 국가에서 국가가 직간접적으로 개입하는 정책보험으로 실시되고 있다.

2) 국가마다 구체적인 내용은 조금씩 다르지만 국가는 농업인이 부담하는 보험료의 일부를 지원하고 보험사업 운영비의 전부 또는 일부를 부담한다.

3) 국가의 재정적 지원에도 불구하고 농작물재해보험사업자는 대규모 농업재해가 발생할 경우 그 위험을 다 감당하기 어렵기 때문에 재해보험사업에 참여하기를 꺼리는 경우가 있다.

4) 국가에서 재해보험사업자가 인수한 책임의 일부를 나누어가지는 국가재보험을 실시한다.

CHAPTER 04

농업재해보험의 기능

1. 농업재해보험의 기능

(1) 재해농가의 손실 회복

1) 농업재해보험을 통해 보험금이 지급되면 재해를 입은 농가는 경제적 손실의 상당 부분을 회복하게 된다.

2) 원상회복까지는 아니더라도 보험금을 수령한 농가는 대출받은 영농자금을 상환할 수 있고 정상적인 경제생활을 영위할 수 있다.

3) 다음 해 영농 준비에도 차질을 빚지 않게 된다.

> 농업재해보험이 없는 상황에서 대규모 농업재해가 발생하면 농가에게 심각한 영향을 초래한다. 재해로 인한 충격이 몇 년간 지속되고 심한 경우에는 폐농(廢農)에 이르기도 한다.

(2) 농가의 신용력 증대

농업재해보험은 농가의 신용력을 높여주는 역할을 한다.

1) 예기치 않은 재해로 커다란 손실을 입더라도 지급되는 보험금으로 손실의 상당 부분을 회복할 수 있기 때문에 금융기관에서는 대출한 자금 회수를 걱정하지 않아도 된다.

2) 농업재해보험에 가입했다는 것만으로 농가의 신용을 보증하는 결과가 된다. 실제로 미국 등 농업보험이 발달한 국가에서는 금융기관에서 보험 가입 농가와 미가입 농가의 대출 조건을 달리 하는 경우도 있다.

(3) 농촌지역경제의 안정화

1) 경제 발전으로 농업의 상대적 비중이 크게 작아지기는 했지만, 아직도 우리 농촌에서는 농업이 주요 산업으로 자리 잡고 있다.

2) 대규모 농업재해가 발생하여 농업생산이 크게 감소하면 농가경제가 위축되고 농가의 구매력 감소는 지역경제에 부정적인 영향을 초래한다.

3) 이런 상황에서 농업재해보험을 통해 생산감소로 인한 경제적 손실의 상당 부분을 복구할 수 있다면 농촌지역경제에는 별다른 영향을 미치지 않게 된다.

4) 극단적인 경우에도 농업재해보험을 통해 일정 수준의 수입이 보장되기 때문에 지역경제에 불안 요소로 작용하지는 않는다.

(4) 농업정책의 안정적 추진

1) 농업정책을 보다 안정적으로 계획대로 추진할 수 있다.

   ① 농업재해보험이 보편화되면 농업재해보험에 대한 국가의 재정적 지원 규모가 확정되기 때문에 농업정책당국으로서는 우왕좌왕할 필요가 없다. 이는 중앙정부는 물론 지방정부도 마찬가지이다.

   ② 농업정책은 한정된 재원을 효율적으로 집행하기 위해 중요도와 시급성 등을 고려하여 예산을 편성한다. 일단 예산이 편성되면 융통성을 발휘할 여유는 거의 없다.

2) 이러한 상황에서 예상치 못한 대규모 농업재해가 발생하면 예비비로는 부족하여 다른 예산으로 재해복구에 충당하다 보면 당초 계획했던 농업정책사업들의 재조정이 필요하고 혼란을 초래한다.

(5) 농촌지역사회의 안정

농업재해보험은 재해로 경제적 타격이 심하더라도 상당한 수준까지 회복할 수 있기 때문에 사회적으로도 안정된 분위기가 지속될 수 있다.

> 예로부터 가을이 되면 농촌에서는 농산물 값은 어떻게 될지언정 일단 풍년이 들고 봐야 한다고 했다. 지금은 그전과 여건이 많이 달라졌지만 일단 풍년이 들기를 바라는 것은 크게 변하지 않았다고 할 수 있다. 옛말에 '타작(수확) 마당에서 인심 난다'는 말이 있다. 풍족해야 이웃을 돌아볼 여유가 생긴다는 의미이다. 달리 말하면 흉년이 들면 이웃을 돌볼 겨를이 없고 지역사회의 분위기도 침체하게 될 것이다.

(6) 재해 대비 의식 고취

1) 농업재해보험에 가입하지 않는 농가들도 재해 발생 시 이웃 농가가 보험금을 받아 경제적 손실을 복구해 평년과 비슷한 경제생활을 하는 것을 목격하면서 농업재해보험의 기능과 중요성을 인식하게 된다.

2) 보험에 가입한 농가는 평소 재해 발생을 대비하는 수단과 방법을 총동원해 재해 발생을 줄임으로써 보험료 부담을 경감하려고 노력하게 된다.

농업재해보험의 법령

1. 농어업재해보험법의 연혁

(1) 농작물재해보험법 2001.1.26. 제정

1) 태풍 및 우박 등 빈번하게 발생하는 자연재해로 인한 농작물의 피해를 적정하게 보전하여 줄 수 있는 농작물재해보험제도를 도입함으로써 자연재해로 인한 농작물 피해에 대한 농가소득안전망을 구축하여 농업소득의 안정과 농업생산성의 향상에 기여하려는 목적으로 농작물재해보험법이 2001.1.26. 제정되었다.

2) 농작물재해보험법 제정의 직접적인 계기가 된 것은 1999년 8월 제7호 태풍 올가로 인한 피해이다. 이때 전국적으로 67명이 죽거나 실종되었고, 이재민 2만 5,327명이 발생하였으며, 재산피해는 1조 1,500억 원으로 태풍 피해로 1조 원이 넘어선 것이 처음일 정도로 극심한 피해가 발생한 것에 따른 것이다.

(2) "농어업재해보험법"으로 변경하는 등 2009.3.5. 전면 개정하여 2010.1.1.부터 시행

1) 2009년에는 농작물뿐만 아니라 농어업 전반에 관련된 재해에 대비하여 농어가의 경영안정을 종합적으로 관리·지원하기 위하여 재해보험 적용 대상을 농작물에서 양식수산물, 가축 및 농어업용 시설물로 확대하였다.

2) 재해보험의 대상 재해를 자연재해에서 병충해, 조수해(鳥獸害), 질병 및 화재까지 포괄하여 농어업 관련 재해보험을 이 법으로 통합·일원화하고 법제명도 "농어업재해보험법"으로 변경하는 등 2009.3.5. 전면 개정하여 2010.1.1.부터 시행하였다.

3) 2014년에는 효과적인 보험상품 개발 등을 위한 농업재해보험사업의 관리에 관한 규정을 신설하고, 신속하고 공정한 손해평가를 위한 손해평가사 자격제도를 1년간의 준비기간 이후에 시행하는 조건으로 도입하는 규정을 신설하였다.

4) 2020년에는 양식수산물재해보험사업의 체계적인 관리·감독을 통해 양식수산물재해보험사업의 안전성과 전문성을 강화하기 위하여 양식수산물재해보험사업의 관리에 관한 업무를 농업정책보험금융원에 위탁할 수 있는 법적 근거를 마련하였다.

▼ 농어업재해보험법 주요 변천 내역

연도	제정 및 시행일시	주요 내용
2001년	2001.1.26. 제정 2001.3.1. 시행	〈농작물재해보험법〉 • 농작물재해보험심의회 설치 • 보험 대상 농작물의 종류, 피해 정도, 자연재해의 범위 등을 대통령령에서 정할 수 있는 근거 마련 • 재해보험사업자에 대한 관련 규정(선정, 지원 근거 등)
2005년	2005.1.27. 개정 2005.4.28. 시행	〈농작물재해보험법〉 • 재해보험 운영에 필요한 비용 정부 전액 지원 • 국가재보험제도 도입 • 농작물재해보험기금의 설치
2007년	2007.1.26. 개정 2007.7.27. 시행	〈농작물재해보험법〉 • 농작물재해보험의 대상이 되는 구체적인 농작물의 품목과 보상 대상 자연재해의 범위를 법률에 직접 규정
2010년	2009.3.5. 개정 2010.1.1. 시행	〈농어업재해보험법〉 : 법제명 개정 • 농어업 관련 재해보험을 이 법으로 통합·일원화 • 재해보험의 적용 대상을 농작물에서 양식수산물, 가축 및 농어업용 시설물로 확대 • 재해보험의 대상 재해를 자연재해에서 병충해, 조수해(鳥獸害), 질병 및 화재까지 포괄
2012년	2011.7.25. 개정 2012.1.26. 시행	〈농어업재해보험법〉 • 농작물재해보험의 목적물에 임산물 재해보험을 별도로 규정하여 범위를 명확히 함 • 계약자들의 보험료 부담을 덜어주기 위하여 정부의 지원 외에 지방자치단체도 보험료의 일부를 추가하여 지원 근거 마련
2014년	2014.6.3. 개정 2014.12.4 시행	〈농어업재해보험법〉 • 농업재해보험사업의 관리를 위한 농림축산식품부장관의 권한 및 위탁 근거 규정을 신설하고 전문손해평가인력의 양성 및 자격제도를 도입
2017년	2017.3.14. 개정 2017.3.14. 시행	〈농어업재해보험법〉 • 농업재해보험사업 관리 등을 「농업·농촌 및 식품산업 기본법」에 근거하여 설립된 농업정책보험금융원으로 위탁 • 손해평가사 자격시험의 실시 및 관리에 관한 업무를 「한국산업인력공단법」에 따른 한국산업인력공단에 위탁
2020년	2020.5.26. 개정 2020.8.27. 시행	〈농어업재해보험법〉 • 양식수산물재해보험사업의 관리에 관한 업무를 농업정책보험금융원에 위탁
2022년	2021.11.30. 개정 2022.6.1 시행	• 농림축산식품부장관과 해양수산부장관이 농어업재해보험 • 발전 기본계획 및 시행계획을 수립·시행

2. 농업재해보험 주요 법령 및 관련법

(1) 농업재해보험 관련 주요 법령
1) 농어업재해보험법
2) 농어업재해보험법 시행령

(2) 행정규칙
1) 농업재해보험 손해평가요령
2) 농업재해보험에서 보상하는 목적물의 범위등
3) 농업재해보험의 목적물별 보상하는 병충해 및 질병 규정
4) 농업재해보험통계 생산관리 수탁관리자 지정
5) 재보험사업 및 농업재해보험사업의 운영 등에 관한 규정
6) 농어업재해재보험기금 운용규정

(3) 농업재해보험 관련 주요 법률
농업 · 농촌 및 식품산업기본법, 농어업재해대책법, 농어업인의 안전보험 및 안전재해예방에 관한 법률, 농어업경영체 육성 및 지원에 관한 법률, 보험업법, 산림조합법, 풍수해보험법, 농업협동조합법 등

▼ 농어업재해보험법령 체계도

📄 상하위법

📂 **법률** 농어업재해보험법 [시행 2021. 3. 25.] [법률 제17112호, 2020. 3. 24., 타법개정] 본문 3단비교 판례등

└ 📂 **시행령** 농어업재해보험법 시행령 [시행 2021. 3. 25.] [대통령령 제31553호, 2021. 3. 23., 타법개정]

　└ 📂 행정규칙
　　├ 📄 고시 농업재해보험 손해평가요령 [시행 2019. 12. 18.] [고시 제2019-81호, 2019. 12. 18., 일부개정]
　　├ 📄 고시 농업재해보험에서 보상하는 보험목적물의 범위 [시행 2020. 3. 19.] [고시 제2020-21호, 2020. 3. 19., 일부개정]
　　├ 📄 고시 농업재해보험의 보험목적물별 보상하는 병충해 및 질병규정 [시행 2019. 12. 18.] [고시 제2019-82호, 2019. 12. 18., 일부개정]
　　├ 📄 고시 농업재해보험통계 생산·관리 수탁관리자 지정 [시행 2018. 1. 1.] [고시 제2017-108호, 2017. 12. 11., 일부개정]
　　├ 📄 고시 양식수산물재해보험 손해평가요령 [시행 2021. 6. 14.] [고시 제2021-120호, 2021. 6. 14., 일부개정]
　　├ 📄 고시 양식수산물재해보험사업의 운영 등에 관한 규정 [시행 2021. 7. 1.] [고시 제2021-109호, 2021. 6. 1., 제정]
　　├ 📄 고시 양식수산물재해보험에서 보상하는 보험목적물의 범위 [시행 2020. 1. 6.] [고시 제2019-222호, 2019. 12. 31., 일부개정]
　　├ 📄 고시 양식수산물재해보험의 보험료율 산정을 위한 권역단위 규정 [시행 2021. 6. 14.] [고시 제2021-123호, 2021. 6. 14., 일부개정]
　　├ 📄 고시 양식수산물재해보험의 보험목적물별 보상 질병 규정 [시행 2021. 6. 14.] [고시 제2021-121호, 2021. 6. 14., 일부개정]
　　├ 📄 고시 양식수산물재해보험통계 생산·관리 수탁관리자 지정 [시행 2021. 7. 1.] [고시 제2021-110호, 2021. 6. 1., 제정]
　　└ 📄 고시 재보험사업 및 농업재해보험사업의 운영 등에 관한 규정 [시행 2020. 2. 12.] [고시 제2020-16호, 2020. 2. 12., 일부개정]

└ 📂 행정규칙
　├ 📄 고시 농업재해보험 손해평가요령 [시행 2019. 12. 18.] [고시 제2019-81호, 2019. 12. 18., 일부개정]
　├ 📄 고시 농업재해보험에서 보상하는 보험목적물의 범위 [시행 2020. 3. 19.] [고시 제2020-21호, 2020. 3. 19., 일부개정]
　├ 📄 고시 농업재해보험의 보험목적물별 보상하는 병충해 및 질병규정 [시행 2019. 12. 18.] [고시 제2019-82호, 2019. 12. 18., 일부개정]
　├ 📄 고시 양식수산물재해보험 손해평가요령 [시행 2021. 6. 14.] [고시 제2021-120호, 2021. 6. 14., 일부개정]
　├ 📄 고시 양식수산물재해보험에서 보상하는 보험목적물의 범위 [시행 2020. 1. 6.] [고시 제2019-222호, 2019. 12. 31., 일부개정]
　└ 📄 고시 양식수산물재해보험의 보험목적물별 보상 질병 규정 [시행 2021. 6. 14.] [고시 제2021-121호, 2021. 6. 14., 일부개정]

3. 농업재해보험 관련 법령의 주요 내용

(1) 농어업재해보험법

1) 농어업재해보험법은 2001년 제정된 농작물재해보험법을 모태로 2010년 전부 개정하여 농작물, 양식수산물, 가축 및 농어업용 시설물을 통합하였다.

2) 농어업재해보험법의 구성은 다음과 같다.
   ① 총 32개의 본문과 부칙으로 되어 있다.
   ② 32개 본문 구성은 다음과 같다.
      ㉠ 제1장 총칙
      ㉡ 제2장 재해보험사업
      ㉢ 제3장 재보험사업 및 농어업재해재보험기금
      ㉣ 제4장 보험사업 관리
      ㉤ 제5장 벌칙

(2) 농어업재해보험법 시행령

1) 농어업재해보험법 시행령은 농어업재해보험법을 보충하는 제1조부터 제23조까지의 본문과 부칙으로 구성되어 있다.

2) 주요 내용은 다음과 같다.
   ① 농어업재해보험심의회의 구체적인 사항
   ② 재해보험에서 보상하는 재해의 범위
   ③ 계약자의 기준
   ④ 손해평가인 관련 사항
   ⑤ 손해평가사 자격시험 실시 및 자격 관련 사항
   ⑥ 업무위탁
   ⑦ 재정지원
   ⑧ 농어업재해재보험기금에 대한 구체적인 사항
   ⑨ 시범사업 등

(3) 농업재해보험 손해평가요령

1) 농업재해보험 손해평가요령은 농림축산식품부 고시 제2019-81호(2019.12.18. 일부 개정)로 제1조 목적부터 제17조 재검토기한까지의 본문과 부칙 및 별표 서식으로 되어 있다.

2) 주요 내용은 다음과 같은 사항을 규정하고 있다.
   ① 목적과 관련 용어 정의
   ② 손해평가인의 위촉 및 업무와 교육
   ③ 손해평가의 업무위탁
   ④ 손해평가반 구성

⑤ 교차손해평가, 피해 사실 확인
⑥ 손해평가 준비 및 평가 결과 제출
⑦ 손해평가 결과 검증
⑧ 손해평가 단위
⑨ 농작물·가축·농업시설물의 보험계약 및 보험금 산정
⑩ 농업시설물의 보험가액 및 손해액 산정
⑪ 손해평가 업무방법서 등

(4) 기타 농업재해보험 관련 행정규칙

1) 농업재해보험에서 보상하는 보험목적물의 범위

> 농림축산식품부 고시 제2020-21호(2020.3.19. 일부 개정)로 보험목적물(농작물, 임산물, 가축)에 대해 규정하고 있다.

2) 농업재해보험의 보험목적물별 보상하는 병충해 및 질병 규정

> 농림축산식품부 고시 제2019-82호(2019.12.18. 일부 개정)로 농작물의 병충해 및 가축의 축종별 질병에 대해 규정하고 있다.

3) 농어업재해재보험기금 운용 규정

> 농림축산식품부 훈령 제445호(2022.9.30. 일부 개정)로 제1장 총칙부터 제7장 보칙까지로 본문은 제1조 목적부터 제26조까지의 본문과 부칙으로 구성되어 있으며, 주요 내용은 농어업재해재보험기금의 효율적인 관리·운용에 필요한 세부적인 사항에 대해 규정하고 있다.

4) 재보험사업 및 농업재해보험사업의 운영 등에 관한 규정

> 농림축산식품부 고시 제2020-16호(2020.2.20. 일부 개정)로 본문은 제1조 목적부터 제18조까지의 본문과 부칙으로 구성되어 있으며, 주요 내용은 농어업재해보험법 및 동법 시행령에 의한 재보험사업 및 농업재해보험사업의 업무위탁, 약정체결 등에 필요한 세부적인 사항에 대해 규정하고 있다.

손해평가사 _ 2차 제1과목
농작물재해보험 및 가축재해보험의
이론과 실무

PART

04

농작물재해보험 제도

CHAPTER 01

제도 일반

1. 사업실시 개요

(1) 실시 배경과 사업목적

1) 정부의 보조 및 지원에 관한 사항은 생계구호적 차원의 "자연재해대책법"을 준용하도록 농어업재해대책법 제4조에 규정되어 있다.

　① 해마다 발생하는 자연재해로 인하여 농업 분야의 많은 피해가 농업인의 경영안정에 지장을 초래하고 있으나, 세부적인 지원 수준은 해당연도의 지원 수준에 따라 가변적 일 수밖에 없어 농작물 피해에 대한 지원율은 미미한 수준이었다.

　② 정부는 재해 발생 시 농어업재해대책법에 의해 정책자금 이자 상환 연장, 학자금 지 원, 대파종비, 농약대 등을 지원하는 등 재정이 많이 투입되고 있음에도 개별농가의 입장에서는 지원 수준이 미미하여 경영 안정에 실질적인 도움이 되지 못하고 있다.

2) 농작물재해보험은 1970년대 중반부터 필요성 제기

　① 보험사업을 시작하기 위한 사전 정보, 즉 경작 상황, 자연재해의 발생 및 피해에 대 한 자료가 구축되어 있지 않은 상황이었다.

　② 보험의 필요성에 대한 공감대가 형성되어 있지 않은 상태임에 따라 정책으로 도입되 지는 않았다.

3) 농작물재해보험제도 도입의 결정적인 계기

　① 1999년 8월 제7호 태풍 '올가'로 인한 피해로 전국적으로 67명이 죽거나 실종되었으 며, 이재민 2만 5,327명이 발생하였고, 재산피해는 1조 1,500억원에 육박하는 등 극심한 피해가 있었다. 이에 따라 농업을 포기하는 농가가 속출하고 난 이후인 2001 년에 농작물재해보험제도가 도입되었다.

　② 태풍이라는 자연재해로 인한 피해로부터의 복구 방안으로 보험에 대한 관심이 집중 되어 사과와 배 두 품목에 대한 시범사업이 실시되었다.

(2) 사업 추진 경위

농작물재해보험은 「농어업재해보험법」, 「농어업재해보험법 시행령」, 「농업재해보험 손해 평가요령」 및 「보조금의 예산 및 관리에 관한 법률」 등의 법령에 근거하여 시행된다.

1) 농작물재해보험사업의 시행

　① 2001년 1월 26일 제정되어 2001년 3월 1일 시행된 농작물재해보험법에 의해 2001년 3월 17일부로 사과, 배 2개 품목을 주산지 중심으로 9개도 51개 시·군에서 보험상품 을 판매 개시하면서 농작물재해보험사업이 시행되었다.

② 이전에 이와 유사한 보험제도가 없었고, 보다 합리적인 보험상품 개발을 위한 통계자료나 보상 기준 등에 대한 체계가 잡혀 있지 않은 상태에서 2002년 태풍 '루사', 2003년 태풍 '매미' 등 연이은 거대 재해로 인한 막대한 피해가 발생하였다.

③ 보험사업의 체계가 확립되지 않은 상태에서 발생한 자연재해 피해는 막대한 보험금 지급을 유발하였고, 이는 곧 보험사업에 참여했던 민영보험사들의 막대한 적자로 연결되었다.

2) 2005년부터 국가재보험제도의 도입

① 민영보험사들은 막대한 적자를 감당하지 못하고 사업을 포기하기 시작했고, 이에 대해 농림축산식품부는 예측 불가능한 자연재해의 거대 피해에 대해 민영보험사가 배상책임을 전부 부담하는 것은 어렵다고 판단하여 2005년부터 국가재보험제도를 도입하였다.

② 국가재보험 도입 초기에는 손해율 180%를 기준으로 그 이상의 손해율 발생 시 그 초과 손해분을 국가가 부담하는 방식이었다.

③ 2014년에는 품목별 위험 정도에 따라 손해율이 차등 적용되는 방식으로 개편되었다.

④ 2017년부터는 손해율 구간별로 손익을 분담하는 손익분담 방식을 부분적으로 도입하였다.

(3) 사업 운영

농작물재해보험의 사업 주관부서는 농림축산식품부이고, 사업 관리기관은 농업정책보험금융원이다.

1) 농림축산식품부

농림축산식품부는 농작물재해보험의 사업 주관부서로서 재해보험 관계법령의 개정, 보험료 및 운영비 등 국고 보조금 지원 등 전반적인 제도 업무를 총괄한다.

2) 농업정책보험금융원

① 농어업재해보험법 제25조의2(농어업재해보험 사업관리) 제2항에 의거 농림축산식품부로부터 농작물재해보험 사업관리업무를 수탁 받아 수행한다.

② 농업정책보험금융원의 주요 업무

㉠ 재해보험사업의 관리·감독

㉡ 재해보험 상품의 연구 및 보급

㉢ 재해 관련 통계 생산 및 데이터베이스 구축·분석

㉣ 손해평가인력 육성

㉤ 손해평가기법의 연구·개발 및 보급

㉥ 재해보험사업의 약정체결 관련 업무

ⓢ 손해평가사 제도 운용 관련 업무

ⓞ 농어업재해재보험기금 관리·운용 업무 등

3) NH농협손해보험

① 사업 시행기관은 사업 관리기관과 약정체결을 한 재해보험사업자로, 현재 농작물재해보험 사업자는 NH농협손해보험이다.

② 재해보험사업자는 보험상품의 개발 및 판매, 손해평가, 보험금 지급 등 실질적인 보험사업 운영을 한다.

4) 농업재해보험심의회

① 농림축산식품부장관 소속으로 차관을 위원장으로 하여 설치되어 농작물재해보험을 포함한 농업재해보험에 대한 중요사항을 심의한다.

② 농업재해보험의 중요사항인 재해보험 목적물 선정, 보상하는 재해의 범위, 재해보험사업 재정지원, 손해평가 방법 등에 대해 심의한다.

5) 한국산업인력공단

농작물재해보험의 손해평가를 담당할 손해평가사의 자격시험의 실시 및 관리에 대한 업무 수행 주체는 농림축산식품부로부터 수탁받은 한국산업인력공단이다.

▼ 농작물재해보험 및 재보험 운영체계

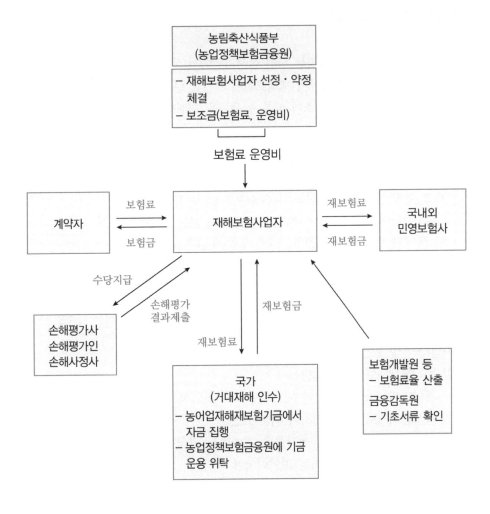

2. 사업시행 주요 내용

(1) 계약자의 가입자격과 요건

1) 계약자(피보험자)

농작물재해보험 사업대상자는 사업 실시지역에서 보험 대상 작물을 경작하는 개인 또는 법인이다. 사업대상자 중에서 재해보험에 가입할 수 있는 자는 농어업재해보험법 제7조에 의한 동법 시행령 제9조에 따른 농작물을 재배하는 자를 말한다.

〈관련 법령〉

「농어업재해보험법」 제7조(보험가입자)

재해보험에 가입할 수 있는 자는 농림업, 축산업, 양식수산업에 종사하는 개인 또는 법인으로 하고, 구체적인 보험가입자의 기준은 대통령령으로 정한다.

「농어업재해보험법 시행령」 제9조(보험가입자의 기준)

법 제7조에 따른 보험가입자의 기준은 다음 각 호의 구분에 따른다.

   1. 농작물재해보험 : 법 제5조에 따라 농림축산식품부장관이 고시하는 농작물을 재배하는 자

   1의2. 임산물재해보험 : 법 제5조에 따라 농림축산식품부장관이 고시하는 임산물을 재배하는 자

   2. 가축재해보험 : 법 제5조에 따라 농림축산식품부장관이 고시하는 가축을 사육하는 자

---

2) 가입자격 및 요건

① 농작물재해보험의 가입방식

계약자가 스스로 가입여부를 판단하여 가입하는 "임의보험" 방식이다.

② 농작물재해보험에 가입하기 위한 요건

   ㉠ 보험에 가입하려는 농작물을 재배하는 지역이 해당 농작물에 대한 농작물재해보험 사업이 실시되는 지역이어야 한다.

   ㉡ 보험 대상 농작물이라고 하더라도 경작 규모가 일정 규모 이상이어야 한다.

   ㉢ 가입 시에 보험료의 50% 이상의 정책자금 지원 대상에 포함되기 위해서는 농업경영체 등록이 되어야 한다.

▼ 농작물재해보험 대상 품목 및 가입자격(2022년 기준)

품목명	가입자격
사과, 배, 단감, 떫은감, 참다래, 자두, 밤, 감자, 양파, 고구마, 마늘, 매실, 대추, 고추, 포도, 인삼, 복숭아, 복분자, 오디, 양배추, 오미자, 무화과, 유자, 감귤, 브로콜리, 살구, 호두	농지의 보험 가입금액 (생산액 또는 생산비) 200만원 이상
옥수수, 콩, 배추, 무, 파, 단호박, 당근, 팥, 시금치(노지)	농지의 보험 가입금액 (생산액 또는 생산비) 100만원 이상
벼, 밀, 보리, 메밀	농지의 보험 가입금액 (생산액 또는 생산비) 50만원 이상
농업용 시설물 및 시설작물 버섯재배사 및 버섯작물	단지 면적이 300㎡ 이상
차, 조사료용 벼, 사료용 옥수수	농지의 면적이 1,000㎡ 이상

(2) 보험 대상 농작물별 재해 범위 및 보장 수준

1) 보험 대상 농작물(보험의 목적물)

보험 대상 농작물은 2022년 기준 67개 품목이며, 이외로 농업시설물로는 버섯재배사, 농업시설물 등이 있다.

① 식량작물(9개 품목)

벼, 콩, 감자, 고구마, 옥수수, 밀, 보리, 팥, 메밀

② 과수작물(12개 품목)

사과, 배, 단감, 감귤, 참다래, 자두, 매실, 포도, 복숭아, 유자, 살구, 무화과

③ 임산물(7개 품목)

떫은감, 대추, 밤, 호두, 복분자, 오미자, 표고버섯

④ 채소작물(11개 품목)

양파, 마늘, 고추, 양배추, 브로콜리, 배추, 무, 단호박, 파, 당근, 시금치(노지)

⑤ 특용작물(3개 품목)

인삼, 차, 오디

⑥ 버섯작물(3개 품목)

느타리버섯, 양송이버섯, 새송이버섯

⑦ 시설작물(22개 품목)

㉠ 화훼류 : 국화, 장미, 백합, 카네이션

㉡ 비화훼류 : 딸기, 오이, 토마토, 참외, 풋고추, 호박, 수박, 멜론, 파프리카, 부추, 시금치, 상추, 가지, 배추, 파(대파·쪽파), 무, 미나리, 쑥갓

2) 보험사업 실시지역

① 보험사업 실시지역은 시범사업은 주산지 등 일부 지역(특정 품목의 경우 전국)에서 실시하여야 하며, 시범사업을 거쳐 전국적으로 확대된 본사업은 주로 전국에서 실시한다. 다만, 일부 품목의 경우 품목의 특성상 사업지역을 한정할 필요가 있는 경우에는 사업지역을 제한한다.

② 감자 같은 경우에는 지역적으로 재배되는 작물의 특성 때문에 보험사업 실시지역을 가을 감자는 전국을 대상으로 하나, 고랭지감자의 경우에는 강원지역으로 한정하고 있다.

③ 밀의 경우에는 광주, 충남, 전북, 전남, 경남으로 한정하고 있다.

④ 2022년도 구체적 보험사업 실시지역은 아래와 같다.

▼ 농작물재해보험 대상 품목별 및 사업지역

구분	품목	사업지역
본사업	사과, 배, 단감, 떫은감, 벼, 밤, 대추, 감귤, 고추, 고구마, 옥수수, 콩, 마늘, 양파, 인삼, 자두, 매실, 포도, 복숭아, 참다래, 시설작물(수박, 딸기, 오이, 토마토, 참외, 풋고추, 호박, 국화, 장미, 파프리카, 멜론, 상추, 부추, 시금치, 배추, 가지, 파, 무, 백합, 카네이션, 미나리, 쑥갓), 버섯작물(표고, 느타리), 농업용 시설 및 버섯재배사	전국
	감자	[가을재배] 전국 [고랭지재배] 강원
	밀	광주, 충남, 전북, 전남, 경남
시범사업	버섯작물(양송이, 새송이), 사료용 벼, 사료용 옥수수	전국
	양배추, 브로콜리, 당근	(제주) 제주, 서귀포
	메밀	전남, 제주
	차	(전남) 보성, 광양, 구례, (경남) 하동
	감자(봄재배)	경북, 충남
	오디	전북, 전남, (경북) 상주, 안동
	복분자	(전북) 고창, 정읍, 순창 (전남) 함평, 담양, 장성
	오미자	(경북) 문경, 상주, 예천, (충북) 단양, (전북) 장수, (강원) 인제, (경남) 거창

	유자	(전남) 고흥, 완도, 진도 (경남) 거제, 남해, 통영
시범 사업	배추	[고랭지] (강원) 정선, 삼척, 태백, 강릉, 평창 [월동] (전남) 해남
	무	[고랭지] (강원) 홍천, 정선, 강릉, 평창 [월동] (제주) 제주, 서귀포
	단호박	경기
	파	[대파] (전남) 신안, 진도, 영광 (강원) 평창 [쪽파, 실파] (충남) 아산, (전남) 보성
	살구	(경북) 영천
	호두	(경북) 김천
	보리	(전남) 보성, 해남, (전북) 김제, 군산, (경남) 밀양
	팥	(전남) 나주, (강원) 횡성, (충남) 천안
	시금치(노지)	(경남) 남해, (전남) 신안
	무화과	(전남) 영암, 신안, 목포, 무안, 해남

⑤ 재해보험사업자는 시범사업 실시지역의 추가, 제외 또는 변경이 필요한 경우 그 내용을 농림축산식품부장관과 사전 협의하여야 한다.

⑥ 시범사업은 전국적으로 보험사업을 실시하기 전에 일부 지역에서 보험설계의 적정성, 사업의 확대 가능성, 농가의 호응도 등을 파악하여 미비점을 보완함으로써 전국적 본사업 실시 시의 시행착오를 최소화하기 위한 것이다.

⑦ 3년차 이상 시범사업 품목 중에서 농업재해보험심의회에 심의에 따라 본사업으로 전환될 수 있다.

▼ 2022년도 시범사업 품목(25개)

구분	5년차 이상	4년차	3년차	2년차	1년차
작물명	복분자, 오디, 차, 양배추, 오미자, 무화과, 유자, 메밀, 브로콜리, 양송이버섯, 새송이버섯	배추, 무, 단호박, 파, 당근, 감자(봄재배), 조사료용 벼, 사료용 옥수수	살구, 호두, 보리, 팥, 시금치(노지)	-	가을 배추
작물수	11	8	5		1

⑧ 재해보험사업자는 보험 대상 농작물 등이라 하더라도 보험화가 곤란한 특정 품종, 특정 재배방법, 특정 시설 등에 대해서는 농림축산식품부장관(농업정책보험금융원장)과 협의하여 보험 대상에서 제외하거나 보험인수를 거절할 수 있다.

3) 보험 대상 재해의 범위

보험 대상 범위를 어떻게 정하느냐에 따라 특정위험방식과 종합위험방식으로 구분한다.

① 특정위험방식

해당 품목에 재해를 일으키는 몇 개의 주요 재해만을 보험 대상으로 하는 방식이며, 2022년 현재 특정위험방식은 인삼에 해당된다.

② 종합위험방식

㉠ 종합위험방식은 피해를 초래하는 모든 자연재해와 화재 및 조수해(鳥獸害)를 보험 대상으로 하는 방식이다.

㉡ 종합위험방식은 다시 적과전 종합위험방식과 수확전 종합위험방식, 종합위험방식으로 구분한다.

ⓐ 적과전 종합위험방식은 사과, 배, 단감, 떫은감에 해당된다.

ⓑ 수확전 종합위험방식은 복분자, 무화과에 해당된다.

ⓒ 종합위험방식은 특정위험방식과 적과전 종합위험방식, 수확전 종합위험방식을 제외한 품목에 해당된다.

㉮ 종합위험방식(적과전 종합위험방식, 수확전 종합위험방식 포함)은 보험 대상으로 하는 주요 재해는 기본적으로 보장하고 가입(주계약)할 수 있다.

㉯ 주요 재해 이외에 화재, 화재대물배상책임, 병충해 등 특정 재해를 특약으로 보장(계약자가 선택 가입)할 수 있다.

▼ 대상 품목별 대상 재해

구분	품목	대상 재해
특정위험	인삼	태풍(강풍), 폭설, 집중호우, 침수, 화재, 우박, 폭염, 냉해
적과전 종합위험	사과, 배, 단감, 떫은감 (특약) 나무보장	(적과 전) 자연재해, 조수해(鳥獸害), 화재 (특약) 태풍, 우박, 집중호우, 지진, 화재 한정보장 (적과 후) 태풍(강풍), 우박, 화재, 지진, 집중호우, 일소피해, 가을동상해 (특약) 가을동상해, 일소피해 부보장
수확전 종합위험	복분자	(5.31. 이전) 자연재해, 조수해(鳥獸害), 화재 (6.1. 이후) 태풍(강풍), 우박
	무화과 (특약) 나무보장	(7.31. 이전) 자연재해, 조수해(鳥獸害), 화재 (8.1. 이후) 태풍(강풍), 우박

종합위험	참다래, 매실, 자두 (특약) 나무보장	자연재해, 조수해(鳥獸害), 화재
	복숭아 (특약) 나무보장, 수확량감소추가보장	자연재해, 조수해(鳥獸害), 화재 병충해(세균구멍병)
	밤, 대추, 오디, 오미자, 양파, 고구마, 콩, 옥수수, 차, 밀	자연재해, 조수해(鳥獸害), 화재
	호두 (특약) 조수해부보장	자연재해, 조수해(鳥獸害), 화재
	마늘 (특약) 조기보장특약	자연재해, 조수해(鳥獸害), 화재
	양배추, 메밀, 브로콜리, 배추, 무, 호박, 당근, 파, 시금치, 팥, 보리	자연재해, 조수해(鳥獸害), 화재
	고추·감자	자연재해, 조수해(鳥獸害), 화재, 병충해
	농업용 시설물 (특약) 재조달가액, 버섯재배사, 부대시설	자연재해, 조수해(鳥獸害) (특약) 화재, 화재대물배상책임, 수재위험 부보장
	벼	자연재해, 조수해(鳥獸害), 화재 (특약) 병충해(흰잎마름병, 줄무늬잎마름병, 벼멸구, 도열병, 깨씨무늬병, 먹노린재, 세균성 벼알마름병)
	감귤 (특약) 나무보장, 과실손해 추가보장	자연재해, 조수해(鳥獸害), 화재(11.30. 이전) (특약) 동상해(12.1. 이후)
	시설작물, 버섯작물	자연재해, 조수해(鳥獸害) (특약) 화재, 화재대물배상책임
	포도 (특약) 나무보장, 수확량감소추가보장	자연재해, 조수해(鳥獸害), 화재
	유자, 살구 (특약) 나무보상	자연재해, 조수해(鳥獸害), 화재
	해가림시설(인삼)	자연재해, 조수해(鳥獸害), 화재
	비가림시설 (포도, 대추, 참다래)	자연재해, 조수해(鳥獸害) (특약) 화재

4) 보장유형(자기부담금)

① 농작물재해보험은 재해로 인한 모든 피해 금액을 보장하지 않는 것이 대부분이다. 농작물재해보험뿐만 아니라 일반 손해보험의 경우도 마찬가지이다.

② 소소한 피해까지 보상하기 위해서는 비용이 과다하여 보험으로서의 실익이 없으며, 한편으로는 계약자의 도덕적 해이를 방지하기 위함이다.

③ 보험가입금액의 일정 부분을 보장하는 것이 일반적이며, 보장 수준을 어느 정도로 하느냐에 따라 보장 유형이 다양하다.

④ 농작물재해보험 상품은 크게 3가지 유형의 상품으로 구성 및 구분이 되어 있다.

  ㉠ 수확량의 감소를 보장하는 상품

    ⓐ 사과·배 등 과수작물, 벼·밀 등 식량작물, 마늘·감자 등 밭작물 등이다.

    ⓑ 평년 수준의 가입수확량과 가입가격을 기준으로 하여 보험가입금액을 산출하고 이를 기준으로 보장 유형을 설정한다.

    ⓒ 현재 농작물재해보험의 보장 유형은 60%~90% 사이에서 품목에 따라 다양하며, 품목별, 분야별 구체적 보장 유형은 아래와 같다.

  ㉡ 생산비를 보장하는 상품은 고추·브로콜리·시설작물 등이다.

    ⓐ 보험금 산정 시 잔존보험 가입금액의 3% 또는 5%를 자기부담금으로 차감한다.

    ⓑ 시설작물의 경우 손해액 10만원까지는 계약자 본인이 부담하고 손해액이 10만원을 초과하는 경우 손해액 전액을 보상한다.

  ㉢ 원상 복구액을 보장하는 상품은 농업시설과 같이 시설이다.

    ⓐ 농업시설의 경우 시설의 종류에 따라 최소 10만원에서 100만원까지 한도 내에서 손해액의 10%를 자기부담금으로 적용한다.

    ⓑ 다만, 해가림시설을 제외한 농업용 시설물과 비가림시설 보험의 화재특약의 경우 화재로 인한 손해 발생 시 자기부담금을 적용하지 아니한다. 자세한 내용은 아래와 같다.

▼ 보험 대상 품목별 보장 수준

구분	품목	보장 수준(보험가입금액의 %)				
		60	70	80	85	90
적과전종합위험	사과, 배, 단감, 떫은감	○	○	○	○	○
수확전종합위험	무화과	○	○	○	○	○
	복분자	○	○	○	○	○
종합위험	참다래, 매실, 자두, 포도, 복숭아, 감귤	○	○	○	○	○
	밤, 대추, 오미자, 오디, 밀, 고구마, 옥수수, 콩, 차, 양파	○	○	○	○	○

구분	품목					
종합위험	감자, 마늘	○	○	○	○	○
	벼	○	○	○	○	○
	양배추	○	○	○	○	−
	유자, 살구, 호두	○	○	○	−	−
	배추, 무, 파, 단호박, 당근, 시금치, 메밀, 팥, 보리	○	○	○	−	−
	브로콜리, 고추	(자기부담금) 잔존보험 가입금액의 3% 또는 5%				
	해가림시설 (인삼)	(자기부담금) 최소 10만원에서 최대 100만원 한도 내에서 손해액의 10%를 적용				
	농업용 시설물, 버섯재배사, 부대시설 비가림시설 (포도, 대추, 참다래)	(자기부담금) 최소 30만원에서 최대 100만원 한도 내에서 손해액의 10%를 적용(단, 피복재 단독사고는 최소 10만원에서 최대 30만원 한도 내에서 손해액의 10%를 적용하고, 화재로 인한 손해는 자기부담금을 적용하지 않음)				
	시설작물, 버섯작물	손해액이 10만원을 초과하는 경우 손해액 전액 보상(단, 화재로 인한 손해는 자기부담금을 적용하지 않음)				
특정위험	인삼	○	○	○	○	○

※ (자기부담금)보장형별 보험 가입금액의 40%, 30%, 20%, 15%, 10% 해당액은 자기부담금으로서 보험계약 시 계약자가 선택하며, 자기부담금 이하의 손해는 계약자 또는 피보험자가 부담하기 때문에 보험금을 지급하지 않음

※ 보장에 대한 구체적인 사항은 약관에 따름

(3) 품목별 보험 가입단위 및 판매 기간

1) 품목별 보험 가입단위

농작물재해보험에 가입하기 위해서는 보험 대상 목적물을 명확히 식별할 수 있어야 한다. 농작물재해보험의 보험 대상 목적물은 크게 농작물과 농업용 시설(작)물로 구분된다.

① 농작물

ㄱ 농작물은 필지에 관계없이 논두렁 등으로 경계 구분이 가능한 농지별로 가입한다.

ㄴ 농지는 필지에 관계없이 실제 경작하는 단위이므로 동일인의 한 덩어리 농지가 여러 필지로 나누어져 있더라도 하나의 농지로 취급한다.

ⓒ 다만, 읍·면·동을 달리하는 농지를 가입하는 경우 등 예외 사항은 사업관리기관(농업정책보험금융원)과 사업시행기관(재해보험사업자)이 별도 협의한 기준을 적용할 수 있다.

② 농업용 시설(작)물

   ⓘ 농업용 시설물·시설작물, 버섯재배사·버섯작물은 하우스 1단지 단위로 가입 가능하며 단지 내 인수 제한 목적물 및 타인 소유 목적물은 제외된다. 단지는 도로, 둑방, 제방 등으로 경계가 명확히 구분되는 경지 내에 위치한 시설물이다.

   ⓛ 농업용 시설물은 가입자격 규모 미만의 단지의 경우 인접한 단지의 면적을 합하여 가입자격 규모 이상이 되는 경우 하나의 단지로 취급할 수 있다.

③ 언급한 물리적 단위 외에 조건으로 보험 가입금액이 200만원 미만인 농지는 보험 대상에서 제외된다.

   ⓘ 옥수수·콩, 배추, 무, 파, 단호박, 당근, 팥, 시금치(노지)는 농지당 100만원 미만은 보험 대상에서 제외된다.

   ⓛ 벼, 보리, 밀, 메밀은 50만원 미만은 보험 대상에서 제외된다.

   ⓒ 농업용 시설물 및 시설작물, 버섯재배사 및 버섯작물은 면적 300㎡ 미만은 보험 대상에서 제외된다.

   ⓔ 차, 사료용 옥수수와 조사료용 벼는 농지의 면적이 1,000㎡ 미만은 보험 대상에서 제외된다.

④ 그외 조건은 아래 농작물재해보험 대상 품목 및 가입자격(2022년 기준)에서 보는 바와 같다.

▼ 농작물재해보험 대상 품목 및 가입자격(2022년 기준)

품목	가입자격
사과, 배, 단감, 떫은감, 참다래, 자두, 밤, 감자, 양파, 고구마, 마늘, 매실, 대추, 고추, 포도, 인삼, 복숭아, 복분자, 오디, 양배추, 오미자, 무화과, 유자, 감귤, 브로콜리, 살구, 호두	농지의 보험 가입금액 (생산액 또는 생산비) 200만원 이상
옥수수, 콩, 배추, 무, 파, 단호박, 당근, 팥, 시금치(노지)	농지의 보험 가입금액 (생산액 또는 생산비) 100만원 이상
벼, 밀, 보리, 메밀	농지의 보험 가입금액 (생산액 또는 생산비) 50만원 이상
농업용 시설물 및 시설작물 버섯재배사 및 버섯작물	단지 면적이 300㎡ 이상
차, 조사료용 벼, 사료용 옥수수	농지의 면적이 1,000㎡ 이상

2) 보험 판매 기간

농작물재해보험 판매 기간은 농작물의 특성에 따라 타 손해보험과 다르게 판매 기간을 정하고 있으며, 작물의 생육시기와 연계하여 판매한다.

① 농업용 시설물 및 시설작물과 버섯재배사 및 버섯작물은 2월에서 11월이 보험판매기간이다.

② 과수는 11월부터 익년 6월이 보험판매기간이다.

③ 일반작물 등은 4월에서 10월이 보험판매기간이다.

④ 작물별로 판매 기간은 다르다. 자세한 품목별 보험판매기간은 아래와 같다.

▼ 농작물재해보험 판매 기간(2022년 기준)

품목	판매 기간
사과, 배, 단감, 떫은감	1~3월
농업용 시설 및 시설작물(수박, 딸기, 오이, 토마토, 참외, 풋고추, 호박, 국화, 장미, 파프리카, 멜론, 상추, 부추, 시금치, 배추, 가지, 파, 무, 백합, 카네이션, 미나리, 쑥갓)	2~12월
버섯재배사 및 버섯작물 (양송이, 새송이, 표고, 느타리)	2~12월
밤, 대추, 감귤, 고추, 호두	4~5월
고구마, 옥수수, 사료용 옥수수	4~6월
단호박	5월
감자	(봄재배) 4~5월, (고랭지재배) 5~6월, (가을재배) 8~9월
배추	(고랭지) 4~6월, (월동) 9~10월
무	(고랭지) 4~6월, (월동) 9~10월
파	(대파) 4~6월, (쪽파) 8~10월
벼, 조사료용 벼	4~6월
참다래, 콩, 팥	6~7월
인삼	4~5월, 11월
당근	7~8월
양배추, 메밀	8~9월
브로콜리	9~10월
마늘	(난지형 남도종) 9~10월, (난지형) 10월, (한지형, 홍산) 10~11월

차, 양파, 시금치(노지)	10~11월
밀, 보리	10~12월
자두, 매실, 복숭아, 오디, 복분자, 오미자, 무화과, 살구, 포도, 유자	11~12월

※ 판매 기간은 월 단위로 기재하였으나, 구체적인 일 단위 일정은 ① 농업정책보험금융원이 보험판매전 지자체에 별도 통보하며 ② 보험사업자는 보험판매전 홈페이지 및 보험대리점(지역 농협) 등을 통해 대농업인 홍보 실시 ③ 판매기간은 변동가능성 있음

※ 판매 기간 및 사업지역 변경 시 농업정책보험금융원은 지자체로 별도 통보, 보험사업자는 홈페이지 및 보험대리점(지역 농협)을 통해 홍보

※ 태풍 등 기상상황에 따라 판매 기간 중 일시 판매 중지될 수 있음

(4) 농작물재해보험 가입 및 보험료 납부

1) 재해보험 가입

① 농작물재해보험에 가입하는 절차는 다음과 같은 순서를 거친다.

> 보험 가입 안내(지역 대리점 등) → 가입신청(계약자) → 현지 확인(농지원장 작성 등) → 청약서 작성 및 보험료 수납(보험 가입금액 및 보험료 산정) → 보험증권 발급

② 농작물재해보험은 재해보험사업자(NH농협손해보험)와 판매 위탁계약을 체결한 지역 대리점(지역농협 및 품목농협) 등에서 보험 모집 및 판매를 담당한다.

2) 보험료 납입방법

① 보험료 납입은 보험 가입 시 일시납(1회 납)을 원칙으로 하되 현금, 즉시이체 또는 신용카드로 납부할 수 있다. 보험료는 신용카드 납부 시 할부 납부가 가능하다.

② 보험료의 납입은 보험계약 인수와 연계되어 시행되며, 계약 인수에 이상이 없을 경우에는 보험료 납부가 가능하나, 인수심사 중에는 사전수납할 수 없다.

(5) 보험료율 적용, 할인 · 할증 및 보험기간, 보험 가입금액 산출

1) 보험료율 적용

① 보험료율은 주계약별, 특약별로 지역(시 · 군)별로 자연재해의 특성을 반영하여 산정된다.

② 자연재해가 많은 지역은 보험료율이 높고 반대의 경우는 낮다.

㉠ 지역별 자연재해의 정도에 따라 시 · 군 · 구별로 보험료가 다르다.

㉡ 보험료율을 산출하는 지역단위는 시 · 군 · 구 또는 광역시 · 도이나, 2022년부터 사과, 배 품목을 대상으로 통계신뢰도를 일정수준 충족하는 읍 · 면의 경우 시범적으로 보험료율 산출 단위 세분화(시 · 군 → 읍 · 면 · 동)를 추진한다.

2) 보험료 할인 · 할증 적용

보험료의 할인 · 할증의 종류는 품목별로 다르며, 품목별 재해보험 요율서에 따라 적용되며 과거의 손해율 및 가입연수에 따른 할인 · 할증, 방재시설별 할인율 등을 적용한다.

▼ 손해율 및 가입연수에 따른 할인 · 할증률

손해율	평가기간				
	1년	2년	3년	4년	5년
30% 미만	−8%	−13%	−18%	−25%	−30%
30% 이상 60% 미만	−5%	−8%	−13%	−18%	−25%
60% 이상 80% 미만	−4%	−5%	−8%	−13%	−18%
80% 이상 120% 미만	−	−	−	−	−
120% 이상 150% 미만	3%	5%	7%	8%	13%
150% 이상 200% 미만	5%	7%	8%	13%	17%
200% 이상 300% 미만	7%	8%	13%	17%	25%
300% 이상 400% 미만	8%	13%	17%	25%	33%
400% 이상 500% 미만	13%	17%	25%	33%	42%
500% 이상	17%	25%	33%	42%	50%

※ 손해율 = 최근 5개년 보험금 합계 ÷ 최근 5개년 순보험료 합계

▼ 방재시설 할인율(단위 %)

구분	밭작물								
방재시설	인삼	고추	브로콜리	양파	마늘	옥수수	감자	콩	양배추
방조망			5						5
전기시설물 (전기철책, 전기울타리 등)			5			5		5	5
관수시설 (스프링클러 등)	5	5	5	5	5		5	5	5
배수시설 (암거배수시설, 배수개선작업)								5	
경음기									5

※ 옥수수는 사료용 옥수수 포함

※ 감자는 봄재배, 가을재배만 해당(고랭지재배는 제외)

※ 배수시설에서 콩은 논콩의 경우에만 해당

구분		적과전 종합위험방식Ⅱ			과수									
방재시설		사과	배	단감 떫은감	포도	복숭아	자두	살구	참다래	대추	매실	유자	감귤	하우스 감귤
지주 시설	개별지주	7		5										
	트렐리스 방식 (2선식)	7												
	트렐리스 방식 (4·6 선식)	7												
	지주					10								
	Y형					15	5							
방풍림		5	5	5	5	5			5			5		
방풍망	측면 전부설치	10	10	5	5	10			10			5	10	기본 할인
	측면 일부설치	5	5	3	3	5			5			3	3	
방충망		20	20	15	15	20							15	추가 할인
방조망		5	5	5	5	5			5				5	기본 할인
방상팬		20	20	20	10	10	15	15	10		15		20	추가 할인
서리방지용 미세살수장치		20	20	20	10	10	15	15	10		15		20	추가 할인
덕 또는 Y자형 설치			7											
비가림시설					10			10		10				
비가림 바람막이									30					
바닥멀칭					5									
타이벡 멀칭	전부설치												5	추가 할인
	일부설치												3	추가 할인

※ 2개 이상의 방재시설이 있는 경우 합산하여 적용하되 최대 할인폭 30%를 초과할 수 없음

※ 방조망, 방충망은 과수원의 위와 측면 전체를 덮도록 설치되어야 함

※ 농업수입보장 상품(양파, 마늘, 감자-가을재배, 콩, 양배추, 포도)도 할인율 동일

※ 하우스 감귤(온주밀감류)의 경우 방재시설 할인 적용 기준은 아래와 같음
  • 추가할인 현장 조사 시 실제 설치 여부 확인 후 추가할인 적용(최대 20%)
  • 추가할인 적용 시 반드시 설치 여부를 확인하여야 함

※ 하우스 감귤(만감류)의 경우 방풍망과 방조망 설치에 따른 기본할인 미적용

※ 하우스 감귤 방재시설 할인 적용 시, 과수원의 일부가 하우스 감귤인 경우 방재시설 할인 불가

※ 감귤 품목의 방재시설 할인 중 방상팬, 서리방지용 미세살수장치는 동상해 특약 가입 시에만 적용 가능

▼ 방재시설 판정기준

방재시설	판정기준
방상팬	• 방상팬은 팬 부분과 기둥 부분으로 나뉘어짐 • 팬 부분의 날개 회전은 원심식으로 모터의 힘에 의해 돌아가며 좌우 180도 회전가능하며 팬의 크기는 면적에 따라 조정 • 기둥 부분은 높이 6m 이상 • 1,000㎡당 1마력은 3대, 3마력은 1대 이상 설치 권장 (단, 작동이 안 될 경우 할인 불가)
서리방지용 미세살수장치	• 서리피해를 방지하기 위해 설치된 살수량 500~800ℓ/10a의 미세살수장치 * 점적관수 등 급수용 스프링클러는 포함되지 않음
방풍림	• 높이가 6미터 이상의 영년생 침엽수와 상록활엽수가 5미터 이하의 간격으로 과수원 둘레 전체에 식재되어 과수원의 바람 피해를 줄일 수 있는 나무
방풍망	• 망구멍 가로 및 세로가 6~10mm의 망목네트를 과수원 둘레 전체나 둘레 일부(1면 이상 또는 전체둘레의 20% 이상)에 설치
방충망	• 망구멍이 가로 및 세로가 6mm 이하 망목네트로 과수원 전체를 피복
방조망	• 망구멍의 가로 및 세로가 10mm를 초과하고 새의 입출이 불가능한 그물 • 주 지주대와 보조 지주대를 설치하여 과수원 전체를 피복
비가림 바람막이	• 비에 대한 피해를 방지하기 위하여 윗면 전체를 비닐로 덮어 과수가 빗물에 노출이 되지 않도록 하고 바람에 대한 피해를 방지하기 위하여 측면 전체를 비닐 및 망 등을 설치한 것

트렐리스 2,4,6선식	• 트렐리스 방식 : 수열 내에 지주를 일정한 간격으로 세우고 철선을 늘려 나무를 고정해 주는 방식
	• 나무를 유인할 수 있는 재료로 철재 파이프(강관)와 콘크리트를 의미함
	• 지주의 규격 : 갓지주 → 48~80mm ~ 2.2~3.0m
	  중간지주 → 42~50mm ~ 2.2~3.0m
	• 지주시설로 세선(2선, 4선 6선) 숫자로 선식 구분
	  * 버팀목과는 다름

사과 개별지주	• 나무주간부 곁에 파이프나 콘크리트 기둥을 세워 나무를 개별적으로 고정시키기 위한 시설 * 버팀목과는 다름
단감·떫은감 개별지주	• 나무주간부 곁에 파이프를 세우고 파이프 상단에 연결된 줄을 이용해 가지를 잡아주는 시설 * 버팀목과는 다름
덕 및 Y자형 시설	• 덕 : 파이프, 와이어, 강선을 이용한 바둑판식 덕시설 • Y자형 시설 : 아연도 구조관 및 강선 이용 지주설치

3) 보험료의 산정

보험료는 주계약별로 각각 해당 보험가입금액에 지역별 적용요율을 곱하고 품목에 따라 과거의 손해율 및 가입연수에 따른 할인, 할증, 방재시설별 할인율 등을 추가로 곱하여 산정한다(품목별로 상이). 주요 품목의 주계약(보통약관) 및 특약별 보험료 산정식은 아래 예시와 같다.

〈예시〉 과수 4종(사과, 배, 단감, 떫은감) 및 벼 품목의 보험료 산정식

※ 과수 4종
- 과실손해보장 보통약관(주계약) 적용보험료 : 보통약관 가입금액 × 지역별 보통약관 영업요율 × (1 − 부보장 및 한정보장 특별약관 할인율) × (1 + 손해율에 따른 할인·할증률) × (1 − 방재시설할인율)
- 나무손해보장 특별약관 적용보험료 : 특별약관 가입금액 × 지역별 특별약관 영업요율 × (1 + 손해율에 따른 할인·할증률)

※ 벼
- 수확감소보장 보통약관(주계약) 적용보험료 : 주계약 보험가입금액 × 지역별 기본 영업요율 × (1 + 손해율에 따른 할인·할증률) × (1 + 친환경 재배 시 할증률) × (1 + 직파재배 농지 할증률)
- 병해충보장 특별약관 적용보험료 : 특별약관 보험가입금액 × 지역별 기본 영업요율 × (1 + 손해율에 따른 할인·할증률) × (1 + 친환경 재배 시 할증률) × (1 + 직파재배 농지 할증률)

---

4) 보험기간 적용

보험기간은 농작물재해보험이 보장하는 기간을 말하며, 특정위험방식·종합위험방식의 품목별로 생육기를 감안하여 보험기간을 따로 정하고 있다. 보험기간의 구체적인 사항은 해당 보험약관에 기술된다.

5) 보험가입금액 산출
① 보험가입금액은 기본적으로 가입수확량에 가입(표준)가격을 곱하여 산출한다. 다만, 품목 또는 분야에 따라 구체적인 사항을 별도로 정하는 경우가 있다.

> 보험가입금액 = 가입수확량 × 가입(표준)가격

② 품목별·분야별 보험가입금액은 각각 다르며, 일부 품목의 산출 방법은 다음과 같다.
  ㉠ 수확량감소보장 보험가입금액은 가입수확량에 가입가격을 곱하여 산출하며, 평년수확량의 일정 범위(50~100%) 내에서 보험계약자가 결정할 수 있고 천원 단위 미만은 절사한다.

> 수확량감소보장 보험가입금액 = 가입수확량 × 가입(표준)가격

  → 가입가격은 보험에 가입할 때 결정한 보험의 목적물(농작물)의 kg당 평균가격(나무손해보장 특별약관의 경우에는 보험에 가입한 나무의 1주당 가격)으로 과실의 경우 한 과수원에 다수의 품종이 혼식된 경우에도 품종과 관계없이 동일하게 적용한다.
  ㉡ 벼의 보험가입금액은 가입 단위 농지별로 가입수확량(kg 단위)에 가입(표준)가격(원/kg)을 곱하여 산출한다.

> 보험가입금액 = 가입 단위 농지별 가입수확량(kg 단위) × 가입(표준)가격(원/kg)

  → 벼의 표준가격은 보험 가입연도 직전 5개년의 시·군별 농협 RPC 계약재배 수매가 최근 5년 평균 값에 민간 RPC 지수를 반영하여 산출한다.
  ㉢ 버섯(표고, 느타리, 새송이, 양송이)의 보험가입금액은 하우스 단지별 연간 재배 예정인 버섯 중 생산비가 가장 높은 버섯 가액의 50%~100% 범위 내에서 보험가입자(계약자)가 10% 단위로 가입금액을 결정한다.
  ㉣ 농업용 시설물의 보험가입금액은 단지 내 하우스 1동 단위로 설정하며, 산정된 재조달 기준가액[2]의 90%~130%(10% 단위) 범위 내에서 결정한다. 단, 기준금액 산정이 불가능한 콘크리트, 경량 철골조, 비규격 하우스 등은 계약자의 고지사항 및 관련 서류를 기초로 보험가액을 추정하여 보험가입금액을 결정한다.
  ㉤ 인삼의 보험가입금액은 연근별 (보상)가액에 재배면적(㎡)을 곱하여 결정한다.

> 인삼의 보험가입금액 = 연근별 (보상)가액 × 재배면적(㎡)

  → 인삼의 가액은 농협 통계 및 농촌진흥청의 자료를 기초로 연근별로 투입되는 누적 생산비를 고려하여 연근별로 차등 설정한다.

---

2) 보험의 목적과 동형, 동질의 신품을 재조달하는 데 소요되는 금액

ⓗ 인삼 해가림시설의 보험가입금액은 재조달가액에 감가상각률[3]을 감하여 결정
한다.

> 인삼 해가림시설의 보험가입금액 = 재조달가액 × 감가상각률

(6) 손해평가

1) 재해보험사업자는 농어업재해보험법 제11조 및 농림축산식품부장관이 정하여 고시하는
「농업재해보험 손해평가요령」에 따라 손해평가를 실시하여야 하며, 손해평가 시 고의로
진실을 숨기거나 허위로 손해평가를 해서는 안 된다.

2) 손해평가에 참여하고자 하는 손해평가사는 농업정책보험금융원에게, 손해평가인은
재해보험사업자에게 정기적으로 교육을 받아야 하며, 손해평가사는 1회 이상 실무교육
을 이수하고 3년마다 1회 이상의 보수교육을 이수하여야 한다.

3) 손해평가인 및 손해사정사, 손해사정사 보조인은 연 1회 이상 정기교육을 필수적으로
받아야 하며, 필수 교육을 이수하지 않았을 경우에는 손해평가를 할 수 없다.

> **Tip** **농업재해보험 손해평가사 제도**
>
> 1. 손해평가란 보험 대상 목적물에 피해가 발생한 경우, 그 피해 사실을 확인하고 평가하는 일련
>   의 과정을 의미
>   • 농어업재해보험법상 손해평가는 손해평가인, 손해평가사, 보험업법 제186조에 따른 손해사
>   정사가 수행하도록 정하고 있음
> 2. 자격시험 실시
>   • 제1차 : 상법 보험편, 농어업재해보험법령, 농학 개론 중 재배학 및 원예작물학
>   • 제2차 : 농작물재해보험 및 가축재해보험 이론과 실무, 농작물재해보험 및 가축재해보험 손
>   해평가의 이론과 실무
> 3. 손해평가사의 업무
>   • 피해 사실의 확인, 보험가액 및 손해액의 평가, 그 밖의 손해평가에 필요한 사항
> 4. 교육
>   • 재보험사업 및 농업재해보험사업의 운영 등에 관한 규정에 따라 실무교육(자격 취득 후 1회)
>   및 보수교육(자격 취득 후 3년마다 1회 이상) 의무 이수토록 규정

(7) 재보험

1) 농작물재해보험사업 품목에 대해 일정 부분은 정부가 국가재보험으로 인수하며, 재해
보험사업자는 국가(농업정책보험금융원)와 재보험에 관하여 별도의 약정을 체결한다.

2) 재해보험사업자가 보유한 부분의 손해는 재해보험사업자가 자체적으로 민영보험사와
재보험약정 체결을 통해 재보험 출재할 수 있다.

---

[3] 설치 장비나 시설의 가치가 시간이 지남에 따라 떨어지는 비율

3) 재해보험사업자가 민영보험사에 재보험으로 출재할 경우에는 출재방식, 금액, 비율 등 실적 내용을 농업정책보험금융원에 제출하여야 한다.

3. 정부의 지원

(1) 농작물재해보험 사업의 재원은 보험료이다. 보험료는 보험 가입 시 계약자가 부담하는 것이 원칙이다.

(2) 정부는 농업인의 경제적 부담을 줄이고 농작물재해보험 사업의 원활한 추진을 위하여 농작물재해보험에 가입한 계약자의 납입 순보험료의 50% 내외를 지원한다.

(3) 다만, 아래 품목은 보장 수준별로 35~60% 차등 보조한다.

※ 농업인 또는 농업법인이 보험료 지원을 받으려고 할 경우, 농어업경영체 육성 및 지원에 관한 법률에 따라 농업경영체 등록을 해야 한다.

※ 경영체 미등록 농업인, 농업법인의 경우 농업경영체 등록 후 보험 가입 진행

▼ 정부의 농가부담보험료 지원 비율(2022년 기준)

구분	품목	보장 수준(%)				
		60	70	80	85	90
국고 보조율 (%)	사과, 배, 단감, 떫은감	60	60	50	38	35
	벼	60	55	50	46	44

(4) 재해보험사업자 운영비[4]는 국고에서 100% 지원한다.

4. 기관별 역할

농작물재해보험 사업을 추진하는 주요 기관으로는 정부(농림축산식품부), 농업정책보험금융원, 재해보험사업자 등이 있다. 농작물재해보험 사업의 차질 없는 수행을 위해서는 관련 기관 간 효율적 역할 분담과 긴밀한 업무 협조가 절대적이다. 이를 위해 농림축산식품부는 '농작물재해보험 사업시행지침'에 농작물재해보험사업 단계별로 관련 기관의 역할 분담을 정하고 있다.

(1) 농림축산식품부

1) 농작물재해보험 세부사업 기본계획(사업대상, 지원조건, 보조율, 사업기간 등)을 확정하여 농업정책보험금융원 및 재해보험사업자에 시달하고, 농업정책보험금융원에서 보고한 상품개선안에 대해 검토하고 자문한다.

2) 재해보험사업자에게는 농작물재해보험에 필요한 정책자금을 농업정책보험금융원의 검토를 거쳐 배정한다.

---

4) 재해보험사업자가 농작물재해보험사업 운용에 소요되는 일반관리비, 영업비, 모집수수료 등

(2) 농업정책보험금융원

1) 재해보험사업자 및 지역 대리점에 대한 사업점검, 상품 및 제도연구·개선, 재해보험 홍보 등 사업관리 계획 수립하고, 재해보험사업자와 사업약정체결을 실시(재보험사업 및 농업재해보험사업의 운영 등에 관한 규정 제8조)한다.

2) 보험상품 및 손해평가 방법에 대해 현장의견·자체검토 및 연구하여 보험상품 및 제도 개선 사항 등을 검토하고, 품목별 상품개선안, 보험요율 등 품목별 상품개선안을 재해 보험사업자에 통보하여 시행한다.

3) 재해보험사업자 및 대리점에 대한 사업점검, 상품개선, 농업인·지자체에 제도홍보 및 손해평가사 교육 등을 추진한다.

4) 재해보험사업자, 지역 대리점 및 계약자를 대상으로 부당 위법 여부에 대한 사실관계를 현장 조사하여 해당 기관의 징계, 계약자의 계약 취소 등을 재해보험사업자에게 요구할 수 있다.

(3) 재해보험사업자

1) 보험가입 촉진계획, 보험상품 개선·개발 계획, 재해보험 교육·홍보 등 세부 시행계획 을 수립한다.

2) 농업인들의 현장 의견을 적극 수렴하여 상품 개발하고, 객관적인 통계를 활용하여 보험 료율을 산출한다.

3) 농작물재해보험 사업을 추진하고, 재해 발생시 신속한 손해평가 실시, 보험사고 접수 현황과 지급보험금 등을 조사 및 지급한다.

4) 농업인·지자체에 대한 보험 상품 내용 교육 및 홍보를 실시하며, 지역 대리점 및 농축협 등 판매직원, 손해평가인에 대한 보험 상품 내용 교육 및 홍보를 실시한다.

5) 판매위탁 계약을 체결한 지역 대리점 등이 농작물재해보험 사업 세부 시행계획 등을 준수하여 사업 집행이 적정하게 수행되고 있는지를 확인한다.

6) 재해보험사업자는 판매위탁 계약을 체결한 지역 대리점 및 계약자 등에 부당사유가 확인 되었을 경우 당해 보조금을 회수 조치한다. 부당사유란 다음과 같다.
   ① 보조금을 목적 외로 사용한 때
   ② 허위 또는 가공 보험계약을 체결하여 보조금을 집행할 때
   ③ 관련 법령을 위반한 때
   ④ 기타 약정사항 미이행 등

7) 재해보험사업자는 보험사기와 관련된 계약자 및 보험목적물에 대하여는 보험가입 제한 등을 할 수 있으며, 손해평가반의 부당·부실 손해평가를 확인하였을 때에는 다른 손해 평가반에게 재조사를 실시하게 할 수 있다.

5. 농작물 재해보험 추진 절차

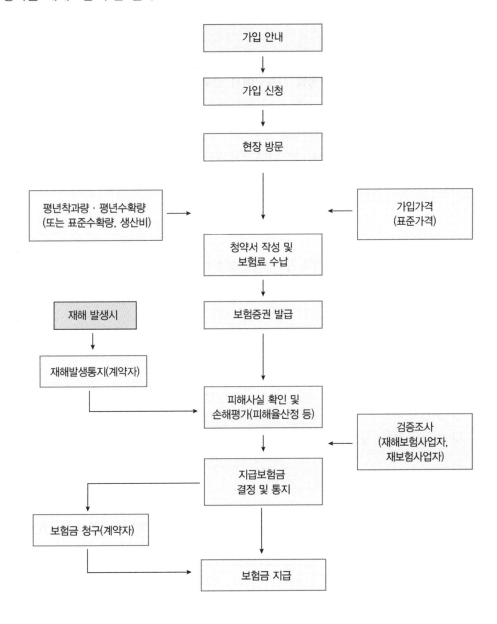

01 다음은 농작물재해보험 업무방법 신계약에서 업무절차이다. Ⓐ~Ⓒ에 들어갈 알맞은 말을 쓰시오.

> 고객 상담 → 설계단계 개인정보동의 징구 → (Ⓐ) → 계약인수 현지조사 실시 → 상품설명 및 청약 → (Ⓑ) → 청약단계 개인정보동의서 징구 → 청약서, 약관교부 및 중요내용설명 → (Ⓒ) → 보험증권 발급

02 농작물재해보험 업무방법 신계약 가입설계단계에서 징구하여 확인하여야 할 사항을 쓰시오.

03 다음 농작물재해보험 업무방법 신계약 계약인수 현지조사 실시단계에서 현지조사 항목에 관한 내용 중 ( ) 안에 들어갈 알맞은 말을 쓰시오.

> (1) ( ) 현지조사 항목 : 면적, 품종, 수령, 주수, 재식간격, 인수제한사항, 방재시설, 기타 적정성
> (2) ( ) 현지조사 항목 : 가입면적, 식재, 재배, 농지구분의 적정성 등

04 다음은 농작물재해보험 업무방법 계약업무절차 중 보험료 및 수납절차에서 보험료의 지원에 관한 내용이다. Ⓐ~Ⓓ에 들어갈 알맞은 말을 쓰시오.

> (1) 순보험료의 40~60%는 (Ⓐ)에서 지원하고, 10~40%는 (Ⓑ)에서 지원한다. 단, (Ⓒ)에 등록되어 있지 않은 계약자(개인 및 법인)의 경우 보험료 국고지원이 불가능하다.
> (2) 부가보험료는 재해보험사업자가 농작물재해보험사업의 운영 및 관리에 필요한 비용으로 전액 (Ⓓ)에서 지원한다.

05 농작물재해보험 업무방법 신계약 계약인수 청약서 자필서명에서 금지행위에 대하여 쓰시오.

06 다음 농작물재해보험 업무방법 인수심사업무 목적에서 Ⓐ~Ⓔ에 들어갈 알맞은 말을 쓰시오.

> 보험계약의 합리적인 인수심사 기준을 통하여 (Ⓐ) 및 (Ⓑ)를 제한함으로써 (Ⓒ) 관리와
> (Ⓓ) 제고를 통하여 농작물재해보험사의 (Ⓔ)을 그 목적으로 한다.

07 다음 농작물재해보험 업무방법 인수심사업무 중 인수거절 대상계약과 인수거절의 설명에서
Ⓐ~Ⓓ에 들어갈 알맞은 말을 쓰시오.

> (1) 인수거절 대상계약 : 농작물재해보험에서 정한 (Ⓐ) 기준 또는 (Ⓑ) 미달 사유에 해당되
>   어 계약을 체결하지 못한 청약 건
> (2) 인수거절 시에는 다음에 따라 가입자에게 반드시 설명한다.
>   1) (Ⓒ) : 인수심사기준, 인수거절사유에 대해 설명한다.
>   2) (Ⓓ) : 인수거절에 대한 내용을 직접 설명 또는 유선안내하고, 가입자 요청 시 서면
>   안내한다.

08 다음 농작물재해보험 중 보험계약관리 업무에 관한 내용에서 Ⓐ~Ⓕ에 들어갈 알맞은 말을
쓰시오.

> (1) 계약관리 업무는 계약내용의 (Ⓐ), 취소, (Ⓑ), 해지, (Ⓒ), 감액환급 등 신계약체결
>   이후에 발생하는 각종 업무의 심사 및 처리업무를 말한다.
> (2) 계약관리 업무의 (Ⓓ)는 농작물재해보험 (Ⓔ)에 따라 보험모집농협(영업점) 혹은 (Ⓕ)에서
>   각각 수행한다.

09 다음 농작물재해보험 중 보험의 청약철회기준에서 Ⓐ～Ⓓ에 들어갈 알맞은 말을 쓰시오.

청약철회는 (Ⓐ)을 받은 날부터 (Ⓑ)일[계약을 체결할 때 (Ⓒ)일보다 긴 기간을 약정한 경우에는 그 기간] 이내에서 그 청약을 철회할 수 있다. 다만, 청약을 한 날로부터 (Ⓓ)일을 초과한 경우에는 청약을 철회할 수 없으며 법인은 청약철회가 불가하다.

10 농작물재해보험 중 보험계약의 취소기준 3가지를 쓰시오.

11 농작물재해보험에서 취소사유가 발생한 경우 계약자는 계약이 성립한 날부터 몇 개월 이내에 취소할 수 있는지 그 기간을 쓰시오.

12 농작물재해보험에서 무효사유가 되는 경우를 쓰시오.

13 다음 농작물재해보험 중 해지의 종류에서 Ⓐ～Ⓒ에 들어갈 알맞은 말을 쓰시오.

(1) 농작물재해보험 해지는 보험계약자의 신청에 의한 (Ⓐ)와 (Ⓑ)로 구분한다.
(2) 임의해지
   계약자가 보험사고 발생 전에는 (Ⓒ) 과수원(농지) 단위로 해지할 수 있다. 다만, 약관에서 정한 해지 제한사항에 해당하는 경우에는 해지할 수 없다.

14 다음 농작물재해보험 중 "보험회사에 의한 해지"에서 Ⓐ~Ⓓ에 들어갈 알맞은 말을 쓰시오.

(1) 보험회사가 다음과 같은 사실을 안 경우에는 손해의 발생여부에 관계없이 그 사실을 안 날로부터 (Ⓐ) 이내에 이 계약을 해지할 수 있다.
  1) 계약자, 피보험자 또는 이들의 대리인이 "계약 전 알릴 의무"에도 불구하고 고의 또는 중대한 과실로 중요한 사항에 대하여 사실과 다르게 알린 때
  2) 뚜렷한 위험의 변경 또는 증가와 관련된 "계약 후 알릴 의무"에서 정한 계약 후 알릴 의무를 이행하지 않았을 때
(2) 위 1)의 경우에도 불구하고 다음 중 하나에 해당하는 경우에는 회사는 계약을 해지할 수 없다.
  1) 회사가 계약 당시에 그 사실을 알았거나 과실로 인하여 알지 못하였을 때
  2) 회사가 그 사실을 안 날부터 (Ⓑ) 이상 지났거나 또는 제1회 보험료 등을 받은 때부터 보험금 지급사유가 발생하지 않고 (Ⓒ)이 지났을 때
  3) 계약을 체결한 날부터 (Ⓓ)이 지났을 때
  4) 보험을 모집한 자가 계약자 또는 피보험자에게 알릴 기회를 주지 않았거나 계약자 또는 피보험자가 사실대로 알리는 것을 방해한 경우, 계약자 또는 피보험자에게 사실대로 알리지 않게 하였거나 부실한 사항을 알릴 것을 권유했을 때

15 다음 농작물재해보험에서 제시한 내용이 무엇인지 쓰시오.

보험계약이 완료된 이후에 계약자 또는 보험판매농협 담당자의 가입 시 오류 또는 기존 계약내용에 변동이 발생한 경우 당초의 계약내용의 일부를 수정하는 것을 말한다.

16 다음 농작물재해보험 "특정위험보장 과수품목 감액환급"에서 용어풀이 중 ( ) 안에 들어갈 알맞은 말을 쓰시오.

"자연낙과"란 적과후착과수 조사 이후 재해발생 여부와는 관계없이 과실의 생리적 특성에 의한 낙과를 말하며 떫은감의 자연낙과율은 ( )%로 한다.

17 다음 농작물재해보험 "특정위험보장 과수품목 감액환급"에서 (   ) 안에 들어갈 알맞은 말을 쓰시오.

> (1) 보험에 가입한 모든 과수원은 통상적인 적과 및 자연낙과(떫은감은 1차 생리적 낙과)종료시점에 과수원의 실제결과주수에 대하여 착과과실수를 조사(적과후착과수 조사)하여 (   ) 및 보험가입금액을 확정한다.
> (2) "사과, 배, 감귤, 단감"은 가입수확량이 기준수확량을 초과하는 경우 및 떫은감은 가입수확량이 기준수확량에 (1 - 자연낙과율)을 곱한 양을 초과하는 경우 그 초과분은 제외하도록 (   )을 조정하고 보험가입금액을 감액한다.
> (3) 따라서 보험에 가입한 결과주수가 과수원 내 실제결과주수를 초과하는 경우에는 (   )을 감액한다.

18 농작물재해보험에서 환급보험료는 다음의 계산식에 의하여 계산하며 품목별 보상하는 재해에 의한 미경과비율은 품목별 약관에 의한다. 다음 (   ) 안에 들어갈 알맞은 말을 쓰시오.

> 차액 보험료 = 감액분 계약자부담보험료 × (   )

단원평가 적중예상문제 정답

01 Ⓐ 가입설계, Ⓑ 인수심사, Ⓒ 보험료수납 및 계약처리

02 (1) 농업경영체 등록 여부 확인
(2) 가입자격 및 경작현황 서류 확인

03 (1) 과수작물
(2) 밭작물, 원예시설

04 (1) Ⓐ 정부, Ⓑ 지방자치단체, Ⓒ 농업경영체
(2) Ⓓ 정부

05 모집자는 보험계약자 또는 피보험자로부터 자필서명을 받지 아니하고, 서명을 대신하거나 다른 사람으로
하여금 서명하게 할 수 있다.

06 Ⓐ 역선택
Ⓑ 불량계약의 인수
Ⓒ 손해율
Ⓓ 수익성
Ⓔ 안정적 성장

07 (1) Ⓐ 가입대상, Ⓑ 인수기준
(2) Ⓒ 설명내용, Ⓓ 설명방법

08 (1) Ⓐ 철회, Ⓑ 무효, Ⓒ 변경
(2) Ⓓ 심사 및 처리, Ⓔ 업무위탁계약, Ⓕ 본사

09 Ⓐ 보험증권, Ⓑ 15, Ⓒ 15, Ⓓ 30

10 취소기준
(1) 약관 및 계약자 보관용 청약서(청약서 부본)를 청약 시 계약자에게 전달하지 아니한 경우
(2) 약관의 중요한 내용을 설명하지 아니한 경우
(3) 계약을 체결할 때 계약자가 청약서에 자필 서명[날인(도장을 찍음)을 포함]을 하지 아니한 경우

11   3개월

12   무효사유 : 보험계약 시에 보험사고가 이미 발생하였거나 또는 발생할 수 없는 것일 때

13   (1) Ⓐ 임의해지, Ⓑ 보험회사에 의한 해지
         (2) Ⓒ 언제든지

14   (1) Ⓐ 1개월
         (2) Ⓑ 1개월, Ⓒ 2년, Ⓓ 3년

15   계약변경

16   10

17   (1) 기준수확량
         (2) 가입수확량
         (3) 보험가입금액

18   감액 미경과비율

CHAPTER 02

농작물재해보험 상품내용

1. 과수작물

(1) 적과전 종합위험방식 II 상품

1) 대상품목 : 과수 4종(사과, 배, 단감, 떫은감)
2) 주요 특징
   ① 적과전 종합위험 보장방식의 특징
      ㉠ 보험의 목적에 대해 보험기간 개시일부터 통상적인 적과를 끝내는 시점까지
         : 자연재해, 조수해, 화재에 해당하는 종합적인 위험을 보장받는 방식을 말한다.
      ㉡ 적과 후부터 보험기간 종료일까지 : 태풍(강풍), 집중호우, 우박, 화재, 지진, 가을
         동상해, 일소피해에 해당하는 특정한 위험에 대해서만 보장받는 방식을 말한다.
   ② 보험금 지급방식
      ㉠ 보장개시일부터 통상적인 적과를 끝내는 시점까지의 기간 동안 사고가 발생했을
         경우 : 가입 당시 정한 평년착과량과 적과종료 직후 조사된 적과 후 착과량의 차
         이를 보상하여 보험금을 지급한다.
      ㉡ 적과 후부터 보험기간 종료일까지 : 태풍(강풍) 및 우박과 집중호우, 화재, 지진,
         가을동상해, 일소피해에 해당하는 재해가 발생할 시에 약관에 따라 해당 재해로
         감소된 양을 조사하여 보험금을 지급한다.
3) 상품 내용
   ① 보상하는 재해

구분	보상하는 재해
적과 종료 이전	**(1) 자연재해** – 태풍피해, 우박피해, 동상해, 호우피해, 강풍피해, 냉해(冷害), 한해(旱害), 조해(潮害), 설해(雪害), 폭염, 기타 자연재해

구분	정의
태풍피해	기상청에서 태풍주의보 이상 발령할 때 발령지역의 바람과 비로 인하여 발생하는 피해
우박피해	적란운과 봉우리적운 속에서 성장하는 얼음알갱이나 얼음덩이가 내려 발생하는 피해
동상해	서리 또는 기온의 하강으로 인하여 농작물 등이 얼어서 발생하는 피해
호우피해	평균적인 강우량 이상의 많은 양의 비로 인하여 발생하는 피해

	강풍피해	강한 바람 또는 돌풍으로 인하여 발생하는 피해
	한해 (가뭄피해)	장기간의 지속적인 강우 부족에 의한 토양수분 부족으로 인하여 발생하는 피해
	냉해	농작물의 성장 기간 중 작물의 생육에 지장을 초래할 정도의 찬 기온으로 인하여 발생하는 피해
	조해	태풍이나 비바람 등의 자연현상으로 인하여 연안지대의 경지에 바닷물이 들어와서 발생하는 피해
	설해	눈으로 인하여 발생하는 피해
	폭염	매우 심한 더위로 인하여 발생하는 피해
	기타 자연재해	상기 자연재해에 준하는 자연현상으로 발생하는 피해

(2) 조수해(鳥獸害)
- 새나 짐승으로 인하여 발생하는 피해

(3) 화재
- 화재로 인하여 발생하는 피해

적과 종료 이후	**(1) 태풍(강풍)** - 기상청에서 태풍에 대한 기상특보(태풍주의보 또는 태풍경보)를 발령한 때 발령지역 바람과 비를 말하며, 최대순간풍속 14m/sec 이상의 바람(이하 "강풍")을 포함 이때 강풍은 과수원에서 가장 가까운 3개 기상관측소(기상청 설치 또는 기상청이 인증하고 실시간 관측자료를 확인할 수 있는 관측소)에 나타난 측정자료 중 가장 큰 수치의 자료로 판정 **(2) 우박** - 적란운과 봉우리적운 속에서 성장하는 얼음알갱이 또는 얼음덩어리가 내리는 현상 **(3) 집중호우** - 기상청에서 호우에 대한 기상특보(호우주의보 또는 호우경보)를 발령한 때 발령지역의 비 또는 과수원에서 가장 가까운 3개소의 기상관측장비(기상청 설치 또는 기상청이 인증하고 실시간 관측 자료를 확인할 수 있는 관측소)로 측정한 12시간 누적강수량이 80mm 이상인 강우상태 **(4) 화재 :** 화재로 인하여 발생하는 피해 **(5) 지진** - 지구 내부의 급격한 운동으로 지진파가 지표면까지 도달하여 지반이 흔들리는 자연지진을 말하며, 대한민국 기상청에서 규모 5.0 이상의 지진통보를 발표한 때 - 지진통보에서 발표된 진앙이 과수원이 위치한 시군 또는 그 시군과 인접한 시군에 위치하는 경우에 피해를 인정

(6) 가을동상해
- 서리 또는 기온의 하강으로 인하여 과실 또는 잎이 얼어서 생기는 피해를 말하며, 육안으로 판별 가능한 결빙증상이 지속적으로 남아 있는 경우에 피해를 인정
- 잎 피해는 단감, 떫은감 품목에 한하여 10월 31일까지 발생한 가을동상해로 나무의 전체 잎 중 50% 이상이 고사한 경우에 피해를 인정

(7) 일소피해
- 폭염(暴炎)으로 인해 보험의 목적에 일소(日燒)가 발생하여 생긴 피해를 말하며, 일소는 과실이 태양광에 노출되어 과피 또는 과육이 괴사되어 검게 그을리거나 변색되는 현상
- 폭염은 대한민국 기상청에서 폭염특보(폭염주의보 또는 폭염경보)를 발령한 때 과수원에서 가장 가까운 3개소의 기상관측장비(기상청 설치 또는 기상청이 인증하고 실시간 관측 자료를 확인할 수 있는 관측소)로 측정한 낮 최고기온이 연속 2일 이상 33℃ 이상으로 관측된 경우를 말하며, 폭염특보가 발령한 때부터 해제한 날까지 일소가 발생한 보험의 목적에 한하여 보상하며 이때 폭염특보는 과수원이 위치한 지역의 폭염특보를 적용

㉠ 적과종료 이전의 종합위험
ⓐ 자연재해 : 태풍피해, 우박피해, 동상해, 호우피해, 강풍피해, 한해(가뭄피해), 냉해, 조해(潮害), 설해, 폭염, 기타 자연재해
ⓑ 조수해(鳥獸害) : 새나 짐승으로 인하여 발생하는 손해
ⓒ 화재 : 화재로 인한 피해
㉮ 단, 적과종료 이전 특정위험 5종 한정 보장 특별약관 가입 시 태풍(강풍), 우박, 지진, 화재, 집중호우만 보장
㉯ 보상하는 재해로 인하여 손해가 발생한 경우 계약자 또는 피보험자가 지출한 손해방지비용[5]을 추가로 지급한다. 다만, 방제비용, 시설보수비용 등 통상적으로 소요되는 비용은 제외

㉡ 적과종료 이후의 특정위험
ⓐ 태풍(강풍) : 기상청에서 태풍에 대한 기상특보(태풍주의보 또는 태풍경보)를 발령한 때 발령지역의 바람과 비를 말하며, 최대순간풍속 14m/sec 이상의 바람을 포함. 바람의 세기는 과수원에서 가장 가까운 3개 기상관측소(기상청 설치 또는 기상청이 인증하고 실시간 관측자료를 확인할 수 있는 관측소)에 나타난 측정자료 중 가장 큰 수치의 자료로 판정
ⓑ 우박 : 적란운과 봉우리적운 속에서 성장하는 얼음알갱이 또는 얼음덩어리가 내리는 현상

---

5) 손해의 방지 또는 경감을 위한 일체의 방법을 강구하기 위하여 지출한 필요 또는 유익한 비용

ⓒ 집중호우 : 기상청에서 호우에 대한 기상특보(호우주의보 또는 호우경보)를 발령한 때 발령지역의 비 또는 농지에서 가장 가까운 3개소의 기상관측장비(기상청 설치 또는 기상청이 인증하고 실시간 관측 자료를 확인할 수 있는 관측소)로 측정한 12시간 누적강수량이 80mm 이상인 강우상태

ⓓ 화재 : 화재로 인하여 발생하는 피해

ⓔ 지진 : 지구 내부의 급격한 운동으로 지진파가 지표면까지 도달하여 지반이 흔들리는 자연지진을 말하며, 대한민국 기상청에서 규모 5.0 이상의 지진통보를 발표한 때. 지진통보에서 발표된 진앙이 과수원이 위치한 시군 또는 그 시군과 인접한 시군에 위치하는 경우에 피해를 인정

ⓕ 가을동상해 : 서리 또는 기온의 하강으로 인하여 과실 또는 잎이 얼어서 생기는 피해를 말하며, 육안으로 판별 가능한 결빙증상이 지속적으로 남아 있는 경우에 피해를 인정. 잎 피해는 단감, 떫은감 품목에 한하여 10월 31일까지 발생한 가을동상해로 나무의 전체 잎 중 50% 이상이 고사한 경우에 피해를 인정

ⓖ 일소피해 : 폭염(暴炎)으로 인해 보험의 목적에 일소(日燒)가 발생하여 생긴 피해를 말하며, 일소는 과실이 태양광에 노출되어 과피 또는 과육이 괴사되어 검게 그을리거나 변색되는 현상. 폭염은 대한민국 기상청에서 폭염특보(폭염주의보 또는 폭염경보)를 발령한 때 과수원에서 가장 가까운 3개소의 기상관측장비(기상청 설치 또는 기상청이 인증하고 실시간 관측 자료를 확인할 수 있는 관측소)로 측정한 낮 최고기온이 연속 2일 이상 33℃ 이상으로 관측된 경우를 말하며, 폭염특보가 발령한 때부터 해제한 날까지 일소가 발생한 보험의 목적에 한하여 보상. 이때 폭염특보는 과수원이 위치한 지역의 폭염특보를 적용

→ 보상하는 재해로 인하여 손해가 발생한 경우 계약자 또는 피보험자가 지출한 손해방지비용[6]을 추가로 지급. 다만, 방제비용, 시설보수비용 등 통상적으로 소요되는 비용은 제외

② 보상하지 않는 손해

㉠ 적과종료 이전

ⓐ 계약자, 피보험자 또는 이들의 법정대리인의 고의 또는 중대한 과실로 인한 손해

ⓑ 제초작업, 시비관리 등 통상적인 영농활동을 하지 않아 발생한 손해

ⓒ 원인의 직·간접을 묻지 않고 병해충으로 발생한 손해

ⓓ 보상하지 않는 재해로 제방, 댐 등이 붕괴되어 발생한 손해

[6] 손해의 방지 또는 경감을 위한 일체의 방법을 강구하기 위하여 지출한 필요 또는 유익한 비용

ⓔ 하우스, 부대시설 등의 노후 및 하자로 생긴 손해

ⓕ 계약체결 시점 현재 기상청에서 발령하고 있는 기상특보 발령 지역의 기상특보 관련 재해(태풍, 호우, 홍수, 강풍, 풍랑, 해일, 대설 등)로 인한 손해

ⓖ 보상하는 자연재해로 인하여 발생한 동녹(과실에 발생하는 검은 반점 병) 등 간접손해

ⓗ 보상하는 재해에 해당하지 않은 재해로 발생한 손해

ⓘ 식물방역법 제36조(방제명령 등)에 의거 금지 병해충인 과수 화상병 발생에 의한 폐원으로 인한 손해 및 정부 및 공공기관의 매립으로 발생한 손해

ⓙ 전쟁, 혁명, 내란, 사변, 폭동, 소요, 노동쟁의, 기타 이들과 유사한 사태로 생긴 손해

ⓛ **적과종료 이후**

ⓐ 계약자, 피보험자 또는 이들의 법정대리인의 고의 또는 중대한 과실로 인한 손해

ⓑ 수확기에 계약자 또는 피보험자의 고의 또는 중대한 과실로 수확하지 못하여 발생한 손해

ⓒ 제초작업, 시비관리 등 통상적인 영농활동을 하지 않아 발생한 손해

ⓓ 원인의 직·간접을 묻지 않고 병해충으로 발생한 손해

ⓔ 보상하지 않는 재해로 제방, 댐 등이 붕괴되어 발생한 손해

ⓕ 최대순간풍속 14m/sec 미만의 바람으로 발생한 손해

ⓖ 보장하는 자연재해로 인하여 발생한 동녹(과실에 발생하는 검은 반점 병) 등 간접손해

ⓗ 보상하는 재해에 해당하지 않은 재해로 발생한 손해

ⓘ 저장한 과실에서 나타나는 손해

ⓙ 저장성 약화, 과실경도 약화 등 육안으로 판별되지 않는 손해

ⓚ 농업인의 부적절한 잎소지(잎 제거)로 인하여 발생한 손해

ⓛ 병으로 인해 낙엽이 발생하여 태양광에 과실이 노출됨으로써 발생한 손해

ⓜ 식물방역법 제36조(방제명령 등)에 의거 금지 병해충인 과수 화상병 발생에 의한 폐원으로 인한 손해 및 정부 및 공공기관의 매립으로 발생한 손해

ⓝ 전쟁, 혁명, 내란, 사변, 폭동, 소요, 노동쟁의, 기타 이들과 유사한 사태로 생긴 손해

③ 보험기간

구분			보험의 목적	보험기간	
보장	약관	대상재해		보장개시	보장종료
과실 손해 보장	보통 약관	적과 종료 이전	자연재해, 조수해, 화재	사과, 배	계약체결일 24시	적과종료 시점 다만, Y년 6월 30일을 초과할 수 없음
				단감, 떫은감	계약체결일 24시	적과종료 시점 다만, Y년 7월 31일을 초과할 수 없음
		적과 종료 이후	태풍(강풍), 우박, 집중호우, 화재, 지진	사과, 배, 단감, 떫은감	적과종료 이후	수확기종료 시점 다만, Y년 11월 30일을 초과할 수 없음
			가을동상해 보장	사과, 배	Y년 9월 1일	수확기종료 시점 다만, Y년 11월 10일을 초과할 수 없음
				단감, 떫은감	Y년 9월 1일	수확기종료 시점 다만, Y년 11월 15일을 초과할 수 없음
			일소피해 보장	사과, 배, 단감, 떫은감	적과종료 이후	Y년 9월 30일
나무 손해 보장	특별 약관	자연재해, 조수해, 화재		사과, 배, 단감, 떫은감	Y년 2월 1일. 다만, 2월 1일 이후 보험에 가입하는 경우에는 계약체결일 24시	(Y + 1년) 1월 31일

※ "Y"는 해당 품목 판매개시일이 속하는 연도, "(Y + 1)"은 Y년 이후에 도래하는 연도

④ 보험가입금액

　㉠ 과실손해보장 보험가입금액

　　ⓐ 가입수확량에 가입가격을 곱하여 산출된 금액(천원 단위 미만 절사)으로 한다.

> 과실손해보장 보험가입금액 = 가입수확량 × 가입가격
>
> ※ 가입가격 : 보험에 가입할 때 결정한 과실의 kg당 평균 가격(나무손해보장 특별약관의 경우에는 보험에 가입한 나무의 1주당 가격)으로 한 과수원에 다수의 품종이 혼식된 경우에도 품종과 관계없이 동일

　　ⓑ 가입수확량이 기준수확량을 초과하는 경우에는 그 초과분은 제외되도록 가입수확량이 조정되며 보험가입금액을 감액한다.

　㉡ 나무손해보장특약 가입금액

　　ⓐ 보험에 가입한 결과주수에 1주당 가입가격을 곱하여 계산한 금액으로 한다.

> 나무손해보장특약 가입금액 = 가입한 결과주수 × 1주당 가입가격

　　ⓑ 보험에 가입한 결과주수가 과수원 내 실제결과주수를 초과하는 경우에는 보험가입금액을 감액한다.

　㉢ 보험가입금액의 감액

　　ⓐ 적과전 사고가 없으나 적과후착과량이 평년착과량보다 적어지는 경우 보험가입금액을 감액한다.

　　ⓑ 보험가입금액을 감액한 경우에는 아래와 같이 계산한 차액보험료를 환급한다.

> 차액보험료 = (감액분 계약자부담보험료 × 감액미경과비율) − 미납입보험료
>
> ※ 감액분 계약자부담보험료는 감액한 가입금액에 해당하는 계약자부담보험료

▼ 감액미경과비율

적과종료 이전 특정위험 5종 한정보장 특별약관에 가입하지 않은 경우		
품목	착과감소보험금 보장수준 50%형	착과감소보험금 보장수준 70%형
사과, 배	70%	63%
단감, 떫은감	84%	79%

적과종료 이전 특정위험 5종 한정보장 특별약관에 가입한 경우		
품목	착과감소보험금 보장수준 50%형	착과감소보험금 보장수준 70%형
사과, 배	83%	78%
단감, 떫은감	90%	88%

ⓒ 차액보험료는 적과후착과수 조사일이 속한 달의 다음 달 말일 이내에 지급한다.

ⓓ 적과후착과수 조사 이후 착과수가 적과후착과수보다 큰 경우에는 지급한 차액보험료를 다시 정산한다.

⑤ 보험료

㉠ 보험료의 구성

영업보험료는 순보험료와 부가보험료를 더하여 산출한다. 순보험료는 지급보험금의 재원이 되는 보험료이며 부가보험료는 보험회사의 경비 등으로 사용되는 보험료이고 다음과 같이 산출한다.

> 영업보험료 = 순보험료 + 부가보험료

ⓐ 정부보조보험료는 순보험료의 50%와 부가보험료의 100%를 지원한다(과수 4종의 국고지원은 순보험료의 35%~60%이며, 가입조건별 차등지원).

ⓑ 지자체지원보험료는 지자체별로 지원금액(비율)을 결정한다.

> [참조 : 2022년 이론(업무방법서)수록 내용]
> ※ 순보험료 = 보험가입금액 × 순보험요율 × 할인·할증률
> ※ 부가보험료 = 보험가입금액 × 부가보험요율 × 할인·할증률
>
> ※ 순보험요율
> • 보험 금액에 대한 순보험료의 비율을 순보험요율이라 한다.
> • 품목별, 지역별, 담보별, 상품유형별로 순보험요율이 다르며 보험업법에 의한 보험요율 산출기관에서 검증한 순보험요율을 적용하고 있다.
> ※ 부가보험요율
> • 보험계약의 체결, 유지 및 관리 등에 필요한 경비로 사용하기 위하여 보험료 중 일정 비율을 사업비로 책정하고 있는데, 이를 부가보험요율이라 한다.
> • 농작물재해보험은 정책보험으로 정부에서 부가보험료를 전액 지원하고 있어 계약자가 부담하는 부가보험료는 없다.

㉡ 보험료의 산출

ⓐ 과실손해보장 보통약관 적용보험료

> 보통약관 보험가입금액 × 지역별 보통약관 영업요율
> × (1 − 부보장 및 한정보장 특별약관 할인율) × (1 ± 손해율에 따른 할인·할증률)
> × (1 − 방재시설할인율)

ⓑ 나무손해보장 특별약관 적용보험료

> 특별약관 보험가입금액 × 지역별 특별약관 영업요율
> × (1 ± 손해율에 따른 할인·할증률)

※ 손해율에 따른 할인·할증은 계약자를 기준으로 판단
※ 손해율에 따른 할인·할증폭은 −30%~+50%로 제한
※ 2개 이상의 방재시설이 있는 경우 합산하여 적용하되, 최대 할인율은 30%로 제한
※ 품목별 방재시설 할인율은 PART 04 CHAPTER 01 참조

ⓒ 보험료의 환급
 ⓐ 이 계약이 무효, 효력상실 또는 해지된 때에는 다음과 같이 보험료를 반환한다.
  다만, 보험기간 중 보험사고가 발생하고 보험금이 지급되어 보험가입금액이 감
  액된 경우에는 감액된 보험가입금액을 기준으로 환급금을 계산하여 돌려준다.
  ㉮ 계약자 또는 피보험자의 책임 없는 사유에 의하는 경우 : 무효의 경우에는
   납입한 계약자부담보험료의 전액, 효력상실 또는 해지의 경우에는 해당
   월 미경과비율에 따라 아래와 같이 '환급보험료'를 계산한다.

  > 환급보험료 = 계약자부담보험료 × 미경과비율 (별표)
  > ※ 계약자부담보험료는 최종 보험가입금액 기준으로 산출한 보험료 중 계약자
  > 가 부담한 금액

  ㉯ 계약자 또는 피보험자의 책임 있는 사유에 의하는 경우 : 계산한 해당 월
   미경과비율에 따른 환급보험료. 다만 계약자, 피보험자의 고의 또는 중대
   한 과실로 무효가 된 때에는 보험료를 반환하지 않는다.
 ⓑ 계약자 또는 피보험자의 책임 있는 사유
  ㉮ 계약자 또는 피보험자가 임의 해지하는 경우
  ㉯ 사기에 의한 계약, 계약의 해지(계약자 또는 피보험자의 고의로 손해가 발
   생한 경우나, 고지의무·통지의무 등을 해태한 경우의 해지) 또는 중대 사
   유로 인한 해지에 따라 계약을 취소 또는 해지하는 경우
  ㉰ 보험료 미납으로 인한 계약의 효력상실
 ⓒ 계약의 무효, 효력상실 또는 해지로 인하여 반환해야 할 보험료가 있을 때에
  는 계약자는 환급금을 청구하여야 하며, 청구일의 다음 날부터 지급일까지의
  기간에 대하여 '보험개발원이 공시하는 보험계약대출이율'을 연단위 복리로
  계산한 금액을 더하여 지급한다.

⑥ 보험금

과수 4종의 보장별 보험금 지급사유 및 보험금 계산은 아래와 같다.

보장	보험의 목적	보험금 지급사유	보험금 계산(지급금액)
과실 손해 보장 (보통 약관)	사과, 배, 단감, 떫은감	보상하는 재해로 인해 발생한 감수량이 자기부담감수량을 초과하는 경우 ※ 자기부담감수량 = 기준수확량 × 자기부담비율	• 착과감소보험금 = (착과감소량 − 미보상감수량 − 자기부담감수량) × 가입가격 × (50%, 70%) • 과실손해보험금 = (적과종료 후 누적감수량 − 자기부담감수량) × 가입가격 ※ 자기부담감수량은 착과감소보험금에서 차감된 만큼 과실손해보험금에 적용된다.
나무 손해 보장 (특별 약관)		보상하는 손해로 인해 발생한 피해율이 자기부담비율을 초과하는 경우 ※ 자기부담비율 : 5%	보험가입금액 × (피해율 − 자기부담비율) ※ 피해율 = 피해주수(고사된 나무) ÷ 실제 결과주수

㉠ 착과감소보험금의 계산

ⓐ 보장개시에서 적과종료 이전에 보상하는 재해로 인하여 착과감소량이 자기부담감수량을 초과하는 경우, 지급할 보험금은 아래에 따라 계산한다.

> 보험금 = (착과감소량 − 미보상감수량 − 자기부담감수량) × 가입가격
> × 보장수준 (50%, 70%)

㉮ 자기부담감수량은 기준수확량에 자기부담비율을 곱한 양으로 한다.

㉯ 자기부담비율은 계약할 때 계약자가 선택한 자기부담비율로 한다.

㉰ 가입가격은 보험에 가입할 때 결정한 과실의 kg당 평균가격을 말한다. 한 과수원에 다수의 품종이 혼식 된 경우에도 품종과 관계없이 동일하다.

㉱ 착과감소보험금 보장 수준(50%, 70%)은 계약할 때 계약자가 선택한 보장 수준으로 한다.

㉲ 50%형은 임의선택이 가능하며, 70%형은 최근 3년간 연속 보험가입 과수원으로 누적 적과전 손해율 100% 이하인 경우에만 가능하다.

ⓑ 보험금의 지급 한도에 따라 계산된 보험금이 '보험가입금액 × (1 − 자기부담비율)'을 초과하는 경우에는 '보험가입금액 × (1 − 자기부담비율)'을 보험금으로 한다.

ⓛ 과실손해보험금의 계산

보상하는 재해로 인하여 적과종료 이후 누적감수량이 자기부담감수량을 초과하는 경우, 지급할 보험금은 아래에 따라 계산한다.

> 보험금 = (적과종료 이후 누적감수량 − 자기부담감수량) × 가입가격

ⓐ 적과종료 이후 누적감수량은 보장종료 시점까지 산출된 감수량을 누적한 값으로 한다.

ⓑ 자기부담감수량은 기준수확량에 자기부담비율을 곱한 양으로 하며 착과감소보험금에서 차감된 만큼 과실손해보험금에 적용된다.

ⓒ 나무손해보험금의 계산

보험기간 내에 보상하는 재해로 인한 피해율이 자기부담비율을 초과하는 경우 아래와 같이 계산한 보험금을 지급한다.

> 보험금 = 보험가입금액 × (피해율 − 자기부담비율)
> ※ 피해율은 피해주수(고사된 나무)를 실제결과주수로 나눈 값으로 한다.

⑦ 자기부담비율

㉠ 과실손해위험보장의 자기부담비율은 지급보험금을 계산할 때 피해율에서 차감하는 비율로서, 계약할 때 계약자가 선택한 비율(10%, 15%, 20%, 30%, 40%)을 말한다.

㉡ 자기부담비율 선택 기준

ⓐ 10%형 : 최근 3년간 연속 보험가입과수원으로서 3년간 수령한 보험금이 순보험료의 100% 이하인 경우에 한하여 선택 가능하다.

ⓑ 15%형 : 최근 2년간 연속 보험가입과수원으로서 2년간 수령한 보험금이 순보험료의 100% 이하인 경우에 한하여 선택 가능하다.

ⓒ 20%형, 30%형, 40%형 : 제한 없음

㉢ 나무손해위험보장 특별약관의 자기부담비율 : 5%

⑧ 특별약관

㉠ 적과종료 이후 가을동상해 부보장 특별약관(과수 4종) : 보상하는 손해에도 불구하고 적과종료 이후 가을동상해로 인해 입은 손해는 보상하지 않는다.

㉡ 적과종료 이후 일소피해 부보장 특별약관(과수 4종) : 보상하는 손해에도 불구하고 적과종료 이후 일소피해로 인해 입은 손해는 보상하지 않는다.

ⓒ 적과종료 이전 특정위험 5종 한정 보장 특별약관(과수 4종) : 보상하는 손해에도 불구하고 적과종료 이전에는 보험의 목적이 태풍(강풍), 우박, 집중호우, 화재, 지진으로 입은 손해만을 보상한다.

ⓔ 종합위험 나무손해보장특별약관(과수 4종) : 적과종료 이전과 같은 보상하는 재해(종합위험)로 보험의 목적인 나무에 피해를 입은 경우 보상한다. 단, 아래의 사유로 인한 손해는 보상하지 않는다.

▼ 나무손해보장특약의 보상하지 않는 손해

- 계약자, 피보험자 또는 이들의 법정대리인의 고의 또는 중대한 과실로 인한 손해
- 제초작업, 시비관리 등 통상적인 영농활동을 하지 않아 발생한 손해
- 보상하지 않는 재해로 제방, 댐 등이 붕괴되어 발생한 손해
- 피해를 입었으나 회생 가능한 나무 손해
- 토양관리 및 재배기술의 잘못된 적용으로 인해 생기는 나무 손해
- 병충해 등 간접손해에 의해 생긴 나무 손해
- 하우스, 부대시설 등의 노후 및 하자로 생긴 손해
- 계약체결 시점 현재 기상청에서 발령하고 있는 기상특보 발령 지역의 기상특보 관련 재해로 인한 손해
- 보상하는 재해에 해당하지 않은 재해로 발생한 손해
- 전쟁, 혁명, 내란, 사변, 폭동, 소요, 노동쟁의, 기타 이들과 유사한 사태로 생긴 손해

▼ 용어의 정의

시비관리	수확량 또는 품질을 높이기 위해 비료성분을 토양 중에 공급하는 것을 말한다.
기상특보 관련 재해	태풍, 호우, 홍수, 강풍, 풍랑, 해일, 대설, 폭염 등을 포함한다.

⑨ **계약인수 관련 수확량**

㉠ 표준수확량 : 과거의 통계를 바탕으로 품종, 경작형태, 수령, 지역 등을 고려하여 산출한 나무 1주당 예상 수확량이다.

㉡ 평년착과량

ⓐ 가입수확량 산정 및 적과종료 전 보험사고 발생 시 감수량 산정의 기준이 되는 착과량을 말한다.

ⓑ 평년착과량은 자연재해가 없는 이상적인 상황에서 수확할 수 있는 수확량이 아니라 평년 수준의 재해가 있다는 점을 전제로 한다.

ⓒ 최근 5년 이내 보험에 가입한 이력이 있는 과수원은 최근 5개년 적과후착과량 및 표준수확량에 의해 평년착과량을 산정하며, 신규 가입하는 과수원은 표준수확량표를 기준으로 평년착과량을 산정한다.

ⓓ 주요 용도로는 보험가입금액(가입수확량)의 결정 및 적과종료 전 보험사고 발생 시 감수량 산정을 위한 기준으로 활용된다.

ⓔ 산출 방법은 가입 이력 여부로 구분된다.

㉮ 과거수확량 자료가 없는 경우(신규 가입) : 표준수확량의 100%를 평년착과량으로 결정한다.

㉯ 과거수확량 자료가 있는 경우(최근 5년 이내 가입 이력 존재) : 아래 표와 같이 산출하여 결정한다.

□ 평년착과량 = 〔A + (B − A) × (1 − Y / 5)〕× C / D

○ A = ∑과거 5년간 적과후착과량 ÷ 과거 5년간 가입횟수
○ B = ∑과거 5년간 표준수확량 ÷ 과거 5년간 가입횟수
○ Y = 과거 5년간 가입횟수
○ C = 당해연도(가입연도) 기준표준수확량
○ D = ∑과거 5년간 기준표준수확량 ÷ 과거 5년간 가입횟수

※ 과거 적과후착과량 : 연도별 적과후착과량을 인정하되, 21년 적과후착과량부터 아래 상·하한 적용
• 상한 : 평년착과량의 300%
• 하한 : 평년착과량의 30%
• 단, 상한의 경우 가입 당해를 포함하여 과거 5개년 중 3년 이상 가입 이력이 있는 과수원에 한하여 적용
※ 기준표준수확량 : 아래 품목별 표준수확량표에 의해 산출한 표준수확량
• 사과 : 일반재배방식의 표준수확량
• 배 : 소식재배방식의 표준수확량
• 단감·떫은감 : 표준수확량표의 표준수확량
※ 과거기준표준수확량(D) 적용 비율
• 대상품목 사과만 해당
• 3년생 : 50%, 4년생 : 75%

ⓒ 가입수확량

ⓐ 보험에 가입한 수확량으로 가입가격에 곱하여 보험가입금액을 결정하는 수확량을 말한다.

ⓑ 평년착과량의 100%를 가입수확량으로 결정한다.

(2) 종합위험방식 상품

1) **대상품목** : 복숭아, 자두, 매실, 살구, 오미자, 밤, 호두, 유자, 포도, 대추, 참다래, 복분자, 무화과, 오디, 감귤(15개 품목)

2) 과수작물의 종합위험 보장상품의 특징
  ① **종합위험 수확감소보장방식**(8개 품목) : 복숭아, 자두, 매실, 살구, 오미자, 밤, 호두, 유자는 보상하는 재해로 인한 수확량의 감소비율이 자기부담비율을 초과 시 보상한다.
  ② **종합위험 비가림과수 손해보장방식**(3개 품목) : 포도, 대추, 참다래는 해당 품목의 수확량 감소 피해뿐만 아니라, 보상하는 재해로 인한 비가림시설 피해를 보상한다.
  ③ **수확전 종합위험 과실손해보장방식**(2개 품목) : 복분자, 무화과는 수확전까지는 종합위험을 담보하고 수확 이후에는 태풍(강풍), 우박의 특정한 재해 피해만 보상한다.
  ④ **종합위험 과실손해보장방식**(2개 품목) : 오디, 감귤은 보상하는 재해로 과실에 직접적인 피해가 발생하여 손해액이 자기부담금을 초과하는 경우 보상한다.

3) 상품 내용
  ① 보상하는 재해 및 보상하지 않는 손해

구분	보상하는 재해
공통 (15개 전품목)	(1) 자연재해 – 태풍피해, 우박피해, 동상해, 호우피해, 강풍피해, 냉해(冷害), 한해(旱害), 조해(潮害), 설해(雪害), 폭염, 기타 자연재해

구분	정의
태풍피해	기상청에서 태풍주의보 이상 발령할 때 발령지역의 바람과 비로 인하여 발생하는 피해
우박피해	적란운과 봉우리적운 속에서 성장하는 얼음알갱이나 얼음덩이가 내려 발생하는 피해
동상해	서리 또는 기온의 하강으로 인하여 농작물 등이 얼어서 발생하는 피해
호우피해	평균적인 강우량 이상의 많은 양의 비로 인하여 발생하는 피해
강풍피해	강한 바람 또는 돌풍으로 인하여 발생하는 피해
한해 (가뭄피해)	장기간의 지속적인 강우 부족에 의한 토양수분 부족으로 인하여 발생하는 피해
냉해	농작물의 성장 기간 중 작물의 생육에 지장을 초래할 정도의 찬기온으로 인하여 발생하는 피해
조해	태풍이나 비바람 등의 자연현상으로 인하여 연안지대의 경지에 바닷물이 들어와서 발생하는 피해
설해	눈으로 인하여 발생하는 피해
폭염	매우 심한 더위로 인하여 발생하는 피해
기타 자연재해	상기 자연재해에 준하는 자연현상으로 발생하는 피해

	(2) 조수해(鳥獸害)
	− 새나 짐승으로 인하여 발생하는 피해
	(3) 화재
	− 화재로 인하여 발생하는 피해(비가림시설의 경우, 특약가입 시 보장)
	(4) 병충해 : 세균구멍병으로 인하여 발생하는 피해(복숭아에 한함)
복분자 (수확개시 이후, 이듬해 6월 1일 이후), 무화과 (수확개시 이후, 이듬해 8월 1일 이후)	(1) 태풍(강풍) : 기상청에서 태풍에 대한 기상특보(태풍주의보 또는 경보)를 발령한 때 발령지역의 바람과 비를 말하며, 최대순간풍속 14m/sec 이상의 바람(이하 "강풍")을 포함. 이때 강풍은 과수원에서 가장 가까운 3개 기상관측소(기상청 설치 또는 기상청이 인증하고 실시간 관측자료를 확인할 수 있는 관측소)에 나타난 측정자료 중 가장 큰 수치의 자료로 판정함
	(2) 우박 : 적란운과 봉우리적운 속에서 성장하는 얼음알갱이 또는 얼음덩어리가 내리는 현상

- ㉠ 종합위험 수확감소보장방식
  - ⓐ 보상하는 재해

구분	품목	보상하는 재해
종합위험 수확감소보장방식	복숭아, 자두, 밤, 매실, 오미자, 유자, 호두, 살구	자연재해, 조수해(鳥獸害), 화재 *복숭아는 병충해 보장(세균구멍병)

  - ㉮ 자연재해 : 태풍피해, 우박피해, 동상해, 호우피해, 강풍피해, 한해(가뭄피해), 냉해, 조해(潮害), 설해, 폭염, 기타 자연재해
  - ㉯ 조수해(鳥獸害) : 새나 짐승으로 인하여 발생하는 손해
  - ㉰ 화재 : 화재로 인한 피해
  - ㉱ 병충해 : 세균구멍병으로 인하여 발생하는 손해(복숭아 품목에만 해당)

> • 세균구멍병[7]
> 주로 잎에 발생하며, 가지와 과일에도 발생한다. 봄철 잎에 형성되는 병반은 수침상의 적자색 내지 갈색이며, 이후 죽은 조직이 떨어져 나와 구멍이 생기고 가지에서는 병징이 적자색 내지 암갈색으로 변하고 심하면 가지가 고사된다. 어린 과실의 초기 병징은 황색을 띠고, 차차 흑색으로 변하며, 병반 주위가 녹황색을 띠게 된다.

---

7) 자료출처 : 국가농작물병해충관리시스템 https://ncpms.rda.go.kr

▼ 세균구멍병에 의한 피해 사진

※ 보상하는 재해로 인하여 손해가 발생한 경우 계약자 또는 피보험자가 지출한 손해방지비용[8]을 추가로 지급한다. 다만, 방제비용, 시설보수비용 등 통상적으로 소요되는 비용은 제외

ⓑ 보상하지 않는 손해

㉮ 계약자, 피보험자 또는 이들의 법정대리인의 고의 또는 중대한 과실로 인한 손해

㉯ 수확기에 계약자 또는 피보험자의 고의 또는 중대한 과실로 수확하지 못하여 발생한 손해

㉰ 제초작업, 시비관리 등 통상적인 영농활동을 하지 않아 발생한 손해

㉱ 원인의 직·간접을 묻지 않고 병해충으로 발생한 손해(다만, 복숭아의 세균구멍병으로 인한 손해는 제외)

㉲ 보장하지 않는 재해로 제방, 댐 등이 붕괴되어 발생한 손해

㉳ 하우스, 부대시설 등의 노후 및 하자로 생긴 손해

㉴ 계약체결 시점 현재 기상청에서 발령하고 있는 기상특보 발령 지역의 기상특보 관련 재해로 인한 손해

㉵ 보상하는 재해에 해당하지 않은 재해로 발생한 손해

㉶ 전쟁, 혁명, 내란, 사변, 폭동, 소요, 노동쟁의, 기타 이들과 유사한 사태로 생긴 손해

ⓒ 종합위험 과실손해보장방식

ⓐ 보상하는 재해

구분	품목	보상하는 재해
종합위험 과실손해보장방식	오디, 감귤	자연재해, 조수해(鳥獸害), 화재

---

8) 손해의 방지 또는 경감을 위한 일체의 방법을 강구하기 위하여 지출한 필요 또는 유익한 비용

㉮ 자연재해 : 태풍피해, 우박피해, 동상해, 호우피해, 강풍피해, 한해(가뭄피해), 냉해, 조해(潮害), 설해, 폭염, 기타 자연재해

㉯ 조수해(鳥獸害) : 새나 짐승으로 인하여 발생하는 손해

㉰ 화재 : 화재로 인한 피해

※ 보상하는 재해로 인하여 손해가 발생한 경우 계약자 또는 피보험자가 지출한 손해방지비용을 추가로 지급한다. 다만, 방제비용, 시설보수비용 등 통상적으로 소요되는 비용은 제외

ⓑ 보상하지 않는 손해

㉮ 계약자, 피보험자 또는 이들의 법정대리인의 고의 또는 중대한 과실로 인한 손해

㉯ 수확기에 계약자 또는 피보험자의 고의 또는 중대한 과실로 수확하지 못하여 발생한 손해

㉰ 제초작업, 시비관리 등 통상적인 영농활동을 하지 않아 발생한 손해

㉱ 원인의 직·간접을 묻지 않고 병해충으로 발생한 손해

㉲ 보장하지 않는 재해로 제방, 댐 등이 붕괴되어 발생한 손해

㉳ 하우스, 부대시설 등의 노후 및 하자로 생긴 손해

㉴ 계약체결 시점 현재 기상청에서 발령하고 있는 기상특보 발령 지역의 기상특보 관련 재해로 인한 손해

㉵ 보상하는 손해에 해당하지 않은 재해로 발생한 손해

㉶ 전쟁, 혁명, 내란, 사변, 폭동, 소요, 노동쟁의, 기타 이들과 유사한 사태로 생긴 손해

ⓒ 종합위험 비가림과수 손해보장방식

ⓐ 보상하는 재해

구분	품목	보상하는 재해
종합위험 비가림과수 손해보장방식	포도, 대추, 참다래	자연재해, 조수해(鳥獸害), 화재
	비가림시설	자연재해, 조수해(鳥獸害), 화재(특약)

㉮ 자연재해 : 태풍피해, 우박피해, 동상해, 호우피해, 강풍피해, 한해(가뭄피해), 냉해, 조해(潮害), 설해, 폭염, 기타 자연재해

㉯ 조수해(鳥獸害) : 새나 짐승으로 인하여 발생하는 손해

㉰ 화재 : 화재로 인한 피해

※ 보상하는 재해로 인하여 손해가 발생한 경우 계약자 또는 피보험자가 지출한 손해방지비용을 추가로 지급한다. 다만, 방제비용, 시설보수비용 등 통상적으로 소요되는 비용은 제외

ⓑ 보상하지 않는 손해

㉮ 계약자, 피보험자 또는 이들의 법정대리인의 고의 또는 중대한 과실로 인한 손해

㉯ 자연재해, 조수해가 발생했을 때 생긴 도난 또는 분실로 생긴 손해

㉰ 보험의 목적의 노후 및 하자로 생긴 손해

㉱ 보장하지 않는 재해로 제방, 댐 등이 붕괴되어 발생한 손해

㉲ 침식활동 및 지하수로 생긴 손해

㉳ 수확기에 계약자 또는 피보험자의 고의 또는 중대한 과실로 수확하지 못하여 발생한 손해

㉴ 제초작업, 시비관리 등 통상적인 영농활동을 하지 않아 발생한 손해

㉵ 원인의 직접, 간접을 묻지 아니하고 병해충으로 발생한 손해

㉶ 계약체결 시점 현재 기상청에서 발령하고 있는 기상특보 발령 지역의 기상특보 관련 재해로 인한 손해

㉷ 전쟁, 혁명, 내란, 사변, 폭동, 소요, 노동쟁의, 기타 이들과 유사한 사태로 생긴 손해

㉸ 보상하는 재해에 해당하지 않은 재해로 발생한 손해

㉹ 직접 또는 간접을 묻지 않고 농업용 시설물의 시설, 수리, 철거 등 관계 법령의 집행으로 발생한 손해

㉺ 피보험자가 파손된 보험의 목적의 수리 또는 복구를 지연함으로써 가중된 손해

ⓔ 수확전 종합위험 손해보장방식

ⓐ 보상하는 재해

구분	품목	보상하는 재해	
수확전 종합위험 손해보장방식	복분자 무화과	수확 전	자연재해, 조수해(鳥獸害), 화재
		수확 후	태풍(강풍), 우박

▼ 수확개시 이전·이후 구분 기준

품목	수확개시 이전	수확개시 이후
복분자	이듬해 5.31일 이전	이듬해 6.1일 이후
무화과	이듬해 7.31일 이전	이듬해 8.1일 이후

㉮ 수확개시 이전의 종합위험

• 자연재해 : 태풍피해, 우박피해, 동상해, 호우피해, 강풍피해, 한해(가뭄피해), 냉해, 조해(潮害), 설해, 폭염, 기타 자연재해

- 조수해(鳥獸害) : 새나 짐승으로 인하여 발생하는 손해
- 화재 : 화재로 인한 피해
※ 보상하는 재해로 인하여 손해가 발생한 경우 계약자 또는 피보험자가 지출한 손해방지비용을 추가로 지급한다. 다만, 방제비용, 시설보수비용 등 통상적으로 소요되는 비용은 제외

④ 수확개시 이후의 특정위험
- 태풍(강풍) : 기상청에서 태풍에 대한 기상특보(태풍주의보 또는 태풍경보)를 발령한 때 발령지역의 바람과 비를 말하며, 최대순간풍속 14m/sec 이상의 바람을 포함. 바람의 세기는 과수원에서 가장 가까운 3개 기상관측소(기상청 설치 또는 기상청이 인증하고 실시간 관측자료를 확인할 수 있는 관측소)에 나타난 측정자료 중 가장 큰 수치의 자료로 판정
- 우박 : 적란운과 봉우리적운 속에서 성장하는 얼음알갱이 또는 얼음덩어리가 내리는 현상
※ 보상하는 재해로 인하여 손해가 발생한 경우 계약자 또는 피보험자가 지출한 손해방지비용을 추가로 지급한다. 다만, 방제비용, 시설보수비용 등 통상적으로 소요되는 비용은 제외

ⓑ 보상하지 않는 손해
㉮ 수확개시 이전
- 계약자, 피보험자 또는 이들의 법정대리인의 고의 또는 중대한 과실로 인한 손해
- 제초작업, 시비관리 등 통상적인 영농활동을 하지 않아 발생한 손해
- 원인의 직·간접을 묻지 않고 병해충으로 발생한 손해
- 보상하지 않는 재해로 제방, 댐 등이 붕괴되어 발생한 손해
- 하우스, 부대시설 등의 노후 및 하자로 생긴 손해
- 계약체결 시점 현재 기상청에서 발령하고 있는 기상특보 발령 지역의 기상특보 관련 재해로 인한 손해
- 보상하는 손해에 해당하지 않은 재해로 발생한 손해
- 전쟁, 혁명, 내란, 사변, 폭동, 소요, 노동쟁의, 기타 이들과 유사한 사태로 생긴 손해

㉯ 수확개시 이후
- 계약자, 피보험자 또는 이들의 법정대리인의 고의 또는 중대한 과실로 인한 손해
- 수확기에 계약자 또는 피보험자의 고의 또는 중대한 과실로 수확하지 못하여 발생한 손해

- 제초작업, 시비관리 등 통상적인 영농활동을 하지 않아 발생한 손해
- 원인의 직·간접을 묻지 않고 병해충으로 발생한 손해
- 보상하지 않는 재해로 제방, 댐 등이 붕괴되어 발생한 손해
- 최대순간풍속 14m/sec 미만의 바람으로 발생한 손해
- 보상하는 재해에 해당하지 않은 재해로 발생한 손해
- 저장한 과실에서 나타나는 손해
- 저장성 약화, 과실경도 약화 등 육안으로 판별되지 않는 손해
- 전쟁, 혁명, 내란, 사변, 폭동, 소요, 노동쟁의, 기타 이들과 유사한 사태로 생긴 손해

② 보험기간

㉠ 종합위험 수확감소 보장방식(8개 품목) : 복숭아, 자두, 매실, 살구, 오미자, 밤, 호두, 유자

구분		보험의 목적	보험기간	
약관	보장		보장개시	보장종료
보통 약관	종합 위험 수확 감소 보장	복숭아, 자두, 매실, 살구, 오미자	계약체결일 24시	수확기종료 시점 다만, 아래 날짜를 초과할 수 없음 - 복숭아 : 이듬해 10월 10일 - 자두 : 이듬해 9월 30일 - 매실 : 이듬해 7월 31일 - 살구 : 이듬해 7월 20일 - 오미자 : 이듬해 10월 10일
		밤	발아기 다만, 발아기가 지난 경우에는 계약체결일 24시	수확기종료 시점 다만, 판매개시연도 10월 31일을 초과할 수 없음
		호두		수확기종료 시점 다만, 판매개시연도 9월 30일을 초과할 수 없음
		이듬해에 맺은 유자 과실	계약체결일 24시	수확개시 시점 다만, 이듬해 10월 31일을 초과할 수 없음
특별 약관	나무 손해 보장	복숭아, 자두, 매실, 살구, 유자	Y년 12월 1일 다만, 12월 1일 이후 보험에 가입하는 경우에는 계약체결일 24시	이듬해 11월 30일

특별 약관	수확량 감소 추가 보장	복숭아	계약체결일 24시	수확기종료 시점 다만, 이듬해 10월 10일을 초과할 수 없음

※ "판매개시연도"는 해당 품목 판매개시일이 속하는 연도를 말하며, "이듬해"는 판매개시연도의
   다음 연도를 말함

ⓒ 종합위험 비가림과수 손해보장방식(3개 품목) : 포도, 대추, 참다래

구분		보험의 목적	보험기간	
약관	보장		보장개시	보장종료
보통 약관	종합 위험 수확 감소 보장	포도	계약체결일 24시	수확기종료 시점 다만, 이듬해 10월 10일을 초과할 수 없음
		이듬해에 맺은 참다래 과실	꽃눈분화기 다만, 꽃눈분화기가 지난 경우에는 계약 체결일 24시	해당 꽃눈이 성장하여 맺은 과실의 수확기종료 시점 다만, 이듬해 11월 30일을 초과할 수 없음
		대추	신초발아기 다만, 신초발아기가 지난 경우에는 계약 체결일 24시	수확기종료 시점 다만, 판매개시연도 10월 31일을 초과할 수 없음
		비가림 시설	계약체결일 24시	• 포도 : 이듬해 10월 10일 • 참다래 : 이듬해 6월 30일 • 대추 : 판매개시연도 10월 31일
특별 약관	화재 위험 보장	비가림 시설	계약체결일 24시	• 포도 : 이듬해 10월 10일 • 참다래 : 이듬해 6월 30일 • 대추 : 판매개시연도 10월 31일
	나무 손해 보장	포도	판매개시연도 12월 1일 다만, 12월 1일 이 후 보험에 가입하는 경우에는 계약체결일 24시	이듬해 11월 30일
		참다래	판매개시연도 7월 1일 다만, 7월 1일 이후 보험에 가입하는 경우 에는 계약체결일 24시	이듬해 6월 30일

특별 약관	수확량 감소 추가 보장	포도	계약체결일 24시	수확기종료 시점 다만, 이듬해 10월 10일을 초과할 수 없음

※ "판매개시연도"는 해당 품목 판매개시일이 속하는 연도를 말하며, "이듬해"는 판매개시연도의
다음 연도를 말함

ⓒ 수확전 종합위험과실손해보장방식(2개 품목) : 복분자, 무화과

<table>
<tr><th colspan="4">구분</th><th colspan="2">보험기간</th></tr>
<tr><th>약관</th><th>보험의
목적</th><th>보장</th><th>보상하는 재해</th><th>보장개시</th><th>보장종료</th></tr>
<tr><td rowspan="7">보통
약관</td><td rowspan="3">복분자</td><td>경작
불능
보장</td><td colspan="2">자연재해, 조수해,
화재</td><td>계약체결일
24시</td><td>수확개시 시점
다만, 이듬해 5월 31일
을 초과할 수 없음</td></tr>
<tr><td rowspan="2">과실
손해
보장</td><td>이듬해
5월 31일 이전
(수확개시
이전)</td><td>자연
재해
조수해
화재</td><td>계약체결일
24시</td><td>이듬해 5월 31일</td></tr>
<tr><td>이듬해
6월 1일 이후
(수확개시
이후)</td><td>태풍
(강풍)
우박</td><td>이듬해
6월 1일</td><td>이듬해 수확기종료시점
다만, 이듬해 6월 20일
을 초과할 수 없음</td></tr>
<tr><td rowspan="2">무화과</td><td rowspan="2">과실
손해
보장</td><td>이듬해
7월 31일 이전
(수확개시
이전)</td><td>자연
재해
조수해
화재</td><td>계약체결일
24시</td><td>이듬해 7월 31일</td></tr>
<tr><td>이듬해
8월 1일 이후
(수확개시
이후)</td><td>태풍
(강풍)
우박</td><td>이듬해
8월 1일</td><td>이듬해 수확기종료시점
다만, 이듬해 10월 31일
을 초과할 수 없음</td></tr>
<tr><td>특별
약관</td><td>무화과</td><td>나무
손해
보장</td><td colspan="2">자연재해, 조수해,
화재</td><td>판매개시
연도
12월 1일</td><td>이듬해 11월 30일</td></tr>
</table>

※ "판매개시연도"는 해당 품목 판매개시일이 속하는 연도를 말하며, "이듬해"는 판매개시연도의
다음 연도를 말함

※ 과실손해보장에서 보험의 목적은 이듬해에 수확하는 과실을 말함

ⓔ 종합위험 과실손해보장방식(2개 품목) : 오디, 감귤

구분		보험의 목적	보험기간	
약관	보장		보장개시	보장종료
보통약관	종합위험 과실손해보장	오디	계약체결일 24시	결실완료시점 다만, 이듬해 5월 31일을 초과할 수 없음
		감귤	발아기 다만, 발아기가 지난 경우에는 계약체결일 24시	판매개시연도 11월 30일
특별약관	동상해 과실손해보장	감귤	판매개시연도 12월 1일	이듬해 2월 말일
	나무손해보장		발아기 다만, 발아기가 지난 경우에는 계약체결일 24시	
	과실손해 추가보장			판매개시연도 11월 30일

※ "판매개시연도"는 해당 품목 판매개시일이 속하는 연도를 말하며, "이듬해"는 판매개시연도의 다음 연도를 말함

③ **보험가입금액**

　ㄱ **과실손해(수확감소)보장 보험가입금액** : 가입수확량에 가입가격을 곱하여 산출하며 천원 단위 미만은 절사한다.

　ㄴ **나무손해보장 보험가입금액** : 가입한 결과주수(이하 "결과주수"라 한다)에 1주당 가입가격을 곱하여 계산한 금액으로 한다. 가입한 결과주수가 과수원 내 실제결과주수를 초과하는 경우에는 보험가입금액을 감액한다.

　ㄷ **비가림시설보장 보험가입금액** : 비가림시설의 ㎡당 시설비에 비가림시설 면적을 곱하여 산정하며(산출된 가입금액에서 천원 단위 미만은 절사), 산정된 금액의 80% ~ 130% 범위 내에서 계약자가 보험가입금액 결정한다(10% 단위 선택). 단, 참다래 비가림시설은 계약자 고지사항을 기초로 보험가입금액을 결정한다.

④ **보험료**

　ㄱ **보험료의 구성** : 영업보험료는 순보험료와 부가보험료를 더하여 산출한다. 순보험료는 지급보험금의 재원이 되는 보험료이며 부가보험료는 보험회사의 경비 등으로 사용되는 보험료이고, 다음과 같이 산출한다.

> 영업보험료 = 순보험료 + 부가보험료

ⓐ 정부보조보험료는 순보험료의 50%와 부가보험료의 100%를 지원한다.

ⓑ 지자체지원보험료는 지자체별로 지원금액(비율)을 결정한다.

> [참조 : 2022년 이론(업무방법서)수록 내용]
>
> ※ 순보험료 = 보험가입금액 × 순보험요율 × 할인·할증률
>
> ※ 부가보험료 = 보험가입금액 × 부가보험요율 × 할인·할증률
>
> ※ 순보험요율
> - 보험 금액에 대한 순보험료의 비율을 순보험요율이라 한다.
> - 품목별, 지역별, 담보별, 상품유형별로 순보험요율이 다르며 보험업법에 의한 보험요율 산출기관에서 검증한 순보험요율을 적용하고 있다.
>
> ※ 부가보험요율
> - 보험계약의 체결, 유지 및 관리 등에 필요한 경비로 사용하기 위하여 보험료 중 일정 비율을 사업비로 책정하고 있는데, 이를 부가보험요율이라 한다.
> - 농작물재해보험은 정책보험으로 정부에서 부가보험료를 전액 지원하고 있어 계약자가 부담하는 부가보험료는 없다.

ⓒ 보험료의 산출

ⓐ 종합위험 수확감소보장방식(복숭아, 자두, 매실, 살구, 오미자, 밤, 호두, 유자 8개 품목)

㉮ 수확감소보장 보통약관 적용보험료

> 보통약관 보험가입금액 × 지역별 보통약관 영업요율
> × (1 ± 손해율에 따른 할인·할증률) × (1 − 방재시설할인율)

㉯ 나무손해보장 특별약관 적용보험료(복숭아, 자두, 매실, 살구, 유자)

> 특별약관 보험가입금액 × 지역별 특별약관 영업요율
> × (1±손해율에 따른 할인·할증률)

㉰ 수확량감소 추가보장 특별약관 적용보험료(복숭아)

> 특별약관 보험가입금액 × 지역별 특별약관 영업요율
> × (1 ± 손해율에 따른 할인·할증률) × (1 − 방재시설할인율)

※ 호두 품목의 경우, 조수해 부보장 특별약관 가입 시 0.15% 할인 적용

※ 손해율에 따른 할인·할증은 계약자를 기준으로 판단

※ 손해율에 따른 할인·할증폭은 −30%~+50%로 제한

※ 방재시설 할인은 복숭아, 자두, 매실, 살구, 유자 품목에만 해당

※ 2개 이상의 방재시설이 있는 경우 합산하여 적용하되, 최대 할인율은 30%로 제한

ⓑ 종합위험 비가림과수 손해보장방식(포도, 대추, 참다래 3개 품목)

㉮ 비가림과수 손해(수확감소)보장 보통약관 적용보험료

> 보통약관 보험가입금액 × 지역별 보통약관 영업요율
> × (1 ± 손해율에 따른 할인·할증률) × (1 − 방재시설할인율)

㉯ 나무손해보장 특별약관 적용보험료(포도, 참다래)

> 특별약관 보험가입금액 × 지역별 보통약관 영업요율
> × (1 ± 손해율에 따른 할인·할증률)

㉰ 비가림시설보장 적용보험료

• 보통약관(자연재해, 조수해 보장)

> 비가림시설 보험가입금액 × 지역별 비가림시설보장 보통약관 영업요율

• 특별약관(화재위험보장)

> 비가림시설 보험가입금액 × 지역별 화재위험보장 특별약관 영업요율

㉱ 수확량감소 추가보장 특별약관 적용보험료(포도)

> 특별약관 보험가입금액 × 지역별 특별약관 영업요율
> × (1 ± 손해율에 따른 할인·할증률) × (1 − 방재시설할인율)

※ 손해율에 따른 할인·할증은 계약자를 기준으로 판단

※ 손해율에 따른 할인·할증폭은 −30%~+50%로 제한

※ 2개 이상의 방재시설이 있는 경우 합산하여 적용하되, 최대 할인율은 30%로 제한

ⓒ 수확전 종합위험 과실손해보장방식(복분자, 무화과 2개 품목)

㉮ 과실손해보장 보통약관 적용보험료

> 보통약관 보험가입금액 × 지역별 보통약관 영업요율
> × (1 ± 손해율에 따른 할인·할증률)

㉯ 나무손해보장 특별약관 적용보험료(무화과)

> 특별약관 보험가입금액 × 지역별 특별약관 영업요율
> × (1 ± 손해율에 따른 할인·할증률)

※ 손해율에 따른 할인·할증은 계약자를 기준으로 판단

※ 손해율에 따른 할인·할증폭은 −30%~+50%로 제한

ⓓ 종합위험 과실손해보장방식(오디, 감귤 2개 품목)

㉮ 과실손해보장 보통약관 적용보험료

> 보통약관 보험가입금액 × 지역별 보통약관 영업요율
> × (1 ± 손해율에 따른 할인·할증률) × (1 − 방재시설할인율)

※ 오디 품목의 경우, 방재시설할인율이 적용되지 않으므로 위 산식에서 '(1 − 방재시설 할인율)'을 생략하고 계산

㉯ 나무손해보장 특별약관 적용보험료(감귤)

> 특별약관 보험가입금액 × 지역별 특별약관 영업요율
> × (1 ± 손해율에 따른 할인·할증률)

㉰ 동상해 과실손해보장 특별약관 적용보험료(감귤)

> 특별약관 보험가입금액 × 지역별 특별약관 영업요율
> × (1 ± 손해율에 따른 할인·할증률) × (1 − 방재시설할인율)

㉱ 과실손해 추가보장 특별약관 적용보험료(감귤)

> 특별약관 보험가입금액 × 지역별 특별약관 영업요율
> × (1 ± 손해율에 따른 할인·할증률) × (1 − 방재시설할인율)

※ 손해율에 따른 할인·할증은 계약자를 기준으로 판단

※ 손해율에 따른 할인·할증폭은 −30%∼+50%로 제한

※ 방재시설 할인은 감귤 품목에만 해당

※ 2개 이상의 방재시설이 있는 경우 합산하여 적용하되, 최대 할인율은 30%로 제한

ⓒ 보험료의 환급

ⓐ 이 계약이 무효, 효력상실 또는 해지된 때에는 다음과 같이 보험료를 반환한다. 다만, 보험기간 중 보험사고가 발생하고 보험금이 지급되어 보험가입금액이 감액된 경우에는 감액된 보험가입금액을 기준으로 환급금을 계산하여 돌려준다.

㉮ 계약자 또는 피보험자의 책임 없는 사유에 의하는 경우 : 무효의 경우에는 납입한 계약자부담보험료의 전액, 효력상실 또는 해지의 경우에는 해당 월 미경과비율에 따라 아래와 같이 '환급보험료'를 계산한다.

> 환급보험료 = 계약자부담보험료 × 미경과비율(별표)
> ※ 계약자부담보험료는 최종 보험가입금액 기준으로 산출한 보험료 중 계약자 가 부담한 금액

　　　　㉯ 계약자 또는 피보험자의 책임 있는 사유에 의하는 경우 : 계산한 해당월 미경과비율에 따른 환급보험료. 다만 계약자, 피보험자의 고의 또는 중대한 과실로 무효가 된 때에는 보험료를 반환하지 않는다.

　　ⓑ 계약자 또는 피보험자의 책임 있는 사유

　　　㉮ 계약자 또는 피보험자가 임의 해지하는 경우

　　　㉯ 사기에 의한 계약, 계약의 해지(계약자 또는 피보험자의 고의로 손해가 발생한 경우나, 고지의무·통지의무 등을 해태한 경우의 해지) 또는 중대 사유로 인한 해지에 따라 계약을 취소 또는 해지하는 경우

　　　㉰ 보험료 미납으로 인한 계약의 효력상실

　　ⓒ 계약의 무효, 효력상실 또는 해지로 인하여 반환해야 할 보험료가 있을 때에는 계약자는 환급금을 청구하여야 하며, 청구일의 다음 날부터 지급일까지의 기간에 대하여 '보험개발원이 공시하는 보험계약대출이율'을 연단위 복리로 계산한 금액을 더하여 지급한다.

⑤ 보험금

　㉠ 종합위험 수확감소보장 방식(8개 품목) : 복숭아, 자두, 매실, 살구, 오미자, 밤, 호두, 유자 등 과수 품목의 보장별 보험금 지급사유 및 보험금 계산은 아래와 같다.

보장	보험의 목적	보험금 지급사유	보험금 계산(지급금액)
수확감소 보장 (보통약관)	복숭아	보상하는 손해로 피해율이 자기부담 비율을 초과하는 경우	보험가입금액 × (피해율 − 자기부담비율) ※ 피해율 = {(평년수확량 − 수확량 − 미보상 감수량) + 병충해감수량} ÷ 평년수확량
	자두, 매실, 살구, 오미자, 밤, 호두, 유자		보험가입금액 × (피해율 − 자기부담비율) ※ 피해율 = (평년수확량 − 수확량 − 미보상감수량) ÷ 평년수확량
나무손해 보장 (특별약관)	복숭아, 자두, 매실, 살구, 유자	보상하는 손해로 나무에 자기부담 비율을 초과하는 손해가 발생한 경우	보험가입금액 × (피해율 − 자기부담비율) ※ 피해율 = 피해주수(고사된 나무) ÷ 실제결과주수 ※ 자기부담비율은 5%로 함
수확량 감소 추가보장 (특별약관)	복숭아	보상하는 손해로 피해율이 자기부담 비율을 초과하는 경우	보험가입금액 × (주계약 피해율 × 10%) ※ 피해율 = {(평년수확량 − 수확량 − 미보상 감수량) + 병충해감수량} ÷ 평년수확량 ※ 주계약 피해율은 수확감소보장(보통약관)에서 산출한 피해율을 말함

주1) 평년수확량은 과거 조사 내용, 해당 과수원의 식재 내역, 과수원 현황 및 경작상황 등에 따라 정한 수확량을 활용하여 산출한다.

주2) 수확량, 피해주수, 미보상감수량 등은 농림축산식품부장관이 고시하는 손해평가요령에 따라 조사·평가하여 산정한다.

주3) 자기부담비율은 보험가입 시 선택한 비율로 한다.

주4) 미보상감수량이란 보장하는 재해 이외의 원인으로 감소되었다고 평가되는 부분을 말하며, 계약 당시 이미 발생한 피해, 병해충으로 인한 피해 및 제초상태 불량 등으로 인한 수확감소량으로써 피해율 산정 시 감수량에서 제외된다.

주5) 복숭아의 세균구멍병으로 인한 피해과는 50%형 피해과실로 인정한다.

ⓒ 종합위험 비가림과수 손해보장방식(3개 품목) : 포도, 참다래, 대추 등 과수 품목의 보장별 보험금 지급사유 및 보험금 계산은 아래와 같다.

보장	보험의 목적	보험금 지급사유	보험금 계산(지급금액)
비가림과수 손해보장 (보통약관)	포도, 참다래, 대추	보상하는 손해로 피해율이 자기부담비율을 초과하는 경우	보험가입금액 × (피해율 − 자기부담비율) ※ 피해율 = (평년수확량 − 수확량 − 미보상감수량) ÷ 평년수확량
	비가림 시설	자연재해, 조수해로 인하여 비가림 시설에 손해가 발생한 경우	Min(손해액 − 자기부담금, 보험가입금액) ※ 자기부담금 : 최소자기부담금(30만원)과 최대자기부담금(100만원)을 한도로 보험사고로 인하여 발생한 손해액(비가림시설)의 10%에 해당하는 금액. 다만, 피복재단독사고는 최소자기부담금(10만원)과 최대 자기부담금(30만원)을 한도로 함(단, 화재손해는 자기부담금 미적용) ※ 단, 화재손해는 자기부담금 미적용
화재위험보장 (특별약관)	비가림 시설	화재로 인하여 비가림시설에 손해가 발생한 경우	
나무손해 보장 (특별약관)	포도, 참다래	보상하는 재해로 나무에 자기부담비율을 초과하는 손해가 발생한 경우	보험가입금액 × (피해율 − 자기부담비율) ※ 피해율 = 피해주수(고사된 나무) ÷ 실제 결과주수 ※ 자기부담비율은 5%로 함
수확량감소 추가보장 (특별약관)	포도	보상하는 손해로 피해율이 자기부담비율을 초과하는 경우	보험가입금액 × (주계약 피해율 × 10%) ※ 주계약 피해율은 비가림과수 손해보장(보통약관)에서 산출한 피해율을 말함

주1) 평년수확량은 과거 조사 내용, 해당 과수원의 식재내역·현황 및 경작상황 등에 따라 정한 수확량을 활용하여 산출한다.

주2) 수확량, 피해주수, 미보상감수량 등은 농림축산식품부장관이 고시하는 손해평가요령에 따라 조사·평가하여 산정한다.

주3) 자기부담비율은 보험가입 시 선택한 비율로 한다.

주4) 미보상감수량이란 보상하는 재해 이외의 원인으로 감소되었다고 평가되는 부분을 말하며, 계약 당시 이미 발생한 피해, 병해충으로 인한 피해 및 제초상태 불량 등으로 인한 수확감소량으로써 피해율 산정 시 감수량에서 제외된다.

주5) 포도의 경우 착색불량된 송이는 상품성 저하로 인한 손해로 감수량에 포함되지 않는다.

ⓒ 수확전 종합위험과실손해보장방식(2개 품목) : 복분자, 무화과 등 과수 품목의 보장별 보험금 지급사유 및 보험금 계산은 아래와 같다.

보장	보험의 목적	보험금 지급사유	보험금 계산(지급금액)
경작 불능 보장 (보통 약관)	복분자	보상하는 재해로 식물체 피해율이 65% 이상이고, 계약자가 경작불능보험금을 신청한 경우(보험계약 소멸)	보험가입금액 × 일정비율 ※ 일정비율은 자기부담비율에 따른 경작불능보험금(아래) 참조
과실 손해 보장 (보통 약관)	복분자	보상하는 손해로 피해율이 자기부담비율을 초과하는 경우	보험가입금액 × (피해율 − 자기부담비율) ※ 피해율 = 고사결과모지수 ÷ 평년결과모지수 ※ 고사결과모지수 – 사고가 5월 31일 이전에 발생한 경우 : (평년결과모지수 – 살아있는 결과모지수) + 수정불량환산 고사결과모지수 – 미보상 고사결과모지수 – 사고가 6월 1일 이후에 발생한 경우 : 수확감소환산 고사결과모지수 – 미보상 고사결과모지수

보장	보험의 목적	보험금 지급사유	보험금 계산(지급금액)
과실 손해 보장 (보통 약관)	무화과	보상하는 손해로 피해율이 자기부담비율을 초과하는 경우	보험가입금액 × (피해율 − 자기부담비율) ※ 피해율 　− 사고가 7월 31일 이전에 발생한 경우 : (평년수확량 − 수확량 − 미보상감수량) ÷ 평년수확량 　− 사고가 8월 1일 이후에 발생한 경우 : (1 − 수확전사고 피해율) × 경과비율 × 결과지 피해율
나무 손해 보장 (특별 약관)	무화과		보험가입금액 × (피해율 − 자기부담비율) ※ 피해율 = 피해주수(고사된 나무) ÷ 실제결과주수 ※ 자기부담비율은 5%로 함

※ 식물체 피해율 : 식물체가 고사한 면적을 보험가입면적으로 나누어 산출한다.

▼ 자기부담비율에 따른 경작불능보험금

자기부담비율	경작불능보험금
10%형	보험가입금액의 45%
15%형	보험가입금액의 42%
20%형	보험가입금액의 40%
30%형	보험가입금액의 35%
40%형	보험가입금액의 30%

ⓐ 복분자

　㉮ 수정불량환산 고사결과모지수 = 살아있는 결과모지수 × 수정불량환산계수

　㉯ 수정불량환산계수 $= \dfrac{수정불량결실수}{전체결실수} - 자연수정불량률$

　㉰ 수확감소환산 고사결과모지수

　　• 5월 31일 이전 사고로 인한 고사결과모지수가 존재하는 경우

$$(살아있는 결과모지수 - 수정불량환산 고사결과모지수) \times 누적수확감소환산계수$$

　　• 5월 31일 이전 사고로 인한 고사결과모지수가 존재하지 않는 경우

$$평년결과모지수 \times 누적수확감소환산계수$$

ⓒ 누적수확감소환산계수 = 수확감소환산계수의 누적 값

ⓓ 수확감소환산계수 = 수확일자별 잔여수확량 비율 − 결실률

ⓔ 수확일자별 잔여수확량 비율은 아래와 같이 결정한다.

▼ 수확일자별 잔여수확량 비율

품목	사고일자	경과비율(%)
복분자	1일~7일	98 − 사고발생일자
	8일~20일	(사고발생일자 − 43 × 사고발생일자 + 460) ÷ 2

*사고 발생일자는 6월 중 사고 발생일자를 의미

ⓕ 결실률 = $\dfrac{전체결실수}{전체개화수}$

ⓖ 수정불량환산 고사결과모지수는 수확개시 전 수정불량 피해로 인한 고사결과모지수이며, 수확감소환산 고사결과모지수는 수확개시 이후 발생한 사가로 인한 고사결과모지수를 의미한다. 단, 수확개시일은 보험가입 익년도 6월 1일로 한다.

ⓗ 수정불량환산계수, 수확감소환산 고사결과모지수, 미보상고사결과모지수 등은 농림축산식품부장관이 고시하는 손해평가요령에 따라 조사·평가하여 산정한다.

ⓘ 미보상고사결과모지수란 보상하는 재해 이외의 원인으로 인하여 결과모지가 감소되었다고 평가되는 부분을 말하며, 계약 당시 이미 발생한 피해, 병해충으로 인한 피해 및 제초상태 불량 등으로 인한 고사결과모지수로서 피해율을 산정할 때 고사결과모지수에서 제외된다.

ⓙ 자기부담비율은 보험가입 시 선택한 비율로 한다.

ⓑ 무화과

ⓐ 평년수확량은 과거 조사 내용, 해당 과수원의 식재 내역·현황 및 경작 상황 등에 따라 정한 수확량을 활용하여 산출한다.

ⓑ 수확량은 아래 과실 분류에 따른 피해인정계수를 적용하여 산정한다.

▼ 과실 분류에 따른 피해인정계수

구분	정상과실	50%형 피해과실	80%형 피해과실	100%형 피해과실
피해인정계수	0	0.5	0.8	1

ⓒ 수확량, 미보상감수량 등은 농림축산식품부장관이 고시하는 손해평가요령에 따라 조사·평가하여 산정한다.

ⓡ 미보상감수량이란 보상하는 재해 이외의 원인으로 감소되었다고 평가되는 부분을 말하며, 계약 당시 이미 발생한 피해, 병해충으로 인한 피해 및 제초상태 불량 등으로 인한 수확감소량으로써 피해율 산정 시 감수량에서 제외된다.

ⓜ 수확전사고 피해율은 7월 31일 이전 발생한 기사고 피해율로 한다.

ⓑ 경과비율은 아래 사고발생일에 따른 잔여수확량 산정식에 따라 결정한다.

▼ 사고발생일에 따른 잔여수확량 산정식

품목	사고발생 월	잔여수확량 산정식(%)
무화과	8월	100 − 1.06 × 사고 발생일자
	9월	(100 − 33) − 1.13 × 사고 발생일자
	10월	(100 − 67) − 0.84 × 사고 발생일자

*사고 발생일자는 해당 월의 사고 발생일자를 의미

ⓢ 결과지 피해율

$$= \frac{고사결과지수 + 미고사결과지수 \times 착과피해율 - 미보상고사결과지수}{기준결과지수}$$

ⓐ 하나의 보험사고로 인해 산정된 결과지 피해율은 동시 또는 선·후차적으로 발생한 다른 보험사고의 결과지 피해율로 인정하지 않는다.

ⓙ 기준결과지수, 미보상고사결과지수 등은 농림축산식품부장관이 고시하는 손해평가요령에 따라 조사·평가하여 산정한다.

ⓒ 미보상고사결과지수란 보상하는 재해 이외의 원인으로 인하여 결과모지가 감소되었다고 평가되는 부분을 말하며, 계약 당시 이미 발생한 피해, 병해충으로 인한 피해 및 제초상태 불량 등으로 인한 고사결과지수로서 피해율을 산정할 때 고사결과지수에서 제외된다.

ⓚ 자기부담비율은 보험가입 시 선택한 비율로 한다.

ⓡ 종합위험 과실손해보장방식(2개 품목) : 오디, 감귤 등 과수 품목의 보장별 보험금 지급사유 및 보험금 계산은 아래와 같다.

보장	보험의 목적	보험금 지급사유	보험금 계산(지급금액)
과실 손해보장 (보통약관)	오디	보상하는 재해로 피해율이 자기부담비율을 초과하는 경우	보험가입금액 × (피해율 − 자기부담비율) ※ 피해율 = (평년결실수 − 조사결실수 − 미보상감수결실수) ÷ 평년결실수

과실 손해보장 (보통약관)	감귤	보상하는 재해로 인해 자기부담금을 초과하는 손해가 발생한 경우	손해액 − 자기부담금 ※ 손해액 = 보험가입금액 × 피해율 ※ 피해율 = {(등급 내 피해과실수 + 등급 외 피해과실수 × 50%) ÷ 기준과실수} × (1 − 미보상비율) ※ 자기부담금 = 보험가입금액 × 자기부담비율
동상해 과실 손해보장 (특별약관)		동상해로 인해 자기부담금을 초과하는 손해가 발생한 경우	손해액 − 자기부담금 ※ 손해액 = {보험가입금액 − (보험가입금액 × 기사고피해율)} × 수확기잔여비율 × 동상해피해율 × (1 − 미보상비율) ※ 자기부담금 =│보험가입금액 × min (주계약피해율 − 자기부담비율, 0)│
나무 손해보장 (특별약관)		보상하는 재해로 나무에 자기부담비율을 초과하는 손해가 발생한 경우	보험가입금액 × (피해율 − 자기부담비율) ※ 피해율 = 피해주수(고사된 나무) ÷ 실제 결과주수 ※ 자기부담비율은 5%로 함
과실손해 추가보장 (특별약관)		보상하는 재해로 인해 자기부담금을 초과하는 손해가 발생한 경우	보험가입금액 × 피해율 × 10% ※ 주계약 피해율은 과실손해보장(보통약관)에서 산출한 피해율을 말함

ⓐ **감귤**

   ㉮ 등급 내 피해과실수 = (등급 내 30%형 피해과실수 합계 × 30%) + (등급 내 50%형 피해과실수 합계 × 50%) + (등급 내 80%형 피해과실수 합계 × 80%) + (등급 내 100%형 피해과실수 합계 × 100%)

   ㉯ 등급 외 피해과실수 = (등급 외 30%형 피해과실수 합계 × 30%) + (등급 외 50%형 피해과실수 합계 × 50%) + (등급 외 80%형 피해과실수 합계 × 80%) + (등급 외 100%형 피해과실수 합계 × 100%)

   ㉰ 피해과실수는 출하등급을 분류하고, 아래 과실 분류에 따른 피해인정계수를 적용하여 산정한다. 단, 만감류(한라봉, 천혜향, 레드향, 황금향)에 해당하는 품종의 피해과실수는 등급 내·외의 구분을 하지 않고 등급 내 피해과실수로 간주하여 피해율을 산출한다.

▼ 과실 분류에 따른 피해인정계수

구분	정상과실	30%형 피해과실	50%형 피해과실	80%형 피해과실	100%형 피해과실
피해인정계수	0	0.3	0.5	0.8	1

*출하등급 내 과실의 적용 피해인정계수 : 정상과실, 30%형 피해과실, 50%형 피해과실, 80%형 피해과실, 100%형 피해과실

*출하등급 외 과실의 적용 피해인정계수 : 30%형 피해과실, 50%형 피해과실, 80%형 피해과실, 100%형 피해과실

㉯ 피해과실수를 산정할 보장하지 않는 재해로 인한 부분은 피해과실수에서 제외한다.

㉰ 기준과실수, 미보상비율, 피해주수 등은 농림축산식품부장관이 고시하는 손해평가요령에 따라 조사・평가하여 산정한다.

㉱ 출하등급 내외의 구별은 「제주특별자치도 감귤생산 및 유통에 관한 조례 시행규칙」 제148조 제4항을 준용하며, 과실의 크기만을 기준으로 한다.

㉲ 기사고 피해율은 주계약(과실손해보장 보통약관) 피해율을 {1 − (과실손해보장 보통약관 보험금 계산에 적용된) 미보상비율}로 나눈 값과 이전 사고의 동상해 과실손해 피해율을 더한 값을 말한다.

㉳ 수확기 잔존비율은 아래와 같이 결정한다.

▼ 수확기 잔존비율

품목	사고발생 월	잔존비율(%)
감귤	12월	100 − 1.5 × 사고 발생일자
	1월	(100 − 47) − 1.3 × 사고 발생일자
	2월	(100 − 88) − 0.4 × 사고 발생일자
감귤 (만감류)	12월	100 − 0.4 × 사고 발생일자
	1월	(100 − 13.1) − 1.3 × 사고 발생일자
	2월	(100 − 52.6) − 1.7 × 사고 발생일자

*사고 발생일자는 해당 월의 사고 발생일자를 의미

*감귤(만감류)은 한라봉, 천혜향, 레드향, 황금향을 의미

㉚ 동상해 피해율은 아래와 같이 산출한다.

> 동상해피해율 = {(동상해 80%형 피해과실수 합계 × 80%)
> + (동상해 100%형 피해과실수 합계 × 100%)} ÷ 기준과실수
> *기준과실수 = 정상과실수 + 동상해 80%형 피해과실수 + 동상해 100%형 피해과실수

㉛ 동상해 피해과실수는 아래 과실 분류에 따른 피해인정계수를 적용하여 산정한다.

▼ 과실 분류에 따른 피해인정계수

구분	정상과실	30%형 피해과실	50%형 피해과실	80%형 피해과실	100%형 피해과실
피해인정계수	0	0.3	0.5	0.8	1

*수확기 동상해 피해 과실의 적용 피해인정계수 : 80%형 피해과실, 100%형 피해과실

㉙ 자기부담비율은 보험가입 시 선택한 비율로 한다.

ⓑ 오디
㉮ 조사결실수는 손해평가 시 표본으로 선정한 결과모지의 결실수를 말한다.
㉯ 조사결실수, 미보상감수결실수 등은 농림축산식품부장관이 고시하는 손해평가요령에 따라 조사・평가하여 산정한다.
㉰ 미보상감수결실수란 보상하는 재해 이외의 원인으로 인하여 결실수가 감소되었다고 평가되는 부분을 말하며, 계약 당시 이미 발생한 피해, 병해충으로 인한 피해 및 제초상태 불량 등으로 인한 감수결실수로서 피해율을 산정할 때 감수결실수에서 제외된다.
㉱ 자기부담비율은 보험가입 시 선택한 비율로 한다.

⑥ 자기부담비율
㉠ 보험사고로 인하여 발생한 손해에 대하여 계약자 또는 피보험자가 부담하는 일정 비율(금액)로 자기부담비율(금) 이하의 손해는 보험금이 지급되지 않는다.
㉡ **과실손해보장 자기부담비율**
ⓐ 보험계약 시 계약자가 선택한 비율(10%, 15%, 20%, 30%, 40%)
호두, 살구, 유자의 경우 자기부담비율은 20%, 30%, 40%
ⓑ **과실 자기부담비율 선택 기준**
㉮ 10%형 : 최근 3년간 연속 보험가입과수원으로서 3년간 수령한 보험금이 순보험료의 100% 이하인 경우에 한하여 선택 가능하다.
㉯ 15%형 : 최근 2년간 연속 보험가입과수원으로서 2년간 수령한 보험금이 순보험료의 100% 이하인 경우에 한하여 선택 가능하다.

ⓒ 20%형, 30%형, 40%형 : 제한 없음

ⓒ 비가림시설 자기부담금

 ⓐ 30만원 ≤ 손해액의 10% ≤ 100만원의 범위에서 자기부담금을 차감한다.

 ⓑ 다만, 피복재 단독사고는 10만원 ≤ 손해액의 10% ≤ 30만원의 범위에서 자기부담금을 차감한다.

ⓔ 나무손해보장 특별약관 자기부담비율 : 5%

ⓜ 자기부담비율에 따른 경작불능보험금 산출방식 : 복분자

 ⓐ 보상하는 재해로 식물체 피해율이 65% 이상이고, 계약자가 경작불능보험금을 신청한 경우 아래의 표와 같이 계산한다.

자기부담비율	경작불능보험금
10%형	보험가입금액의 45%
15%형	보험가입금액의 42%
20%형	보험가입금액의 40%
30%형	보험가입금액의 35%
40%형	보험가입금액의 30%

 ⓑ 경작불능보험금을 지급한 경우 그 손해보상의 원인이 생긴 때로부터 해당 농지의 계약은 소멸된다.

⑦ 특별약관

 ㉠ 종합위험 나무손해보장 특별약관(복숭아, 자두, 매실, 살구, 유자, 포도, 참다래, 무화과, 감귤) : 보상하는 재해(종합위험)로 보험의 목적인 나무에 피해를 입은 경우 보상한다.

▼ 나무손해보장 특약의 보상하지 않는 손해

- 계약자, 피보험자 또는 이들의 법정대리인의 고의 또는 중대한 과실로 인한 손해
- 제초작업, 시비관리 등 통상적인 영농활동을 하지 않아 발생한 손해
- 보상하지 않는 재해로 제방, 댐 등이 붕괴되어 발생한 손해
- 피해를 입었으나 회생 가능한 나무 손해
- 토양관리 및 재배기술의 잘못된 적용으로 인해 생기는 나무 손해
- 병충해 등 간접손해에 의해 생긴 나무 손해
- 하우스, 부대시설 등의 노후 및 하자로 생긴 손해
- 계약체결 시점 현재 기상청에서 발령하고 있는 기상특보 발령 지역의 기상특보 관련 재해로 인한 손해
- 보상하는 재해에 해당하지 않은 재해로 발생한 손해
- 전쟁, 혁명, 내란, 사변, 폭동, 소요, 노동쟁의, 기타 이들과 유사한 사태로 생긴 손해

▼ 용어의 정의

시비관리	수확량 또는 품질을 높이기 위해 비료성분을 토양 중에 공급하는 것을 말한다.
기상특보 관련 재해	태풍, 호우, 홍수, 강풍, 풍랑, 해일, 대설, 폭염 등을 포함한다.

ⓛ 수확량감소 추가보장 특별약관(복숭아, 포도) : 보상하는 재해로 피해가 발생한 경우 동 특약에서 정한 바에 따라 피해율이 자기부담비율을 초과하는 경우 아래와 같이 계산한 보험금을 지급한다.

> 보험금 = 보험가입금액 × (피해율 × 10%)

ⓒ 과실손해 추가보장 특별약관(감귤) : 보상하는 재해로 인해 손해액이 자기부담금을 초과하는 경우 아래와 같이 계산한 보험금을 지급한다.

> 보험금 = 보험가입금액 × (피해율 × 10%)

ⓓ 조수해(鳥獸害) 부보장 특별약관(호두)
　ⓐ **부보장 손해** : 조수해로 의하거나 조수해의 방재와 긴급 피난에 필요한 조치로 보험의 목적에 생긴 손해는 보상하지 않는다.
　ⓑ **적용대상**
　　㉮ 과수원에 조수해 방재를 위한 시설이 없는 경우
　　㉯ 과수원에 조수해 방재를 위한 시설이 과수원 전체 둘레의 80% 미만으로 설치된 경우
　　㉰ 과수원의 가입 나무에 조수해 방재를 위한 시설이 80% 미만으로 설치된 경우
　ⓒ **방재를 위한 시설** : 목책기(전기 목책기, 태양열 목책기 등), 올무, 갓모형, 원통모형

▼ 방재시설 예시 사진

올무	갓모형	목책기	원통모형

ⓜ **동상해 과실손해보장 특별약관**(감귤) : 동상해로 인해 보험의 목적에 생긴 손해를 보상한다.

> ※ 동상해라 함은 서리 또는 과수원에서 가장 가까운 3개 관측소의 기상관측장비(기상청 설치 또는 기상청이 인증하고 실시간 관측자료를 확인할 수 있는 관측소)로 측정한 기온이 0℃ 이하로 48시간 이상 지속됨에 따라 농작물 등이 얼어서 생기는 피해를 말한다.

ⓗ **비가림시설 화재위험보장 특별약관**(포도, 참다래, 대추) : 보험의 목적인 비가림시설에 화재로 입은 손해를 보상한다.

ⓢ **수확기 부보장 특별약관**(복분자) : 복분자 과실 손해보험금 중 이듬해 6.1일 이후 태풍(강풍), 우박으로 발생한 손해는 보상하지 않는다.

ⓞ **농작물 부보장 특별약관**(포도, 참다래, 대추) : 보상하는 손해에도 불구하고 농작물에 입은 손해를 보상하지 않는다.

ⓩ **비가림시설 부보장 특별약관**(포도, 참다래, 대추) : 보상하는 손해에도 불구하고 비가림시설에 입은 손해를 보상하지 않는다.

⑧ **계약인수 관련 수확량**

ㄱ **표준수확량** : 과거의 통계를 바탕으로 지역, 수령, 재식밀도, 과수원 조건 등을 고려하여 산출한 예상 수확량이다.

ㄴ **평년수확량**

ⓐ 농지의 기후가 평년 수준이고 비배관리 등 영농활동을 평년수준으로 실시하였을 때 기대할 수 있는 수확량을 말한다.

ⓑ 평년수확량은 자연재해가 없는 이상적인 상황에서 수확할 수 있는 수확량이 아니라 평년 수준의 재해가 있다는 점을 전제로 한다.

ⓒ 주요 용도로는 보험가입금액의 결정 및 보험사고 발생 시 감수량 산정을 위한 기준으로 활용된다.

ⓓ 농지(과수원) 단위로 산출하며, 가입년도 직전 5년 중 보험에 가입한 연도의 실제 수확량과 표준수확량을 가입 횟수에 따라 가중평균하여 산출한다.

ⓔ 산출 방법은 가입 이력 여부로 구분된다.

㉮ **과거수확량 자료가 없는 경우**(신규 가입) : 표준수확량의 100%를 평년수확량으로 결정한다.

※ 살구, 대추(사과대추에 한함), 유자의 경우 표준수확량의 70%를 평년수확량으로 결정

㉯ 과거수확량 자료가 있는 경우(최근 5년 이내 가입 이력 존재) : 아래 표와 같이 산출하여 결정한다.

□ 평년수확량 = [A + (B − A) × (1 − Y / 5)] × C / B
- A(과거평 균수확량) = ∑과거 5년간 수확량 ÷ Y
- B(평균표준수확량) = ∑과거 5년간 표준수확량 ÷ Y
- C(당해연도(가입연도) 표준수확량)
- Y = 과거수확량 산출연도 횟수(가입횟수)
※ 다만, 평년수확량은 보험가입연도 표준수확량의 130%를 초과할 수 없음
※ 복분자, 오디의 경우 (A × Y / 5) + [B × (1 − Y / 5)]로 산출한다.
→ A = 과거 5개년 평균결실수(결과모지수), B = 품종별 표준 결실수(결과모지수)

□ 과거수확량 산출방법
- 조사수확량 > 평년수확량 50% → 조사수확량, 평년수확량 50% ≥ 조사수확량 → 평년수확량 50%
- 감귤의 경우 평년수확량 ≥ 평년수확량 × (1 − 피해율) ≥ 평년수확량의 50% → 평년수확량 × (1 − 피해율), 평년수확량의 50% > 평년수확량 × (1 − 피해율) → 평년수확량 50%
※ 사고 시에는 조사수확량 값 적용
※ 무사고 시에는 표준수확량의 1.1배와 평년수확량의 1.1배 중 큰 값 적용
※ 복숭아, 포도의 경우 무사고 시에는 수확전 착과수 조사를 한 값을 적용
※ 무사고시 수확량 = 조사한 착과수 × 평균과중(복숭아, 포도)

㉢ 가입수확량

보험에 가입한 수확량으로 범위는 평년수확량의 50%~100% 사이에서 계약자가 결정한다.

2. 논작물

(1) 대상품목 : 벼, 조사료용 벼, 밀, 보리

(2) 보장방식 : 종합위험방식 수확감소보장

논작물(벼, 조사료용 벼, 밀, 보리)은 종합위험방식 수확감소보장으로 자연재해, 조수해, 화재의 피해로 발생하는 보험목적물의 수확량 감소에 대하여 보상한다.

(3) 상품 내용

1) 보상하는 재해

구분	보상하는 재해
공통 (4개 전품목)	**(1) 자연재해** – 태풍피해, 우박피해, 동상해, 호우피해, 강풍피해, 냉해(冷害), 한해(旱害), 조해(潮害), 설해(雪害), 폭염, 기타 자연재해 표 아래 참조 **(2) 조수해(鳥獸害)** – 새나 짐승으로 인하여 발생하는 피해 **(3) 화재** – 화재로 인하여 발생하는 피해
벼 (병해충 보장특약 가입 시)	보장하는 병해충 : 흰잎마름병, 벼멸구, 도열병, 줄무늬잎마름병, 깨씨무늬병, 먹노린재, 세균성벼알마름병

구분	정의
태풍피해	기상청에서 태풍주의보 이상 발령할 때 발령지역의 바람과 비로 인하여 발생하는 피해
우박피해	적란운과 봉우리적운 속에서 성장하는 얼음알갱이나 얼음덩이가 내려 발생하는 피해
동상해	서리 또는 기온의 하강으로 인하여 농작물 등이 얼어서 발생하는 피해
호우피해	평균적인 강우량 이상의 많은 양의 비로 인하여 발생하는 피해
강풍피해	강한 바람 또는 돌풍으로 인하여 발생하는 피해
한해 (가뭄피해)	장기간의 지속적인 강우 부족에 의한 토양수분 부족으로 인하여 발생하는 피해
냉해	농작물의 성장 기간 중 작물의 생육에 지장을 초래할 정도의 찬 기온으로 인하여 발생하는 피해
조해	태풍이나 비바람 등의 자연현상으로 인하여 연안지대의 경지에 바닷물이 들어와서 발생하는 피해
설해	눈으로 인하여 발생하는 피해
폭염	매우 심한 더위로 인하여 발생하는 피해
기타 자연재해	상기 자연재해에 준하는 자연현상으로 발생하는 피해

① 자연재해 : 태풍피해, 우박피해, 동상해, 호우피해, 강풍피해, 한해(가뭄피해), 냉해, 조해(潮害), 설해, 폭염, 기타 자연재해
② 조수해(鳥獸害) : 새나 짐승으로 인하여 발생하는 손해
③ 화재 : 화재로 인한 피해

2) 보상하지 않는 손해
① 계약자, 피보험자 또는 이들의 법정대리인의 고의 또는 중대한 과실로 인한 손해
② 수확기에 계약자 또는 피보험자의 고의 또는 중대한 과실로 수확하지 못하여 발생한 손해
③ 제초작업, 시비관리 등 통상적인 영농활동을 하지 않아 발생한 손해
④ 원인의 직·간접을 묻지 않고 병해충으로 발생한 손해(다만, 벼 병해충보장 특별약관 가입 시는 제외)
⑤ 보장하지 않는 재해로 제방, 댐 등이 붕괴되어 발생한 손해
⑥ 하우스, 부대시설 등의 노후 및 하자로 생긴 손해
⑦ 계약체결 시점 현재 기상청에서 발령하고 있는 기상특보 발령 지역의 기상특보 관련 재해로 인한 손해
⑧ 보상하는 손해에 해당하지 않은 재해로 발생한 손해
⑨ 전쟁, 혁명, 내란, 사변, 폭동, 소요, 노동쟁의, 기타 이들과 유사한 사태로 생긴 손해

3) 보험기간

구분			보험의 목적	보험기간	
약관	보장	대상 재해		보장개시	보장종료
보통 약관	이앙 직파 불능 보장	종합 위험	벼(조곡)	계약체결일 24시	판매개시연도 7월 31일
	재이앙·재직파 보장			이앙(직파)완료일 24시 다만, 보험계약 시 이앙(직파) 완료일이 경과한 경우에는 계약체결일 24시	판매개시연도 7월 31일
	경작 불능 보장		벼(조곡) 조사료용 벼	이앙(직파)완료일 24시 다만, 보험계약 시 이앙(직파) 완료일이 경과한 경우에는 계약체결일 24시	출수기 전 다만, 조사료용 벼의 경우 판매개시연도 8월 31일
			밀 보리	계약체결일 24시	수확 개시 시점

보통 약관	수확 불능 보장	종합 위험	벼(조곡)	이앙(직파)완료일 24시 다만, 보험계약 시 이앙(직파) 완료일이 경과한 경우에는 계 약체결일 24시	수확기종료 시점 다만, 판매개시연도 11월 30일을 초과할 수 없음
	수확 감소 보장		벼(조곡)	이앙(직파)완료일 24시 다만, 보험계약 시 이앙(직파) 완료일이 경과한 경우에는 계 약체결일 24시	수확기종료 시점 다만, 판매개시연도 11월 30일을 초과할 수 없음
			밀 보리	계약체결일 24시	수확기종료 시점 다만, 이듬해 6월 30일 을 초과할 수 없음
특 별 약 관	병 해 충 보 장 특 약	재이앙 ·재직파 보장	병해충 (7종)	벼(조곡)	각 보장별 보통약관 보험시기와 동일	각 보장별 보통약관 보험종기와 동일
		경작 불능 보장				
		수확 불능 보장				
		수확 감소 보장				

※ 병해충(7종) : 흰잎마름병, 줄무늬잎마름병, 벼멸구, 도열병, 깨씨무늬병, 먹노린재, 세균성벼알마름병

4) 보험가입금액

보험가입금액은 가입수확량에 표준(가입)가격을 곱하여 산정한 금액(천원 단위 미만 절사)으로 한다. 단, 조사료용 벼는 보장생산비와 가입면적을 곱하여 산정한 금액(천원 단위 미만 절사)으로 한다.

5) 보험료

① **보험료의 구성** : 영업보험료는 순보험료와 부가보험료를 더하여 산출한다. 순보험료는 지급보험금의 재원이 되는 보험료이며 부가보험료는 보험회사의 경비 등으로 사용되는 보험료이고, 다음과 같이 산출한다.

> 영업보험료 = 순보험료 + 부가보험료

㉠ 정부보조보험료는 순보험료의 50%와 부가보험료의 100%를 지원한다(벼는 보장 수준에 따라 가입조건별 차등지원).

㉡ 지자체지원보험료는 지자체별로 지원금액(비율)을 결정한다.

> [참조 : 2022년 이론(업무방법서)수록 내용]
> ※ 순보험료 = 보험가입금액 × 순보험요율 × 할인·할증률
> ※ 부가보험료 = 보험가입금액 × 부가보험요율 × 할인·할증률
>
> ※ 순보험요율
> - 보험 금액에 대한 순보험료의 비율을 순보험요율이라 한다.
> - 품목별, 지역별, 담보별, 상품유형별로 순보험요율이 다르며 보험업법에 의한 보험요율 산출기관에서 검증한 순보험요율을 적용하고 있다.
>
> ※ 부가보험요율
> - 보험계약의 체결, 유지 및 관리 등에 필요한 경비로 사용하기 위하여 보험료 중 일정 비율을 사업비로 책정하고 있는데, 이를 부가보험요율이라 한다.
> - 농작물재해보험은 정책보험으로 정부에서 부가보험료를 전액 지원하고 있어 계약자가 부담하는 부가보험료는 없다.

② 보험료의 산출

㉠ 종합위험 수확감소보장방식(벼, 조사료용 벼, 밀, 보리)

ⓐ 수확감소보장 보통약관 적용보험료

> 보통약관 보험가입금액 × 지역별 보통약관 영업요율
> × (1 ± 손해율에 따른 할인·할증률)

ⓑ 병해충보장 특별약관 적용보험료(벼)

> 특별약관 보험가입금액 × 지역별 특별약관 영업요율 × (1 ± 손해율에 따른 할인·할증률) × (1 + 친환경재배 시 할증률) × (1 + 직파재배 농지 할증률)

※ 벼 품목의 경우, 위 ⓐ의 산식에 '(1 + 친환경재배 시 할증률)'과 '(1 + 직파재배 농지 할증률)'을 추가로 곱하여 계산

※ 손해율에 따른 할인·할증은 계약자를 기준으로 판단

※ 손해율에 따른 할인·할증폭은 −30%~+50%로 제한

③ 보험료의 환급

㉠ 이 계약이 무효, 효력상실 또는 해지된 때에는 다음과 같이 보험료를 반환한다.

ⓐ **계약자 또는 피보험자의 책임 없는 사유에 의하는 경우** : 무효의 경우에는 납입한 계약자부담보험료의 전액, 효력상실 또는 해지의 경우에는 해당 월 미경과비율에 따라 아래와 같이 '환급보험료'를 계산한다.

> 환급보험료 = 계약자부담보험료 × 미경과비율(별표)
>
> ※ 계약자부담보험료는 최종 보험가입금액 기준으로 산출한 보험료 중 계약자가 부담한 금액

ⓑ 계약자 또는 피보험자의 책임 있는 사유에 의하는 경우 : 계산한 해당 월 미경 과비율에 따른 환급보험료. 다만 계약자, 피보험자의 고의 또는 중대한 과실로 무효가 된 때에는 보험료를 반환하지 않는다.

㉡ 계약자 또는 피보험자의 책임 있는 사유

ⓐ 계약자 또는 피보험자가 임의 해지하는 경우

ⓑ 사기에 의한 계약, 계약의 해지(계약자 또는 피보험자의 고의로 손해가 발생한 경우나, 고지의무·통지의무 등을 해태한 경우의 해지) 또는 중대 사유로 인한 해지에 따라 계약을 취소 또는 해지하는 경우

ⓒ 보험료 미납으로 인한 계약의 효력상실

㉢ 계약의 무효, 효력상실 또는 해지로 인하여 반환해야 할 보험료가 있을 때에는 계약자는 환급금을 청구하여야 하며, 청구일의 다음 날부터 지급일까지의 기간에 대하여 '보험개발원이 공시하는 보험계약대출이율'을 연단위 복리로 계산한 금액을 더하여 지급한다.

6) **보험금**

① 벼, 조사료용 벼, 밀, 보리 품목의 보장별 보험금 지급사유 및 보험금 계산은 아래와 같다.

보장	보험의 목적	보험금 지급사유	보험금 계산(지급금액)
이앙·직파 불능 보장 (보통약관)	벼	보상하는 재해로 농지 전체를 이앙·직파하지 못하게 된 경우(보험계약 소멸)	보험가입금액 × 10%
재이앙· 재직파 보장 (보통약관)		보상하는 재해로 면적 피해율이 10%를 초과하고, 재이앙(재직파)한 경우(1회 지급)	보험가입금액 × 25% × 면적피해율 ※ 면적 피해율 = (피해면적 ÷ 보험가입면적)
경작불능 보장 (보통약관)	벼, 조사료용 벼, 밀, 보리	보상하는 재해로 식물체 피해율이 65% 이상이고, 계약자가 경작불능보험금을 신청한 경우(보험계약 소멸)	• 보험가입금액 × 일정비율 ※ 자기부담비율에 따른 경작불능보험금 표 참조 • 단, 조사료용 벼의 경우 아래와 같다. 보험가입금액 × 보장비율 × 경과비율 ※ 자기부담비율에 따른 보장비율 표 및 경과비율 표 참조

박문각
PART 01
PART 02
PART 03
PART 04
PART 05
PART 06

| 수확불능
보장
(보통약관) | 벼 | 보상하는 재해로 벼(조곡) 제현율이 65% 미만으로 떨어져 정상벼로서 출하가 불가능하게 되고, 계약자가 수확불능보험금을 신청한 경우 (보험계약 소멸) | 보험가입금액 × 일정비율
※ 자기부담비율에 따른 수확불능보험금 표 참조 |
| 수확감소
보장
(보통약관) | 벼,
밀,
보리 | 보상하는 재해로 피해율이 자기부담비율을 초과하는 경우 | 보험가입금액 × (피해율 – 자기부담비율)
※ 피해율 = (평년수확량 – 수확량 – 미보상감수량) ÷ 평년수확량 |

주1) 벼 품목의 경우 병해충(7종)으로 인한 피해는 병해충 특약 가입 시 보장

주2) 식물체 피해율 : 식물체가 고사한 면적을 보험가입면적으로 나누어 산출

② 경작불능보험금 산출방식

㉠ 보장하는 재해로 식물체 피해율이 65% 이상이고, 계약자가 경작불능보험금을 신청한 경우 다음의 표와 같이 계산한다(벼, 밀, 보리만 해당).

▼ 자기부담비율에 따른 경작불능보험금

자기부담비율	경작불능보험금
10%형	보험가입금액의 45%
15%형	보험가입금액의 42%
20%형	보험가입금액의 40%
30%형	보험가입금액의 35%
40%형	보험가입금액의 30%

㉡ 조사료용 벼의 보장비율은 경작불능보험금 산정에 기초가 되는 비율로 보험가입을 할 때 계약자가 선택한 비율로 하며, 경과비율은 사고 발생일이 속한 월에 따라 다음과 같이 계산한다.

▼ 계약자 선택에 따른 보장비율

자기부담비율	45%형	42%형	40%형	35%형	30%형
보장비율	45%	42%	40%	35%	30%

주1) 45%형 가입가능 자격 : 3년 연속 가입 및 3년간 수령보험금이 순보험료의 100% 이하

주2) 42%형 가입가능 자격 : 2년 연속 가입 및 2년간 수령보험금이 순보험료의 100% 이하

▼ 사고 발생일이 속한 월에 따른 경과비율

월별	5월	6월	7월	8월
경과비율	80%	85%	90%	100%

ⓒ 경작불능보험금을 지급한 경우 그 손해보상의 원인이 생긴 때로부터 해당 농지의 계약은 소멸된다.

③ 자기부담비율에 따른 수확불능보험금 산출방식

ⓐ 보험기간 내에 보상하는 재해로 제현율이 65% 미만으로 떨어져 정상벼로서 출하가 불가능하게 되고, 계약자가 수확불능보험금을 신청한 경우 다음의 표와 같이 계산한다.

▼ 자기부담비율에 따른 수확불능보험금

자기부담비율	수확불능보험금
10%형	보험가입금액의 60%
15%형	보험가입금액의 57%
20%형	보험가입금액의 55%
30%형	보험가입금액의 50%
40%형	보험가입금액의 45%

ⓑ 수확불능보험금을 지급한 경우 그 손해보상의 원인이 생긴 때로부터 해당 농지의 계약은 소멸된다.

7) 자기부담비율

① 보험기간 내에 보상하는 재해로 발생한 손해에 대하여 계약자 또는 피보험자가 부담하는 일정 비율(금액)로 자기부담비율(금) 이하의 손해는 보험금이 지급되지 않는다.

② 수확감소보장 자기부담비율

ⓐ 보험계약 시 계약자가 선택한 비율(10%, 15%, 20%, 30%, 40%)
간척지농지의 벼, 보리 품목의 경우 20%, 30%, 40%

ⓑ 수확감소보장 자기부담비율 선택 기준

ⓐ 10%형 : 최근 3년간 연속 보험가입계약자로서 3년간 수령한 보험금이 순보험료의 100% 이하인 경우에 한하여 선택 가능하다.

ⓑ 15%형 : 최근 2년간 연속 보험가입계약자로서 2년간 수령한 보험금이 순보험료의 100% 이하인 경우에 한하여 선택 가능하다.

ⓒ 20%형, 30%형, 40%형 : 제한 없음

ⓒ 자기부담비율 이내에 해당하는 피해율은 보상에서 제외

8) 특별약관

① 이앙·직파불능 부보장 특별약관

보상하는 재해로 이앙·직파를 하지 못하게 되어 생긴 손해를 보상하지 않는다.

② 병해충 보장 특별약관

㉠ 보상하는 병해충

구분	보상하는 병해충의 종류
병해	흰잎마름병, 줄무늬잎마름병, 도열병, 깨씨무늬병, 세균성벼알마름병
충해	벼멸구, 먹노린재

㉡ 보상하는 병해충의 증상[9]

ⓐ 흰잎마름병 : 발병은 보통 출수기 전후에 나타나나 상습발생지에서는 초기에 발병하며, 드물게는 묘판에서도 발병된다. 병징은 주로 엽신 및 엽초에 나타나며, 때에 따라서는 벼알에서도 나타난다. 병반은 수일이 경과 후 황색으로 변하고 선단부터 하얗게 건조 및 급속히 잎이 말라 죽게 된다.

▼ 벼 흰잎마름병에 의한 피해 사진

ⓑ 줄무늬잎마름병 : 줄무늬잎마름병은 종자, 접촉, 토양의 전염은 하지 않고 매개충인 애멸구에 의하여 전염되는 바이러스병이다. 전형적인 병징은 넓은 황색줄무늬 혹은 황화 증상이 나타나고, 잎이 도장하면서 뒤틀리거나 아래로 처진다. 일단 병에 걸리면 분얼경도 적어지고 출수되지 않으며, 출수되어도 기형 이삭을 형성하거나 불완전 출수가 많다.

▼ 줄무늬잎마름병에 의한 피해 사진

---

9) 자료출처 : 국가농작물병해충관리시스템 https://ncpms.rda.go.kr

ⓒ 깨씨무늬병 : 잎에서 초기병반은 암갈색 타원형 괴사부 주위에 황색의 중독부를 가지고, 시간이 지나면 원형의 대형 병반으로 윤문이 생긴다. 줄기에는 흑갈색 미세 무늬가 발생, 이후 확대하여 합쳐지면 줄기 전체가 담갈색으로 변한다. 이삭줄기에는 흑갈색 줄무늬에서 전체가 흑갈색으로 변한다. 도열병과 같이 이삭 끝부터 빠르게 침해되는 일은 없으며, 벼알에는 암갈색의 반점으로 되고 후에는 회백색 붕괴부를 형성한다.

▼ 벼 깨씨무늬병에 의한 피해 사진

ⓓ 도열병 : 도열병균은 진균의 일종으로 자낭균에 속하며, 종자나 병든 잔재물에서 겨울을 지나 제1차 전염원이 되고 제2차 전염은 병반 상에 형성된 분생포자가 바람에 날려 공기 전염한다. 잎, 이삭, 가지 등의 지상 부위에 병반을 형성하나 잎, 이삭, 이삭가지 도열병이 가장 흔하다. 잎에는 방추형의 병반이 형성되어 심하면 포기 전체가 붉은 빛을 띠우며 자라지 않게 되고, 이삭목이나 이삭가지는 옅은 갈색으로 말라죽으며 습기가 많으면 표면에 잿빛의 곰팡이가 핀다.

▼ 벼 도열병에 의한 피해 사진

ⓔ 세균성벼알마름병 : 주로 벼알에 발생하나 엽초에도 병징이 보인다. 벼알은 기부부터 황백색으로 변색 및 확대되어 전체가 변색된다. 포장에서 일찍 감염된 이삭은 전체가 엷은 붉은색을 띠며 고개를 숙이지 못하고 꼿꼿이 서 있으며, 벼알은 배의 발육이 정지되고 쭉정이가 된다. 감염된 종자 파종 시 심한 경우 발아하지 못하거나 부패되며, 감염 정도가 경미한 경우 전개되지 못하거나 생장이 불량하여 고사한다.

▼ 세균성벼알마름병에 의한 피해 사진

ⓕ 벼멸구 : 벼멸구는 성충이 중국으로부터 흐리거나 비 오는 날 저기압 때 기류를 타고 날아와 발생하고 정착 후에는 이동성이 낮아 주변에서 증식한다. 벼멸구는 형태적으로 애멸구와 유사하여 구별이 쉽지 않으나, 서식 행동에서 큰 차이점은 애멸구는 개별적으로 서식하나 벼멸구는 집단으로 서식한다. 벼멸구 흡즙으로 인한 전형적인 피해 양상은 논 군데군데 둥글게 집중고사 현상이 나타나고, 피해는 고사시기가 빠를수록 수확량도 크게 감소하며, 불완전 잎의 비율이 높아진다. 쌀알의 중심부나 복부가 백색의 불투명한 심복백미와 표면이 우윳빛처럼 불투명한 유백미 또는 과피에 엽록소가 남아있는 청미 등이 발생한다.

▼ 벼멸구 사진

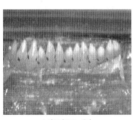

| 벼멸구 알 | 벼멸구 성충 | 벼멸구 집단서식 |

▼ 벼멸구에 의한 피해 사진

ⓖ 먹노린재 : 비가 적은 해에 발생이 많고, 낮에는 벼 포기 속 아랫부분에 모여 대부분 머리를 아래로 향하고 있다가 외부에서 자극이 있으면 물속으로 잠수한다. 성충과 약충 모두 벼의 줄기에 구침을 박고 흡즙하여 피해를 준다. 흡즙

부위는 퇴색하며 흡즙 부위에서 자란 잎은 피해를 받은 부분부터 윗부분이 마르고 피해가 심하면 새로 나온 잎이 전개하기 전에 말라죽는다. 피해는 주로 논 가장자리에 많이 나타나는데, 생육 초기에 심하게 피해를 받으면 초장이 짧아지고 이삭이 출수하지 않을 수도 있으며 출수 전후에 피해를 받으면 이삭이 꼿꼿이 서서 말라죽어 이화명나방 2화기의 피해 특징인 백수와 같은 증상을 나타내기도 한다.

▼ 먹노린재 사진

| 먹노린재 알 | 먹노린재 성충 | 먹노린재 서식 |

▼ 먹노린재에 의한 피해 사진

9) 계약인수 관련 수확량

① 표준수확량

과거의 통계를 바탕으로 지역별 기준수량에 농지별 경작요소를 고려하여 산출한 예상 수확량이다.

② 평년수확량

㉠ 최근 5년 이내 보험가입실적 수확량 자료와 미가입 연수에 대한 표준수확량을 가중평균하여 산출한 해당 농지에 기대되는 수확량을 말한다.

㉡ 평년수확량은 자연재해가 없는 이상적인 상황에서 수확할 수 있는 수확량이 아니라 평년 수준의 재해가 있다는 점을 전제로 한다.

㉢ 주요 용도로는 보험가입금액의 결정 및 보험사고 발생 시 감수량 산정을 위한 기준으로 활용된다.

ⓔ 산출 방법은 가입 이력 여부로 구분된다.
  ⓐ **과거수확량 자료가 없는 경우**(신규 가입) : 표준수확량의 100%를 평년수확량으로 결정한다.
  ⓑ **과거수확량 자료가 있는 경우**(최근 5년 이내 가입 이력 존재) : 아래 표와 같이 산출하여 결정한다.

□ 벼 품목 평년수확량 ＝ ［A＋(B×D－A)×(1－Y/5)］×C/D
  • A(과거평균수확량) ＝ ∑과거 5년간 수확량 ÷ Y
  • B ＝ 가입연도 지역별 기준수확량
  • C(가입연도 보정계수) ＝ 가입년도의 품종, 이앙일자, 친환경재배 보정계수를 곱한 값
  • D(과거평균보정계수) ＝ ∑과거 5년간 보정계수 ÷ Y
  • Y ＝ 과거수확량 산출연도 횟수(가입횟수)
  ※ 다만, 평년수확량은 보험가입연도 표준수확량의 130%를 초과할 수 없음
  ※ 조사료용 벼 제외(생산비보장방식)

□ 과거수확량 산출방법
  • 조사수확량 > 평년수확량 50% → 조사수확량, 평년수확량 50% ≧ 조사수확량 → 평년수확량 50%
  ※ 사고 시에는 조사수확량 값 적용
  ※ 무사고 시에는 표준수확량의 1.1배와 평년수확량의 1.1배 중 큰 값 적용

□ 보리·밀 품목 평년수확량 ＝ ［A＋(B－A)×(1－Y/5)］×C/B
  • A(과거평균수확량) ＝ ∑과거 5년간 수확량 ÷ Y
  • B(평균표준수확량) ＝ ∑과거 5년간 표준수확량 ÷ Y
  • C(표준수확량) ＝ 가입연도 표준수확량
  • Y ＝ 과거수확량 산출연도 횟수(가입횟수)
  ※ 다만, 평년수확량은 보험가입연도 표준수확량의 130%를 초과할 수 없음

□ 과거수확량 산출방법
  • 조사수확량 > 평년수확량 50% → 조사수확량, 평년수확량 50% ≧ 조사수확량 → 평년수확량 50%
  ※ 사고 시에는 조사수확량 값 적용
  ※ 무사고 시에는 표준수확량의 1.1배와 평년수확량의 1.1배 중 큰 값 적용

③ 가입수확량
보험에 가입한 수확량으로 범위는 평년수확량의 50%~100% 사이에서 계약자가 결정한다.

3. 밭작물

(1) **대상품목(19개 품목)** : 마늘, 양파, 감자(고랭지재배, 봄재배, 가을재배), 고구마, 옥수수(사료용 옥수수), 양배추, 콩, 팥, 차, 고추, 브로콜리, 메밀, 단호박, 당근, 배추(고랭지배추, 월동배추, 가을배추), 무(고랭지무, 월동무), 시금치(노지), 파(대파, 쪽파·실파), 인삼 등

(2) **보장방식** : 종합위험 수확감소보장방식, 종합위험 생산비보장방식, 작물특정 및 시설종합위험 인삼손해보장방식

   1) **종합위험 수확감소보장방식(9개 품목)** : 경작불능보장, 재정식·재파종·조기파종 보장 포함

     ① 마늘, 양파, 감자(고랭지재배, 봄재배, 가을재배), 고구마, 옥수수(사료용 옥수수), 양배추, 콩, 팥, 차(茶)

     ② 자연재해, 조수해, 화재 등 보상하는 손해로 발생하는 보험목적물의 수확량 감소에 대하여 보상한다.

   2) **종합위험 생산비보장방식(9개 품목)** : 경작불능보장 포함

     ① 고추, 브로콜리, 메밀, 단호박, 당근, 배추(고랭지배추, 월동배추, 가을배추), 무(고랭지무, 월동무), 시금치(노지), 파(대파, 쪽파·실파)

     ② 사고 발생 시점까지 투입된 작물의 생산비를 피해율에 따라 지급하는 방식이다. 따라서 수확이 개시된 후의 생산비보장보험금은 투입된 생산비보다 적거나 없을 수 있다. 이는 수확기에 투입되는 생산비는 수확과 더불어 회수(차감)되기 때문이다.

   3) **작물특정 및 시설종합위험 인삼손해보장방식(인삼)**

     ① 인삼(작물)은 태풍(강풍), 폭설, 집중호우, 침수, 화재, 우박, 냉해, 폭염의 특정한 위험만 보장한다.

     ② 해가림시설은 자연재해, 조수해, 화재로 인한 종합위험을 보장한다.

(3) 상품내용

1) 보상하는 재해 및 보상하지 않는 손해

구분	보상하는 재해
공통 (마늘, 양파 등 18개 품목 및 인삼 해가림 시설) * 인삼 품목 제외	**(1) 자연재해** – 태풍피해, 우박피해, 동상해, 호우피해, 강풍피해, 냉해(冷害), 한해(旱害), 조해(潮害), 설해(雪害), 폭염, 기타 자연재해 **(2) 조수해(鳥獸害)** – 새나 짐승으로 인하여 발생하는 피해 **(3) 화재** – 화재로 인하여 발생하는 피해 **(4) 병충해(고추, 감자에 한함)** – 병 또는 해충으로 인하여 발생하는 피해
인삼	(1) 태풍(강풍) : 기상청에서 태풍에 대한 특보(태풍주의보, 태풍경보)를 발령한 때 해당 지역의 바람과 비 또는 최대순간풍속 14m/s 이상의 강풍 (2) 폭설 : 기상청에서 대설에 대한 특보(대설주의보, 대설경보)를 발령한 때 해당 지역의 눈 또는 24시간 신적설이 5cm 이상인 상태

자연재해 정의 표:

구분	정의
태풍피해	기상청에서 태풍주의보 이상 발령할 때 발령지역의 바람과 비로 인하여 발생하는 피해
우박피해	적란운과 봉우리적운 속에서 성장하는 얼음알갱이나 얼음덩이가 내려 발생하는 피해
동상해	서리 또는 기온의 하강으로 인하여 농작물 등이 얼어서 발생하는 피해
호우피해	평균적인 강우량 이상의 많은 양의 비로 인하여 발생하는 피해
강풍피해	강한 바람 또는 돌풍으로 인하여 발생하는 피해
한해 (가뭄피해)	장기간의 지속적인 강우 부족에 의한 토양수분 부족으로 인하여 발생하는 피해
냉해	농작물의 성장 기간 중 작물의 생육에 지장을 초래할 정도의 찬 기온으로 인하여 발생하는 피해
조해	태풍이나 비바람 등의 자연현상으로 인하여 연안지대의 경지에 바닷물이 들어와서 발생하는 피해
설해	눈으로 인하여 발생하는 피해
폭염	매우 심한 더위로 인하여 발생하는 피해
기타 자연재해	상기 자연재해에 준하는 자연현상으로 발생하는 피해

인삼	(3) **집중호우** : 기상청에서 호우에 대한 특보(호우주의보, 호우경보)를 발령한 때 해당 지역의 비 또는 24시간 누적 강수량이 80mm 이상인 상태 (4) **침수** : 태풍, 집중호우 등으로 인하여 인삼 농지에 다량의 물(고랑 바닥으로부터 침수 높이가 최소 15cm 이상)이 유입되어 상면에 물이 잠긴 상태 (5) **우박** : 적란운과 봉우리 적운 속에서 성장하는 얼음알갱이나 얼음덩이가 내려 발생하는 피해 (6) **냉해** : 출아 및 전엽기(4~5월) 중에 해당지역에 최저기온 0.5℃ 이하의 찬 기온으로 인하여 발생하는 피해를 말하며, 육안으로 판별 가능한 냉해 증상이 있는 경우에 피해를 인정 (7) **폭염** : 해당 지역에 최고기온 30℃ 이상이 7일 이상 지속되는 상태를 말하며, 잎에 육안으로 판별 가능한 타들어간 증상이 50% 이상 있는 경우에 인정 (8) **화재** : 화재로 인하여 발생하는 피해

① 종합위험 수확감소보장방식

㉠ 보상하는 재해

구분	품목	보상하는 재해
종합위험 수확감소보장방식	양파, 마늘, 고구마, 옥수수(사료용 옥수수), 차, 콩, 양배추, 팥	자연재해, 조수해(鳥獸害), 화재
	감자(고랭지, 봄, 가을)	자연재해, 조수해(鳥獸害), 화재, 병충해

ⓐ 자연재해 : 태풍피해, 우박피해, 동상해, 호우피해, 강풍피해, 한해(가뭄피해), 냉해, 조해(潮害), 설해, 폭염, 기타 자연재해

ⓑ 조수해(鳥獸害) : 새나 짐승으로 인하여 발생하는 손해

ⓒ 화재 : 화재로 인한 피해

ⓓ 병충해 : 병 또는 해충으로 인하여 발생하는 피해(감자 품목에만 해당)

㉡ 보상하지 않는 손해

ⓐ 계약자, 피보험자 또는 이들의 법정대리인의 고의 또는 중대한 과실로 인한 손해

ⓑ 수확기에 계약자 또는 피보험자의 고의 또는 중대한 과실로 수확하지 못하여 발생한 손해

ⓒ 제초작업, 시비관리 등 통상적인 영농활동을 하지 않아 발생한 손해

ⓓ 원인의 직접·간접을 묻지 않고 병해충으로 발생한 손해(다만, 감자 품목은 제외)

ⓔ 보상하지 않는 재해로 제방, 댐 등이 붕괴되어 발생한 손해

ⓕ 하우스, 부대시설 등의 노후 및 하자로 생긴 손해

ⓖ 계약체결 시점(계약체결 이후 파종 또는 정식 시, 파종 또는 정식 시점) 현재 기상청에서 발령하고 있는 기상특보 발령 지역의 기상특보 관련 재해로 인한 손해

ⓗ 보상하는 재해에 해당하지 않은 재해로 발생한 손해

ⓘ 저장성 약화 또는 저장, 건조 및 유통 과정 중에 나타나거나 확인된 손해

ⓙ 전쟁, 혁명, 내란, 사변, 폭동, 소요, 노동쟁의, 기타 이들과 유사한 사태로 생긴 손해

② 종합위험 생산비보장방식

㉠ 보상하는 재해

구분	품목	보상하는 재해
종합위험 생산비보장방식	메밀, 브로콜리, 배추, 무, 단호박, 파, 당근, 시금치(노지)	자연재해, 조수해(鳥獸害), 화재
	고추	자연재해, 조수해(鳥獸害), 화재, 병충해

ⓐ 자연재해 : 태풍피해, 우박피해, 동상해, 호우피해, 강풍피해, 한해(가뭄피해), 냉해, 조해(潮害), 설해, 폭염, 기타 자연재해

ⓑ 조수해(鳥獸害) : 새나 짐승으로 인하여 발생하는 손해

ⓒ 화재 : 화재로 인한 피해

ⓓ 병충해 : 병 또는 해충으로 인하여 발생하는 피해(고추 품목에만 해당)

㉡ 보상하지 않는 손해

ⓐ 계약자, 피보험자 또는 이들의 법정대리인의 고의 또는 중대한 과실로 인한 손해

ⓑ 수확기에 계약자 또는 피보험자의 고의 또는 중대한 과실로 수확하지 못하여 발생한 손해

ⓒ 제초작업, 시비관리 등 통상적인 영농활동을 하지 않아 발생한 손해

ⓓ 원인의 직접·간접을 묻지 않고 병해충으로 발생한 손해(다만, 감자 품목은 제외)

ⓔ 보상하지 않는 재해로 제방, 댐 등이 붕괴되어 발생한 손해

ⓕ 하우스, 부대시설 등의 노후 및 하자로 생긴 손해

ⓖ 계약체결 시점(계약체결 이후 파종 또는 정식 시, 파종 또는 정식 시점) 현재 기상청에서 발령하고 있는 기상특보 발령 지역의 기상특보 관련 재해로 인한 손해

ⓗ 보상하는 재해에 해당하지 않은 재해로 발생한 손해

ⓘ 전쟁, 혁명, 내란, 사변, 폭동, 소요, 노동쟁의, 기타 이들과 유사한 사태로 생긴 손해

③ 작물특정 및 시설종합위험 인삼손해보장방식

㉠ 보상하는 재해

구분	품목	보상하는 재해
작물(특정위험) 및 시설(종합위험)보장방식	인삼	태풍(강풍), 폭설, 집중호우, 침수, 화재, 우박, 냉해, 폭염
	해가림시설	자연재해, 조수해(鳥獸害), 화재

ⓐ 인삼

㉮ 태풍(강풍) : 기상청에서 태풍에 대한 특보(태풍주의보, 태풍경보)를 발령한 때 해당 지역의 바람과 비 또는 최대순간풍속 14m/s 이상의 강풍

㉯ 폭설 : 기상청에서 대설에 대한 특보(대설주의보, 대설경보)를 발령한 때 해당 지역의 눈 또는 24시간 신적설이 5cm 이상인 상태

㉰ 집중호우 : 기상청에서 호우에 대한 특보(호우주의보, 호우경보)를 발령한 때 해당 지역의 비 또는 24시간 누적 강수량이 80mm 이상인 상태

㉱ 침수 : 태풍, 집중호우 등으로 인하여 인삼 농지에 다량의 물(고랑 바닥으로부터 침수 높이 최소 15cm 이상)이 유입되어 상면에 물이 잠긴 상태

㉲ 우박 : 적란운과 봉우리 적운 속에서 성장하는 얼음알갱이나 얼음덩이가 내려 발생하는 피해

㉳ 냉해 : 출아 및 전엽기(4~5월) 중에 해당지역에 최저기온 0.5℃ 이하의 찬 기온으로 인하여 발생하는 피해를 말하며, 육안으로 판별 가능한 냉해 증상이 있는 경우에 피해를 인정

㉴ 폭염 : 해당 지역에 최고기온 30℃ 이상이 7일 이상 지속되는 상태를 말하며, 잎에 육안으로 판별 가능한 타들어간 증상이 50% 이상 있는 경우에 인정

㉵ 화재 : 화재로 인하여 발생하는 피해

ⓑ 해가림시설

㉮ 자연재해 : 태풍피해, 우박피해, 호우피해, 강풍피해, 조해(潮害), 설해, 폭염, 기타 자연재해

㉯ 조수해(鳥獸害) : 새나 짐승으로 인하여 발생하는 손해

㉰ 화재 : 화재로 인하여 발생하는 피해

㉡ 보상하지 않는 손해

ⓐ 인삼

㉮ 계약자, 피보험자 또는 이들의 법정대리인의 고의 또는 중대한 과실로 인한 손해

ⓝ 수확기에 계약자 또는 피보험자의 고의 또는 중대한 과실로 수확하지 못하여 발생한 손해

ⓓ 제초작업, 시비관리 등 통상적인 영농활동을 하지 않아 발생한 손해

ⓡ 원인의 직접·간접을 묻지 않고 병해충으로 발생한 손해

ⓜ 연작장해, 염류장해 등 생육 장해로 인한 손해

ⓑ 보상하지 않는 재해로 제방, 댐 등이 붕괴되어 발생한 손해

ⓢ 해가림 시설 등의 노후 및 하자로 생긴 손해

ⓞ 계약체결 시점 현재 기상청에서 발령하고 있는 기상특보 발령 지역의 기상특보 관련 재해로 인한 손해

ⓩ 보상하는 재해에 해당하지 않은 재해로 발생한 손해

ⓒ 전쟁, 혁명, 내란, 사변, 폭동, 소요, 노동쟁의, 기타 이들과 유사한 사태로 생긴 손해

▼ 용어의 정의

시비관리	수확량 또는 품질을 높이기 위해 비료 성분을 토양 중에 공급하는 것을 말한다.
기상특보 관련 재해	태풍, 호우, 홍수, 강풍, 풍랑, 해일, 대설, 폭염 등을 포함한다.

ⓑ 해가림시설

ⓐ 계약자, 피보험자 또는 이들의 법정대리인의 고의 또는 중대한 과실로 인한 손해

ⓝ 보상하는 재해가 발생했을 때 생긴 도난 또는 분실로 생긴 손해

ⓓ 보험의 목적의 노후 및 하자로 생긴 손해

ⓡ 보상하지 않는 재해로 제방, 댐 등이 붕괴되어 발생한 손해

ⓜ 침식 활동 및 지하수로 인한 손해

ⓑ 계약체결 시점 현재 기상청에서 발령하고 있는 기상특보 발령 지역의 기상특보 관련 재해로 인한 손해

ⓢ 보상하는 재해에 해당하지 않은 재해로 발생한 손해

ⓞ 보험의 목적의 발효, 자연 발열·발화로 생긴 손해. 그러나, 자연 발열 또는 발화로 연소된 다른 보험의 목적에 생긴 손해는 보상

ⓩ 화재로 기인되지 않은 수도관, 수관 또는 수압기 등의 파열로 생긴 손해

ⓒ 발전기, 여자기(정류기 포함), 변류기, 변압기, 전압조정기, 축전기, 개폐기, 차단기, 피뢰기, 배전반 및 그 밖의 전기기기 또는 장치의 전기적 사고로 생긴 손해. 그러나 그 결과로 생긴 화재손해는 보상

㉡ 원인의 직접·간접을 묻지 않고 지진, 분화 또는 전쟁, 혁명, 내란, 사변, 폭동, 소요, 노동쟁의, 기타 이들과 유사한 사태로 생긴 화재 및 연소 또는 그 밖의 손해

㉤ 핵연료 물질 또는 핵연료 물질에 의하여 오염된 물질의 방사성, 폭발성 그 밖의 유해한 특성 또는 이들의 특성에 의한 사고로 인한 손해

㉦ 이외의 방사선을 쐬는 것 또는 방사능 오염으로 인한 손해

㉥ 국가 및 지방자치단체의 명령에 의한 재산의 소각 및 이와 유사한 손해

2) 보험기간

① 종합위험 수확감소보장 : 마늘, 양파, 감자, 고구마, 양배추, 콩, 팥, 차, 옥수수(사료용 옥수수 포함)(9개 품목)

보장	보험의 목적	보험기간	
		보장개시	보장종료
종합위험 재파종 보장	마늘	계약체결일 24시 다만, 조기파종 보장 특약 가입 시 해당 특약 보장종료 시점	판매개시연도 10월 31일
조기파종 보장 (특약)	마늘 (남도종)	계약체결일 24시	한지형마늘 보험상품 최초 판매개시일 24시
종합위험 재정식 보장	양배추	정식완료일 24시 다만, 보험계약 시 정식완료일이 경과한 경우에는 계약체결일 24시이며 정식완료일은 9월 30일을 초과할 수 없음	재정식 완료일 다만, 판매개시연도 10월 15일을 초과할 수 없음
종합위험 경작불능 보장	마늘	계약체결일 24시 다만, 조기파종 보장 특약 가입 시 해당 특약 보장종료 시점	수확개시 시점
	콩, 팥	계약체결일 24시	종실비대기 전
	양파, 감자 (고랭지재배), 고구마, 옥수수 (사료용 옥수수 포함)		수확개시 시점 다만, 사료용 옥수수는 판매개시연도 8월 31일을 초과할 수 없음
	감자 (봄재배, 가을재배)	파종완료일 24시 다만, 보험계약 시 파종완료일이 경과한 경우에는 계약체결일 24시	수확개시 시점

종합위험 경작불능 보장	양배추	정식완료일 24시 다만, 보험계약 시 정식완료일이 경과한 경우에는 계약체결일 24시이며 정식완료일은 판매개시연도 9월 30일을 초과할 수 없음	수확개시 시점
종합위험 수확감소 보장	마늘, 양파, 감자 (고랭지재배), 고구마, 옥수수, 콩, 팥	계약체결일 24시 다만, 마늘의 경우 조기파종 보장 특약 가입 시 해당 특약 보장 종료 시점	수확기종료 시점 단, 아래 날짜를 초과할 수 없음 • 마늘 : 이듬해 6월 30일 • 양파 : 이듬해 6월 30일 • 감자(고랭지재배) : 판매개시연도 10월 31일 • 고구마 : 판매개시연도 10월 31일 • 옥수수 : 판매개시연도 9월 30일 • 콩 : 판매개시연도 11월 30일 • 팥 : 판매개시연도 11월 13일
	감자 (봄재배)	파종완료일 24시 다만, 보험계약 시 파종완료일이 경과한 경우에는 계약체결일 24시	수확기종료 시점 다만, 판매개시연도 7월 31일을 초과할 수 없음
	감자 (가을재배)		수확기종료 시점 다만, 제주는 판매개시연도 12월 15일, 제주 이외는 판매개시연도 11월 30일을 초과할 수 없음
	양배추	정식완료일 24시 다만, 보험계약 시 정식완료일이 경과한 경우에는 계약체결일 24시이며 정식완료일은 판매개시연도 9월 30일을 초과할 수 없음	수확기종료 시점 다만, 아래의 날짜를 초과할 수 없음 • 극조생, 조생 : 이듬해 2월 28일 • 중생 : 이듬해 3월 15일 • 만생 : 이듬해 3월 31일

종합위험 수확감소 보장	차(茶)	계약체결일 24시	햇차 수확종료시점 다만, 이듬해 5월 10일을 초과할 수 없음

※ "판매개시연도"는 해당 품목 판매개시일이 속하는 연도를 말하며, "이듬해"는 판매개시연도의 다음 연도를 말한다.

② **종합위험 생산비보장** : 고추, 브로콜리, 메밀, 무(고랭지, 월동), 당근, 파(대파, 쪽파·실파), 시금치(노지), 배추(고랭지, 가을, 월동), 단호박(9개 품목)

보장	보험의 목적	보험기간	
		보장개시	보장종료
종합 위험 생산비 보장	고추	계약체결일 24시	정식일부터 150일째 되는 날 24시
	브로콜리	정식완료일 24시 다만, 보험계약 시 정식완료일이 경과한 경우에는 계약체결일 24시이며 정식완료일은 판매개시연도 9월 30일을 초과할 수 없음	정식일로부터 160일이 되는 날 24시
	메밀	파종완료일 24시 다만, 보험계약 시 파종완료일이 경과한 경우에는 계약체결일 24시	최초 수확 직전 다만, 판매개시연도 11월 20일을 초과할 수 없음
	고랭지무	파종완료일 24시 다만, 보험계약 시 파종완료일이 경과한 경우에는 계약체결일 24시 단, 파종완료일은 아래의 일자를 초과할 수 없음 • 고랭지무 : 판매개시연도 7월 31일 • 월동무 : 판매개시연도 10월 15일 • 당근 : 판매개시연도 8월 31일 • 쪽파(실파)[1·2형] : 판매개시연도 10월 15일 • 시금치(노지) : 판매개시연도 10월 31일	파종일부터 80일째 되는 날 24시
	월동무		최초 수확 직전 다만, 이듬해 3월 31일을 초과할 수 없음
	당근		최초 수확 직전 다만, 이듬해 2월 29일을 초과할 수 없음
	쪽파(실파) [1형]		최초 수확 직전 다만, 판매개시 연도 12월 31일을 초과할 수 없음
	쪽파(실파) [2형]		최초 수확 직전 다만, 이듬해 5월 31일을 초과할 수 없음
	시금치 (노지)		최초 수확 직전 다만, 이듬해 1월 15일을 초과할 수 없음

종합 위험 생산비 보장	고랭지배추	정식완료일 24시 다만, 보험계약 시 정식완료일이 경과한 경우에는 계약체결일 24시 단, 정식완료일은 아래의 일자를 초과할 수 없음 • 고랭지배추 : 판매개시연도 7월 31일 • 월동배추 : 판매개시연도 9월 25일 • 대파 : 판매개시연도 5월 20일 • 단호박 : 판매개시연도 5월 29일	정식일부터 70일째 되는 날 24시
	가을배추		정식일부터 110일째 되는 날 24시 다만, 판매개시연도 12월 15일을 초과할 수 없음
	월동배추		최초 수확 직전 다만, 이듬해 3월 31일을 초과할 수 없음
	대파		정식일부터 200일째 되는 날 24시
	단호박		정식일부터 90일째 되는 날 24시
종합 위험 경작 불능 보장	고랭지무	파종완료일 24시 다만, 보험계약 시 파종완료일이 경과한 경우에는 계약체결일 24시 단, 파종완료일은 아래의 일자를 초과할 수 없음 • 고랭지무 : 판매개시연도 7월 31일 • 월동무 : 판매개시연도 10월 15일 • 당근 : 판매개시연도 8월 31일 • 쪽파(실파)[1·2형] : 판매개시연도 10월 15일 • 시금치(노지) : 판매개시연도 10월 31일	최초 수확 직전 다만, 종합위험생산비보장에서 정하는 보장종료일을 초과할 수 없음
	월동무		
	당근		
	쪽파(실파) [1형, 2형]		
	시금치 (노지)		
	고랭지배추	정식완료일 24시 다만, 보험계약 시 정식완료일이 경과한 경우에는 계약체결일 24시 정식완료일은 아래의 일자를 초과할 수 없음 • 고랭지배추 : 판매개시연도 7월 31일 • 가을배추 : 판매개시연도 9월 10일 • 월동배추 : 판매개시연도 9월 25일 • 대파 : 판매개시연도 5월 20일 • 단호박 : 판매개시연도 5월 29일	
	가을배추		
	월동배추		
	대파		
	단호박		
	메밀	파종완료일 24시 다만, 보험계약 시 파종완료일이 경과한 경우에는 계약체결일 24시	

※ "판매개시연도"는 해당 품목 판매개시일이 속하는 연도를 말하며, "이듬해"는 판매개시 연도의 다음 연도를 말한다.

③ 작물특정 및 시설종합위험 인삼손해보장방식(인삼)

구분		보험기간	
		보장개시	보장종료
1형	인삼	판매개시연도 5월 1일 다만, 5월 1일 이후 보험에 가입하는 경우에는 계약체결일 24시	이듬해 4월 30일 24시 다만, 6년근은 판매개시연도 10월 31일을 초과할 수 없음
	해가림시설		
2형	인삼	판매개시연도 11월 1일 다만, 11월 1일 이후 보험에 가입하는 경우에는 계약체결일 24시	이듬해 10월 31일 24시
	해가림시설		

※ "판매개시연도"는 해당 품목 판매개시일이 속하는 연도를 말하며, "이듬해"는 판매개시 연도의 다음 연도를 말한다.

3) 보험가입금액

① 종합위험 수확감소보장
   ㉠ 보험가입금액은 가입수확량에 기준가격을 곱하여 산정한 금액(천원 단위 미만 절사)으로 한다.
   ㉡ 단, 사료용 옥수수는 보장생산비와 가입면적을 곱하여 산정한 금액(천원 단위 미만 절사)으로 한다.

② 종합위험 생산비보장
   ㉠ 보험가입금액은 재해보험사업자가 평가한 단위 면적당 보장생산비에 보험가입면적을 곱하여 산정한 금액(천원 단위 미만 절사)으로 한다.
   ㉡ 보험의 목적이 고추 또는 브로콜리인 경우 손해를 보상한 경우에는 보험가입금액에서 보상액을 뺀 잔액을 손해가 생긴 후의 나머지 보험기간에 대한 잔존보험가입금액으로 한다.

③ 작물특정 및 시설종합위험 인삼손해보장방식(인삼 작물)
   ㉠ 보험가입금액은 연근별 (보상)가액에 재배면적(㎡)을 곱하여 산정한 금액(천 원 단위 미만 절사)으로 한다.
   ㉡ 인삼의 가액은 농협 통계 및 농촌진흥청 자료를 기초로 연근별 투입되는 평균 누적 생산비를 고려하여 연근별로 차등 설정한다.

▼ 연근별 (보상)가액

구분	2년근	3년근	4년근	5년근	6년근
인삼	8,000원	9,100원	10,400원	11,700원	13,700원

④ 작물특정 및 시설종합위험 인삼손해보장방식(해가림시설)
　　㉠ 재조달가액에 (100 - 감가상각율)을 곱하여 산출하며 천원 단위 미만은 절사한다.
　　㉡ 보험가입금액 산정을 위한 감가상각
　　　ⓐ 해가림시설 설치시기와 감가상각방법
　　　　㉮ 계약자에게 설치시기를 고지 받아 해당일자를 기초로 감가상각하되, 최초 설치시기를 특정하기 어려운 때에는 인삼의 정식시기와 동일한 시기로 할 수 있다.
　　　　㉯ 해가림시설 구조체를 재사용하여 설치를 하는 경우에는 해당 구조체의 최초 설치시기를 기초로 감가상각하며, 최초 설치시기를 알 수 없는 경우에는 해당 구조체의 최초 구입시기를 기준으로 감가상각한다.
　　　ⓑ 해가림시설 설치재료에 따른 감가상각방법
　　　　㉮ 동일한 재료(목재 또는 철재)로 설치하였으나 설치시기 경과년수가 각기 다른 해가림시설 구조체가 상존하는 경우, 가장 넓게 분포하는 해가림시설 구조체의 설치시기를 동일하게 적용한다.
　　　　㉯ 1개의 농지 내 감가상각률이 상이한 재료(목재+철재)로 해가림시설을 설치한 경우, 재료별로 설치구획이 나뉘어 있는 경우에만 인수 가능하며, 각각의 면적만큼 구분하여 가입한다.
　　　ⓒ 경년감가율 적용시점과 연단위 감가상각
　　　　㉮ 감가상각은 보험가입시점을 기준으로 적용하며, 보험가입금액은 보험기간 동안 동일하다.
　　　　㉯ 연단위 감가상각을 적용하며 경과기간이 1년 미만은 미적용한다.

> 〈예시〉 시설년도 : 2021년 5월
> 　　　　가입시기 : 2022년 11월일 때
> 　　　　경과기간 : 1년 6개월 → 경과기간 1년 적용

　　　　㉰ 잔가율 : 잔가율 20%와 자체 유형별 내용연수를 기준으로 경년감가율을 산출 및 내용연수가 경과한 경우라도 현재 정상 사용 중인 시설을 당해 목적물의 경제성을 고려하여 잔가율을 최대 30%로 수정할 수 있다.

유형	내용연수	경년감가율
목재	6년	13.33%
철재	18년	4.44%

ⓓ 재조달가액 : 단위면적(1㎡)당 시설비에 재배면적(㎡)을 곱하여 산출

유형	시설비(원)/㎡
07-철인-A형	7,200
07-철인-A-1형	6,600
07-철인-A-2형	6,000
07-철인-A-3형	5,100
13-철인-W	9,500
목재A형	5,900
목재A-1형	5,500
목재A-2형	5,000
목재A-3형	4,600
목재A-4형	4,100
목재B형	6,000
목재B-1형	5,600
목재B-2형	5,200
목재B-3형	4,100
목재B-4형	4,100
목재C형	5,500
목재C-1형	5,100
목재C-2형	4,700
목재C-3형	4,300
목재C-4형	3,800

4) **보험료**

① **보험료의 구성** : 영업보험료는 순보험료와 부가보험료를 더하여 산출한다. 순보험료는 지급보험금의 재원이 되는 보험료이며 부가보험료는 보험회사의 경비 등으로 사용되는 보험료이고, 다음과 같이 산출한다.

> 영업보험료 = 순보험료 + 부가보험료

㉠ 정부보조보험료는 순보험료의 50%와 부가보험료의 100%를 지원한다.
㉡ 지자체지원보험료는 지자체별로 지원금액(비율)을 결정한다.

② 보험료의 산출

　㉠ **종합위험 수확감소보장방식** : 마늘, 양파, 감자, 고구마, 양배추, 콩, 팥, 차, 옥수수(사료용 옥수수 포함)(9개 품목) → 수확감소보장 보통약관 적용보험료

> 보통약관 보험가입금액 × 지역별 보통약관 영업요율
> × (1 ± 손해율에 따른 할인·할증률) × (1 − 방재시설할인율)

　　※ 고구마, 팥, 차 품목의 경우 방재시설할인율 미적용

　　※ 손해율에 따른 할인·할증은 계약자를 기준으로 판단

　　※ 손해율에 따른 할인·할증폭은 −30%∼+50%로 제한

　　※ 품목별 방재시설할인율은 PART 04 CHAPTER 01 참조

　㉡ **종합위험 생산비보장방식** : 고추, 브로콜리, 메밀, 무(고랭지, 월동), 당근, 파(대파, 쪽파·실파), 시금치(노지), 배추(고랭지, 가을, 월동), 단호박(9개 품목) → 생산비보장 보통약관 적용보험료

> 보통약관 보험가입금액 × 지역별 보통약관 영업요율
> × (1 ± 손해율에 따른 할인·할증률) × (1 − 방재시설할인율)

　　※ 방재시설할인은 고추, 브로콜리 품목에만 해당

　　※ 손해율에 따른 할인·할증은 계약자를 기준으로 판단

　　※ 손해율에 따른 할인·할증폭은 −30%∼+50%로 제한

　　※ 품목별 방재시설할인율은 PART 04 CHAPTER 01 참조

　㉢ **작물특정 및 시설종합위험 인삼손해보장방식(인삼)**

　　ⓐ 작물 특정위험보장 보통약관 적용보험료

> 보통약관 보험가입금액 × 지역별 보통약관 영업요율
> × (1 ± 손해율에 따른 할인·할증률 − 전년도 무사고할인) × (1 − 방재시설할인율)

　　ⓑ 해가림시설 종합위험보장 보통약관 적용보험료

> 보통약관 보험가입금액 × 지역별 보통약관 영업요율

　　※ 손해율에 따른 할인·할증은 계약자를 기준으로 판단

　　※ 손해율에 따른 할인·할증폭은 −30%∼+50%로 제한

　　※ 품목별 방재시설할인율은 PART 04 CHAPTER 01 참조

　　※ 종별 보험요율 차등적용에 관한 사항은 아래와 같음

종구분	상세	요율상대도
2종	허용적설심 및 허용풍속이 지역별 내재해형 설계기준 120% 이상인 인삼재배시설	0.9
3종	허용적설심 및 허용풍속이 지역별 내재해형 설계기준 100% 이상~120% 미만인 인삼재배시설	1.0
4종	허용적설심 및 허용풍속이 지역별 내재해형 설계기준 100% 미만이면서, 허용적설심 7.9cm 이상이고, 허용풍속이 10.5m/s 이상인 인삼재배시설	1.1
5종	허용적설심 7.9cm 미만이거나, 허용풍속이 10.5m/s 미만인 인삼 재배시설	1.2

> [참조 : 2022년 이론(업무방법서)수록 내용]
> ※ 순보험료 = 보험가입금액 × 순보험요율 × 할인・할증률
> ※ 부가보험료 = 보험가입금액 × 부가보험요율 × 할인・할증률
> ※ 순보험요율
> • 보험 금액에 대한 순보험료의 비율을 순보험요율이라 한다.
> • 품목별, 지역별, 담보별, 상품유형별로 순보험요율이 다르며 보험업법에 의한 보험요율 산출기관에서 검증한 순보험요율을 적용하고 있다.
> ※ 부가보험요율
> • 보험계약의 체결, 유지 및 관리 등에 필요한 경비로 사용하기 위하여 보험료 중 일정 비율을 사업비로 책정하고 있는데, 이를 부가보험요율이라 한다.
> • 농작물재해보험은 정책보험으로 정부에서 부가보험료를 전액 지원하고 있어 계약자가 부담하는 부가보험료는 없다.

③ 보험료의 환급

㉠ 이 계약이 무효, 효력상실 또는 해지된 때에는 다음과 같이 보험료를 반환한다. 다만, 보험기간 중 보험사고가 발생하고 보험금이 지급되어 보험가입금액이 감액된 경우에는 감액된 보험가입금액을 기준으로 환급금을 계산하여 돌려준다. 해가림시설에 보험사고가 발생하고 보험가입금액 미만으로 보험금이 지급된 경우에는 보험가입금액이 감액되지 아니하므로 감액하지 않은 보험가입금액을 기준으로 환급금을 계산하여 돌려준다.

ⓐ 계약자 또는 피보험자의 책임 없는 사유에 의하는 경우 : 무효의 경우에는 납입한 계약자부담보험료의 전액, 효력상실 또는 해지의 경우에는 해당 월 미경과비율에 따라 아래와 같이 '환급보험료'를 계산한다.

> 환급보험료 = 계약자부담보험료 × 미경과비율(별표)
> ※ 계약자부담보험료는 최종 보험가입금액 기준으로 산출한 보험료 중 계약자가 부담한 금액

ⓑ 계약자 또는 피보험자의 책임 있는 사유에 의하는 경우 : 계산한 해당 월 미경과비율에 따른 환급보험료. 다만 계약자, 피보험자의 고의 또는 중대한 과실로 무효가 된 때에는 보험료를 반환하지 않는다.

ⓛ 계약자 또는 피보험자의 책임 있는 사유
ⓐ 계약자 또는 피보험자가 임의 해지하는 경우
ⓑ 사기에 의한 계약, 계약의 해지(계약자 또는 피보험자의 고의로 손해가 발생한 경우나, 고지의무·통지의무 등을 해태한 경우의 해지) 또는 중대 사유로 인한 해지에 따라 계약을 취소 또는 해지하는 경우
ⓒ 보험료 미납으로 인한 계약의 효력상실

ⓒ 계약의 무효, 효력상실 또는 해지로 인하여 반환해야 할 보험료가 있을 때에는 계약자는 환급금을 청구하여야 하며, 청구일의 다음 날부터 지급일까지의 기간에 대하여 '보험개발원이 공시하는 보험계약대출이율'을 연단위 복리로 계산한 금액을 더하여 지급한다.

5) 보험금
① 종합위험 수확감소보장(9개 품목) : 마늘, 양파, 감자(고랭지재배, 봄재배, 가을재배), 고구마, 옥수수(사료용 옥수수 포함), 양배추, 콩, 팥, 차(茶) 등
ⓛ 마늘, 양파 등 9개 품목 : 경작불능 및 수확감소보장의 보험금 지급사유 및 보험금 계산은 아래와 같다.

보장	보험의 목적	보험금 지급사유	보험금 계산(지급금액)
경작불능 보장 (보통약관)	마늘, 양파, 감자(고랭지, 봄, 가을), 고구마, 옥수수, 사료용 옥수수, 양배추, 콩, 팥	보상하는 재해로 식물체 피해율이 65% 이상이고 계약자가 경작불능보험금을 신청한 경우(보험계약 소멸)	• 보험가입금액 × 일정비율 ※ 일정비율은 자기부담비율에 따른 경작불능보험금 참조 • 단, 사료용 옥수수의 경우 보험가입금액 × 보장비율 × 경과비율 ※ 자기부담비율에 따른 보장비율표 및 경과비율표 참조
수확감소 보장 (보통약관)	마늘, 양파, 고구마, 양배추, 콩, 팥, 차(茶)	보상하는 재해로 피해율이 자기부담비율을 초과하는 경우	보험가입금액×(피해율 – 자기부담비율) ※ 피해율 = (평년수확량 – 수확량 – 미보상감수량) ÷ 평년수확량
	감자(고랭지, 봄, 가을)	보상하는 재해로 피해율이 자기부담비율을 초과하는 경우	보험가입금액×(피해율 – 자기부담비율) ※ 피해율 = {(평년수확량 – 수확량 – 미보상감수량) + 병충해감수량} ÷ 평년수확량

수확감소 보장 (보통약관)	옥수수	보상하는 재해로 손해액이 자기부담금을 초과하는 경우	MIN[보험가입금액, 손해액] – 자기부담금 ※ 손해액 = 피해수확량 × 가입가격 ※ 자기부담금 = 보험가입금액 × 자기부담비율

주1) 보상하는 재해는 자연재해·조수해·화재로 발생하는 피해를 말한다. 다만, 감자(고랭지재배, 가을재배, 봄재배)는 병충해로 발생하는 피해를 포함한다.

주2) 마늘의 수확량조사 시 최대 지름이 품종별 일정 기준(한지형 2㎝, 난지형 3.5㎝) 미만인 마늘의 경우에 한하여 80%, 100% 피해로 구분한다. 80% 피해형은 해당 마늘의 피해 무게를 80%로 인정하고 100% 피해형은 해당 마늘의 피해 무게를 100% 인정한다.

주3) 양파의 수확량조사 시 최대 지름이 6㎝ 미만인 양파의 경우에 한하여 80%, 100% 피해로 구분한다. 80% 피해형은 해당 양파의 피해 무게를 80%로 인정하고 100% 피해형은 해당 양파의 피해 무게를 100% 인정한다.

주4) 양배추의 수확량조사 시 80% 피해 양배추, 100% 피해 양배추로 구분한다. 80% 피해형은 해당 양배추의 피해 무게를 80% 인정하고 100% 피해형은 해당 양배추 피해 무게를 100% 인정한다.

주5) 고구마의 수확량조사 시 품질에 따라 50%, 80%, 100% 피해로 구분한다. 50% 피해형은 피해를 50% 인정하고, 80% 피해형은 피해를 80%, 100% 피해형은 피해를 100% 인정한다.

주6) 감자(고랭지·봄·가을)의 수확량조사 시 감자 최대 지름이 5㎝ 미만이거나 50% 피해형에 해당하는 경우 해당 감자의 무게는 50%만 피해로 인정한다.

> *50% 피해형 : 보상하는 재해로 일반시장에 출하할 때 정상작물에 비해 50% 정도의 가격하락이 예상되는 작물이다.
> *80% 피해형 : 보상하는 재해로 인해 피해가 발생하여 일반시장 출하가 불가능하나, 가공용으로는 공급될 수 있는 작물을 말하며, 가공공장 공급 및 판매 여부와는 무관하다.
> *100% 피해형 : 보상하는 재해로 인해 피해가 발생하여 일반시장 출하가 불가능하고 가공용으로도 공급될 수 없는 작물을 말한다.

주7) 감자의 병충해감수량은 아래와 같이 산정한다.

> 병충해감수량 = 병충해 입은 괴경의 무게 × 손해정도비율 × 인정비율

▼ 손해정도에 따른 손해정도비율

품목	손해정도	손해정도비율
감자 (봄재배, 가을배재, 고랭지재배)	1~20%	20%
	21~40%	40%
	41~60%	60%
	61~80%	80%
	81~100%	100%

▼ 감자 병충해 등급별 인정비율

급수	종류	인정비율
1급	역병, 걀쭉병, 모자이크병, 무름병, 둘레썩음병, 가루더뎅이병, 잎말림병, 감자뿔나방	90%
2급	홍색부패병, 시들음병, 마른썩음병, 풋마름병, 줄기검은병, 더뎅이병, 균핵병, 검은무늬썩음병, 줄기기부썩음병, 진딧물류, 아메리카잎굴파리, 방아벌레류	70%
3급	반쪽시들음병, 흰비단병, 잿빛곰팡이병, 탄저병, 겹둥근무늬병, 오이총채벌레, 뿌리혹선충, 파밤나방, 큰28점박이무당벌레, 기타	50%

주8) 옥수수의 피해수확량은 피해주수에 표준중량을 곱하여 산출하되 재식시기 및 재식밀도를 감안한 값으로 한다.

> *피해주수 조사 시, 하나의 주(株)에서 가장 착립장(알달림 길이)이 긴 옥수수를 기준으로 산정한다.
> *미보상 감수량은 피해수확량 산정 시 포함하지 않는다.

주9) 자기부담비율은 보험가입 시 결정한 비율(10%, 15%, 20%, 30%, 40%)로 한다.
  (단, 양배추의 자기부담비율은 15, 20, 30, 40%로, 팥의 자기부담비율은 20, 30, 40%로 한다.)
주10) 식물체 피해율 : 식물체가 고사한 면적을 보험가입면적으로 나누어 산출한다.

ⓛ 자기부담비율에 따른 경작불능보험금 산출방식

  ⓐ 보장하는 재해로 식물체 피해율이 65% 이상이고, 계약자가 경작불능보험금을 신청한 경우 다음의 표와 같이 계산한다(사료용 옥수수 제외).

▼ 자기부담비율에 따른 경작불능보험금

자기부담비율	경작불능보험금
10%형	보험가입금액의 45%
15%형	보험가입금액의 42%
20%형	보험가입금액의 40%
30%형	보험가입금액의 35%
40%형	보험가입금액의 30%

  ⓑ 사료용 옥수수의 보장비율은 경작불능 보험금 산정에 기초가 되는 비율로 보험가입할 때 계약자가 선택한 비율로 하며, 경과비율은 사고 발생일이 속한 월에 따라 다음과 같이 계산한다.

▼ 계약자 선택에 따른 보장비율 표

구분 \ 보장비율	45%형	42%형	40%형	35%형	30%형
사료용 옥수수	45%	42%	40%	35%	30%

▼ 사고 발생일이 속한 월에 따른 경과비율 표

월별	5월	6월	7월	8월
경과비율	80%	80%	90%	100%

ⓒ 경작불능보험금을 지급한 경우 그 손해보상의 원인이 생긴 때로부터 해당 농지의 계약은 소멸된다.

② 종합위험 재파종·조기파종·재정식 보장 : 마늘, 양배추 품목의 재파종·조기파종·재정식 보험금 지급사유 및 보험금 계산은 아래와 같다.

보장	보험의 목적	보험금 지급사유	보험금 계산(지급금액)
재파종 보장 (보통약관)	마늘	보상하는 재해로 10a당 출현주수가 30,000주보다 작고, 10a당 30,000주 이상으로 재파종한 경우	보험가입금액 × 35% × 표준출현피해율 ※ 표준출현피해율(10a 기준) = (30,000 − 출현주수) ÷ 30,000
조기파종 보장 (특별약관)	제주도 지역 농지에서 재배하는 남도종 마늘	한지형 마늘 최초 판매개시일 24시 이전에 보장하는 재해로 10a당 출현주수가 30,000주보다 작고, 10월 31일 이전 10a당 30,000주 이상으로 재파종한 경우	보험가입금액 × 25% × 표준출현피해율 ※ 표준출현피해율(10a 기준) = (30,000 − 출현주수) ÷ 30,000
		한지형 마늘 최초 판매개시일 24시 이전에 보장하는 재해로 식물체 피해율이 65% 이상 발생한 경우	보험가입금액 × 일정비율 ※ 일정비율은 아래 자기부담비율에 따른 경작불능보험금 참조
		보상하는 재해로 피해율이 자기부담비율을 초과하는 경우	보험가입금액 × (피해율 − 자기부담비율) ※ 피해율 = (평년수확량 − 수확량 − 미보상감수량) ÷ 평년수확량

| 재정식 보장 (보통약관) | 양배추 | 보상하는 재해로 면적 피해율이 자기부담비율을 초과하고 재정식한 경우 | 보험가입금액 × 20% × 면적피해율
※ 면적피해율 = 피해면적 ÷ 보험 가입면적 |

▼ 자기부담비율에 따른 경작불능보험금(조기파종특약 시)

자기부담비율	경작불능보험금
10%형	보험가입금액의 32%
15%형	보험가입금액의 30%
20%형	보험가입금액의 28%
30%형	보험가입금액의 25%
40%형	보험가입금액의 25%

③ 종합위험 생산비보장·경작불능보장(7개 품목) : 메밀, 단호박, 당근, 배추(고랭지배추, 월동배추, 가을배추), 무(고랭지무, 월동무), 시금치(노지), 파(대파, 쪽파·실파) 등의 보험금 지급사유 및 보험금 계산은 아래와 같다.

보장	보험의 목적	보험금 지급사유	보험금 계산(지급금액)
경작 불능 보장 (보통약관)	메밀, 단호박, 당근, 배추(고랭지, 월동, 가을), 무(고랭지, 월동), 시금치(노지), 파(대파, 쪽파·실파)	보상하는 재해로 식물체 피해율이 65% 이상이고, 계약자가 경작불능보험금을 신청한 경우(해당 농지의 계약 소멸)	보험가입금액 × 일정비율 ※ 일정비율은 자기부담비율에 따른 경작불능보험금(아래) 참조
생산비 보장 (보통약관)		보상하는 재해로 약관에 따라 계산한 피해율이 자기부담비율을 초과하는 경우	보험가입금액 × (피해율 − 자기부담비율)

※ 식물체 피해율 : 식물체가 고사한 면적을 보험가입면적으로 나누어 산출한다.

▼ 자기부담비율에 따른 경작불능보험금

자기부담비율	경작불능보험금
20%형	보험가입금액의 40%
30%형	보험가입금액의 35%
40%형	보험가입금액의 30%

④ 종합위험 생산비보장(2개 품목) : 고추, 브로콜리 등의 보험금 지급사유 및 보험금 계산은 아래와 같다.

보장	보험의 목적	보험금 지급사유	보험금 계산(지급금액)
생산비 보장 (보통약관)	고추	보상하는 재해로 약관에 따라 계산한 생산비보장보험금이 자기부담금을 초과하는 경우	• 병충해가 없는 경우 생산비보장보험금 = (잔존보험 가입금액 × 경과비율 × 피해율) − 자기부담금 • 병충해가 있는 경우 생산비보장보험금 = (잔존보험 가입금액 × 경과비율 × 피해율 × 병충해 등급별 인정비율) − 자기부담금
	브로 콜리		(잔존보험가입금액 × 경과비율 × 피해율) − 자기부담금

주1) 보상하는 손해는 자연재해·조수해·화재로 발생하는 피해를 말한다. 다만, 고추는 병충해로 발생하는 피해를 포함한다.

주2) 경과비율, 피해율 등은 보통약관 일반조항에서 규정한 손해평가요령에 따라 조사·평가하여 산정한다.

주3) 자기부담금 = 잔존보험가입금액 × 보험가입을 할 때 계약자가 선택한 비율(3% 또는 5%)

㉠ 고추

ⓐ 잔존보험가입금액 = 보험가입금액 − 보상액(기발생 생산비보장보험금 합계액)

ⓑ 경과비율은 아래와 같이 산출한다.

㉮ 수확기 이전에 보험사고가 발생한 경우

> 준비기생산비계수 + [(1 − 준비기생산비계수) × (생장일수 ÷ 표준생장일수)]

• 준비기생산비계수는 54.4%로 한다.

• 생장일수는 정식일로부터 사고발생일까지 경과일수로 한다.

• 표준생장일수(정식일로부터 수확개시일까지 표준적인 생장일수)는 사전에 설정된 값으로 100일로 한다.

• 생장일수를 표준생장일수로 나눈 값은 1을 초과할 수 없다.

㉯ 수확기 중에 보험사고가 발생한 경우

> 1 − (수확일수 ÷ 표준수확일수)

• 수확일수는 수확개시일로부터 사고발생일까지 경과일수로 한다.

• 표준수확일수는 수확개시일로부터 수확종료일까지의 일수로 한다.

ⓒ 피해율 = 피해비율 × 손해정도비율 × (1 − 미보상비율)

※ 피해비율 : 피해면적(주수) ÷ 재배면적(주수)

ⓓ 손해정도에 따른 손해정도비율은 아래와 같다.

▼ **고추 손해정도에 따른 손해정도비율**

손해정도	1~20%	21~40%	41~60%	61~80%	81~100%
손해정도비율	20%	40%	60%	80%	100%

ⓔ 고추 병충해 등급별 인정비율은 아래와 같다.

▼ **고추 병충해 등급별 인정비율**

등급	종류	인정비율
1등급	역병, 풋마름병, 바이러스병, 세균성점무늬병, 탄저병	70%
2등급	잿빛곰팡이병, 시들음병, 담배가루이, 담배나방	50%
3등급	흰가루병, 균핵병, 무름병, 진딧물 및 기타	30%

ⓛ 브로콜리

ⓐ 잔존보험가입금액 = 보험가입금액 − 보상액(기발생 생산비보장보험금 합계액)

ⓑ 경과비율은 아래와 같이 산출한다.

㉮ 수확기 이전에 보험사고가 발생한 경우

> 준비기생산비계수 + [(1 − 준비기생산비계수) × (생장일수 ÷ 표준생장일수)]

- 준비기생산비계수는 49.5%로 한다.
- 생장일수는 정식일로부터 사고발생일까지 경과일수로 한다.
- 표준생장일수(정식일로부터 수확개시일까지 표준적인 생장일수)는 사전에 설정된 값으로 130일로 한다.
- 생장일수를 표준생장일수로 나눈 값은 1을 초과할 수 없다.

㉯ 수확기 중에 보험사고가 발생한 경우

> 1 − (수확일수 ÷ 표준수확일수)

- 수확일수는 수확개시일로부터 사고발생일까지 경과일수로 한다.
- 표준수확일수는 수확개시일로부터 수확종료일까지의 일수로 한다.

ⓒ 피해율 = 피해비율 × 작물피해율

㉮ 피해비율 : 피해면적(m^2) ÷ 재배면적(m^2)

㉯ 작물피해율은 피해면적 내 피해송이 수를 총 송이 수로 나누어 산출한다.

▼ **브로콜리 피해정도에 따른 피해인정계수**

구분	정상 밭작물	50%형 피해밭작물	80%형 피해밭작물	100%형 피해밭작물
피해인정계수	0	0.5	0.8	1

　　　　ⓓ 피해송이는 송이별로 피해 정도에 따라 위 피해인정계수를 정하며, 피해
　　　　송이 수는 피해송이별 피해인정계수의 합계로 산출한다.
⑤ **작물특정 및 시설종합위험 인삼손해보장** : 인삼 작물 및 시설의 보험금 지급사유 및
　보험금 계산은 아래와 같다.

보장	보험의 목적	보험금 지급사유	보험금 계산(지급금액)
인삼손해 보장 (보통약관)	인삼	보상하는 재해로 피해율이 자기부담비율을 초과하는 경우	보험가입금액 × (피해율 − 자기부담비율) ※ 피해율 = (1 − 수확량 ÷ 연근별 기준수확량) × (피해면적 ÷ 재배면적) ※ 2회 이상 보험사고 발생 시 지급보험금은 기발생지급보험금을 차감하여 계산
해가림시설 보장 (보통약관)	해가림 시설	보상하는 재해로 손해액이 자기부담금을 초과하는 경우	• 보험가입금액이 보험가액과 같거나 클 때 　− 보험가입금액을 한도로 손해액에서 자기부담금을 차감한 금액. 그러나 보험가입금액이 보험가액보다 클 때에는 보험가액을 한도로 함 • 보험가입금액이 보험가액보다 작을 때 　− 보험가입금액을 한도로 비례보상 = (손해액 − 자기부담금) × (보험가입금액 보험가액) ※ 손해액이란 그 손해가 생긴 때와 곳에서의 보험가액을 말함

⑥ **자기부담비율**
　㉠ 보험사고로 인하여 발생한 손해에 대하여 계약자 또는 피보험자가 부담하는 일정
　　비율로 자기부담비율 이하의 손해는 보험금이 지급되지 않는다.
　㉡ **수확감소보장 자기부담비율** : 마늘, 양파, 감자(고랭지재배, 봄재배, 가을재배),
　　고구마, 옥수수(사료용 옥수수), 양배추, 콩, 팥, 차(茶)
　　ⓐ 보험계약 시 계약자가 선택한 비율(10%, 15%, 20%, 30%, 40%)
　　　단, 양배추의 자기부담비율은 15, 20, 30, 40%로, 팥의 자기부담비율은 20,
　　　30, 40%
　　ⓑ 수확감소보장 자기부담비율 적용 기준
　　　㉮ 10%형 : 최근 3년간 연속 보험가입계약자로서 3년간 수령한 보험금이 순
　　　　보험료의 100% 이하인 경우에 한하여 선택 가능하다.
　　　㉯ 15%형 : 최근 2년간 연속 보험가입계약자로서 2년간 수령한 보험금이
　　　　순보험료의 100% 이하인 경우에 한하여 선택 가능하다.

　　　　ⓒ 20%형, 30%형, 40%형 : 제한 없음

　　ⓒ 생산비보장방식 자기부담비율 : 메밀, 단호박, 당근, 배추(고랭지·월동·가을),
　　　무(고랭지·월동), 시금치(노지), 파(대파, 쪽파·실파)

　　　→ 보험 계약 시 계약자가 선택한 비율(20%, 30%, 40%)로 한다.

　　ⓔ 생산비보장방식 자기부담비율 : 고추, 브로콜리

　　　ⓐ 보험 계약 시 계약자 선택한 비율(잔존보험가입금액의 3% 또는 5%)

　　　ⓑ 생산비보장 자기부담금 선택 기준

　　　　㉮ 3%형 : 최근 2년 연속 가입 및 2년간 수령 보험금이 순보험료의 100% 이
　　　　　하인 계약자

　　　　㉯ 5%형 : 제한 없음

⑦ 자기부담금(해가림시설)

　ⓐ 최소자기부담금(10만원)과 최대자기부담금(100만원) 범위 안에서 보험사고로 인
　　하여 발생한 손해액의 10%에 해당하는 금액을 자기부담금으로 한다.

　ⓒ 자기부담금은 1사고 단위로 적용한다.

⑧ 계약인수 관련 수확량

　ⓐ 표준수확량

　　과거의 통계를 바탕으로 지역별 기준수량에 농지별 경작요소를 고려하여 산출한
　　예상 수확량이다.

　ⓒ 평년수확량

　　ⓐ 농지의 기후가 평년 수준이고 비배관리 등 영농활동을 평년수준으로 실시하
　　　였을 때 기대할 수 있는 수확량을 말한다.

　　ⓑ 평년수확량은 자연재해가 없는 이상적인 상황에서 수확할 수 있는 수확량이
　　　아니라 평년 수준의 재해가 있다는 점을 전제로 한다.

　　ⓒ 주요 용도로는 보험가입금액의 결정 및 보험사고 발생 시 감수량 산정을 위한
　　　기준으로 활용된다.

　　ⓓ 농지(과수원) 단위로 산출하며, 가입년도 직전 5년 중 보험에 가입한 연도의
　　　실제 수확량과 표준수확량을 가입 횟수에 따라 가중평균하여 산출한다.

　　ⓔ 산출 방법은 가입 이력 여부로 구분된다.

　　　㉮ **과거수확량 자료가 없는 경우**(신규 가입) : 표준수확량의 100%를 평년수
　　　　확량으로 결정한다.

　　　㉯ **과거수확량 자료가 있는 경우**(최근 5년 이내 가입 이력 존재) : 아래 표와
　　　　같이 산출하여 결정한다.

□ 평년수확량 = ［A + （B - A） × （1 - Y / 5）］ × C / B
  - A(과거평균수확량) = ∑과거 5년간 수확량 ÷ Y
  - B(평균표준수확량) = ∑과거 5년간 표준수확량 ÷ Y
  - C(표준수확량) = 가입연도 표준수확량
  - Y = 과거수확량 산출연도 횟수(가입횟수)
  ※ 다만, 평년수확량은 보험가입연도 표준수확량의 130%를 초과할 수 없음
  ※ 옥수수, 사료용 옥수수 등 생산비보장방식 품목 제외

□ 과거수확량 산출방법
  - 조사수확량 > 평년수확량 50% → 조사수확량, 평년수확량 50% ≧ 조사수확량 → 평년수확량 50%
  ※ 사고 시에는 조사수확량 값 적용
  ※ 무사고 시에는 표준수확량의 1.1배와 평년수확량의 1.1배 중 큰 값 적용

ⓒ 가입수확량
　ⓐ 보험에 가입한 수확량으로 범위는 평년수확량의 50%~100% 사이에서 계약자가 결정한다.
　ⓑ 옥수수의 경우 표준수확량의 80%~130%에서 계약자가 결정
　ⓒ 옥수수 표준수확량 = 품종별, 지역별 표준수확량 × 재식시기지수

4. 원예시설 및 시설작물(버섯재배사 및 버섯작물 포함)

(1) 대상품목 : 농업용 시설물(버섯재배사 포함) 및 부대시설, 시설작물 22품목, 버섯작물 4품목

　1) 시설작물(22품목) : 딸기, 토마토, 오이, 참외, 풋고추, 파프리카, 호박, 국화, 수박, 멜론, 상추, 가지, 배추, 백합, 카네이션, 미나리, 시금치, 파, 무, 쑥갓, 장미, 부추
　2) 버섯작물(4품목) : 표고버섯, 느타리버섯, 새송이버섯, 양송이버섯

(2) 보장방식 : (농업용 시설물 및 부대시설) 종합위험 원예시설 손해보장방식, (버섯재배사 및 부대시설) 종합위험 버섯재배사 손해보장방식, (시설작물, 버섯작물) 종합위험 생산비보장방식

　1) 자연재해, 조수해로 인한 농업용 시설물 혹은 버섯재배사(하우스, 유리온실의 구조체 및 피복재)에 손해 발생 시 원상복구 비용을 보장하며, 화재피해는 보통약관에서 보장하지 않으며 특약 가입 시 보장한다.
　2) 부대시설 및 시설작물·버섯작물은 농업용 시설물 혹은 버섯재배사 가입 후 보험 가입이 가능하다.
　3) 가입 대상 작물로는 정식 또는 파종 후 재배 중인 22개 시설작물(육묘는 가입 불가), 종균접종 이후 4개 버섯작물(배양 중인 버섯은 가입 불가)이다.
　4) 품목별 인수 가능 세부품종은 아래와 같다.

▼ 인수 가능 품종

품목	인수 가능 품종
풋고추(시설재배)	청양고추, 오이고추, 피망, 꽈리, 하늘고추, 할라피뇨
호박(시설재배)	애호박, 주키니호박, 단호박
토마토(시설재배)	방울토마토, 대추토마토, 대저토마토, 송이토마토
배추(시설재배)	안토시아닌 배추(빨간배추)
무(시설재배)	조선무, 알타리무, 열무
파(시설재배)	실파
국화(시설재배)	거베라

(3) 상품내용

1) 보상하는 재해

구분	보상하는 재해
보통 약관	**(1) 농업용 시설물(버섯재배사 포함) 및 부대시설의 경우** ① 자연재해 – 태풍피해, 우박피해, 동상해, 호우피해, 강풍피해, 냉해(冷害), 한해(旱害), 조해(潮害), 설해(雪害), 폭염, 기타 자연재해

구분	정의
태풍피해	기상청에서 태풍주의보 이상 발령할 때 발령지역의 바람과 비로 인하여 발생하는 피해
우박피해	적란운과 봉우리적운 속에서 성장하는 얼음알갱이나 얼음덩이가 내려 발생하는 피해
동상해	서리 또는 기온의 하강으로 인하여 농작물 등이 얼어서 발생하는 피해
호우피해	평균적인 강우량 이상의 많은 양의 비로 인하여 발생하는 피해
강풍피해	강한 바람 또는 돌풍으로 인하여 발생하는 피해
한해 (가뭄피해)	장기간의 지속적인 강우 부족에 의한 토양수분 부족으로 인하여 발생하는 피해
냉해	농작물의 성장 기간 중 작물의 생육에 지장을 초래할 정도의 찬기온으로 인하여 발생하는 피해
조해	태풍이나 비바람 등의 자연현상으로 인하여 연안지대의 경지에 바닷물이 들어와서 발생하는 피해
설해	눈으로 인하여 발생하는 피해
폭염	매우 심한 더위로 인하여 발생하는 피해
기타 자연재해	상기 자연재해에 준하는 자연현상으로 발생하는 피해

	② 조수해(鳥獸害) - 새나 짐승으로 인하여 발생하는 피해 **(2) 시설작물 및 버섯작물의 경우** 아래 중 하나에 해당하는 것이 있는 경우에만 위 자연재해나 조수해로 입은 손해를 보상 　① 구조체, 피복재 등 농업용 시설물(버섯재배사)에 직접적인 피해가 발생한 경우 　② 농업용 시설물에 직접적인 피해가 발생하지 않은 자연재해로서 작물피해율이 70% 이상 발생하여 농업용 시설물 내 전체 작물의 재배를 포기하는 경우(시설작물에만 해당) 　③ 기상청에서 발령하고 있는 기상특보 발령지역의 기상특보 관련 재해로 인해 작물에 피해가 발생한 경우(시설작물에만 해당)
특별 약관	**(1) 화재** - 화재로 인하여 발생하는 피해 **(2) 화재대물배상책임** - 보험에 가입한 목적물에 발생한 화재로 인해 타인의 재물에 손해를 끼침으로서 법률상의 배상책임을 졌을 때 입은 피해

① 자연재해 : 태풍피해, 우박피해, 동상해, 호우피해, 강풍피해, 한해(가뭄피해), 냉해, 조해(潮害), 설해, 폭염, 기타 자연재해
② 조수해(鳥獸害) : 새나 짐승으로 인하여 발생하는 손해
　※ 화재 및 화재대물배상책임은 특약 가입 시 보상

2) 보상하지 않는 손해
① 계약자, 피보험자 또는 이들의 법정대리인의 고의 또는 중대한 과실
② 자연재해, 조수해가 발생했을 때 생긴 도난 또는 분실로 생긴 손해
③ 보험의 목적의 노후, 하자 및 구조적 결함으로 생긴 손해

▼ 용어의 정의

구조적 결함	출입구 미설치, 구조적 안전성이 검토되지 않는 자의적 증축·개량·개조·절단, 구조체 매설부위의 파열·부식, 내구성 및 내재해성이 현저히 떨어지는 부재의 사용 등을 말한다.

④ 보상하지 않는 재해로 제방, 댐 등이 붕괴되어 발생한 손해
⑤ 침식활동 및 지하수로 인한 손해
⑥ 수확기에 계약자 또는 피보험자의 고의 또는 중대한 과실로 시설재배 농작물을 수확하지 못하여 발생한 손해
⑦ 제초작업, 시비관리, 온도(냉·보온)관리 등 통상적인 영농활동을 하지 않아 발생한 손해

▼ 용어의 정의

시비관리	수확량 또는 품질을 높이기 위해 비료성분을 토양 중에 공급하는 것

⑧ 원인의 직접·간접을 묻지 않고 병해충으로 발생한 손해

⑨ 계약체결 시점 현재 기상청에서 발령하고 있는 기상특보 발령 지역의 기상특보 관련 재해로 인한 손해

⑩ 전쟁, 내란, 폭동, 소요, 노동쟁의 등으로 인한 손해

⑪ 보상하는 재해에 해당하지 않은 재해로 발생한 손해

⑫ 직접 또는 간접을 묻지 않고 보험의 목적인 농업용 시설물과 부대시설의 시설, 수리, 철거 등 관계 법령(국가 및 지방자치단체의 명령 포함)의 집행으로 발생한 손해

⑬ 피보험자가 파손된 보험의 목적의 수리 또는 복구를 지연함으로써 가중된 손해

⑭ 농업용 시설물이 피복재로 피복되어 있지 않는 상태 또는 그 내부가 외부와 차단되어 있지 않은 상태에서 보험의 목적에 발생한 손해

⑮ 피보험자가 농업용 시설물(부대시설 포함)을 수리 및 보수하는 중에 발생한 피해

▼ 용어의 정의

기상특보 관련 재해	태풍, 호우, 홍수, 강풍, 풍랑, 해일, 대설, 폭염 등을 포함한다.

3) 보험의 목적

① 종합위험 원예시설 손해보장

구분		보험의 목적
농업용 시설물		단동하우스(광폭형하우스를 포함), 연동하우스 및 유리(경질판)온실의 구조체 및 피복재
부대시설		모든 부대시설(단, 동산시설은 제외)
시설작물	화훼류	국화, 장미, 백합, 카네이션(절화용만 해당, 분화용 제외)
	비화훼류	딸기, 오이, 토마토, 참외, 풋고추, 호박, 수박, 멜론, 파프리카, 상추, 부추, 시금치, 가지, 배추, 파(대파·쪽파), 무, 미나리, 쑥갓

㉠ 농업용 시설물의 경우, 목재·죽재로 시공된 하우스는 제외되며, 선별장·창고·농막 등도 가입 대상에서 제외된다.

㉡ 농업용 시설물 및 부대시설의 경우, 아래의 물건은 보험의 목적에서 제외된다.

　ⓐ 시설작물을 제외한 온실 내의 동산

　ⓑ 시설작물 재배 이외의 다른 목적이나 용도로 병용하고 있는 경우, 다른 목적이나 용도로 사용되는 부분

ⓒ 부대시설은 아래의 물건을 말한다.

ⓐ 시설작물의 재배를 위하여 농업용 시설물 내부 구조체에 연결, 부착되어 외부에 노출되지 않는 시설물

ⓑ 시설작물의 재배를 위하여 농업용 시설물 내부 지면에 고정되어 이동 불가능한 시설물

ⓒ 시설작물의 재배를 위하여 지붕 및 기둥 또는 외벽을 갖춘 외부 구조체 내에 고정·부착된 시설물

※ 터널과 연동하우스의 수평 커튼도 부대시설(보온시설)로 가입

ⓔ 아래의 물건은 부대시설에서 포함되지 않는다.

ⓐ 소모품 및 동산시설 : 멀칭비닐, 터널비닐, 외부 제초비닐, 매트, 바닥재, 배지, 펄라이트, 상토, 이동식 또는 휴대할 수 있는 무게나 부피를 가지는 농기계, 육묘포트, 육묘기, 모판, 화분, 혼합토, 컨베이어, 컴프레셔, 적재기기 및 이와 비슷한 것

ⓑ 피보험자의 소유가 아닌 임차시설물 및 임차부대시설(단, 농업용 시설물 제외)

ⓒ 저온저장고, 선별기, 방범용 CCTV, 소프트웨어 및 이와 비슷한 것

ⓓ 보호장치 없이 농업용 시설물 외부에 위치한 시설물. 단, 농업용 시설물 외부에 직접 부착되어 있는 차양막과 보온재는 제외

※ 보호장치란 창고 또는 이와 유사한 것으로 시설물이 외부에 직접적으로 노출되는 것을 방지하는 장치를 말함

ⓜ 시설작물의 경우 품목별 표준생장일수와 현저히 차이 나는 생장일수(정식일(파종일)로부터 수확개시일까지의 일수)를 가지는 품종은 보험의 목적에서 제외된다.

▼ 제외 품종

품목	제외 품종
배추(시설재배)	얼갈이 배추, 쌈배추, 양배추
딸기(시설재배)	산딸기
수박(시설재배)	애플수박, 미니수박, 복수박
고추(시설재배)	홍고추
오이(시설재배)	노각
상추(시설재배)	양상추, 프릴라이스, 버터헤드(볼라레), 오버레드, 이자벨, 멀티레드, 카이피라, 아지르카, 이자트릭스, 크리스피아노

② 종합위험 버섯 손해보장

구분	보험의 목적
농업용 시설물 (버섯재배사)	단동하우스(광폭형하우스를 포함), 연동하우스 및 경량철골조 등 버섯작물 재배용으로 사용하는 구조체, 피복재 또는 벽으로 구성된 시설
부대시설	버섯작물 재배를 위하여 농업용 시설물(버섯재배사)에 부대하여 설치한 시설(단, 동산시설은 제외)
버섯작물	농업용 시설물(버섯재배사) 및 부대시설을 이용하여 재배하는 느타리버섯(균상재배, 병재배), 표고버섯(원목재배 표고버섯은 2019년 이후 종균 접종한 표고버섯에 한함, 톱밥배지재배), 새송이버섯(병재배), 양송이버섯(균상재배)

㉠ **농업용 시설물(버섯재배사)의 경우** : 목재·죽재로 시공된 하우스는 제외되며, 선별장·창고·농막 등도 가입 대상에서 제외된다.

㉡ **농업용 시설물(버섯재배사) 및 부대시설의 경우** : 아래의 물건은 보험의 목적에서 제외된다.
  ⓐ 버섯작물을 제외한 온실 내의 동산
  ⓑ 버섯재배 이외의 다른 목적이나 용도로 병용하고 있는 경우, 다른 목적이나 용도로 사용되는 부분

㉢ 부대시설은 아래의 물건을 말한다.
  ⓐ 버섯작물의 재배를 위하여 농업용 시설물 내부 구조체에 연결, 부착되어 외부에 노출되지 않는 시설물
  ⓑ 버섯작물의 재배를 위하여 농업용 시설물 내부 지면에 고정되어 이동 불가능한 시설물
  ⓒ 버섯작물의 재배를 위하여 지붕 및 기둥 또는 외벽을 갖춘 외부 구조체 내에 고정·부착된 시설물

㉣ 아래의 물건은 보험의 목적에 포함되지 않는다.
  ⓐ 소모품 및 동산시설 : 멀칭비닐, 터널비닐, 외부 제초비닐, 매트, 바닥재, 배지, 펄라이트, 상토, 이동식 또는 휴대할 수 있는 무게나 부피를 가지는 농기계, 육묘포트, 육묘기, 모판, 화분, 혼합토, 컨베이어, 컴프레셔, 적재기기 및 이와 비슷한 것
  ⓑ 피보험자의 소유가 아닌 임차시설물 및 임차부대시설(단, 농업용 시설물 제외)
  ⓒ 저온저장고, 선별기, 방범용 CCTV, 소프트웨어 및 이와 비슷한 것
  ⓓ 보호장치 없이 농업용 시설물 외부에 위치한 시설물. 단, 농업용 시설물 외부에 직접 부착되어 있는 차양막과 보온재는 제외
    ※ 보호장치란 창고 또는 이와 유사한 것으로 시설물이 외부에 직접적으로 노출되는 것을 방지하는 장치를 말함

4) 보험기간

① 종합위험 원예시설 손해보장

구분	보험의 목적		보험기간	
			보장개시	보장종료
농업용 시설물	단동하우스(광폭형하우스를 포함), 연동하우스 및 유리(경질판)온실의 구조체 및 피복재		청약을 승낙하고 제1회 보험료 납입한 때	보험증권에 기재된 보험 종료일 24시
부대시설	모든 부대시설(단, 동산시설 제외)			
시설작물	화훼류	국화, 장미, 백합, 카네이션		
	비화훼류	딸기, 오이, 토마토, 참외, 풋고추, 호박, 수박, 멜론, 파프리카, 상추, 부추, 시금치, 가지, 배추, 파(대파·쪽파), 무, 미나리, 쑥갓		

㉠ 딸기, 오이, 토마토, 참외, 풋고추, 호박, 국화, 장미, 수박, 멜론, 파프리카, 상추, 부추, 가지, 배추, 파(대파), 백합, 카네이션, 미나리 품목 : '해당 농업용 시설물 내에 농작물을 정식한 시점'과 '청약을 승낙하고 제1회 보험료를 납입한 때' 중 늦은 때를 보장개시일로 한다.

㉡ 시금치, 파(쪽파), 무, 쑥갓 품목 : '해당 농업용 시설물 내에 농작물을 파종한 시점'과 '청약을 승낙하고 제1회 보험료를 납입한 때' 중 늦은 때를 보장개시일로 한다.

② 종합위험 버섯 손해보장

구분	보험의 목적	보험기간	
		보장개시	보장종료
농업용 시설물 (버섯재배사)	단동하우스(광폭형하우스를 포함), 연동 하우스 및 경량철골조 등 버섯작물 재배용으로 사용하는 구조체, 피복재 또는 벽으로 구성된 시설	청약을 승낙하고 제1회 보험료 납입한 때	보험증권에 기재된 보험종료일 24시
부대시설	버섯작물 재배를 위하여 농업용 시설물(버섯재배사)에 부대하여 설치한 시설(단, 동산시설은 제외함)		
버섯작물	농업용 시설물(버섯재배사) 및 부대시설을 이용하여 재배하는 느타리버섯(균상재배, 병재배), 표고버섯(원목재배, 톱밥배지재배), 새송이버섯(병재배), 양송이버섯(균상재배)		

5) 보험가입금액

① 원예시설

㉠ 농업용 시설물 : 전산(電算)으로 산정된 기준보험가입금액의 90~130% 범위 내에서 결정한다.

㉡ 적산(積算)으로 기준금액 산정이 불가능한 유리온실(경량철골조), 내재해형하우스, 비규격하우스는 계약자 고지사항을 기초로 보험가입금액을 결정한다.

※ 유리온실(경량철골조)은 ㎡당 5~50만원 범위에서 가입금액의 선택이 가능하다.

㉢ 부대시설 : 계약자 고지사항을 기초로 보험가액을 추정하여 보험가입금액을 결정한다.

㉣ 시설작물 : 하우스별 연간 재배 예정인 시설작물 중 생산비가 가장 높은 작물 가액의 50~100% 범위 내에서 계약자가 가입금액을 결정한다(10% 단위).

※ 농업용 시설물 및 부대시설의 경우 재조달가액 특약 미가입 시 고지된 구조체 내용에 따라 감가율을 고려하여 시가기준으로 결정(보험사고 시 지급기준과 동일)하며, 재조달가액 특약 가입 시 재조달가액 기준으로 결정한다.

② 버섯

㉠ 버섯재배사

ⓐ 전산(電算)으로 산정된 기준 보험가입금액의 90~130% 범위 내에서 결정한다.

ⓑ 적산(積算)으로 기준금액 산정이 불가능한 버섯재배사(콘크리트조, 경량철골조), 내재해형하우스, 비규격하우스는 계약자 고지사항을 기초로 보험가입금액을 결정한다.

*버섯재배사(콘크리트조, 경량철골조)는 ㎡당 5~50만원 범위에서 가입금액의 선택이 가능하다.

㉡ 부대시설 : 계약자 고지사항을 기초로 보험가액을 추정하여 보험가입금액을 결정한다.

㉢ 버섯작물 : 하우스별 연간 재배 예정인 버섯 중 생산비가 가장 높은 버섯 가액의 50~100% 범위 내에서 계약자가 가입금액을 결정한다(10% 단위).

※ 버섯재배사 및 부대시설의 경우 재조달가액 특약 미가입 시 고지된 구조체 내용에 따라 감가율을 고려하여 시가기준으로 결정하며(보험사고 시 지급기준과 동일), 재조달가액 특약 가입 시 재조달가액 기준으로 결정한다.

6) 보험료

① 보험료의 구성 : 영업보험료는 순보험료와 부가보험료를 더하여 산출한다. 순보험료는 지급보험금의 재원이 되는 보험료이며 부가보험료는 보험회사의 경비 등으로 사용되는 보험료이다.

② 보험료의 산출

　㉠ 농업용 시설물·부대시설

　　ⓐ 주계약(보통약관)

> 적용보험료 = [(농업용 시설물 보험가입금액 × 지역별 농업용 시설물 종별 보험요율)
> 　　　　　　 + (부대시설 보험가입금액 × 지역별 부대시설 보험요율)]
> 　　　　　　 × 단기요율 적용지수

　　※ 단, 수재위험 부보장 특약에 가입한 경우에는 위 보험료의 90% 적용

　　ⓑ 화재위험보장 특별약관

> 적용보험료 = 보험가입금액 × 화재위험보장특약보험요율 × 단기요율 적용지수

　㉡ 시설작물

　　ⓐ 주계약(보통약관)

> 적용보험료 = 보험가입금액 × 지역별·종별 보험요율 × 단기요율 적용지수

　　ⓑ 화재위험보장 특별약관

> 적용보험료 = 보험가입금액 × 화재위험보장특약영업요율 × 단기요율 적용지수

　　※ 단, 수재위험 부보장 특약에 가입한 경우에는 위 보험료의 90% 적용

　㉢ 화재대물배상책임 보장 특별약관(농업용 시설물)

> 적용보험료 = 산출기초금액(12,025,000원) × 화재위험보장특약영업요율(농업용 시설물,
> 　　　　　　 부대시설) × 대물인상계수(LOL계수) × 단기요율 적용지수

　㉣ 버섯재배사·부대시설

　　ⓐ 주계약(보통약관)

> 적용보험료 = [(버섯재배사 보험가입금액 × 지역별 버섯재배사 종별 보험요율)
> 　　　　　　 + (부대시설 보험가입금액 × 지역별 부대시설 보험요율)]
> 　　　　　　 × 단기요율 적용지수

　　※ 단, 수재위험 부보장 특약에 가입한 경우에는 위 보험료의 90% 적용

　　ⓑ 화재위험보장 특별약관

> 적용보험료 = 보험가입금액 × 화재위험보장특약보험요율 × 단기요율 적용지수

ⓜ 버섯작물

ⓐ 주계약(보통약관)

> 적용보험료 = 보험가입금액 × 지역별·종별 보험요율 × 단기요율 적용지수

ⓑ 화재위험보장 특별약관

> 적용보험료 = 보험가입금액 × 화재위험보장특약영업요율 × 단기요율 적용지수

※ 단, 수재위험 부보장 특약에 가입한 경우에는 위 보험료의 90% 적용

ⓒ 표고버섯 확장위험보장 특별약관

> 적용보험료 = 보험가입금액 × 화재위험보장특약보험요율 × 단기요율 적용지수
> × 할증적용계수

ⓑ 화재대물배상책임보장 특약(버섯재배사)

> 적용보험료 = 산출기초금액(12,025,000원) × 화재위험보장특약영업요율
> × 대물인상계수(LOL계수) × 단기요율 적용지수

▼ 보험요율 차등적용에 관한 사항

종구분	상세	요율상대도
1종	경량철골조	0.70
2종	허용적설심 및 허용풍속이 지역별 내재해형 설계기준의 120% 이상인 하우스	0.80
3종	허용적설심 및 허용풍속이 지역별 내재해형 설계기준의 100% 이상 ~ 120% 미만인 하우스	0.90
4종	허용적설심 및 허용풍속이 지역별 내재해형 설계기준의 100% 미만이면서, 허용적설심 7.9cm 이상이고, 허용풍속이 10.5m/s 이상인 하우스	1.00
5종	허용적설심 7.9cm 미만이거나, 허용풍속이 10.5m/s 미만인 하우스	1.10

▼ 단기요율 적용지수

- 보험기간이 1년 미만인 단기계약에 대하여는 아래의 단기요율 적용
- 보험기간을 연장하는 경우에는 원기간에 통산하지 아니하고 그 연장기간에 대한 단기요율 적용
- 보험기간 1년 미만의 단기계약을 체결하는 경우 보험기간에 6월, 7월, 8월, 9월, 11월, 12월, 1월, 2월, 3월이 포함될 때에는 단기요율에 각월마다 10%씩 가산. 다만, 화재위험보장 특약은 가산하지 않음
- 그러나, 이 요율은 100%를 초과할 수 없음

▼ 단기요율표

보험기간	15일까지	1개월까지	2개월까지	3개월까지	4개월까지	5개월까지	6개월까지	7개월까지	8개월까지	9개월까지	10개월까지	11개월까지
단기요율	15%	20%	30%	40%	50%	60%	70%	75%	80%	85%	90%	95%

▼ 대물인상계수(LOL계수)(단위 : 백만원)

배상한도액	10	20	50	100	300	500	750	1,000	1,500	2,000	3,000
인상계수	1.00	1.56	2.58	3.45	4.70	5.23	5.69	6.12	6.64	7.00	7.12

③ 보험료의 환급
  ㉠ 이 계약이 무효, 효력상실 또는 해지된 때에는 다음과 같이 보험료를 반환한다.
    ⓐ 계약자 또는 피보험자의 책임 없는 사유에 의하는 경우 : 무효의 경우에는 납입한 계약자부담보험료의 전액, 효력상실 또는 해지의 경우 경과하지 않는 기간에 대하여 일 단위로 계산한 계약자부담보험료
    ⓑ 계약자 또는 피보험자의 책임 있는 사유에 의하는 경우 : 이미 경과한 기간에 대하여 단기요율(1년 미만의 기간에 적용되는 요율)로 계산된 보험료를 뺀 잔액. 다만 계약자, 피보험자의 고의 또는 중대한 과실로 무효가 된 때에는 보험료를 반환하지 않는다.
  ㉡ 보험기간이 1년을 초과하는 계약이 무효 또는 효력상실인 경우에는 무효 또는 효력상실의 원인이 생긴 날 또는 해지일이 속하는 보험년도의 보험료는 위 ㉠의 규정을 적용하고 그 이후의 보험년도 속하는 보험료는 전액 돌려준다.
  ㉢ 계약자 또는 피보험자의 책임 있는 사유
    ⓐ 계약자 또는 피보험자가 임의 해지하는 경우
    ⓑ 사기에 의한 계약, 계약의 해지(계약자 또는 피보험자의 고의로 손해가 발생한 경우나, 고지의무·통지의무 등을 해태한 경우의 해지) 또는 중대사유로 인한 해지에 따라 계약을 취소 또는 해지하는 경우

ⓒ 보험료 미납으로 인한 계약의 효력상실

ⓔ 계약의 무효, 효력상실 또는 해지로 인하여 반환해야 할 보험료가 있을 때에는 계약자는 환급금을 청구하여야 하며, 청구일의 다음 날부터 지급일까지의 기간에 대하여 '보험개발원이 공시하는 보험계약대출이율'을 연단위 복리로 계산한 금액을 더하여 지급한다.

7) 보험금

① 농업용 시설물(버섯재배사 포함) 및 부대시설 : 농업용 시설물 및 부대시설의 보장종류, 보험금 지급사유 및 보험금 계산은 아래와 같다.

보장	보험의 목적	보험금 지급사유	보험금 계산(지급금액)
농업용 시설물 손해보장 (보통약관)	농업용 시설물 (버섯재배사) 및 부대시설	보상하는 손해로 손해액이 자기부담을 초과하는 경우(1사고당)	• 손해액의 계산 : 손해가 생긴 때와 곳에서의 가액에 따라 계산함 • 보험금 산출 방법 : 1사고마다 손해액이 자기부담금을 초과한 경우 보험가입금액을 한도로 손해액에서 자기부담금을 차감하여 계산함 ※ 보험금 = (손해액 − 자기부담금)

※ 재조달가액 보장 특약을 가입하지 않거나, 수리 또는 복구를 하지 않는 경우 경년감가율을 적용한 시가(감가상각된 금액)로 보상

② 시설작물 : 시설작물의 보장종류, 보험금 지급사유 및 보험금 계산은 아래와 같다.

보장	보험의 목적	보험금 지급사유	보험금 계산(지급금액)
생산비 보장 (보통약관)	딸기, 토마토, 오이, 참외, 풋고추, 파프리카, 호박, 국화, 수박, 멜론, 상추, 가지, 배추, 백합, 카네이션, 미나리	보상하는 재해로 1사고마다 생산비보장 보험금이 10만원을 초과할 때	피해작물 재배면적 × 피해작물 단위면적당 보장생산비 × 경과비율 × 피해율
	장미		• 나무가 죽지 않은 경우 장미 재배면적 × 장미 단위면적당 나무생존 시 보장생산비 × 피해율 • 나무가 죽은 경우 장미 재배면적 × 장미 단위면적당 나무고사 보장생산비 × 피해율

부추		부추 재배면적 × 부추 단위면적당 보장생산비 × 피해율 × 70%
시금치, 파, 무, 쑥갓		피해작물 재배면적 × 피해작물 단위면적당 보장생산비 × 경과비율 × 피해율

※ 단, 일부보험일 경우 비례보상 적용

③ 버섯작물 : 버섯작물의 보장종류, 보험금 지급사유 및 보험금 계산은 아래와 같다.

보장	보험의 목적	보험금 지급사유	보험금 계산(지급금액)
생산비 보장 (보통약관)	표고버섯 (원목재배)	보상하는 재해로 1사고마다 생산비보장 보험금이 10만원을 초과할 때	재배원목(본)수 × 원목(본)당 보장생산비 × 피해율
	표고버섯 (톱밥배지재배)		재배배지(봉)수 × 배지(봉)당 보장생산비 × 경과비율 × 피해율
	느타리버섯 (균상재배)		재배면적 × 느타리버섯(균상재배) 단위면적당 보장생산비 × 경과비율 × 피해율
	느타리버섯 (병재배)		재배병수 × 병당보장생산비 × 경과비율 × 피해율
	새송이버섯 (병재배)		재배병수 × 병당보장생산비 × 경과비율 × 피해율
	양송이버섯 (균상재배)		재배면적 × 단위면적당 보장생산비 × 경과비율 × 피해율

※ 단, 일부보험일 경우 비례보상 적용

8) 자기부담금

> 최소자기부담금(30만원)과 최대자기부담금(100만원)을 한도로 보험사고로 인하여 발생한 손해액의 10%에 해당하는 금액을 자기부담금으로 한다. 단, 피복재단독사고는 최소자기부담금(10만원)과 최대자기부담금(30만원)을 한도로 한다.

① 농업용 시설물(버섯재배사 포함)과 부대시설 모두를 보험의 목적으로 하는 보험계약은 두 보험의 목적의 손해액 합계액을 기준으로 자기부담금을 산출한다.
② 자기부담금은 단지 단위, 1사고 단위로 적용한다.
③ 화재손해는 자기부담금을 미적용한다(농업용 시설물, 부대시설에 한함).
④ 소손해면책금(시설작물 및 버섯작물에 적용) : 보장하는 재해로 1사고당 생산비보험금이 10만원 이하인 경우 보험금이 지급되지 않고, 소손해면책금을 초과하는 경우 손해액 전액을 보험금으로 지급한다.

9) 특별약관
① 재조달가액 보장 특별약관(농업용 시설물 및 버섯재배사, 부대시설)
  ㉠ 손해의 보상 : 보상하는 재해로 보험의 목적 중 농업용 시설물 및 버섯재배사, 부대시설에 손해가 생긴 때에는 이 특별약관에 따라 재조달 기준으로 손해액을 보상한다.
  ※ 재조달 가액 : 보험의 목적과 동형, 동질의 신품을 재조달하는 데 소요되는 금액
  ㉡ 보상하지 않는 손해
    ⓐ 계약자, 피보험자 또는 이들의 법정대리인의 고의 또는 중대한 과실
    ⓑ 자연재해, 조수해가 발생했을 때 생긴 도난 또는 분실로 생긴 손해
    ⓒ 보험의 목적의 노후, 하자 및 구조적 결함으로 생긴 손해
    ⓓ 보상하지 않는 재해로 제방, 댐 등이 붕괴되어 발생한 손해
    ⓔ 침식 활동 및 지하수로 인한 손해
    ⓕ 수확기에 계약자 또는 피보험자의 고의 또는 중대한 과실로 시설재배 농작물을 수확하지 못하여 발생한 손해
    ⓖ 제초작업, 시비관리, 온도(냉·보온)관리 등 통상적인 영농활동을 하지 않아 발생한 손해
    ⓗ 원인의 직접·간접을 묻지 않고 병해충으로 발생한 손해
    ⓘ 계약체결 시점 현재 기상청에서 발령하고 있는 기상특보 발령 지역의 기상특보 관련 재해로 인한 손해
    ⓙ 전쟁, 내란, 폭동, 소요, 노동쟁의 등으로 인한 손해
    ⓚ 보상하는 재해에 해당하지 않은 재해로 발생한 손해
    ⓛ 직접 또는 간접을 묻지 않고 보험의 목적인 농업용 시설물과 부대시설의 시설, 수리, 철거 등 관계법령(국가 및 지방자치단체의 명령 포함)의 집행으로 발생한 손해
    ⓜ 피보험자가 파손된 보험의 목적의 수리 또는 복구를 지연함으로써 가중된 손해
    ⓝ 농업용 시설물이 피복재로 피복되어 있지 않는 상태 또는 그 내부가 외부와 차단되어 있지 않은 상태에서 보험의 목적에 발생한 손해
    ⓞ 피보험자가 농업용 시설물(부대시설 포함)을 수리 및 보수하는 중에 발생한 피해
② 화재위험보장 특별약관(농업용 시설물 및 버섯재배사, 부대시설, 시설·버섯작물)
  ㉠ 보상하는 손해 : 화재로 입은 손해
  ㉡ 보상하지 않는 손해
    ⓐ 계약자, 피보험자 또는 이들의 법정대리인의 고의 또는 중대한 과실로 인한 손해
    ⓑ 보상하는 재해가 발생했을 때 생긴 도난 또는 분실로 생긴 손해
    ⓒ 보험의 목적의 발효, 자연발열, 자연발화로 생긴 손해. 그러나, 자연발열 또는 자연발화로 연소된 다른 보험의 목적에 생긴 손해는 보상

ⓓ 화재로 기인되지 않은 수도관, 수관 또는 수압기 등의 파열로 생긴 손해

ⓔ 발전기, 여자기(정류기 포함), 변류기, 변압기, 전압조정기, 축전기, 개폐기, 차단기, 피뢰기, 배전반 및 그 밖의 전기기기 또는 장치의 전기적 사고로 생긴 손해. 그러나 그 결과로 생긴 화재손해는 보상

ⓕ 원인의 직접·간접을 묻지 않고 지진, 분화 또는 전쟁, 혁명, 내란, 사변, 폭동, 소요, 노동쟁의, 기타 이들과 유사한 사태로 생긴 화재 및 연소 또는 그 밖의 손해

ⓖ 핵연료물질 또는 핵연료물질에 의하여 오염된 물질의 방사성, 폭발성 그 밖의 유해한 특성 또는 이들의 특성에 의한 사고로 인한 손해

ⓗ 이외의 방사선을 쬐는 것 또는 방사능 오염으로 인한 손해

ⓘ 국가 및 지방자치단체의 명령에 의한 재산의 소각 및 이와 유사한 손해

▼ 용어의 정의

핵연료물질	사용된 연료를 포함한다.
핵연료물질에 의하여 오염된 물질	원자핵 분열 생성물을 포함한다.

③ 화재대물배상책임 특별약관(농업용 시설물 및 버섯재배사, 부대시설)

ㄱ 가입 대상 : 이 특별약관은 '화재위험보장 특별약관'에 가입한 경우에 한하여 가입할 수 있다.

ㄴ 지급사유 : 피보험자가 보험증권에 기재된 농업용 시설물 및 부대시설 내에서 발생한 화재사고로 인하여 타인의 재물을 망가트려 법률상의 배상책임이 발생한 경우

ㄷ 지급한도 : 화재대물배상책임 특약 가입금액 한도

④ 수재위험 부보장 특별약관(농업용 시설물 및 버섯재배사, 부대시설, 시설·버섯작물)

ㄱ 상습 침수구역, 하천부지 등에 있는 보험의 목적에 한하여 적용한다.

ㄴ 홍수, 해일, 집중호우 등 수재에 의하거나 또는 이들 수재의 방재와 긴급피난에 필요한 조치로 보험의 목적에 생긴 손해는 보상하지 않는다.

⑤ 표고버섯 확장위험 담보 특별약관(표고버섯) : 보상하는 손해에서 정한 규정에도 불구하고, 다음 중 하나 이상에 해당하는 경우에 한하여 자연재해 및 조수해로 입은 손해를 보상한다.

ㄱ 농업용 시설물(버섯재배사)에 직접적인 피해가 발생하지 않은 자연재해로서 작물 피해율이 70% 이상 발생하여 농업용 시설물 내 전체 시설재배 버섯의 재배를 포기하는 경우

ㄴ 기상청에서 발령하고 있는 기상특보 발령 지역의 기상특보 관련 재해로 인해 작물에 피해가 발생한 경우

10) 계약의 소멸

① 손해를 보상하는 경우에는 그 손해액이 한 번의 사고에 대하여 보험 가입금액 미만인 때에는 이 계약의 보험가입금액은 감액되지 않으며, 보험가입금액 이상인 때에는 그 손해보상의 원인이 생긴 때로부터 보험의 목적(농업용 시설물 및 버섯재배사, 부대시설)에 대한 계약은 소멸한다. 이 경우 환급보험료는 발생하지 않는다.

② 위 ①의 손해액에는 보상하는 손해의 '기타 협력비용'은 제외한다.

5. 농업수입보장

(1) 대상품목 : 포도, 마늘, 양파, 감자(가을재배), 고구마, 양배추, 콩

(2) 보장방식 : 수확량감소 및 가격하락으로 인한 농업수입감소 보장

1) 농업수입보장방식은 농작물의 수확량 감소나 가격 하락으로 농가 수입이 일정 수준 이하로 하락하지 않도록 보장하는 보험이다. 기존 농작물재해보험에 농산물가격하락을 반영한 농업수입 감소를 보장한다.

2) 농업수입감소보험금 산출 시 가격은 기준가격과 수확기가격 중 낮은 가격을 적용한다. 따라서 실제수입을 산정할 때 실제수확량이 평년수확량보다 적은 경우 수확기가격이 기준가격을 초과하더라도 수확량감소에 의한 손해는 농업수입감소보험금으로 지급 가능하다.

(3) 상품내용

1) 보상하는 손해

가입대상 품목	보상하는 손해 및 가격하락
포도	자연재해, 조수해, 화재, 가격하락 (비가림시설 화재의 경우, 특약 가입 시 보상)
마늘, 양파, 고구마, 양배추, 콩	자연재해, 조수해, 화재, 가격하락
감자(가을재배)	자연재해, 조수해, 화재, 병충해, 가격하락

① 자연재해 : 태풍피해, 우박피해, 동상해, 호우피해, 강풍피해, 한해(가뭄피해), 냉해, 조해(潮害), 설해, 폭염, 기타 자연재해

② 조수해(鳥獸害) : 새나 짐승으로 인하여 발생하는 손해

③ 화재 : 화재로 인한 피해

④ 병충해 : 병 또는 해충으로 인하여 발생하는 피해[감자(가을재배)만 해당]

⑤ 가격하락 : 기준가격보다 수확기 가격이 하락하여 발생하는 피해

2) 보상하지 않는 손해 - 포도 품목 외
① 계약자, 피보험자 또는 이들의 법정대리인의 고의 또는 중대한 과실로 인한 손해
② 수확기에 계약자 또는 피보험자의 고의 또는 중대한 과실로 수확하지 못하여 발생한 손해
③ 제초작업, 시비 관리 등 통상적인 영농활동을 하지 않아 발생한 손해
④ 원인의 직·간접을 묻지 않고 병해충으로 발생한 손해. 다만, 감자(가을재배)는 제외
⑤ 보상하지 않는 재해로 제방, 댐 등이 붕괴되어 발생한 손해
⑥ 하우스, 부대시설 등의 노후 및 하자로 생긴 손해
⑦ 계약체결 시점(단, 계약체결 이후 파종 또는 정식 시, 파종 또는 정식시점) 현재 기상청에서 발령하고 있는 기상특보 발령 지역의 기상특보 관련 재해로 인한 손해
⑧ 보상하는 재해에 해당하지 않은 재해로 발생한 손해
⑨ 개인 또는 법인의 행위가 직접적인 원인이 되어 수확기가격이 하락하여 발생한 손해
⑩ 저장성 약화 또는 저장, 건조 및 유통 과정 중에 나타나거나 확인된 손해
⑪ 전쟁, 혁명, 내란, 사변, 폭동, 소요, 노동쟁의, 기타 이들과 유사한 사태로 생긴 손해

3) 보상하지 않는 손해 - 포도 품목
① 계약자, 피보험자 또는 이들의 법정대리인의 고의 또는 중대한 과실
② 자연재해, 조수해가 발생했을 때 생긴 도난 또는 분실로 생긴 손해
③ 보험의 목적의 노후 및 하자로 생긴 손해
④ 보상하지 않는 재해로 제방, 댐 등이 붕괴되어 발생한 손해
⑤ 침식활동 및 지하수로 인한 손해
⑥ 수확기에 계약자 또는 피보험자의 고의 또는 중대한 과실로 시설재배 농작물을 수확하지 못하여 발생한 손해
⑦ 제초작업, 시비관리 등 통상적인 영농활동을 하지 않아 발생한 손해
⑧ 원인의 직접·간접을 묻지 않고 병해충으로 발생한 손해
⑨ 계약체결 시점 현재 기상청에서 발령하고 있는 기상특보 발령 지역의 기상특보 관련 재해로 인한 손해
⑩ 전쟁, 내란, 폭동, 소요, 노동쟁의 등으로 인한 손해
⑪ 보상하는 재해에 해당하지 않은 재해로 발생한 손해
⑫ 직접 또는 간접을 묻지 않고 보험의 목적인 농업용 시설물의 시설, 수리, 철거 등 관계법령(국가 및 지방자치단체의 명령 포함)의 집행으로 발생한 손해
⑬ 피보험자가 파손된 보험의 목적의 수리 또는 복구를 지연함으로써 가중된 손해
⑭ 개인 또는 법인의 행위가 직접적인 원인이 되어 수확기가격이 하락하여 발생한 손해

4) 보험 기간

보장	보험의 목적	대상재해	보험기간	
			보장개시	보장종료
재파종 보장	마늘	자연재해, 조수해, 화재	계약체결일 24시	판매개시연도 10월 31일
재정식 보장	양배추	자연재해, 조수해, 화재	정식완료일 24시 다만, 보험계약시 정식완료일이 경과한 경우에는 계약체결일 24시이며 정식완료일은 판매개시연도 9월 30일을 초과할 수 없음	재정식 종료 시점 다만, 판매개시연도 10월 15일을 초과할 수 없음
경작 불능 보장	콩	자연재해, 조수해, 화재	계약체결일 24시	종실비대기 전
	감자 (가을 재배)	자연재해, 조수해, 화재, 병충해	파종완료일 24시 다만, 보험계약 시 파종완료일이 경과한 경우에는 계약체결일 24시	수확 개시 시점
	양배추	자연재해, 조수해, 화재	정식완료일 24시 다만, 보험계약 시 정식완료일이 경과한 경우에는 계약체결일 24시이며 정식완료일은 판매개시연도 9월 30일을 초과할 수 없음	
	마늘, 양파, 고구마	자연재해, 조수해, 화재	계약체결일 24시	
농업수입 감소보장	감자 (가을 재배)	자연재해, 조수해, 화재, 병충해	파종완료일 24시 다만, 보험계약 시 파종완료일이 경과한 경우에는 계약체결일 24시	수확기종료 시점 다만, 판매개시연도 11월 30일을 초과할 수 없음
	양배추	자연재해, 조수해, 화재	정식완료일 24시 다만, 보험계약 시 정식완료일이 경과한 경우에는 계약체결일 24시이며 정식완료일은 판매개시연도 9월 30일을 초과할 수 없음	수확기종료 시점 다만, 아래의 날짜를 초과할 수 없음 • 극조생, 조생 : 이듬해 2월 28일 • 중생 : 이듬해 3월 15일 • 만생 : 이듬해 3월 31일

				수확기종료 시점 다만, 아래 날짜를 초과할 수 없음 • 콩 : 판매개시연도 11월 30일 • 양파, 마늘 : 이듬해 6월 30일 • 고구마 : 판매개시연도 10월 31일
농업수입 감소보장	마늘, 양파, 고구마, 콩	자연재해, 조수해, 화재	계약체결일 24시	
	마늘, 양파, 고구마, 콩	가격하락	계약체결일 24시	수확기가격 공시시점
	감자 (가을재배)		파종완료일 24시 다만, 보험계약 시 파종완료일이 경과한 경우에는 계약체결일 24시	
	양배추		정식완료일 24시 다만, 보험계약 시 정식완료일이 경과한 경우에는 계약체결일 24시이며 정식완료일은 판매개시연도 9월 30일을 초과할 수 없음	
	포도	자연재해, 조수해, 화재	계약체결일 24시	수확기종료 시점 다만, 이듬해 10월 10일을 초과할 수 없음
		가격하락	계약체결일 24시	수확기가격 공시시점
	비가림시설	자연재해, 조수해	계약체결일 24시	이듬해 10월 10일
화재위험 보장 (특별약관)	비가림시설	화재	계약체결일 24시	이듬해 10월 10일
나무손해 보장 (특별약관)	포도	자연재해, 조수해, 화재	판매개시연도 12월 1일 다만, 12월 1일 이후 보험에 가입하는 경우에는 계약체결일 24시	이듬해 11월 30일

수확량 감소 추가보장 (특별약관)	포도	자연재해, 조수해, 화재	계약체결일 24시	수확기종료 시점 다만, 10월 10일을 초과 할 수 없음

※ "판매개시연도"는 해당 품목 판매개시일이 속하는 연도를 말하며, "이듬해"는 판매개시연도의 다음 연도를 말한다.

5) 보험가입금액

가입수확량에 기준(가입)가격을 곱하여 산정한 금액(만원 단위 미만 절사)으로 한다.

> 보험가입금액 = 가입수확량 × 기준(가입)가격

6) 보험료

① 보험료의 구성 : 영업보험료는 순보험료와 부가보험료를 더하여 산출한다. 순보험료는 지급보험금의 재원이 되는 보험료이며 부가보험료는 보험회사의 경비 등으로 사용되는 보험료이다.

> 영업보험료 = 순보험료 + 부가보험료

㉠ 정부보조보험료는 순보험료의 50%와 부가보험료의 100%를 지원한다.

㉡ 지자체지원보험료는 지자체별로 지원금액(비율)을 결정한다.

② 보험료의 산출

㉠ 농업수입감소보장(9개 품목) : 포도, 마늘, 양파, 감자(가을재배), 고구마, 양배추, 콩

㉡ 농업수입감소보장 보통약관 적용보험료

> 보통약관 보험가입금액 × 지역별 보통약관 영업요율
> × (1 ± 손해율에 따른 할인·할증률) × (1 - 방재시설할인율)

※ 고구마 품목의 경우 방재시설할인율 미적용

※ 손해율에 따른 할인·할증은 계약자를 기준으로 판단

※ 손해율에 따른 할인·할증폭은 -30%~+50%로 제한

※ 품목별 방재시설할인율은 PART 04 CHAPTER 01 참조

③ 보험료의 환급

㉠ 이 계약이 무효, 효력상실 또는 해지된 때에는 다음과 같이 보험료를 반환한다.

ⓐ 계약자 또는 피보험자의 책임 없는 사유에 의하는 경우 : 무효의 경우에는 납입한 계약자부담보험료의 전액, 효력상실 또는 해지의 경우에는 해당 월 미경과비율에 따라 아래와 같이 '환급보험료'를 계산한다.

> 환급보험료 = 계약자부담보험료 × 미경과비율〈별표〉
> ※ 계약자부담보험료는 최종 보험가입금액 기준으로 산출한 보험료 중 계약자가 부담한 금액

ⓑ 계약자 또는 피보험자의 책임 있는 사유에 의하는 경우 : 계산한 해당 월 미경과비율에 따른 환급보험료. 다만 계약자, 피보험자의 고의 또는 중대한 과실로 무효가 된 때에는 보험료를 반환하지 않는다.

ⓛ 계약자 또는 피보험자의 책임 있는 사유

　　ⓐ 계약자 또는 피보험자가 임의 해지하는 경우

　　ⓑ 사기에 의한 계약, 계약의 해지(계약자 또는 피보험자의 고의로 손해가 발생한 경우나, 고지의무·통지의무 등을 해태한 경우의 해지) 또는 중대사유로 인한 해지에 따라 계약을 취소 또는 해지하는 경우

　　ⓒ 보험료 미납으로 인한 계약의 효력상실

ⓒ 계약의 무효, 효력상실 또는 해지로 인하여 반환해야 할 보험료가 있을 때에는 계약자는 환급금을 청구하여야 하며, 청구일의 다음 날부터 지급일까지의 기간에 대하여 '보험개발원이 공시하는 보험계약대출이율'을 연단위 복리로 계산한 금액을 더하여 지급한다.

7) 보험금

① 포도 : 농업수입보장보험 포도 품목의 보장별 보험금 지급사유 및 보험금 계산은 아래와 같다.

보장	보험의 목적	보험금 지급사유	보험금 계산(지급금액)
농업수입 감소보장 (보통약관)	포도	보상하는 재해로 피해율이 자기부담비율을 초과하는 경우	보험가입금액 × (피해율 − 자기부담비율) ※ 피해율 = (기준수입 − 실제수입) ÷ 기준수입 ※ 기준수입 = 평년수확량 × 기준가격
	비가림 시설	자연재해, 조수해로 인하여 비가림시설에 손해가 발생한 경우	Min(손해액 − 자기부담금, 보험가입금액) ※ 자기부담금 : 최소자기부담금(30만원)과 최대자기부담금(100만원)을 한도로 보험사고로 인하여 발생한 손해액(비가림시설)의 10%에 해당하는 금액. 다만, 피복재단독사고는 최소자기부담금(10만원)과 최대 자기부담금(30만원)을 한도로 함(단, 화재손해는 자기부담금 적용하지 않음)
화재위험보장 (특별약관)	비가림 시설	화재로 인하여 비가림 시설에 손해가 발생한 경우	

나무손해 보장 (특별약관)	포도	보상하는 재해로 나무에 자기부담비율을 초과하는 손해가 발생한 경우	보험가입금액 × (피해율 − 자기부담비율) ※ 피해율 = 피해주수(고사된 나무) ÷ 실제결과주수 ※ 자기부담비율은 5%로 함
수확량감소 추가보장 (특별약관)	포도	보상하는 재해로 피해율이 자기부담비율을 초과하는 경우	보험가입금액 × (피해율 × 10%) ※ 피해율 = (평년수확량 − 수확량 − 미보상감수량) ÷ 평년수확량

㉠ 포도

ⓐ 기준수입은 평년수확량에 기준가격을 곱하여 산출한다.

ⓑ 실제수입은 수확기에 조사한 수확량(조사를 실시하지 않은 경우 평년수확량)과 미보상감수량의 합에 기준가격과 수확기가격 중 작은 값을 곱하여 산출한다.

ⓒ 포도의 경우 착색불량된 송이는 상품성 저하로 인한 손해로 보아 감수량에 포함되지 않는다.

㉡ 비가림시설

ⓐ 손해액은 그 손해가 생긴 때와 곳에서의 가액에 따라 계산한다.

ⓑ 1사고마다 재조달가액 기준으로 계산한 손해액에서 자기부담금을 차감한 금액을 보험가입금액 한도 내에서 보상한다.

ⓒ 보험의 목적이 손해를 입은 장소에서 실제로 수리 또는 복구되지 않은 때에는 재조달가액에 의한 보상을 하지 않고 시가(감가상각된 금액)로 보상한다.

② 마늘, 양파, 감자(가을재배), 고구마, 양배추, 콩 : 농업수입보장보험 마늘, 양파, 감자, 고구마, 양배추, 콩 품목의 보장별 보험금 지급사유 및 보험금 계산은 아래와 같다.

보장	보험의 목적	보험금 지급사유	보험금 계산(지급금액)
재파종 보장 (보통약관)	마늘	보상하는 재해로 10a당 출현주수가 30,000주보다 작고, 10a당 30,000주 이상으로 재파종한 경우	보험가입금액 × 35% × 표준출현피해율 ※ 표준출현피해율(10a 기준) = (30,000 − 출현주수) ÷ 30,000
재정식 보장 (보통약관)	양배추	보상하는 재해로 면적피해율이 자기부담비율을 초과하고 재정식한 경우	보험가입금액 × 20% × 면적피해율 ※ 면적피해율 = 피해면적 ÷ 보험가입면적
경작불능 보장 (보통약관)	마늘, 양파, 감자 (가을재배), 콩, 고구마, 양배추	보상하는 재해로 식물체 피해율이 65% 이상이고, 계약자가 경작불능보험금을 신청한 경우(해당 농지 보험계약 소멸)	보험가입금액 × 일정비율 ※ 일정비율은 자기부담비율에 따른 경작불능보험금(아래) 참조

| 농업수입 감소보장 (보통약관) | 마늘, 양파, 감자 (가을재배), 콩, 고구마, 양배추 | 보상하는 재해로 피해율이 자기부담비율을 초과하는 경우 | 보험가입금액 × (피해율 - 자기부담비율) ※ 피해율 = (기준수입 - 실제수입) ÷ 기준수입 |

주1) 식물체 피해율 : 식물체가 고사한 면적을 보험가입면적으로 나누어 산출한다.

주2) 기준수입은 평년수확량에 기준가격을 곱하여 산출한다.

주3) 실제수입은 수확기에 조사한 수확량과 미보상감수량의 합에 기준가격과 수확기가격 중 작은 값을 곱하여 산출한다.

주4) 보상하는 재해로 보험의 목적에 손해가 생긴 경우에도 불구하고 계약자 또는 피보험자의 고의로 수확기에 수확량조사를 하지 못하여 수확량을 확인할 수 없는 경우에는 농업수입감소보험금을 지급하지 않는다.

▼ 자기부담비율에 따른 경작불능보험금

자기부담비율	경작불능보험금
20%형	보험가입금액의 40%
30%형	보험가입금액의 35%
40%형	보험가입금액의 30%

8) 자기부담비율

① 보험사고로 인하여 발생한 손해에 대하여 계약자 또는 피보험자가 부담하는 일정비율(금액)로 자기부담비율(금) 이하의 손해는 보험금이 지급되지 않는다.

② 수입감소보장 자기부담비율

㉠ 보험계약 시 계약자가 선택한 비율(20%, 30%, 40%)

㉡ 20%형, 30%형, 40%형 : 제한 없음

9) 가격 조항

기준가격과 수확기가격은 농림축산식품부의 농업수입보장보험 사업시행지침에 따라 산출한다.

① 품목 : 콩

㉠ 기준가격과 수확기가격의 산출

ⓐ 기준가격과 수확기가격은 콩의 용도 및 품종에 따라 장류 및 두부용(백태), 밥밑용(서리태), 밥밑용(흑태 및 기타), 나물용으로 구분하여 산출한다.

ⓑ 가격산출을 위한 기초통계와 기초통계 기간은 아래와 같다.

용도	품종	기초통계	기초통계 기간
장류 및 두부용	전체	서울 양곡도매시장의 백태(국산) 가격	수확연도 11월 1일부터 익년 1월 31일까지
밥밑용	서리태	서울 양곡도매시장의 서리태 가격	
	흑태 및 기타	서울 양곡도매시장의 흑태 가격	
나물용	전체	제주도 지역농협의 평균 수매가격	

ⓛ 기준가격의 산출

ⓐ 장류 및 두부용, 밥밑용

㉮ 서울 양곡도매시장의 연도별 중품과 상품 평균가격의 보험가입 직전 5년 올림픽평균값에 농가수취비율을 곱하여 산출한다. 평균가격 산정 시 중품 및 상품 중 어느 하나의 자료가 없는 경우, 있는 자료만을 이용하여 평균 가격을 산정한다. 양곡도매시장의 가격이 존재하지 않는 경우, 전국 지역 농협의 평균 수매가격을 활용하여 산출한다.

㉯ 연도별 평균가격은 연도별 기초통계 기간의 일별 가격을 평균하여 산출한다.

※ 올림픽평균값 : 연도별 평균가격 중 최댓값과 최솟값을 제외하고 남은 값들의 산술평균

※ 농가수취비율 : 도매시장 가격에서 유통비용 등을 차감한 농가수취가 격이 차지하는 비율로 사전에 결정된 값

ⓑ 나물용

㉮ 제주도 지역농협의 보험가입 직전 5년 연도별 평균수매가를 올림픽 평균하여 산출한다.

㉯ 연도별 평균수매가는 지역농협별 수매량과 수매금액을 각각 합산하고, 수 매금액의 합계를 수매량 합계로 나누어 산출한다.

ⓒ 수확기가격의 산출

ⓐ 장류 및 두부용, 밥밑용 : 수확연도의 서울 양곡도매시장 중품과 상품 평균가 격에 농가수취비율을 곱하여 산출한다. 양곡도매시장의 가격이 존재하지 않 는 경우, 전국 지역농협의 평균 수매가격을 활용하여 산출한다.

ⓑ 나물용 : 기초통계 기간 동안 제주도 지역농협의 평균 수매가격으로 한다.

ⓓ 하나의 농지에 2개 이상 용도(또는 품종)의 콩이 식재된 경우에는 기준가격과 수 확기가격을 해당 용도(또는 품종)의 면적의 비율에 따라 가중 평균하여 산출한다.

② 품목 : 양파

　㉠ 기준가격과 수확기가격의 산출

　　ⓐ 기준가격과 수확기가격은 보험에 가입한 양파 품종의 숙기에 따라 조생종, 중만생종으로 구분하여 산출한다.

　　ⓑ 가격산출을 위한 기초통계와 기초통계 기간은 아래와 같다.

가격 구분	기초통계	기초통계 기간
조생종	서울시 농수산식품공사 가락도매시장 가격	4월 1일부터 5월 10일까지
중만생종		6월 1일부터 7월 10일까지

　㉡ 기준가격의 산출

　　ⓐ 서울시 농수산식품공사 가락도매시장 연도별 중품과 상품 평균가격의 보험가입 직전 5년(가입연도 포함) 올림픽평균값에 농가수취비율을 곱하여 산출한다.

　　ⓑ 연도별 평균가격은 연도별 기초통계 기간의 일별 가격을 평균하여 산출한다.

　㉢ 수확기가격의 산출 : 수확연도의 서울시 농수산식품공사의 가락도매시장 중품과 상품 평균가격에 농가수취비율을 곱하여 산출한다.

③ 품목 : 고구마

　㉠ 기준가격과 수확기가격의 산출

　　ⓐ 기준가격과 수확기가격은 고구마의 품종에 따라 호박고구마, 밤고구마로 구분하여 산출한다.

　　ⓑ 가격산출을 위한 기초통계와 기초통계 기간은 아래와 같다.

품종	기초통계	기초통계 기간
밤고구마	서울시 농수산식품공사 가락도매시장 가격	8월 1일부터
호박고구마		9월 31일까지

　㉡ 기준가격의 산출

　　ⓐ 서울시 농수산식품공사 가락도매시장의 연도별 중품과 상품 평균가의 보험가입 직전 5년 올림픽평균값에 농가수취비율을 곱하여 산출한다.

　　ⓑ 연도별 평균가격은 연도별 기초통계 기간의 일별 가격을 평균하여 산출한다.

　㉢ 수확기가격의 산출

　　ⓐ 수확연도의 서울시 농수산식품공사 가락도매시장의 중품과 상품 평균가격에 농가수취비율을 곱하여 산출한다.

　　ⓑ 하나의 농지에 2개 이상 용도(또는 품종)의 고구마가 식재된 경우에는 기준가격과 수확기가격을 해당 용도(또는 품종)의 면적의 비율에 따라 가중하여 산출한다.

④ 품목 : 감자(가을재배)
  ㉠ 기준가격과 수확기가격의 산출
    ⓐ 기준가격과 수확기가격은 보험에 가입한 감자(가을재배) 품종 중 대지마를 기준으로 하여 산출한다.
    ⓑ 가격산출을 위한 기초통계와 기초통계 기간은 아래와 같다.

구분	기초통계	기초통계 기간
대지마	서울시 농수산식품공사 가락도매시장 가격	12월 1일부터 1월 31일까지

  ㉡ 기준가격의 산출
    ⓐ 서울시 농수산식품공사 가락도매시장의 연도별 중품과 상품 평균가격의 보험가입 직전 5년 올림픽평균값에 농가수취비율을 곱하여 산출한다.
    ⓑ 연도별 평균가격은 연도별 기초통계 기간의 일별 가격을 평균하여 산출한다.
  ㉢ 수확기가격의 산출 : 수확연도의 서울시 농수산식품공사 가락도매시장의 중품과 상품 평균가격에 농가수취비율을 곱하여 산출한다.

⑤ 품목 : 마늘
  ㉠ 기준가격과 수확기가격의 산출
    ⓐ 기준가격과 수확기가격은 보험에 가입한 마늘 품종에 따라 난지형(대서종, 남도종)과 한지형으로 구분하여 산출한다.
    ⓑ 가격산출을 위한 기초통계와 기초통계 기간은 아래와 같다.

구분		기초통계	기초통계 기간
난지형	대서종	경남 창녕군 농협공판장(창녕농협, 이방농협) 가격	7월 1일부터 8월 31일까지
	남도종	전남 지역농협(신안, 남신안, 땅끝, 전남서부채소, 녹동, 팔영) 수매가격	전남지역 : 6월 1일부터 7월 31일까지
		제주도 지역농협(대정, 한림, 김녕, 조천, 한경, 안덕) 수매가격	제주지역 : 5월 1일부터 6월 30일까지
한지형		경북 의성군 지역농협(의성, 새의성, 금성, 의성중부) 수매가격	7월 1일부터 8월 31일까지

  ㉡ 기준가격의 산출
    ⓐ 기초통계의 연도별 평균값의 보험가입 직전 5년(가입연도 포함) 올림픽평균값으로 산출한다.
    ⓑ 연도별 평균값은 연도별 기초통계 기간의 일별 가격을 평균하여 산출한다.
  ㉢ 수확기가격의 산출 : ⓑ에서 정한 기초통계의 수확연도의 평균값으로 산출한다.

⑥ 품목 : 양배추

㉠ 기준가격과 수확기가격의 산출

ⓐ 기준가격과 수확기가격은 보험에 가입한 양배추를 기준으로 하여 산출한다.

ⓑ 가격산출을 위한 기초통계와 기초통계 기간은 아래와 같다.

가격 구분	기초통계	기초통계 기간
양배추	서울시 농수산식품공사 가락도매시장 가격	2월 1일부터 3월 31일까지

㉡ 기준가격의 산출

ⓐ 서울시 농수산식품공사 가락도매시장 연도별 중품과 상품 평균가격의 보험가입 직전 5년(가입연도 포함) 올림픽평균값에 농가수취비율을 곱하여 산출한다.

ⓑ 연도별 평균가격은 연도별 기초통계 기간의 일별 가격을 평균하여 산출한다.

㉢ 수확기가격의 산출 : 수확연도의 서울시 농수산식품공사의 가락도매시장 중품과 상품 평균가격에 농가수취비율을 곱하여 산출한다.

⑦ 품목 : 포도

㉠ 기준가격과 수확기가격의 산출

ⓐ 기준가격과 수확기가격은 보험에 가입한 포도 품종과 시설재배 여부에 따라 캠벨얼리(시설), 캠벨얼리(노지), 거봉(시설), 거봉(노지), MBA 및 델라웨어로 구분하여 산출한다.

ⓑ 가격산출을 위한 기초통계와 기초통계 기간은 아래와 같다.

가격 구분	기초통계	기초통계 기간
캠벨얼리(시설)	서울시 농수산식품공사 가락도매시장 가격	6월 1일부터 7월 31일까지
캠벨얼리(노지)		9월 1일부터 10월 31일까지
거봉(시설)		6월 1일부터 7월 31일까지
거봉(노지)		9월 1일부터 10월 31일까지
MBA		9월 1일부터 10월 31일까지
델라웨어		5월 21일부터 7월 20일까지

㉡ 기준가격의 산출

ⓐ 서울시 농수산식품공사 가락도매시장 연도별 중품과 상품 평균가격의 보험가입 직전 5년(가입연도 포함) 올림픽평균값에 농가수취비율을 곱하여 산출한다.

ⓑ 연도별 평균가격은 연도별 기초통계 기간의 일별 가격을 평균하여 산출한다.

ⓒ **수확기가격의 산출** : 수확연도의 서울시 농수산식품공사 가락도매시장 중품과 상품 평균가격에 농가수취비율을 곱하여 산출한다.

ⓓ 위 ⓑ의 가격구분 이외 품종의 가격은 가격구분에 따라 산출된 가격 중 가장 낮은 가격을 적용한다.

10) **특별 약관**

① **비가림시설 화재위험보장 특별약관**(포도) : 보험의 목적인 비가림시설에 화재로 입은 손해를 보상한다.

② **종합위험 나무손해보장 특별약관**(포도) : 보상하는 재해(종합위험)로 보험의 목적인 나무에 피해를 입은 경우 보상한다.

③ **수확량감소 추가보장 특별약관**(포도) : 보상하는 재해로 피해가 발생한 경우 동 특약에서 정한 바에 따라 피해율이 자기부담비율을 초과하는 경우 아래와 같이 계산한 보험금을 지급한다.

보험금 = 보험가입금액 × (피해율 × 10%)

④ **농작물 부보장 특별약관**(포도) : 보상하는 재해에도 불구하고 농작물에 입은 손해를 보상하지 않는다.

⑤ **비가림시설 부보장 특별약관**(포도) : 보상하는 재해에도 불구하고 비가림시설에 입은 손해를 보상하지 않는다.

계약 관리

1. 계약 인수

(1) 보험가입 지역

1) 과수 4종(사과, 배, 단감, 떫은감), 포도, 복숭아, 자두, 밤, 참다래, 대추, 매실, 감귤, 벼, 마늘, 양파, 고추, 감자(가을재배), 고구마, 옥수수, 콩, 원예시설, 버섯, 인삼 : 전국(23개 품목)

2) 오미자 : 경북(문경, 상주, 예천), 충북(단양), 전북(장수), 경남(거창), 강원(인제)

3) 유자 : 전남(고흥, 완도, 진도), 경남(거제, 통영, 남해)

4) 오디 : 전북, 전남, 경북(상주, 안동)

5) 복분자 : 전북(고창, 정읍, 순창), 전남(함평, 담양, 장성)

6) 무화과 : 전남(영암, 신안, 해남, 무안, 목포)

7) 살구 : 경북(영천)

8) 호두 : 경북(김천)

9) 밀 : 전북, 전남, 경남, 충남, 광주광역시

10) 보리 : 전북(김제, 군산), 전남(해남, 보성), 경남(밀양)

11) 감자(봄재배) : 경북, 충남

12) 감자(고랭지재배) : 강원

13) 양배추 : 제주(서귀포, 제주)

14) 차(茶) : 전남(보성, 광양, 구례), 경남(하동)

15) 팥 : 강원(횡성), 전남(나주), 충남(천안)

16) 브로콜리 : 제주(서귀포, 제주)

17) 메밀 : 전남, 제주(서귀포, 제주)

18) 단호박 : 경기 전 지역

19) 당근 : 제주(서귀포, 제주)

20) 고랭지 배추 : 강원(평창, 정선, 삼척, 태백, 강릉)

21) 가을 배추 : 전남(해남), 충북(괴산), 경북(영양)

22) 월동 배추 : 전남(해남)

23) 고랭지무 : 강원(홍천, 정선, 평창, 강릉)

24) 월동무 : 제주(서귀포, 제주)

25) 대파 : 전남(진도, 신안, 영광), 강원(평창)

26) 쪽파(실파) : **1형** – 충남(아산), 전남(보성), **2형** – 충남(아산)

27) **시금치(노지)** : 전남(신안), 경남(남해)

28) **농업수입보장 포도** : 경기(화성, 가평), 경북(상주, 영주, 영천, 경산)

29) **농업수입보장 마늘** : 전남(고흥), 경북(의성), 경남(창녕), 충남(서산, 태안), 제주(서귀포, 제주)

30) **농업수입보장 양파** : 전남(무안, 함평), 전북(익산), 경남(창녕, 합천), 경북(청도)

31) **농업수입보장 감자(가을재배)** : 전남(보성)

32) **농업수입보장 고구마** : 경기(여주, 이천), 전남(영암, 해남), 충남(당진, 아산)

33) **농업수입보장 양배추** : 제주(서귀포, 제주)

34) **농업수입보장 콩** : 강원(정선), 경기(파주), 전북(김제), 전남(무안), 경북(문경), 제주(서귀포, 제주)

(2) 보험가입 기준

1) **과수(19개 품목)**

① 과수 4종(사과, 배, 단감, 떫은감), 감귤, 포도(수입보장 포함), 복숭아, 자두, 살구, 유자, 오미자, 무화과, 오디, 복분자, 대추, 밤, 호두, 매실, 참다래

② 계약인수는 과수원 단위로 가입하고 개별 과수원당 최저 보험가입금액은 200만원이다.

ㄱ 단, 하나의 리, 동에 있는 각각 보험가입금액 200만원 미만의 두 개의 과수원은 하나의 과수원으로 취급하여 계약 가능하다.

ㄴ 2개의 과수원(농지)을 합하여 인수한 경우 1개의 과수원(농지)으로 보고 손해평가를 한다.

③ 과수원 구성 방법

ㄱ 과수원이라 함은 한 덩어리의 토지의 개념으로 필지(지번)와는 관계없이 실제 경작하는 단위이므로 한 덩어리 과수원이 여러 필지로 나누어져 있더라도 하나의 농지로 취급한다.

ㄴ 계약자 1인이 서로 다른 2개 이상 품목을 가입하고자 할 경우에는 별개의 계약으로 각각 가입·처리한다(대추 제외).

ㄷ 과수원 전체를 벌목하여 새로운 유목을 심은 경우에는 신규 과수원으로 가입·처리한다.

ㄹ 대추 품목의 경우, 사과대추 가입가능 지역에서 재래종과 사과대추를 가입하고자 할 때는 각각의 과수원으로 가입한다.

ㅁ 포도, 대추, 참다래 비가림시설은 단지 단위로 가입(구조체 + 피복재)하고, 최소 가입면적은 200㎡이다.

ㅂ 사과 품목의 경우, 알프스오토메, 루비에스 등 미니사과 품종을 심은 경우에는 별도 과수원으로 가입·처리한다.

      Ⓐ 농협은 농협 관할구역에 속한 과수원에 한하여 인수할 수 있으며, 계약자가 동일한 관할구역 내에 여러 개의 과수원을 경작하고 있는 경우에는 하나의 농협에 가입하는 것이 원칙이다.

2) **논작물 품목** : 벼, 조사료용 벼, 밀, 보리

  ① 벼, 밀, 보리의 경우, 계약인수는 농지 단위로 가입하고 개별 농지당 최저 보험가입금액은 50만원 이상이다.

    ㉠ 단, 가입금액 50만원 미만의 농지라도 인접 농지의 면적과 합하여 50만원 이상이 되면 통합하여 하나의 농지로 가입할 수 있다.

    ㉡ 벼의 경우 통합하는 농지는 2개까지만 가능하며, 가입 후 농지를 분리할 수 없다.

    ㉢ 밀, 보리의 경우 같은 동(洞) 또는 리(理) 안에 위치한 가입조건 미만의 두 농지는 하나의 농지로 취급하여 위의 요건을 충족할 경우 가입 가능하며, 이 경우 두 농지를 하나의 농지로 본다.

  ② 조사료용 벼의 경우, 농지 단위로 가입하고 개별 농지당 최저 가입면적은 1,000㎡ 이상으로 한다.

    ㉠ 단, 가입면적 1,000㎡ 미만의 농지라도 인접 농지의 면적과 합하여 1,000㎡ 이상이 되면 통합하여 하나의 농지로 가입할 수 있다.

    ㉡ 통합하는 농지는 2개까지만 가능하며, 가입 후 농지를 분리할 수 없다.

  ③ **1인 1증권 계약의 체결**

    ㉠ 1인이 경작하는 다수의 농지가 있는 경우, 그 농지의 전체를 하나의 증권으로 보험계약을 체결한다.

    ㉡ 다만, 읍·면·동을 달리하는 농지를 가입하는 경우, 기타 보험사업 관리기관이 필요하다고 인정하는 경우는 예외로 한다.

  ④ **농지 구성 방법**

    ㉠ 리(동) 단위로 가입한다.

    ㉡ 동일 "리(동)" 내에 있는 여러 농지를 묶어 하나의 경지번호를 부여한다.

    ㉢ 가입하는 농지가 여러 "리(동)"에 있는 경우 각 리(동)마다 각각 경지를 구성하고 보험계약은 여러 경지를 묶어 하나의 계약으로 가입한다.

3) **밭작물 품목** : 메밀, 콩, 팥, 옥수수, 사료용 옥수수, 대파, 쪽파·실파, 당근, 브로콜리, 단호박, 시금치(노지), 고랭지무, 고랭지 배추, 월동무, 월동 배추, 가을 배추, 양파, 마늘, 감자, 고구마, 양배추, 고추

  ① 메밀

    ㉠ 계약인수는 농지 단위로 가입하고 개별 농지당 최저 보험가입금액은 50만원이다.

    ㉡ 단, 하나의 리, 동에 있는 각각 50만원 미만의 두 개의 농지는 하나의 농지로 취급하여 계약 가능하다.

② 콩(수입보장 포함), 팥, 옥수수, 대파, 쪽파·실파, 당근, 가을배추, 단호박, 시금치(노지), 고랭지무, 고랭지배추, 월동무, 월동배추

ⓐ 계약인수는 농지 단위로 가입하고 개별 농지당 최저 보험가입금액은 100만원이다.

ⓑ 단, 하나의 리, 동에 있는 각각 100만원 미만의 두 개의 농지는 하나의 농지로 취급하여 계약 가능하다.

③ 양파(수입보장 포함), 마늘(수입보장 포함), 감자(봄·가을 - 수입보장 포함·고랭지), 고구마(수입보장 포함), 양배추(수입보장 포함), 브로콜리, 고추

ⓐ 계약인수는 농지 단위로 가입하고 개별 농지당 최저 보험가입금액은 200만원이다.

ⓑ 단, 하나의 리, 동에 있는 각각 200만원 미만의 두 개의 농지는 하나의 농지로 취급하여 계약 가능하다.

④ 고추

ⓐ 계약인수는 농지 단위로 가입하고 개별 농지당 최저 보험가입금액은 200만원이다.

ⓑ 단, 하나의 리, 동에 있는 각각 200만원 미만의 두 개의 농지는 하나의 농지로 취급하여 계약 가능하다.

ⓒ 10a당 재식주수가 1,500주 이상이고 4,000주 이하인 농지만 가입 가능하다.

⑤ 사료용 옥수수

ⓐ 농지 단위로 가입하고 개별 농지당 최저 가입면적은 1,000㎡이다.

ⓑ 단, 가입면적 1,000㎡ 미만의 농지라도 인접 농지의 면적과 합하여 1,000㎡ 이상이 되면 통합하여 하나의 농지로 가입할 수 있다.

ⓒ 통합하는 농지는 2개까지만 가능하며 가입 후 농지를 분리할 수 없다.

⑥ 농지 구성 방법

ⓐ 농지라 함은 한 덩어리의 토지의 개념으로 필지(지번)와는 관계없이 실제 경작하는 단위이므로 한 덩어리 농지가 여러 필지로 나누어져 있더라도 하나의 농지로 취급한다.

ⓑ 계약자 1인이 서로 다른 2개 이상 품목을 가입하고자 할 경우에는 별개의 계약으로 각각 가입·처리한다.

ⓒ 농협은 농협 관할구역에 속한 농지에 한하여 인수할 수 있으며, 계약자가 동일한 관할구역 내에 여러 개의 농지를 경작하고 있는 경우에는 하나의 농협에 가입하는 것이 원칙이다.

4) 차(茶) 품목

① 계약인수는 농지 단위로 가입하고 개별 농지당 최저 보험가입면적은 1,000㎡이다. 단, 하나의 리, 동에 있는 각각 1,000㎡ 미만의 두 개의 농지는 하나의 농지로 취급하여 계약 가능하다.

② 보험가입대상은 7년생 이상의 차나무에서 익년에 수확하는 햇차(茶)이다.

③ 농지 구성 방법

㉠ 농지라 함은 한 덩어리의 토지의 개념으로 필지(지번)와는 관계없이 실제 경작하는 단위이므로 한 덩어리 농지가 여러 필지로 나누어져 있더라도 하나의 농지로 취급한다.

㉡ 계약자 1인이 서로 다른 2개 이상 품목을 가입하고자 할 경우에는 별개의 계약으로 각각 가입·처리한다.

㉢ 농협은 농협 관할구역에 속한 농지에 한하여 인수할 수 있으며, 계약자가 동일한 관할구역 내에 여러 개의 농지를 경작하고 있는 경우에는 하나의 농협에 가입하는 것이 원칙이다.

5) 인삼 품목

① 계약인수는 농지 단위로 가입하고 개별 농지당 최저 보험가입금액은 200만원이다. 단, 하나의 리, 동에 있는 각각 보험가입금액 200만원 미만의 두 개의 과수원은 하나의 과수원으로 취급하여 계약 가능하다.

② 농지 구성 방법

㉠ 농지라 함은 한 덩어리의 토지의 개념으로 필지(지번)와는 관계없이 실제 경작하는 단위이므로 한 덩어리 농지가 여러 필지로 나누어져 있더라도 하나의 농지로 취급한다.

㉡ 계약자 1인이 서로 다른 2개 이상 품목을 가입하고자 할 경우에는 별개의 계약으로 각각 가입·처리한다.

㉢ 농협은 농협 관할구역에 속한 농지에 한하여 인수할 수 있으며, 계약자가 동일한 관할구역 내에 여러 개의 농지를 경작하고 있는 경우에는 하나의 농협에 가입하는 것이 원칙이다.

6) 원예시설

① 시설 1단지 단위로 가입(단지 내 인수 제한 목적물은 제외)

㉠ 단지 내 해당되는 시설작물은 전체를 가입해야 하며 일부 하우스만을 선택적으로 가입할 수 없다.

㉡ 연동하우스 및 유리온실 1동이란 기둥, 중방, 방풍벽, 서까래 등 구조적으로 연속된 일체의 시설을 말한다.

㉢ 한 단지 내에 단동·연동·유리온실 등이 혼재되어 있는 경우 각각 개별단지로 판단한다.

② 최소 가입면적

구분	단동하우스	연동하우스	유리(경질판)온실
최소 가입면적	300㎡	300㎡	제한 없음

※ 단지 면적이 가입기준 미만인 경우 인접한 경지의 단지 면적과 합하여 가입기준 이상이 되는 경우 1단지로 판단할 수 있음

③ 농업용 시설물을 가입해야 부대시설 및 시설작물 가입 가능

※ 단, 유리온실(경량철골조)의 경우 부대시설 및 시설작물만 가입 가능

7) 버섯

① 시설 1단지 단위로 가입(단지 내 인수 제한 목적물은 제외)

㉠ 단지 내 해당되는 버섯은 전체를 가입해야 하며 일부 하우스만을 선택적으로 가입할 수 없다.

㉡ 연동하우스 및 유리온실 1동이란 기둥, 중방, 방풍벽, 서까래 등 구조적으로 연속된 일체의 시설을 말한다.

㉢ 한 단지 내에 단동·연동·경량철골조(버섯재배사) 등이 혼재되어 있는 경우 각각 개별단지로 판단한다.

② 최소 가입면적

구분	버섯단동하우스	버섯연동하우스	경량철골조 (버섯재배사)
최소 가입면적	300㎡	300㎡	제한 없음

※ 단지 면적이 가입기준 미만인 경우 인접한 경지의 단지 면적과 합하여 가입기준 이상이 되는 경우 1단지로 판단할 수 있음

③ 버섯재배사를 가입해야 부대시설 및 버섯작물 가입 가능

2. 인수 심사

(1) 과수 품목 인수 제한 목적물

1) 과수(공통)

① 보험가입금액이 200만원 미만인 과수원은 인수를 제한한다.

② 품목이 혼식된 과수원은 인수를 제한한다(다만, 주력품목의 결과주수가 90% 이상인 과수원은 주품목에 한하여 가입 가능).

③ 통상적인 영농활동(병충해방제, 시비관리, 전지·전정, 적과 등)을 하지 않은 과수원은 인수를 제한한다.

④ 전정, 비배관리 잘못 또는 품종갱신 등의 이유로 수확량이 현저하게 감소할 것이 예상되는 과수원은 인수를 제한한다.

⑤ 시험연구를 위해 재배되는 과수원은 인수를 제한한다.

⑥ 하나의 과수원에 식재된 나무 중 일부 나무만 가입하는 과수원은 인수를 제한한다.

⑦ 하천부지 및 상습 침수지역에 소재한 과수원은 인수를 제한한다.

⑧ 판매를 목적으로 경작하지 않는 과수원은 인수를 제한한다.

⑨ 가식(假植)되어 있는 과수원은 인수를 제한한다.

⑩ 기타 인수가 부적절한 과수원은 인수를 제한한다.

2) 과수 4종(사과, 배, 단감, 떫은감)

① 가입하는 해의 나무 수령(나이)이 다음 기준 미만인 경우는 인수를 제한한다.

ㄱ **사과** : 밀식재배 3년, 반밀식재배 4년, 일반재배 5년

ㄴ **배** : 3년

ㄷ **단감·떫은감** : 5년 미만

※ 수령(나이)이라 함은 나무의 나이를 말하며, 묘목이 가입과수원에 식재된 해를 1년으로 한다.

② 노지재배가 아닌 시설에서 재배하는 과수원은 인수를 제한한다(단, 일소피해부보장 특약을 가입하는 경우 인수 가능).

③ 시험연구, 체험학습을 위해 재배되는 과수원은 인수를 제한한다(단, 200만원 이상 출하증명 가능한 과수원 제외).

④ 가로수 형태의 과수원은 인수를 제한한다.

⑤ 보험가입 이전에 자연재해 피해 및 접붙임 등으로 당해년도의 정상적인 결실에 영향이 있는 과수원은 인수를 제한한다.

⑥ 가입사무소 또는 계약자를 달리하여 중복 가입하는 과수원은 인수를 제한한다.

⑦ 도서 지역의 경우 연륙교가 설치되어 있지 않고 정기선이 운항하지 않는 등 신속한 손해평가가 불가능한 지역에 소재한 과수원은 인수를 제한한다.

⑧ 도시계획 등에 편입되어 수확 종료 전에 소유권 변동 또는 과수원 형질변경 등이 예정되어 있는 과수원은 인수를 제한한다.

⑨ 군사시설보호구역 중 통제보호구역 내의 농지는 인수를 제한한다(단, 통상적인 영농 활동 및 손해평가가 가능하다고 판단되는 농지는 인수 가능).

※ 통제보호구역 : 민간인통제선 이북지역 또는 군사기지 및 군사시설의 최외곽 경계선으로부터 300미터 범위 이내의 지역

3) 기타 과수

① **포도**(비가림시설 포함)

ㄱ 가입하는 해의 나무 수령(나이)이 3년 미만인 과수원은 인수를 제한한다.

※ 수령(나이)은 나무의 나이를 말하며, 묘목이 가입과수원에 식재된 해를 1년으로 한다.

ⓛ 보험가입 직전연도(이전)에 역병 및 궤양병 등의 병해가 발생하여 보험가입 시 전체 나무의 20% 이상이 고사하였거나 정상적인 결실을 하지 못할 것으로 판단되는 과수원은 인수를 제한한다(다만, 고사한 나무가 전체의 20% 미만이더라도 고사된 나무를 제거하지 않거나, 방재조치를 하지 않은 경우에는 인수를 제한한다).

ⓒ 친환경 재배과수원으로서 일반재배와 결실 차이가 현저히 있다고 판단되는 과수원은 인수를 제한한다.

ⓔ 비가림 폭이 2.4m ± 15%, 동고가 3m ± 5%의 범위를 벗어나는 비가림시설(과수원의 형태 및 품종에 따라 조정)은 인수를 제한한다.

② 복숭아

ⓐ 가입하는 해의 나무 수령(나이)이 3년 미만인 과수원은 인수를 제한한다.
  ※ 수령(나이)은 나무의 나이를 말하며, 묘목이 가입과수원에 식재된 해를 1년으로 한다.

ⓛ 보험가입 직전년도(이전)에 역병 및 궤양병 등의 병해가 발생하여 보험가입 시 전체 나무의 20% 이상이 고사하였거나 정상적인 결실을 하지 못할 것으로 판단되는 과수원은 인수를 제한한다.

ⓒ 친환경 재배과수원으로서 일반재배와 결실 차이가 현저히 있다고 판단되는 과수원은 인수를 제한한다.

③ 자두

ⓐ 가입하는 해의 나무 수령(나이)이 6년 미만인 과수원(수확년도 기준 수령이 7년 미만)은 인수를 제한한다.
  ※ 수령(나이)은 나무의 나이를 말하며, 묘목이 가입과수원에 식재된 해를 1년으로 한다.

ⓛ 품종이 '귀양'인 자두, 서양자두(푸룬 등) 및 품목이 풀럼코트를 재배하는 과수원은 인수를 제한한다.

ⓒ 도서 지역의 경우 연륙교가 설치되어 있지 않고 정기선이 운항하지 않는 등 신속한 손해평가가 불가능한 지역에 소재한 과수원은 인수를 제한한다.

④ 밤

ⓐ 가입하는 해의 나무 수령(나이)이 5년 미만인 과수원은 인수를 제한한다.
  ※ 수령(나이)은 나무의 나이를 말하며, 묘목이 가입과수원에 식재된 해를 1년으로 한다.

ⓛ 보험가입 이전에 자연재해 피해 및 접붙임 등으로 당해년도의 정상적인 결실에 영향이 있는 과수원은 인수를 제한한다.

ⓒ 가입사무소 또는 계약자를 달리하여 중복 가입하는 과수원은 인수를 제한한다.

ⓔ 도서 지역의 경우 연륙교가 설치되어 있지 않고 정기선이 운항하지 않는 등 신속한 손해평가가 불가능한 지역에 소재한 과수원은 인수를 제한한다.

ⓜ 도시계획 등에 편입되어 수확 종료 전에 소유권 변동 또는 과수원 형질변경 등이 예정되어 있는 과수원은 인수를 제한한다.

⑤ 호두

ㄱ 가입하는 해의 나무 수령(나이)이 8년 미만인 경우는 인수를 제한한다.

※ 수령(나이)은 나무의 나이를 말하며, 묘목이 가입과수원에 식재된 해를 1년으로 한다.

ㄴ 보험가입 이전에 자연재해 피해 및 접붙임 등으로 당해년도의 정상적인 결실에 영향이 있는 과수원은 인수를 제한한다.

ㄷ 가입사무소 또는 계약자를 달리하여 중복 가입하는 과수원은 인수를 제한한다.

ㄹ 도서 지역의 경우 연륙교가 설치되어 있지 않고 정기선이 운항하지 않는 등 신속한 손해평가가 불가능한 지역에 소재한 과수원은 인수를 제한한다.

ㅁ 도시계획 등에 편입되어 수확 종료 전에 소유권 변동 또는 과수원 형질변경 등이 예정되어 있는 과수원은 인수를 제한한다.

ㅂ 군사시설보호구역 중 통제보호구역 내의 농지는 인수를 제한한다(단, 통상적인 영농활동 및 손해평가가 가능하다고 판단되는 농지는 인수 가능).

※ 통제보호구역 : 민간인통제선 이북지역 또는 군사기지 및 군사시설의 최외곽 경계선으로부터 300미터 범위 이내의 지역

⑥ 참다래(비가림시설 포함)

ㄱ 가입하는 해의 나무 수령이 3년 미만인 경우는 인수를 제한한다.

※ 수령(나이)은 나무의 나이를 말하며, 묘목이 가입과수원에 식재된 해를 1년으로 한다.

ㄴ 수령이 혼식된 과수원은 인수를 제한한다(다만, 수령의 구분이 가능하며 동일 수령군이 90% 이상인 경우에 한하여 가입 가능하다).

ㄷ 보험가입 이전에 역병 및 궤양병 등의 병해가 발생하여 보험 가입 시 전체 나무의 20% 이상이 고사하였거나 정상적인 결실을 하지 못할 것으로 판단되는 과수원은 인수를 제한한다(다만, 고사한 나무가 전체의 20% 미만이더라도 고사한 나무를 제거하지 않거나 방재 조치를 하지 않은 경우에는 인수를 제한한다).

ㄹ 가입면적이 200㎡ 미만인 참다래 비가림시설은 인수를 제한한다.

ㅁ 참다래 재배 목적으로 사용되지 않는 비가림시설은 인수를 제한한다.

ㅂ 목재 또는 죽재로 시공된 비가림시설은 인수를 제한한다.

ㅅ 구조체, 피복재 등 목적물이 변형되거나 훼손된 비가림시설은 인수를 제한한다.

ㅇ 목적물의 소유권에 대한 확인이 불가능한 비가림시설은 인수를 제한한다.

ⓩ 건축 또는 공사 중인 비가림시설은 인수를 제한한다.

ⓒ 1년 이내에 철거 예정인 고정식 비가림시설은 인수를 제한한다.

ⓚ 정부에서 보험료 일부를 지원하는 다른 계약에 이미 가입되어 있는 비가림시설은 인수를 제한한다.

ⓣ 가입사무소 또는 계약자를 달리하여 중복 가입하는 과수원은 인수를 제한한다.

ⓟ 도시계획 등에 편입되어 수확 종료 전에 소유권 변동 또는 과수원 형질변경 등이 예정되어 있는 과수원은 인수를 제한한다.

ⓗ 기타 인수가 부적절한 과수원 또는 비가림시설은 인수를 제한한다.

⑦ **대추**(비가림시설 포함)

ㄱ 가입하는 해의 나무 수령이 4년 미만인 경우는 인수를 제한한다.

※ 수령(나이)은 나무의 나이를 말하며, 묘목이 가입과수원에 식재된 해를 1년으로 한다.

ㄴ 사과대추(왕대추)류를 재배하는 과수원은 인수를 제한한다.

※ 단, 다음 사업지역에서 재배하는 경우에 한하여 가입 가능하다.

사업지역	충남(부여)	충남(청양)	전남(영광)
가입가능 품종	황실	천황	대능

ㄷ 재래종대추와 사과대추(왕대추)류가 혼식되어 있는 과수원은 인수를 제한한다.

ㄹ 건축 또는 공사 중인 비가림시설은 인수를 제한한다.

ㅁ 목재, 죽재로 시공된 비가림시설은 인수를 제한한다.

ㅂ 피복재가 없거나 대추를 재배하고 있지 않은 시설은 인수를 제한한다.

ㅅ 작업동, 창고동 등 대추 재배용으로 사용되지 않는 시설은 인수를 제한한다.

ㅇ 목적물의 소유권에 대한 확인이 불가능한 시설은 인수를 제한한다.

ㅈ 정부에서 보험료의 일부를 지원하는 다른 계약에 이미 가입되어 있는 시설은 인수를 제한한다.

ㅊ 비가림시설 전체가 피복재로 쓴 시설은 인수를 제한한다(일반적인 비닐하우스와 차이가 없는 시설은 원예시설보험으로 가입 가능하다).

ㅋ 보험가입 이전에 자연재해 피해 및 접붙임 등으로 당해년도의 정상적인 결실에 영향이 있는 과수원은 인수를 제한한다.

ㅌ 가입사무소 또는 계약자를 달리하여 중복 가입하는 과수원은 인수를 제한한다.

ㅍ 도서 지역의 경우 연륙교가 설치되어 있지 않고 정기선이 운항하지 않는 등 신속한 손해평가가 불가능한 지역에 소재한 과수원은 인수를 제한한다.

ㅎ 도시계획 등에 편입되어 수확 종료 전에 소유권 변동 또는 과수원 형질변경 등이 예정되어 있는 과수원은 인수를 제한한다.

⑧ 매실 : 가입하는 해의 나무 수령이 5년 미만인 경우는 인수를 제한한다.

　　※ 수령(나이)은 나무의 나이를 말하며, 묘목이 가입과수원에 식재된 해를 1년으로 한다.

⑨ 오미자

　㉠ 삭벌 3년차 이상 과수원 또는 삭벌하지 않는 과수원 중 식묘 4년차 이상인 과수원은 인수를 제한한다.

　㉡ 가지가 과도하게 번무하여 수관 폭이 두꺼워져 광부족 현상이 일어날 것으로 예상되는 과수원은 인수를 제한한다.

　㉢ 유인틀의 상태(유인틀의 붕괴, 매우 낮은 높이의 유인틀 등)가 적절치 못하여 수확량이 현저하게 낮을 것으로 예상되는 과수원은 인수를 제한한다.

　㉣ 주간거리가 50㎝ 이상으로 과도하게 넓은 과수원은 인수를 제한한다.

⑩ 유자

　㉠ 가입하는 해의 나무 수령(나이)이 4년 미만인 과수원은 인수를 제한한다.

　　※ 수령(나이)은 나무의 나이를 말하며, 묘목이 가입과수원에 식재된 해를 1년으로 한다.

　㉡ 가입사무소 또는 계약자를 달리하여 중복 가입하는 과수원은 인수를 제한한다.

　㉢ 도서 지역의 경우 연륙교가 설치되어 있지 않고 정기선이 운항하지 않는 등 신속한 손해평가가 불가능한 지역에 소재한 과수원은 인수를 제한한다.

　㉣ 도시계획 등에 편입되어 수확 종료 전에 소유권 변동 또는 과수원 형질변경 등이 예정되어 있는 과수원은 인수를 제한한다.

⑪ 살구

　㉠ 노지재배가 아닌 시설에서 살구를 재배하는 과수원은 인수를 제한한다.

　㉡ 가입 연도의 나무 수령이 5년 미만인 과수원은 인수를 제한한다.

　　※ 수령(나이)은 나무의 나이를 말하며, 묘목이 가입과수원에 식재된 해를 1년으로 한다.

　㉢ 보험가입 이전에 자연재해 피해 및 접붙임 등으로 당해년도의 정상적인 결실에 영향이 있는 과수원은 인수를 제한한다.

　㉣ 친환경 재배과수원으로서 일반재배와 결실 차이가 현저히 있다고 판단되는 과수원은 인수를 제한한다.

　㉤ 가입사무소 또는 계약자를 달리하여 중복 가입하는 과수원은 인수를 제한한다.

　㉥ 도서 지역의 경우 연륙교가 설치되어 있지 않고 정기선이 운항하지 않는 등 신속한 손해평가가 불가능한 지역에 소재한 과수원은 인수를 제한한다.

　㉦ 도시계획 등에 편입되어 수확 종료 전에 소유권 변동 또는 과수원 형질변경 등이 예정되어 있는 과수원은 인수를 제한한다.

    ◎ 군사시설보호구역 중 통제보호구역 내의 농지는 인수를 제한한다(단, 통상적인 영농활동 및 손해평가가 가능하다고 판단되는 농지는 인수 가능).

      ※ 통제보호구역 : 민간인통제선 이북지역 또는 군사기지 및 군사시설의 최외곽 경계선으로부터 300미터 범위 이내의 지역

⑫ 오디

  ⊙ 가입연도 기준 3년 미만(수확연도 기준 수령이 4년 미만)인 뽕나무는 인수를 제한한다.

  ⓒ 흰 오디 계통(터키-D, 백웅왕 등)은 인수를 제한한다.

  ⓒ 보험가입 이전에 균핵병 등의 병해가 발생하여 과거 보험 가입시 전체 나무의 20% 이상이 고사하였거나 정상적인 결실을 하지 못할 것으로 예상되는 과수원은 인수를 제한한다.

  ⓔ 적정한 비배관리를 하지 않는 조방재배 과수원은 인수를 제한한다.

    ※ 조방재배 : 일정한 토지면적에 대하여 자본과 노력을 적게 들이고 자연력의 작용을 주(主)로 하여 경작하는 방법

  ⓜ 노지재배가 아닌 시설에서 오디를 재배하는 과수원은 인수를 제한한다.

  ⓑ 보험가입 이전에 자연재해 피해 및 접붙임 등으로 당해년도의 정상적인 결실에 영향이 있는 과수원은 인수를 제한한다.

  ⓢ 가입사무소 또는 계약자를 달리하여 중복 가입하는 과수원은 인수를 제한한다.

  ⓞ 도서 지역의 경우 연륙교가 설치되어 있지 않고 정기선이 운항하지 않는 등 신속한 손해평가가 불가능한 지역에 소재한 과수원은 인수를 제한한다.

  ⓩ 도시계획 등에 편입되어 수확 종료 전에 소유권 변동 또는 과수원 형질변경 등이 예정되어 있는 과수원은 인수를 제한한다.

  ⓥ 군사시설보호구역 중 통제보호구역 내의 농지는 인수를 제한한다(단, 통상적인 영농활동 및 손해평가가 가능하다고 판단되는 농지는 인수 가능).

    ※ 통제보호구역 : 민간인통제선 이북지역 또는 군사기지 및 군사시설의 최외곽 경계선으로부터 300미터 범위 이내의 지역

⑬ 감귤

  ⊙ 가입하는 해의 나무 수령(나이)이 다음 기준 미만인 경우는 인수를 제한한다.

    ⓐ 온주밀감류, 만감류 재식 : 4년

    ⓑ 만감류 고접 : 2년

      ※ 수령(나이)은 나무의 나이를 말하며, 묘목이 가입과수원에 식재된 해를 1년으로 한다.

  ⓒ 주요품종을 제외한 실험용 기타품종을 경작하는 과수원은 인수를 제한한다.

  ⓒ 노지 만감류를 재배하는 과수원은 인수를 제한한다.

      ⓔ 온주밀감과 만감류 혼식과수원은 인수를 제한한다.

      ⓜ 하나의 과수원에 식재된 나무 중 일부 나무만 가입하는 과수원은 인수를 제한한다(단, 해걸이가 예상되는 나무의 경우 제외).

      ⓗ 보험가입 이전에 자연재해 피해 및 접붙임 등으로 당해년도의 정상적인 결실에 영향이 있는 과수원은 인수를 제한한다.

      ⓢ 가입사무소 또는 계약자를 달리하여 중복 가입하는 과수원은 인수를 제한한다.

      ⓞ 도시계획 등에 편입되어 수확 종료 전에 소유권 변동 또는 과수원 형질변경 등이 예정되어 있는 과수원은 인수를 제한한다.

⑭ 복분자

      ㉠ 가입연도 기준, 수령이 1년 이하 또는 11년 이상인 포기로만 구성된 과수원은 인수를 제한한다.

          ※ 수령(나이)은 나무의 나이를 말하며, 묘목이 가입과수원에 식재된 해를 1년으로 한다.

      ㉡ 계약인수 시까지 구결과모지(올해 복분자 과실이 열렸던 가지)의 전정 활동(통상적인 영농활동)을 하지 않은 과수원은 인수를 제한한다.

      ㉢ 노지재배가 아닌 시설에서 복분자를 재배하는 과수원은 인수를 제한한다.

      ㉣ 적정한 비배관리를 하지 않는 조방재배 과수원은 인수를 제한한다.

          ※ 조방재배 : 일정한 토지면적에 대하여 자본과 노력을 적게 들이고 자연력의 작용을 주(主)로 하여 경작하는 방법

      ㉤ 보험가입 이전에 자연재해 피해 및 접붙임 등으로 당해년도의 정상적인 결실에 영향이 있는 과수원은 인수를 제한한다.

      ㉥ 가입사무소 또는 계약자를 달리하여 중복 가입하는 과수원은 인수를 제한한다.

      ㉦ 도서 지역의 경우 연륙교가 설치되어 있지 않고 정기선이 운항하지 않는 등 신속한 손해평가가 불가능한 지역에 소재한 과수원은 인수를 제한한다.

      ㉧ 도시계획 등에 편입되어 수확 종료 전에 소유권 변동 또는 과수원 형질변경 등이 예정되어 있는 과수원은 인수를 제한한다.

      ㉨ 군사시설보호구역 중 통제보호구역 내의 농지는 인수를 제한한다(단, 통상적인 영농활동 및 손해평가가 가능하다고 판단되는 농지는 인수 가능).

          ※ 통제보호구역 : 민간인통제선 이북지역 또는 군사기지 및 군사시설의 최외곽 경계선으로부터 300미터 범위 이내의 지역

⑮ 무화과

      ㉠ 가입하는 해의 나무 수령(나이)이 4년 미만인 과수원은 인수를 제한한다.

          ※ 수령(나이)은 나무의 나이를 말하며, 묘목이 가입과수원에 식재된 해를 1년으로 한다.

　　　※ 나무보장특약의 경우 가입하는 해의 나무 수령이 4년~9년 이내의 무화과 나무 만 가입 가능하다.

　　ⓛ 관수시설이 미설치된 과수원은 인수를 제한한다.

　　ⓒ 노지재배가 아닌 시설에서 무화과를 재배하는 과수원은 인수를 제한한다.

　　ⓔ 보험가입 이전에 자연재해 피해 및 접붙임 등으로 당해년도의 정상적인 결실에 영향이 있는 과수원은 인수를 제한한다.

　　ⓜ 가입사무소 또는 계약자를 달리하여 중복 가입하는 과수원은 인수를 제한한다.

　　ⓗ 도시계획 등에 편입되어 수확 종료 전에 소유권 변동 또는 과수원 형질변경 등이 예정되어 있는 과수원은 인수를 제한한다.

(2) 논작물 품목 인수 제한 목적물

1) 공통

① 보험가입금액이 50만원 미만인 농지는 인수를 제한한다(조사료용 벼는 제외).

② 하천부지에 소재한 농지는 인수를 제한한다.

③ 최근 3년 연속 침수피해를 입은 농지는 인수를 제한한다. 다만, 호우주의보 및 호우경보 등 기상특보에 해당되는 재해로 피해를 입은 경우는 제외한다.

④ 오염 및 훼손 등의 피해를 입어 복구가 완전히 이루어지지 않은 농지는 인수를 제한한다.

⑤ 보험가입 전 농작물의 피해가 확인된 농지는 인수를 제한한다.

⑥ 통상적인 재배 및 영농활동을 하지 않는다고 판단되는 농지는 인수를 제한한다.

⑦ 보험목적물을 수확하여 판매를 목적으로 경작하지 않는 농지는 인수를 제한한다 (예 채종농지 등).

⑧ 농업용지가 다른 용도로 전용되어 수용예정농지로 결정된 농지는 인수를 제한한다.

⑨ 전환지(개간, 복토 등을 통해 논으로 변경한 농지), 휴경지 등 농지로 변경하여 경작한 지 3년 이내인 농지는 인수를 제한한다.

⑩ 최근 5년 이내에 간척된 농지는 인수를 제한한다.

⑪ 도서 지역의 경우 연륙교가 설치되어 있지 않고 정기선이 운항하지 않는 등 신속한 손해평가가 불가능한 지역에 소재한 농지는 인수를 제한한다.

　　※ 단, 벼·조사료용 벼 품목의 경우 연륙교가 설치되어 있거나, 농작물재해보험 위탁계약을 체결한 지역 농·축협 또는 품목농협(지소 포함)이 소재하고 있고 손해평가인 구성이 가능한 지역은 보험 가입 가능

⑫ 기타 인수가 부적절한 농지는 인수를 제한한다.

2) 벼

① 밭벼를 재배하는 농지는 인수를 제한한다.

② 군사시설보호구역 중 통제보호구역 내의 농지는 인수를 제한한다(단, 통상적인 영농
활동 및 손해평가가 가능하다고 판단되는 농지는 인수 가능).

※ 통제보호구역 : 민간인통제선 이북지역 또는 군사기지 및 군사시설의 최외곽 경계
선으로부터 300미터 범위 이내의 지역

3) 조사료용 벼

① 가입면적이 1,000㎡ 미만인 농지는 인수를 제한한다.

② 밭벼를 재배하는 농지는 인수를 제한한다.

③ 광역시·도를 달리하는 농지는 인수를 제한한다(단, 본부 승인심사를 통해 인수 가능).

④ 군사시설보호구역 중 통제보호구역 내의 농지는 인수를 제한한다(단, 통상적인 영농
활동 및 손해평가가 가능하다고 판단되는 농지는 인수 가능).

※ 통제보호구역 : 민간인통제선 이북지역 또는 군사기지 및 군사시설의 최외곽 경계
선으로부터 300미터 범위 이내의 지역

4) 밀

① 파종을 11월 20일 이후에 실시한 농지는 인수를 제한한다.

② 춘파재배 방식에 의한 봄파종을 실시한 농지는 인수를 제한한다.

③ 출현율 80% 미만인 농지는 인수를 제한한다.

5) 보리

① 파종을 10월 1일 이전과 11월 20일 이후에 실시한 농지는 인수를 제한한다.

② 춘파재배 방식에 의한 봄파종을 실시한 농지는 인수를 제한한다.

③ 출현율 80% 미만인 농지는 인수를 제한한다.

(3) 밭작물(수확감소·수입감소보장) 품목 인수 제한 목적물

1) 공통

① 보험가입금액이 200만원 미만인 농지는 인수를 제한한다(사료용 옥수수는 제외).

② 통상적인 재배 및 영농활동을 하지 않는 농지는 인수를 제한한다.

③ 다른 작물과 혼식되어 있는 농지는 인수를 제한한다.

④ 시설재배 농지는 인수를 제한한다.

⑤ 하천부지 및 상습 침수지역에 소재한 농지는 인수를 제한한다.

⑥ 판매를 목적으로 경작하지 않는 농지는 인수를 제한한다.

⑦ 도서지역의 경우 연륙교가 설치되어 있지 않고 정기선이 운항하지 않는 등 신속한
손해평가가 불가능한 지역에 소재한 농지는 인수를 제한한다.

※ 단, 감자(가을재배)·감자(고랭지재배)·콩 품목의 경우 연륙교가 설치되어 있거나, 농작물재해보험 위탁계약을 체결한 지역 농·축협 또는 품목농협(지소 포함)이 소재하고 있고 손해평가인 구성이 가능한 지역은 보험 가입 가능

※ 감자(봄재배) 품목은 미해당

⑧ 군사시설보호구역 중 통제보호구역 내의 농지는 인수를 제한한다(단, 통상적인 영농활동 및 손해평가가 가능하다고 판단되는 농지는 인수 가능).

※ 통제보호구역 : 민간인통제선 이북지역 또는 군사기지 및 군사시설의 최외곽 경계선으로부터 300미터 범위 이내의 지역

※ 감자(봄재배), 감자(가을재배) 품목은 미해당

⑨ 기타 인수가 부적절한 농지는 인수를 제한한다.

2) 마늘

① 난지형의 경우 남도 및 대서 품종, 한지형의 경우는 의성 품종, 홍산 품종이 아닌 마늘은 인수를 제한한다.

구분	품종
난지형	남도
	대서
한지형	의성
홍산	

② 난지형은 8월 31일, 한지형은 10월 10일 이전 파종한 농지는 인수를 제한한다.

③ 재식밀도가 30,000주/10a 미만인 농지(=30,000주/1,000㎡)는 인수를 제한한다.

④ 마늘 파종 후 익년 4월 15일 이전에 수확하는 농지는 인수를 제한한다.

⑤ 무멀칭농지는 인수를 제한한다.

⑥ 코끼리 마늘, 주아재배 마늘은 인수를 제한한다(단, 주아재배의 경우 2년차 이상부터 가입 가능).

3) 양파

① 극조생종, 조생종, 중만생종을 혼식한 농지는 인수를 제한한다.

② 재식밀도가 23,000주/10a 미만, 40,000주/10a 초과한 농지는 인수를 제한한다.

③ 9월 30일 이전 정식한 농지는 인수를 제한한다.

④ 양파 식물체가 똑바로 정식되지 않은 농지(70° 이하로 정식된 농지)는 인수를 제한한다.

⑤ 부적절한 품종을 재배하는 농지는 인수를 제한한다[예 고랭지 봄파종 재배 적응 품종(→ 게투린, 고떼이황), 고랭지 여름, 덴신, 마운틴1호, 스프링골드, 사포로기, 울프, 장생대고, 장일황, 하루히구마 등].

⑥ 무멀칭농지는 인수를 제한한다.

4) 감자(봄재배)

　① 2년 이상 자가 채종 재배한 농지는 인수를 제한한다.

　② 씨감자 수확을 목적으로 재배하는 농지는 인수를 제한한다.

　③ 파종을 3월 1일 이전에 실시한 농지는 인수를 제한한다.

　④ 출현율이 90% 미만인 농지 인수를 제한한다(보험가입 당시 출현 후 고사된 싹은 출현이 안 된 것으로 판단).

　⑤ 재식밀도가 4,000주/10a 미만인 농지는 인수를 제한한다.

　⑥ 전작으로 유채를 재배한 농지는 인수를 제한한다.

5) 감자(가을재배)

　① 가을재배에 부적합 품종(수미, 남작, 조풍, 신남작, 세풍 등)이 파종된 농지는 인수를 제한한다.

　② 2년 이상 갱신하지 않는 씨감자를 파종한 농지는 인수를 제한한다.

　③ 씨감자 수확을 목적으로 재배하는 농지는 인수를 제한한다.

　④ 재식밀도가 4,000주/10a 미만인 농지는 인수를 제한한다.

　⑤ 전작으로 유채를 재배한 농지는 인수를 제한한다.

　⑥ 출현율이 90% 미만인 농지는 인수를 제한한다(보험가입 당시 출현 후 고사된 싹은 출현이 안 된 것으로 판단).

6) 감자(고랭지재배)

　① 재배 용도가 다른 것을 혼식 재배하는 농지는 인수를 제한한다.

　② 파종을 4월 10일 이전에 실시한 농지는 인수를 제한한다.

　③ 출현율이 90% 미만인 농지는 인수를 제한한다(보험가입 당시 출현 후 고사된 싹은 출현이 안 된 것으로 판단).

　④ 재식밀도가 3,500주/10a 미만인 농지는 인수를 제한한다.

7) 고구마

　① '수' 품종 재배 농지는 인수를 제한한다.

　② 채소, 나물용 목적으로 재배하는 농지는 인수를 제한한다.

　③ 재식밀도가 4,000주/10a 미만인 농지는 인수를 제한한다.

　④ 무멀칭농지는 인수를 제한한다.

　⑤ 도시계획 등에 편입되어 수확 종료 전에 소유권 변동 또는 농지 형질변경 등이 예정되어 있는 농지는 인수를 제한한다.

8) 옥수수

　① 보험가입금액이 100만원 미만인 농지는 인수를 제한한다.

　② 자가채종을 이용해 재배하는 농지는 인수를 제한한다.

　③ 1주 1개로 수확하지 않는 농지는 인수를 제한한다.

④ 통상적인 재식 간격의 범위를 벗어나 재배하는 농지는 인수를 제한한다.

　　㉠ 1주 재배 : 1,000㎡당 정식주수가 3,500주 미만 5,000주 초과인 농지는 인수를 제한한다(단, 전남·전북·광주·제주는 1,000㎡당 정식주수가 3,000주 미만 5,000주 초과인 농지는 인수를 제한한다).

　　㉡ 2주 재배 : 1,000㎡당 정식주수가 4,000주 미만 6,000주 초과인 농지는 인수를 제한한다.

⑤ 3월 1일부터 6월 12일까지 기간 내에 파종(정식)되지 않은 농지는 인수를 제한한다.

⑥ 출현율이 90% 미만인 농지는 인수를 제한한다(보험가입 당시 출현 후 고사된 싹은 출현이 안 된 것으로 판단).

⑦ 미백2호, 미흑찰, 일미찰, 연자흑찰, 얼룩찰, 찰옥4호, 박사찰, 대학찰, 연농2호가 아닌 품종을 파종(정식)한 농지는 인수를 제한한다.

⑧ 도시계획 등에 편입되어 수확 종료 전에 소유권 변동 또는 농지 형질변경 등이 예정되어 있는 농지는 인수를 제한한다.

9) 사료용 옥수수

① 보험가입면적이 1,000㎡ 미만인 농지는 인수를 제한한다.

② 자가채종을 이용해 재배하는 농지는 인수를 제한한다.

③ 3월 1일부터 6월 12일까지 기간 내에 파종(정식)되지 않은 농지는 인수를 제한한다.

④ 도시계획 등에 편입되어 수확 종료 전에 소유권 변동 또는 농지 형질변경 등이 예정되어 있는 농지는 인수를 제한한다.

10) 양배추

① 관수시설 미설치 농지는 인수를 제한한다.

② 9월 30일까지 정식하지 않은 농지(단, 재정식은 10월 15일 이내 정식)는 인수를 제한한다.

③ 재식밀도가 평당 8구 미만인 농지는 인수를 제한한다.

④ 소구형 양배추(방울양배추 등)를 재배하는 농지는 인수를 제한한다.

⑤ 목초지, 목야지 등 지목이 목인 농지는 인수를 제한한다.

11) 콩

① 보험가입금액이 100만원 미만인 농지는 인수를 제한한다.

② 장류 및 두부용, 나물용, 밥밑용 콩 이외의 콩이 식재된 농지는 인수를 제한한다.

③ 출현율이 90% 미만인 농지는 인수를 제한한다(보험가입 당시 출현 후 고사된 싹은 출현이 안 된 것으로 판단).

④ 적정 출현 개체수(10개체/㎡) 미만인 농지는 인수를 제한한다. 제주지역 재배방식이 산파인 경우 15개체/㎡ 미만인 농지는 인수를 제한한다.

⑤ 다른 작물과 간작 또는 혼작으로 다른 농작물이 재배 주체가 된 경우의 농지는 인수를 제한한다.

⑥ 담배, 옥수수, 브로콜리 등 후작으로 인수 시점 기준으로 타 작물과 혼식되어 있는 경우는 인수를 제한한다.

⑦ 논두렁에 재배하는 경우는 인수를 제한한다.

⑧ 시험연구를 위해 재배하는 경우는 인수를 제한한다.

⑨ 도시계획 등에 편입되어 수확 종료 전에 소유권 변동 또는 농지 형질변경 등이 예정되어 있는 농지는 인수를 제한한다.

12) 팥

① 보험가입금액이 100만원 미만인 농지는 인수를 제한한다.

② 6월 1일 이전에 정식(파종)한 농지는 인수를 제한한다.

③ 출현율이 85% 미만인 농지는 인수를 제한한다(보험가입 당시 출현 후 고사된 싹은 출현이 안 된 것으로 판단).

(4) 차(茶) 품목 인수 제한 목적물

1) 보험가입면적이 1,000㎡ 미만인 농지는 인수를 제한한다.

2) 가입하는 해의 나무 수령이 7년 미만인 경우는 인수를 제한한다.

   ※ 수령(나이)은 나무의 나이를 말하며, 묘목이 가입농지에 식재된 해를 1년으로 한다.

3) 깊은 전지로 인해 '차(茶)'나무의 높이가 지면으로부터 30cm 이하인 경우 가입면적에서 제외한다.

4) 통상적인 영농활동을 하지 않는 농지는 인수를 제한한다.

5) 말차 재배를 목적으로 하는 농지는 인수를 제한한다.

6) 보험계약 시 피해가 확인된 농지는 인수를 제한한다.

7) 시설(비닐하우스, 온실 등)에서 촉성재배하는 농지는 인수를 제한한다.

8) 판매를 목적으로 경작하지 않는 농지는 인수를 제한한다.

9) 하천부지, 상습침수 지역에 소재한 농지는 인수를 제한한다.

10) 도서 지역의 경우 연륙교가 설치되어 있지 않고 정기선이 운항하지 않는 등 신속한 손해평가가 불가능한 지역에 소재한 농지는 인수를 제한한다.

11) 군사시설보호구역 중 통제보호구역 내의 농지는 인수를 제한한다(단, 통상적인 영농활동 및 손해평가가 가능하다고 판단되는 농지는 인수 가능).

   ※ 통제보호구역 : 민간인통제선 이북지역 또는 군사기지 및 군사시설의 최외곽 경계선으로부터 300미터 범위 이내의 지역

12) 기타 인수가 부적절한 농지는 인수를 제한한다.

(5) 인삼 품목(해가림시설 포함) **인수 제한 목적물**

1) 인삼 작물
   ① 보험가입금액이 200만원 미만인 농지는 인수를 제한한다.
   ② 2년근 미만 또는 6년근 이상 인삼은 인수를 제한한다.
   ※ 단, 직전년도 인삼1형 상품에 5년근으로 가입한 농지에 한하여 6년근 가입이 가능하다.
   ③ 산양삼(장뇌삼), 묘삼, 수경재배 인삼은 인수를 제한한다.
   ④ 식재년도 기준 과거 10년 이내(논은 6년 이내)에 인삼을 재배했던 농지는 인수를 제한한다.
   ⑤ 두둑 높이가 15cm 미만인 농지는 인수를 제한한다.
   ⑥ 보험가입 이전에 피해가 이미 발생한 농지는 인수를 제한한다.
   ※ 단, 자기부담비율 미만의 피해가 발생한 경우이거나 피해 발생 부분을 수확한 경우에는 농지의 남은 부분에 한해 인수 가능하다.
   ⑦ 통상적인 재배 및 영농활동을 하지 않는다고 판단되는 농지는 인수를 제한한다.
   ⑧ 하천부지, 상습침수 지역에 소재한 농지는 인수를 제한한다.
   ⑨ 판매를 목적으로 경작하지 않는 농지는 인수를 제한한다.
   ⑩ 군사시설보호구역 중 통제보호구역 내의 농지는 인수를 제한한다(단, 통상적인 영농활동 및 손해평가가 가능하다고 판단되는 농지는 인수 가능).
   ※ 통제보호구역 : 민간인통제선 이북지역 또는 군사기지 및 군사시설의 최외곽 경계선으로부터 300미터 범위 이내의 지역
   ⑪ 연륙교가 설치되어 있지 않고 정기선이 운항하지 않는 등 신속한 손해평가가 불가능한 도서 지역 농지는 인수를 제한한다.
   ⑫ 기타 인수가 부적절한 농지는 인수를 제한한다.

2) 해가림시설
   ① 농림축산식품부가 고시하는 내재해형 인삼재배시설 규격에 맞지 않는 시설은 인수를 제한한다.
   ② 목적물의 소유권에 대한 확인이 불가능한 시설은 인수를 제한한다.
   ③ 보험가입 당시 공사 중인 시설은 인수를 제한한다.
   ④ 정부에서 보험료의 일부를 지원하는 다른 보험계약에 이미 가입되어 있는 시설은 인수를 제한한다.
   ⑤ 통상적인 재배 및 영농활동을 하지 않는다고 판단되는 시설은 인수를 제한한다.
   ⑥ 하천부지, 상습침수 지역에 소재한 시설은 인수를 제한한다.
   ⑦ 판매를 목적으로 경작하지 않는 시설은 인수를 제한한다.
   ⑧ 군사시설보호구역 중 통제보호구역 내의 시설은 인수를 제한한다.

※ 통제보호구역 : 민간인통제선 이북지역 또는 군사기지 및 군사시설의 최외곽 경계
　　선으로부터 300미터 범위 이내의 지역

⑨ 연륙교가 설치되어 있지 않고 정기선이 운항하지 않는 등 신속한 손해평가가 불가능
한 도서 지역 시설은 인수를 제한한다.

⑩ 기타 인수가 부적절한 시설은 인수를 제한한다.

(6) 밭작물(생산비보장방식) 품목 인수 제한 목적물

1) 공통

① 보험계약 시 피해가 확인된 농지는 인수를 제한한다.

② 여러 품목이 혼재된 농지(다른 작물과 혼식되어 있는 농지)는 인수를 제한한다.

③ 하천부지, 상습침수 지역에 소재한 농지는 인수를 제한한다.

④ 통상적인 재배 및 영농활동을 하지 않는 농지는 인수를 제한한다.

⑤ 시설재배 농지는 인수를 제한한다.

⑥ 판매를 목적으로 경작하지 않는 농지는 인수를 제한한다.

⑦ 도서 지역의 경우 연륙교가 설치되어 있지 않고 정기선이 운항하지 않는 등 신속한
손해평가가 불가능한 지역에 소재한 농지는 인수를 제한한다.

⑧ 군사시설보호구역 중 통제보호구역 내의 농지는 인수를 제한한다(단, 통상적인 영농
활동 및 손해평가가 가능하다고 판단되는 농지는 인수 가능).

※ 통제보호구역 : 민간인통제선 이북지역 또는 군사기지 및 군사시설의 최외곽 경계
　　선으로부터 300미터 범위 이내의 지역

※ 대파, 쪽파(실파) 품목은 미해당

⑨ 기타 인수가 부적절한 농지는 인수를 제한한다.

2) 고추

① 보험가입금액이 200만원 미만인 농지는 인수를 제한한다.

② 노지재배, 터널재배 이외의 재배작형으로 재배하는 농지는 인수를 제한한다.

③ 비닐멀칭이 되어 있지 않은 농지는 인수를 제한한다.

④ 직파한 농지는 인수를 제한한다.

⑤ 4월 1일 이전과 5월 31일 이후에 고추를 식재한 농지는 인수를 제한한다.

⑥ 동일 농지 내 재배방법이 동일하지 않은 농지는 인수를 제한한다(단, 보장생산비가
낮은 재배방법으로 가입하는 경우 인수 가능).

⑦ 고추 정식 6개월 이내에 인삼을 재배한 농지는 인수를 제한한다.

⑧ 풋고추 형태로 판매하기 위해 재배하는 농지는 인수를 제한한다.

⑨ 동일 농지 내 재식일자가 동일하지 않은 농지는 인수를 제한한다(단, 농지 전체의 정
식이 완료된 날짜로 가입하는 경우 인수 가능).

⑩ 재식밀도가 조밀(1,000㎡당 4,000주 초과) 또는 넓은(1,000㎡당 1,500주 미만) 농지는 인수를 제한한다.

3) 브로콜리

① 보험가입금액이 200만원 미만인 농지는 인수를 제한한다.

② 정식을 하지 않았거나, 정식을 10월 1일 이후에 실시한 농지는 인수를 제한한다.

③ 목초지, 목야지 등 지목이 목인 농지는 인수를 제한한다.

4) 메밀

① 보험가입금액이 50만원 미만인 농지는 인수를 제한한다.

② 최근 3년 연속 침수피해를 입은 농지는 인수를 제한한다(다만, 호우주의보 및 호우경보 등 기상특보에 해당되는 재해로 피해를 입은 경우는 제외).

③ 오염 및 훼손 등의 피해를 입어 복구가 완전히 이루어지지 않은 농지는 인수를 제한한다.

④ 파종을 9월 15일 이후에 실시 또는 할 예정인 농지는 인수를 제한한다.

⑤ 춘파재배 방식에 의한 봄 파종을 실시한 농지는 인수를 제한한다.

⑥ 최근 5년 이내에 간척된 농지는 인수를 제한한다.

⑦ 전환지(개간, 복토 등을 통해 논으로 변경한 농지), 휴경지 등 농지로 변경하여 경작한 지 3년 이내인 농지는 인수를 제한한다.

⑧ 목초지, 목야지 등 지목이 목인 농지는 인수를 제한한다.

5) 단호박

① 보험가입금액이 100만원 미만인 농지는 인수를 제한한다.

② 5월 29일을 초과하여 정식한 농지는 인수를 제한한다.

③ 미니 단호박을 재배하는 농지는 인수를 제한한다.

6) 당근

① 보험가입금액이 100만원 미만인 농지는 인수를 제한한다.

② 미니당근(대상 품종 : 베이비당근, 미뇽, 파맥스, 미니당근 등) 재배 농지는 인수를 제한한다.

③ 파종을 8월 31일을 지나 파종을 실시하였거나 또는 할 예정인 농지는 인수를 제한한다.

④ 목초지, 목야지 등 지목이 목인 농지는 인수를 제한한다.

7) 시금치(노지)

① 보험가입금액이 100만원 미만인 농지는 인수를 제한한다.

② 다른 광역시·도에 소재하는 농지는 인수를 제한한다(단, 인접한 광역시·도에 소재하는 농지로서 보험사고 시 지역 농·축협의 통상적인 손해조사가 가능한 농지는 본부의 승인을 받아 인수 가능).

③ 최근 3년 연속 침수피해를 입은 농지는 인수를 제한한다.

④ 오염 및 훼손 등의 피해를 입어 복구가 완전히 이루어지지 않은 농지는 인수를 제한한다.

⑤ 최근 5년 이내에 간척된 농지는 인수를 제한한다.

⑥ 농업용지가 다른 용도로 전용되어 수용예정 농지로 결정된 농지는 인수를 제한한다.

⑦ 전환지(개간, 복토 등을 통해 논으로 변경한 농지), 휴경지 등 농지로 변경하여 경작한 지 3년 이내인 농지는 인수를 제한한다.

⑧ 10월 31일을 지나 파종을 실시하였거나 또는 할 예정인 농지는 인수를 제한한다.

8) **고랭지배추, 가을배추, 월동배추**

① 보험가입금액이 100만원 미만인 농지는 인수를 제한한다.

② 최근 3년 연속 침수피해를 입은 농지는 인수를 제한한다(다만, 호우주의보 및 호우경보 등 기상특보에 해당되는 재해로 피해를 입은 경우는 제외).

③ 오염 및 훼손 등의 피해를 입어 복구가 완전히 이루어지지 않은 농지는 인수를 제한한다.

④ 최근 5년 이내에 간척된 농지는 인수를 제한한다.

⑤ 농업용지가 다른 용도로 전용되어 수용예정농지로 결정된 농지는 인수를 제한한다.

⑥ 전환지(개간, 복토 등을 통해 논으로 변경한 농지), 휴경지 등 농지로 변경하여 경작한 지 3년 이내인 농지는 인수를 제한한다.

⑦ 정식을 9월 25일 이후에 실시한 농지는 인수를 제한한다(월동배추에만 해당).

⑧ 월동배추 이외에 다른 품종 및 품목을 정식한 농지는 인수를 제한한다(월동배추에만 해당).

⑨ 정식을 9월 10일 이후에 실시한 농지는 인수를 제한한다(가을배추에만 해당).

⑩ 가을배추 이외에 다른 품종 및 품목을 정식한 농지는 인수를 제한한다(가을배추에만 해당).

⑪ 다른 광역시·도에 소재하는 농지는 인수를 제한한다(단, 인접한 광역시·도에 소재하는 농지로서 보험사고 시 지역 농·축협의 통상적인 손해조사가 가능한 농지는 본부의 승인을 받아 인수 가능).

9) **고랭지무**

① 보험가입금액이 100만원 미만인 농지는 인수를 제한한다.

② 7월 31일을 초과하여 정식한 농지는 인수를 제한한다.

10) **월동무**

① 보험가입금액이 100만원 미만인 농지는 인수를 제한한다.

② 가을무에 해당하는 품종 또는 가을무로 수확할 목적으로 재배하는 농지는 인수를 제한한다.

③ 목초지, 목야지 등 지목이 목인 농지는 인수를 제한한다.

④ 오염 및 훼손 등의 피해를 입어 복구가 완전히 이루어지지 않은 농지는 인수를 제한한다.

⑤ 10월 15일 이후에 무를 파종한 농지는 인수를 제한한다.

11) 대파

① 보험가입금액이 100만원 미만인 농지는 인수를 제한한다.

② 5월 20일을 초과하여 정식한 농지는 인수를 제한한다.

③ 재식밀도가 15,000주/10a 미만인 농지는 인수를 제한한다.

12) 쪽파, 실파

① 보험가입금액이 100만원 미만인 농지는 인수를 제한한다.

② 종구용(씨쪽파)으로 재배하는 농지는 인수를 제한한다.

③ 상품 유형별 파종기간을 초과하여 파종한 농지는 인수를 제한한다.

(7) 원예시설·버섯 품목 인수 제한 목적물

1) 농업용 시설물·버섯재배사 및 부대시설

① 판매를 목적으로 시설작물을 경작하지 않는 시설은 인수를 제한한다.

② 작업동, 창고동 등 시설작물 경작용으로 사용되지 않는 시설은 인수를 제한한다.

※ 농업용 시설물 한 동 면적의 80% 이상을 작물 재배용으로 사용하는 경우 가입이 가능하다.

③ 피복재가 없거나 작물을 재배하고 있지 않은 시설은 인수를 제한한다.

※ 다만, 지역적 기후특성에 따른 한시적 휴경은 제외한다.

④ 목재, 죽재로 시공된 시설은 인수를 제한한다.

⑤ 비가림시설은 인수를 제한한다.

⑥ 구조체, 피복재 등 목적물이 변형되거나 훼손된 시설은 인수를 제한한다.

⑦ 목적물의 소유권에 대한 확인이 불가능한 시설은 인수를 제한한다.

⑧ 건축 또는 공사 중인 시설은 인수를 제한한다.

⑨ 1년 이내에 철거 예정인 고정식 시설은 인수를 제한한다.

⑩ 하천부지 및 상습침수 지역에 소재한 시설은 인수를 제한한다.

※ 다만, 수재위험 부보장특약에 가입하여 풍재만은 보장 가능하다.

⑪ 정부에서 보험료의 일부를 지원하는 다른 계약에 이미 가입되어 있는 시설은 인수를 제한한다.

⑫ 기타 인수가 부적절한 하우스 및 부대시설은 인수를 제한한다.

⑬ 연륙교가 설치되어 있지 않고 정기선이 운항하지 않는 등 신속한 손해평가가 불가능한 도서 지역 시설은 인수를 제한한다.

2) 시설작물
　① 작물의 재배면적이 시설 면적의 50% 미만인 경우 인수를 제한한다.
　　※ 다만, 백합, 카네이션의 경우 하우스 면적의 50% 미만이라도 동당 작기별 200㎡ 이상 재배 시 가입 가능하다.
　② 분화류의 국화, 장미, 백합, 카네이션을 재배하는 경우 인수를 제한한다.
　③ 판매를 목적으로 재배하지 않는 시설작물은 인수를 제한한다.
　④ 한 시설에서 화훼류와 비화훼류를 혼식 재배 중이거나, 또는 재배 예정인 경우 인수를 제한한다.
　⑤ 통상적인 재배시기, 재배품목, 재배방식이 아닌 경우는 인수를 제한한다(예 여름재배 토마토가 불가능한 지역에서 여름재배 토마토를 가입하는 경우, 파프리카 토경재배가 불가능한 지역에서 토경재배 파프리카를 가입하는 경우 등).
　⑥ 시설작물별 10a당 인수제한 재식밀도 미만인 경우는 인수를 제한한다.

▼ 품목별 인수제한 재식밀도

품목	인수제한 재식밀도	품목		인수제한 재식밀도
수박	400주/10a미만	배추		3,000주/10a미만
멜론	400주/10a미만	무		3,000주/10a미만
참외	600주/10a미만	딸기		5,000주/10a미만
호박	600주/10a미만	백합		15,000주/10a미만
풋고추	1,000주/10a미만	카네이션		15,000주/10a미만
오이	1,500주/10a미만	파	대파	15,000주/10a미만
			쪽파	18,000주/10a미만
토마토	1,500주/10a미만	국화		30,000주/10a미만
파프리카	1,500주/10a미만	상추		40,000주/10a미만
가지	1,500주/10a미만	부추		62,500주/10a미만
장미	1,500주/10a미만	시금치		100,000주/10a미만

　⑦ 품목별 표준생장일수와 현저히 차이나는 생장일수를 가지는 품종의 경우는 인수를 제한한다.

▼ 품목별 인수제한 품종

품목	인수제한 품종
배추(시설재배)	얼갈이 배추, 쌈배추, 양배추
딸기(시설재배)	산딸기
수박(시설재배)	애플수박, 미니수박, 복수박
고추(시설재배)	홍고추
오이(시설재배)	노각
상추(시설재배)	양상추, 프릴라이스, 버터헤드(볼라레), 오버레드, 이자벨, 멀티레드, 카이피라, 아지르카, 이자트릭스, 크리스피아노

3) 버섯작물

① 표고버섯(원목재배, 톱밥배지재배)

ㄱ 통상적인 재배 및 영농활동을 하지 않는다고 판단되는 하우스는 인수를 제한한다.

ㄴ 원목 5년차 이상의 표고버섯은 인수를 제한한다.

ㄷ 원목재배, 톱밥배지재배 이외의 방법으로 재배하는 표고버섯은 인수를 제한한다.

ㄹ 판매를 목적으로 재배하지 않는 표고버섯은 인수를 제한한다.

ㅁ 기타 인수가 부적절한 표고버섯은 인수를 제한한다.

② 느타리버섯(균상재배, 병재배)

ㄱ 통상적인 재배 및 영농활동을 하지 않는다고 판단되는 하우스는 인수를 제한한다.

ㄴ 균상재배, 병재배 이외의 방법으로 재배하는 느타리버섯은 인수를 제한한다.

ㄷ 판매를 목적으로 재배하지 않는 느타리버섯은 인수를 제한한다.

ㄹ 기타 인수가 부적절한 느타리버섯은 인수를 제한한다.

③ 새송이버섯(병재배)

ㄱ 통상적인 재배 및 영농활동을 하지 않는다고 판단되는 하우스는 인수를 제한한다.

ㄴ 병재배 외의 방법으로 재배하는 새송이버섯은 인수를 제한한다.

ㄷ 판매를 목적으로 재배하지 않는 새송이버섯은 인수를 제한한다.

ㄹ 기타 인수가 부적절한 새송이버섯은 인수를 제한한다.

④ 양송이버섯(균상재배)

ㄱ 통상적인 재배 및 영농활동을 하지 않는다고 판단되는 하우스는 인수를 제한한다.

ㄴ 균상재배 외의 방법으로 재배하는 양송이버섯은 인수를 제한한다.

ㄷ 판매를 목적으로 재배하지 않는 양송이버섯은 인수를 제한한다.

ㄹ 기타 인수가 부적절한 양송이버섯은 인수를 제한한다.

〈별표〉미경과비율표(단위 %)

적과종료 이전 특정위험 5종 한정보장 특약에 가입하지 않은 경우 : 착과감소보험금 보장수준 50%형

구분		품목	판매개시 연도												이듬해
			1월	2월	3월	4월	5월	6월	7월	8월	9월	10월	11월	12월	1월
보통약관		사과 배	100%	100%	100%	86%	76%	70%	54%	19%	5%	0%	0%	0%	0%
		단감 떫은감	100%	100%	99%	93%	92%	90%	84%	35%	12%	3%	0%	0%	0%
특별약관	나무손해	사과 배 단감 떫은감	100%	100%	100%	99%	99%	90%	70%	29%	9%	3%	3%	0%	0%

적과종료 이전 특정위험 5종 한정보장 특약에 가입하지 않은 경우 : 착과감소보험금 보장수준 70%형

구분		품목	판매개시 연도												이듬해
			1월	2월	3월	4월	5월	6월	7월	8월	9월	10월	11월	12월	1월
보통약관		사과 배	100%	100%	100%	83%	70%	63%	49%	18%	5%	0%	0%	0%	0%
		단감 떫은감	100%	100%	98%	90%	89%	87%	79%	33%	11%	2%	0%	0%	0%
특별약관	나무손해	사과 배 단감 떫은감	100%	100%	100%	99%	99%	90%	70%	29%	9%	3%	3%	0%	0%

적과종료 이전 특정위험 5종 한정보장 특약에 가입한 경우 : 착과감소보험금 보장수준 50%형

구분		품목	판매개시 연도												이듬해
			1월	2월	3월	4월	5월	6월	7월	8월	9월	10월	11월	12월	1월
보통 약관		사과 배	100%	100%	100%	92%	86%	83%	64%	22%	5%	0%	0%	0%	0%
		단감 떫은감	100%	100%	99%	95%	94%	93%	90%	38%	13%	3%	0%	0%	0%
특별 약관	나무손해	사과 배 단감 떫은감	100%	100%	100%	99%	99%	90%	70%	29%	9%	3%	3%	0%	0%

적과종료 이전 특정위험 5종 한정보장 특약에 가입한 경우 : 착과감소보험금 보장수준 70%형

구분		품목	판매개시 연도												이듬해
			1월	2월	3월	4월	5월	6월	7월	8월	9월	10월	11월	12월	1월
보통 약관		사과 배	100%	100%	100%	90%	82%	78%	61%	22%	6%	0%	0%	0%	0%
		단감 떫은감	100%	100%	99%	94%	93%	92%	88%	37%	13%	4%	0%	0%	0%
특별 약관	나무손해	사과 배 단감 떫은감	100%	100%	100%	99%	99%	90%	70%	29%	9%	3%	3%	0%	0%

품목	분류	판매개시연도									이듬해										
		4월	5월	6월	7월	8월	9월	10월	11월	12월	1월	2월	3월	4월	5월	6월	7월	8월	9월	10월	11월
포도 복숭아	보통 약관								90	80	50	40	20	20	20	0	0	0	0	0	
	특별 약관								100	90	80	75	65	55	50	40	30	15	0	0	
	수확량 감소 추가 보장								90	80	50	40	20	20	20	0	0	0	0	0	
포도	비가림 시설 화재								90	80	75	65	60	50	40	30	25	15	5	0	
자두	보통 약관								90	80	40	25	0	0	0	0	0	0			
	특별 약관								100	90	80	75	65	55	50	40	30	15	0		
밤	보통 약관	95	95	90	45	0	0	0													
호두	보통 약관	95	95	95	55	0	0	0													
참다래	참다래			95	90	80	75	75	75	75	75	70	70	70	70	65	40	15	0	0	0
	비가림 시설			100	70	35	20	15	15	15	5	0	0	0	0	0					
	나무 손해			100	70	35	20	15	15	15	5	0	0	0	0	0					
	화재 위험			100	80	70	60	50	40	30	25	20	15	10	5	0					
대추	보통 약관	95	95	95	45	15	0	0													
	특별 약관	85	70	55	40	25	10	0													
매실	보통 약관								95	65	60	50	0	0	0	0					
	특별 약관								100	90	80	75	65	55	50	40	30	15	0	0	
오미자	보통 약관								95	90	85	85	80	65	40	40	0	0	0		

품목	분류	판매개시연도									이듬해								
		4월	5월	6월	7월	8월	9월	10월	11월	12월	1월	2월	3월	4월	5월	6월	7월	8월	9월
유자	보통약관						90	95	95	90	90	80	70	70	35	10	0	0	0
	특별약관						100	90	80	75	65	55	50	40	30	15	0	0	0
살구	보통약관						90	65	50	20	5	0	0						
	특별약관						100	95	95	90	90	90	90	90	55	20	5	0	
오디	보통약관						95	65	60	50	0	0	0						
복분자	보통약관						95	50	45	30	10	5	5	0					
무화과	보통약관						95	95	95	90	90	80	70	70	35	10	0	0	

품목	분류	판매개시연도									이듬해								
		4월	5월	6월	7월	8월	9월	10월	11월	12월	1월	2월	3월	4월	5월	6월	7월	8월	9월
감귤	보통약관	95	95	95	45	15	0	0	0										
	특약 동상해 보장	100	100	100	100	100	100	100	100	60	50	0							
	특약 나무손해보장 과실손해추가보장	95	95	95	45	15	0	0	0	0	0	0							

품목	분류	판매개시연도									이듬해									
---	---	4월	5월	6월	7월	8월	9월	10월	11월	12월	1월	2월	3월	4월	5월	6월	7월	8월	9월	10월	11월
인삼	인삼1형		95	95	60	30	15	5	5	5	5	0	0	0							
	1형(6년근)		95	95	60	20	5	0													
	인삼2형								95	95	95	90	90	90	90	90	55	20	5	0	
벼	보통약관	95	95	95	65	20	0	0	0												
	특별약관	95	95	95	65	20	0	0	0												
밀	보통약관							85	85	45	40	30	5	5	5	0					
보리	보통약관							85	85	45	40	30	5	5	5	0					
양파	보통약관							100	85	65	45	10	10	5	5	0					
마늘	보통약관							65	65	55	30	25	10	0	0	0					
고구마	보통약관	95	95	95	55	25	10	0													
옥수수	보통약관	95	95	95	50	15	0														
봄감자	보통약관	95	95	95	0																
가을감자	보통약관					45	15	10	10	0											
고랭지감자	보통약관		95	95	65	20	0	0													
차	보통약관							90	90	60	55	45	0	0	0						
콩	보통약관			90	55	20	0	0	0												
팥	보통약관			95	60	20	5	0	0												
양배추	보통약관				100	50	20	20	15	5	0	0									

품목	구분														
고추	보통 약관	95	95	90	55	20	0	0	0						
브로 콜리	보통 약관				100	100	50	30	25	20	15	5	0		
고랭지 배추	보통 약관	95	95	95	55	20	5	0							
월동 배추	보통 약관						50	20	15	10	5	0	0		
고랭지 무	보통 약관	95	95	95	55	20	5	0							
월동 무	보통 약관					45	25	10	5	5	0	0	0		
대파	보통 약관	95	95	95	55	25	10	0	0	0					
쪽파 1형	보통 약관					90	35	5	0	0					
쪽파 2형	보통 약관					90	40	10	10	5	5	0	0	0	0
단호박	보통 약관		100	95	40	0									
당근	보통 약관				60	25	10	5	5	0	0	0			
메밀	보통 약관				40	15	0	0							
시금치 (노지)	보통 약관						40	30	10	0					

[별표 7] 품목별 감수과실수 및 피해율 산정 방법

1. 적과전 종합위험방식 과수 품목 감수과실수 산정방법

품목	조사시기	재해종류	조사종류	감수과실수 산정 방법
사과 · 배 · 단감 · 떫은감	적과 종료 이전	자연재해 ·조수해 ·화재	피해사실 확인조사	□ 적과종료 이전 사고는 보상하는 재해(자연재해, 조수해, 화재)가 중복해서 발생한 경우에도 아래 산식을 한 번만 적용함 ○ 착과감소과실수 = 최솟값(평년착과수 - 적과후착과수, 최대인정감소과실수) ○ 적과종료 이전의 미보상감수과실수 = {(착과감소과실수 × 미보상비율) + 미보상주수 감수과실수} ※ 적과전 사고 조사에서 미보상비율적용은 미보상비율조사값 중 가장 큰 값만 적용 □ 적과종료 이전 최대인정감소량(5종 한정 특약 가입건 제외) 사고접수 건 중 피해사실확인조사결과 모든 사고가 "피해규모 일부"인 경우만 해당하며, 착과감소량(과실수)이 최대인정감소량(과실수)을 초과하는 경우에는 최대인정감소량(과실수)을 착과감소량(과실수)으로 함 ○ 최대인정감소량 = 평년착과량 × 최대인정피해율 ○ 최대인정감소과실수 = 평년착과수 × 최대인정피해율 - 최대인정피해율 = 피해대상주수(고사주수, 수확불능주수, 일부피해주수) ÷ 실제결과주수 ※ 해당 사고가 2회 이상 발생한 경우에는 사고별 피해대상주수를 누적하여 계산 □ 적과종료 이전 최대인정감소량(5종 한정 특약 가입건만 해당) 「적과종료 이전 특정위험 5종 한정 보장특별약관」가입 건에 적용되며, 착과감소량(과실수)이 최대인정감소량(과실수)을 초과하는 경우에는 최대인정감소량(과실수)을 착과감소량(과실수)으로 함 ○ 최대인정감소량 = 평년착과량 × 최대인정피해율 ○ 최대인정감소과실수 = 평년착과수 × 최대인정피해율 ※ 최대인정피해율은 아래의 값 중 가장 큰 값

사과 · 배 · 단감 · 떫은감	적과 종료 이전	자연재해 · 조수해 · 화재	피해사실 확인조사	– 나무피해 • (유실, 매몰, 도복, 절단(1/2), 소실(1/2), 침수주수) ÷ 실제결과주수 단, 침수주수는 침수피해를 입은 나무수에 과실침수율을 곱하여 계산함 • 해당 사고가 2회 이상 발생한 경우에는 사고별 나무피해주수를 누적하여 계산 – 우박피해에 따른 유과타박률 • 최댓값(유과타박률1, 유과타박률2, 유과타박률3, …) – 6월 1일부터 적과종료 이전까지 단감·떫은감의 낙엽피해에 따른 인정피해율 • 최댓값(인정피해율1, 인정피해율2, 인정피해율3, …)
		자연재해	해당 조사없음	□ 적과종료 이전 자연재해로 인한 적과종료 이후 착과손해 감수과실수 – 적과후착과수가 평년착과수의 60% 미만인 경우, 감수과실수 = 적과후착과수 × 5% – 적과후착과수가 평년착과수의 60% 이상 100% 미만인 경우, 감수과실수 $=$ 적과후착과수 $\times 5\% \times \dfrac{100\% - 착과율}{40\%}$, 착과율 $=$ 적과후착과수 ÷ 평년착과수 ※ 상기 계산된 감수과실수는 적과종료 이후 누적 감수량에 합산하며, 적과종료 이후 착과피해율(max A 적용)로 인식함 ※ 적과전종합방식(II)가입 건 중 「적과종료 이전 특정위험 5종 한정 보장특별약관」 미가입시에만 적용
사과 · 배	적과 종료 이후	태풍 (강풍) · 화재 · 지진 · 집중호우	낙과피해 조사	○ 낙과 손해(전수조사) : 총낙과과실수 × (낙과피해구성률 – max A) × 1.07 ○ 낙과 손해(표본조사) : (낙과과실수 합계 / 표본주수) × 조사대상주수 × (낙과피해구성률 – max A) × 1.07 ※ 낙과 감수과실수의 7%를 착과손해로 포함하여 산정 ☞ max A : 금차 사고 전 기조사된 착과피해구성률 중 최댓값을 말함 ☞ "(낙과피해구성률 – max A)"의 값이 영(0)보다 작은 경우 : 금차 감수과실수는 영(0)으로 함

사과 · 배	적과 종료 이후	태풍 (강풍) · 화재 · 지진 · 집중호우	나무피해 조사	○ 나무의 고사 및 수확불능 손해 – (고사주수 + 수확불능주수) × 무피해 나무 1주당 평균 착과수 × (1 – max A) ○ 나무의 일부침수 손해 – (일부침수주수 × 일부침수나무 1주당 평균 침수 착과수) × (1 – max A) – max A : 금차 사고 전 기조사된 착과피해구성률 또는 인정피해율 중 최댓값을 말함
		우박	낙과피해 조사	○ 낙과 손해(전수조사) : 총낙과과실수 × (낙과피해구성률 – max A) ○ 낙과 손해(표본조사) : (낙과과실수 합계 / 표본주수) × 조사대상주수 × (낙과피해구성률 – max A) ☞ max A : 금차 사고 전 기조사된 착과피해구성률 중 최댓값을 말함 ☞ "해당과실의 피해구성률 – max A"의 값이 영(0) 보다 작은 경우 : 금차 감수과실수는 영(0)으로 함
			착과피해 조사	○ 사고당시 착과과실수 × (착과피해구성률 – max A) ☞ max A : 금차 사고 전 기조사된 착과피해구성률 중 최댓값을 말함 ☞ "해당과실의 피해구성률 – max A"의 값이 영(0) 보다 작은 경우 : 금차 감수과실수는 영(0)으로 함
		가을 동상해	착과피해 조사	○ 사고당시 착과과실수 × (착과피해구성률 – max A) ☞ max A : 금차 사고 전 기조사된 착과피해구성률 중 최댓값을 말함 ☞ "착과피해구성률 – max A"의 값이 영(0)보다 작은 경우 : 금차 감수과실수는 영(0)으로 함
단감 · 떫은감	적과 종료 이후	태풍 (강풍) · 화재 · 지진 · 집중호우	낙과피해 조사	○ 낙과 손해(전수조사) : 총낙과과실수 × (낙과피해구성률 – max A) ○ 낙과 손해(표본조사) : (낙과과실수 합계 / 표본주수) × 조사대상주수 × (낙과피해구성률 – max A) ☞ max A : 금차 사고 전 기조사된 착과피해구성률 또는 인정피해율 중 최댓값을 말함 ☞ "낙과피해구성률 – max A"의 값이 영(0)보다 작은 경우 : 금차 감수과실수는 영(0)으로 함
			나무피해 조사	○ 나무의 고사 및 수확불능 손해 – (고사주수 + 수확불능주수) × 무피해 나무 1주당 평균 착과수 × (1 – max A)

단감 · 떫은감	적과 종료 이후	태풍 (강풍) ·화재 ·지진 ·집중호우	나무피해 조사	○ 나무의 일부침수 손해 - (일부침수주수 × 일부침수나무 1주당 평균 침수 착과수) × (1 - max A) - max A : 금차 사고 전 기조사된 착과피해구성률 또는 인정피해율 중 최댓값을 말함
			낙엽피해 조사	○ 낙엽 손해 - 사고당시 착과과실수 × (인정피해율 - max A) × (1 - 미보상비율) ☞max A : 금차 사고 전 기조사된 착과피해구성률 또는 인정피해율 중 최댓값을 말함 ☞"(인정피해률 - max A)"의 값이 영(0)보다 작은 경우 : 금차 감수과실수는 영(0)으로 함 ☞미보상비율은 금차 사고조사의 미보상비율을 적용함
단감 · 떫은감	적과 종료 이후	우박	낙과피해 조사	○ 낙과 손해(전수조사) - 총낙과과실수 × (낙과피해구성률 - max A) ○ 낙과 손해(표본조사) - (낙과과실수 합계 / 표본주수) × 조사대상주수 × (낙과피해구성률 - max A) ☞max A : 금차 사고 전 기조사된 착과피해구성률 또는 인정피해율 중 최댓값을 말함 ☞"(낙과피해구성률 - max A)"의 값이 영(0)보다 작은 경우 : 금차 감수과실수는 영(0)으로 함
			착과피해 조사	○ 착과 손해 - 사고당시 착과과실수 × (착과피해구성률 - max A) ☞max A : 금차 사고 전 기조사된 착과피해구성률 또는 인정피해율 중 최댓값을 말함 ☞"(착과피해구성률 - max A)"의 값이 영(0)보다 작은 경우 : 금차 감수과실수는 영(0)으로 함
		가을 동상해	착과피해 조사	○ 착과 손해 - 사고당시 착과과실수 × (착과피해구성률 - max A) ※ 단, 잎 피해가 인정된 경우에는 착과피해구성률을 아래와 같이 적용함

단감 · 떫은감	적과 종료 이후	가을 동상해	착과피해 조사	착과피해구성률 = [(정상과실수 × 0.0031 × 잔여일수) + (50%형 피해과실수 × 0.5) + (80%형 피해과실수 × 0.8) + (100%형 피해과실수 × 1)] ÷ (정상과실수 + 50%형 피해과실수 + 80%형 피해과실수 + 100%형 피해과실수) 잔여일수 : 사고발생일부터 가을동상해 보장종료일까지 일자 수 － max A : 금차 사고 전 기조사된 착과피해구성률 또는 인정피해율 중 최댓값을 말함 ※ "(착과피해구성률 － max A)"의 값이 영(0)보다 작은 경우 : 금차 감수과실수는 영(0)으로 함
사과 · 배 · 단감 · 떫은감	적과 종료 이후	일소피해	낙과· 착과 피해조사	○ 낙과 손해 (전수조사 시) : 총낙과과실수 × (낙과피해구성률 － max A) ○ 낙과 손해 (표본조사 시) : (낙과과실수 합계 ÷ 표본주수) × 조사대상주수 × (낙과피해구성률 － max A) 　－ max A : 금차 사고 전 기조사된 착과피해구성률 또는 인정피해율 중 최댓값을 말함 　※ "(낙과피해구성률 － max A)"의 값이 영(0)보다 작은 경우 : 금차 감수과실수는 영(0)으로 함 ○ 착과손해 　－ 사고당시 착과과실수 × (착과피해구성률 － max A) 　－ max A : 금차 사고 전 기조사된 착과피해구성률 또는 인정피해율 중 최댓값을 말함 　※ "(착과피해구성률 － max A)"의 값이 영(0)보다 작은 경우 : 금차 감수과실수는 영(0)으로 함 ○ 일소피해과실수 = 낙과 손해 + 착과 손해 　－ 일소피해과실수가 보험사고 한 건당 적과후착과수의 6%를 초과하는 경우에만 감수과실수로 인정 　－ 일소피해과실수가 보험사고 한 건당 적과후착과수의 6% 이하인 경우에는 해당 조사의 감수과실수는 영(0)으로 함

※ 용어 및 관련 산식

품목	조사종류	내용
사과·배·단감·떫은감	공통	○ 조사대상주수 = 실제결과주수 − 고사주수 − 수확불능주수 − 미보상주수 − 수확완료주수 ○ 미보상주수 감수과실수 = 미보상주수 × 품종·재배방식·수령별 1주당 평년착과수 ○ 기준착과수 결정 　− 적과종료전에 인정된 착과감소과실수가 없는 과수원 : 기준착과수 = 적과후착과수 　− 적과종료전에 인정된 착과감소과실수가 있는 과수원 : 기준착과수 = 적과후착과수 + 착과감소과실수
	나무피해조사	○ 침수율 = $\dfrac{\text{침수 꽃(눈)·유과수의 합계}}{\text{침수 꽃(눈)·유과수의 합계+ 미침수 꽃(눈)·유과수의 합계}}$ ○ 나무피해 시 품종·재배방식·수령별 주당 평년착과수 = (전체 평년착과수 × $\dfrac{\text{품종·재배방식·수령별 표준수확량 합계}}{\text{전체 표준수확량 합계}}$) ÷ 품종·재배방식·수령별 실제결과주수 ※ 품종·재배방식·수령별로 구분하여 산식에 적용
	유과타박률조사	○ 유과타박률 = $\dfrac{\text{표본주의 피해유과수 합계}}{\text{표본주의 피해유과수 합계+ 표본주의 정상유과수 합계}}$
	피해구성조사	○ 피해구성률 = $\dfrac{(100\%\text{형 피해과실수}\times1)+(80\%\text{형 피해과실수}\times0.8)+(50\%\text{형 피해과실수}\times0.5)}{100\%\text{형 피해과실수}+80\%\text{형 피해과실수}+50\%\text{형 피해과실수}+\text{정상과실수}}$ ※ 착과 및 낙과피해조사에서 피해구성률 산정 시 적용
	낙엽피해조사	○ 인정피해율 = (1.0115 × 낙엽률) − (0.0014 × 경과일수) 　− 경과일수 = 6월 1일부터 낙엽피해 발생일까지 경과된 일수 　− 낙엽률 = $\dfrac{\text{표본주의 낙엽수 합계}}{\text{표본주의 낙엽수 합계+ 표본주의 착엽수 합계}}$
	착과피해조사	○ "사고당시 착과과실수"는 "적과후착과수 − 총낙과과실수 − 총적과종료후 나무피해과실수 − 총 기수확과실수"보다 클 수 없음
	적과후착과수조사	○ 품종·재배방식·수령별 착과수 = [$\dfrac{\text{품종·재배방식·수령별 표본주의 착과수 합계}}{\text{품종·재배방식·수령별 표본주 합계}}$] × 품종·재배방식·수령별 조사대상주수 ※ 품종·재배방식·수령별 착과수의 합계를 과수원별 『적과후착과수』로 함

2. 특정위험방식 밭작물 품목

품목별	조사종류별	조사시기	피해율 산정 방법

인삼	수확량조사	수확량 확인이 가능한 시점	□ **전수조사 시**
			
			○ 피해율 $= \left(1 - \dfrac{수확량}{연근별기준수확량}\right) \times \dfrac{피해면적}{재배면적}$
			
			○ 수확량 = 단위면적당 조사수확량 + 단위면적당 미보상감수량
			  – 단위면적당 조사수확량 = 총조사수확량 ÷ 금차 수확면적
			    ▷ 금차 수확면적 = 금차 수확칸수 × 지주목간격 × (두둑폭 + 고랑폭)
			  – 단위면적당 미보상감수량 = (기준수확량 − 단위면적당 조사수확량) × 미보상비율
			○ 피해면적 = 금차 수확칸수
			○ 재배면적 = 실제경작칸수
			
			□ **표본조사 시**
			
			○ 피해율 $= \left(1 - \dfrac{수확량}{연근별기준수확량}\right) \times \dfrac{피해면적}{재배면적}$
			
			○ 수확량 = 단위면적당 조사수확량 + 단위면적당 미보상감수량
			  – 단위면적당 조사수확량 = 표본수확량 합계 ÷ 표본칸 면적
			    ▷ 표본칸 면적 = 표본칸 수 × 지주목간격 × (두둑폭 + 고랑폭)
			  – 단위면적당 미보상감수량 = (기준수확량 − 단위면적당 조사수확량) × 미보상비율
			○ 피해면적 = 피해칸수
			○ 재배면적 = 실제경작칸수

3. 종합위험 수확감소보장방식 과수 품목

품목별	조사종류별	조사시기	피해율 산정 방법
자두, 복숭아, 포도	수확량조사	착과수조사 (최초 수확 품종 수확전) / 과중조사 (품종별 수확시기) / 착과 피해조사 (피해 확인 가능 시기) / 낙과 피해조사 (착과수 조사 이후 낙과 피해 시) / 고사나무 조사 (수확 완료 후)	□ 착과수(수확개시 전 착과수조사 시) ○ 품종·수령별 착과수 = 품종·수령별 조사대상주수 × 품종·수령별 주당 착과수 ▷ 품종·수령별 조사대상주수 = 품종·수령별 실제결과주수 − 품종·수령별 고사주수 − 품종·수령별 미보상주수 ▷ 품종·수령별 주당 착과수 = 품종·수령별 표본주의 착과수 ÷ 품종·수령별 표본주수 □ 착과수(착과피해조사 시) ○ 품종·수령별 착과수 = 품종·수령별 조사대상주수 × 품종·수령별 주당 착과수 ▷ 품종·수령별 조사대상주수 = 품종·수령별 실제결과주수 − 품종·수령별 고사주수 − 품종·수령별 미보상주수 − 품종·수령별 수확완료주수 ▷ 품종·수령별 주당 착과수 = 품종별·수령별 표본주의 착과수 ÷ 품종별·수령별 표본주수 □ 과중조사(사고접수건에 대해 실시) ○ 품종별 과중 = 품종별 표본과실 무게 ÷ 품종별 표본과실수 □ 낙과수 산정(착과수조사 이후 발생한 낙과사고마다 산정) ○ 표본조사 시 : 품종·수령별 낙과수 조사 ▷ 품종·수령별 낙과수 = 품종·수령별 조사대상 주수 × 품종·수령별 주당 낙과수 − 품종·수령별 조사대상주수 = 품종·수령별 실제결과주수 − 품종·수령별 고사주수 − 품종·수령별 미보상주수 − 품종·수령별 수확완료주수 − 품종·수령별주당 낙과수 = 품종·수령별 표본주의 낙과수 ÷ 품종·수령별 표본주수 ○ 전수조사 시 : 품종별 낙과수 조사 ▷ 전체 낙과수에 대한 품종 구분이 가능할 때 : 품종별로 낙과수 조사 ▷ 전체 낙과수에 대한 품종 구분이 불가능할 때(전체 낙과수 조사 후 품종별 안분)

자두, 복숭아, 포도	수확량조사	착과수조사 (최초 수확 품종 수확전) / 과중조사 (품종별 수확시기) / 착과 피해조사 (피해 확인 가능 시기) / 낙과 피해조사 (착과수 조사 이후 낙과 피해 시) / 고사나무 조사 (수확 완료 후)	– 품종별 낙과수 = 전체 낙과수 × (품종별 표본과실수 ÷ 품종별 표본과실수의 합계) • 품종별 주당 낙과수 = 품종별 낙과수 ÷ 품종별 조사 대상주수 – 품종별 조사대상주수 = 품종별 실제결과주수 – 품종 별 고사주수 – 품종별 미보상주수 – 품종별 수확완료 주수) □ 피해구성조사(낙과 및 착과피해 발생 시 실시) ○ 피해구성률 = {(50%형 피해과실수 × 0.5) + (80%형 피 해과실수 × 0.8) + (100%형 피해과실수 × 1)} ÷ 표본 과실수 ○ 금차 피해구성률 = 피해구성률 – max A ▷ 금차 피해구성률은 다수 사고인 경우 적용 ▷ max A : 금차 사고 전 기조사된 착과피해구성률 중 최 댓값을 말함 ※ 금차 피해구성률이 영(0)보다 작은 경우에는 영(0)으 로 함 □ 착과량 산정 ○ 착과량 = 품종·수령별 착과량의 합 ▷ 품종·수령별 착과량 = (품종·수령별 착과수 × 품종별 과중) + (품종·수령별 주당 평년수확량 × 미보상주수) ※ 단, 품종별 과중이 없는 경우(과중조사 전 기수확 품 종)에는 품종·수령별 평년수확량을 품종·수령별 착 과량으로 한다. – 품종·수령별 주당 평년수확량 = 품종·수령별 평년 수확량 ÷ 품종·수령별 실제결과주수 – 품종·수령별 평년수확량 = 평년수확량 × (품종·수 령별 표준수확량 ÷ 표준수확량) – 품종·수령별 표준수확량 = 품종·수령별 주당 표준 수확량 × 품종·수령별 실제결과주수 □ 감수량 산정(사고마다 산정) ○ 금차 감수량 = 금차 착과 감수량 + 금차 낙과 감수량 + 금차 고사주수 감수량 – 금차 착과 감수량 = 금차 품종·수령별 착과 감수량의 합 – 금차 품종·수령별 착과 감수량 = 금차 품종·수령별 착과수 × 품종별 과중 × 금차 품종별 착과피해구성률

자두, 복숭아, 포도	수확량조사	착과수조사 (최초 수확 품종 수확전) / 과중조사 (품종별 수확시기) / 착과 피해조사 (피해 확인 가능 시기) / 낙과 피해조사 (착과수 조사 이후 낙과 피해 시) / 고사나무 조사 (수확 완료 후)	위 내용 참조

- 금차 낙과 감수량 = 금차 품종·수령별 낙과수 × 품종별 과중 × 금차 낙과피해구성률
- 금차 고사주수 감수량 = 품종·수령별 금차 고사주수 × (품종·수령별 주당 착과수 + 품종·수령별 주당 낙과수) × 품종별 과중 × (1 − max A)

▷ 품종·수령별 금차 고사주수 = 품종·수령별 고사주수 − 품종·수령별 기조사 고사주수

□ 피해율 산정

○ 피해율(포도, 자두) = (평년수확량 − 수확량 − 미보상 감수량) ÷ 평년수확량

○ 피해율(복숭아) = (평년수확량 − 수확량 − 미보상 감수량 + *병충해감수량) ÷ 평년수확량

▷ 미보상 감수량 = (평년수확량 − 수확량) × 최댓값(미보상비율1, 미보상비율2, …)

□ 수확량 산정

○ 수확량 = 착과량 − 사고당 감수량의 합

□ *병충해 감수량(복숭아만 해당)

○ 병충해감수량 = 금차 병충해 착과감수량 + 금차 병충해 낙과감수량

▷ 금차 병충해 착과감수량 = 금차 품종·수령별 병충해 인정피해 착과수 × 품종별 과중

- 금차 품종·수령별 병충해 인정피해 착과수 = 금차 품종·수령별 착과 과실수 × 품종별 병충해 착과피해구성률

• 품종별 병충해 착과피해구성률 = (병충해 착과 피해 과실수 × (0.5 − max A)) ÷ 표본 착과과실수

▷ 금차 병충해 낙과감수량 = 금차 품종·수령별 병충해 인정피해 낙과수 × 품종별 과중

- 금차 품종·수령별 병충해 인정피해 낙과수 = 금차 품종·수령별 낙과 과실수 × 품종별 병충해 낙과피해구성률

• 품종별 병충해 낙과피해구성률 = (병충해 낙과 피해 과실수 × (0.5 − max A)) ÷ 표본 낙과과실수

※ max A : 금차 사고 전 기조사된 착과피해구성률 중 최댓값을 말함

(0.5 − max A)의 값이 영(0)보다 작은 경우 : 금차 병충해감수량은 영(0)으로 함

| 밤, 호두 | 수확
개시 전
수확량조사
(조사일
기준) | 최초
수확 전 | □ 수확개시 이전 수확량조사
○ 기본사항
▷ 품종별 조사대상 주수 = 품종별 실제결과주수 − 품종별 미보상주수 − 품종별 고사나무주수
▷ 품종별 평년수확량 = 평년수확량 × ((품종별 주당 표준수확량 × 품종별 실제결과주수) ÷ 표준수확량)
▷ 품종별 주당 평년수확량 = 품종별 평년수확량 ÷ 품종별 실제결과주수
○ 착과수 조사
▷ 품종별 주당 착과수 = 품종별 표본주의 착과수 ÷ 품종별 표본주수
○ 낙과수 조사
▷ 표본조사
　− 품종별 주당 낙과수 = 품종별 표본주의 낙과수 ÷ 품종별 표본주수
▷ 전수조사
　− 전체 낙과에 대하여 품종별 구분이 가능한 경우 : 품종별 낙과수 조사
　− 전체 낙과에 대하여 품종별 구분이 불가한 경우 : 전체 낙과수 조사 후 낙과수 중 표본을 추출하여 품종별 개수 조사
　　• 품종별 낙과수 = 전체 낙과수 × (품종별 표본과실수 ÷ 전체 표본과실수의 합계)
　　• 품종별 주당 낙과수 = 품종별 낙과수 ÷ 품종별 조사대상 주수
　　• 품종별 조사대상 주수 = 품종별 실제결과주수 − 품종별 고사주수 − 품종별 미보상주수
○ 과중조사
▷ (밤) 품종별 개당 과중 = 품종별 {정상 표본과실 무게 + (소과 표본과실 무게 × 0.8)} ÷ 표본과실수
▷ (호두) 품종별 개당 과중 = 품종별 표본과실 무게 합계 ÷ 표본과실수
○ 피해구성 조사(품종별로 실시)
▷ 피해구성률 = {(50%형 피해과실수 × 0.5) + (80%형 피해과실수 × 0.8) + (100%형 피해과실수 × 1)} ÷ 표본과실수
○ 피해율 = (평년수확량 − 수확량 − 미보상감수량) ÷ 평년수확량 |

밤, 호두	수확 개시 후 수확량조사 (조사일 기준)	최초 수확 전	▷ 수확량 = {품종별 조사대상 주수 × 품종별 주당 착과수 × (1 − 착과피해구성률) × 품종별 과중} + {품종별 조사대상 주수 × 품종별 주당 낙과수 × (1 − 낙과피해구성률) × 품종별 과중} + (품종별 주당 평년수확량 × 품종별 미보상주수) ▷ 미보상 감수량 = (평년수확량 − 수확량) × 미보상비율
		사고 발생 직후	□ 수확 개시 후 수확량조사 ○ 착과수 조사 ▷ 품종별 주당 착과수 = 품종별 표본주의 착과수 ÷ 품종별 표본주수 ○ 낙과수 조사 ▷ 표본조사 − 품종별 주당 낙과수 = 품종별 표본주의 낙과수 ÷ 품종별 표본주수 ▷ 전수조사 − 전체 낙과에 대하여 품종별 구분이 가능한 경우 : 품종별 낙과수 조사 − 전체 낙과에 대하여 품종별 구분이 불가한 경우 : 전체 낙과수 조사 후 낙과수 중 표본을 추출하여 품종별 개수 조사 • 품종별 낙과수 = 전체 낙과수 × (품종별 표본과실수 ÷ 전체 표본과실수의 합계) • 품종별 주당 낙과수 = 품종별 낙과수 ÷ 품종별 조사대상 주수 • 품종별 조사대상 주수 = 품종별 실제결과주수 − 품종별 고사주수 − 품종별 미보상주수 − 품종별 수확완료주수 ○ 과중조사 ▷ (밤) 품종별 개당 과중 = 품종별 {정상 표본과실 무게 + (소과 표본과실 무게 × 0.8)} ÷ 표본과실수 ▷ (호두) 품종별 개당 과중 = 품종별 표본과실 무게 합계 ÷ 표본과실수 ○ 피해구성 조사(품종별로 실시) ▷ 피해구성률 = ((50%형 피해과실수 × 0.5) + (80%형 피해과실수 × 0.8) + (100%형 피해과실수 × 1)) ÷ 표본과실수

| 밤, 호두 | 수확
개시 후
수확량조사
(조사일
기준) | 사고
발생
직후 | ▷ 금차 피해구성률 = 피해구성률 − max A
　− 금차 피해구성률은 다수 사고인 경우 적용
　− max A : 금차 사고 전 기조사된 착과피해구성률 중
　　최댓값을 말함
　　※ 금차 피해구성률이 영(0)보다 작은 경우에는 영(0)
　　　으로 함

○ 금차 수확량
　= {품종별 조사대상 주수 × 품종별 주당 착과수 × 품종
　별 개당 과중 × (1 − 금차 착과피해구성률)} + {품종별
　조사대상 주수 × 품종별 주당 낙과수 × 품종별 개당 과
　중 × (1 − 금차 낙과피해구성률)} + (품종별 주당 평년
　수확량 × 품종별 미보상주수)

○ 감수량
　= (품종별 조사대상 주수 × 품종별 주당 착과수 × 금차
　착과피해구성률 × 품종별 개당 과중) + (품종별 조사대
　상 주수 × 품종별 주당 낙과수 × 금차 낙과피해구성률
　× 품종별 개당 과중) + (품종별 금차 고사주수 × (품종
　별 주당 착과수 + 품종별 주당 낙과수) × 품종별 개당
　과중 × (1 − max A))
▷ 품종별 조사대상 주수 = 품종별 실제 결과주수 − 품종
　별 미보상주수 − 품종별 고사나무주수 − 품종별 수확
　완료주수
▷ 품종별 평년수확량 = 평년수확량 × ((품종별 주당 표준
　수확량 × 품종별 실제결과주수) ÷ 표준수확량)
▷ 품종별 주당 평년수확량 = 품종별 평년수확량 ÷ 품종
　별 실제결과주수
▷ 품종별 금차 고사주수 = 품종별 고사주수 − 품종별 기
　조사 고사주수

□ 피해율 산정
○ 금차 수확 개시 후 수확량조사가 최초 조사인 경우(이전
　수확량조사가 없는 경우)
1)『금차 수확량 + 금차 감수량 + 기수확량 < 평년수확
　량』인 경우
　▷ 피해율 = (평년수확량 − 수확량 − 미보상감수량) ÷
　　평년수확량
　　− 수확량 = 평년수확량 − 금차 감수량
　　− 미보상 감수량 = 금차 감수량 × 미보상비율 |

밤, 호두	수확 개시 후 수확량조사 (조사일 기준)	사고 발생 직후	2)『금차 수확량 + 금차 감수량 + 기수확량 ≧ 평년수확량』인 경우 ▷ 피해율 = (평년수확량 − 수확량 − 미보상감수량) ÷ 평년수확량 − 수확량 = 금차 수확량 + 기수확량 − 미보상 감수량 = (평년수확량 − (금차 수확량 + 기수확량)) × 미보상비율 ○ 수확 개시 전 수확량조사가 있는 경우(이전 수확량조사에 수확 개시 전 수확량조사가 포함된 경우) 1)『금차 수확량 + 금차 감수량 + 기수확량 > 수확 개시 전 수확량조사 수확량』 ⇒ 오류 수정 필요 2)『금차 수확량 + 금차 감수량 + 기수확량 > 이전 조사 금차 수확량 + 이전 조사 기수확량』 ⇒ 오류 수정 필요 3)『금차 수확량 + 금차 감수량 + 기수확량 ≦ 수확 개시 전 수확량조사 수확량』이면서 『금차 수확량 + 금차 감수량 + 기수확량 ≦ 이전 조사 금차 수확량 + 이전 조사 기수확량』인 경우 ▷ 피해율 = (평년수확량 − 수확량 − 미보상감수량) ÷ 평년수확량 − 수확량 = 수확 개시 전 수확량 − 사고당 감수량의 합 − 미보상감수량 = {평년수확량 − (수확 개시 전 수확량 − 사고당 감수량의 합)} × max(미보상비율) ○ 수확 개시 후 수확량조사만 있는 경우(이전 수확량조사가 모두 수확 개시 후 수확량조사인 경우) 1)『금차 수확량 + 금차 감수량 + 기수확량 > 이전 조사 금차 수확량 + 이전 조사 기수확량』 ⇒ 오류 수정 필요 2)『금차 수확량 + 금차 감수량 + 기수확량 ≦ 이전 조사 금차 수확량 + 이전 조사 기수확량』인 경우 ① 최초 조사가『금차 수확량 + 금차 감수량 + 기수확량 < 평년수확량』인 경우 ▷ 피해율 = (평년수확량 − 수확량 − 미보상감수량) ÷ 평년수확량 − 수확량 = 평년수확량 − 사고당 감수량의 합 − 미보상 감수량 = 사고당 감수량의 합 × max(미보상비율) ② 최초 조사가『금차 수확량 + 금차 감수량 + 기수확량 ≧ 평년수확량』인 경우

밤, 호두	수확 개시 후 수확량조사 (조사일 기준)	사고 발생 직후	▷ 피해율 = (평년수확량 – 수확량 – 미보상감수량) ÷ 평년수확량 – 수확량 = 최초 조사 금차 수확량 + 최초 조사 기 수확량 – 2차 이후 사고당 감수량의 합 – 미보상감수량 = {평년수확량 – (최초 조사 금차 수확량 + 최초 조사 기수확량) + 2차 이후 사고당 감수량의 합} × max(미보상비율)
참다래	수확 개시 전 수확량조사 (조사일 기준)	최초 수확 전	○ 착과수조사 ▷ 품종·수령별 착과수 = 품종·수령별 표본조사 대상면적 × 품종·수령별 면적(㎡)당 착과수 – 품종·수령별 표본조사 대상면적 = 품종·수령별 재식 면적 × 품종·수령별 표본조사 대상 주수 – 품종·수령별 면적(㎡)당 착과수 = 품종·수령별(표본구간 착과수 ÷ 표본구간 넓이) – 재식 면적 = 주간 거리 × 열간 거리 – 품종별·수령별 표본조사 대상주수 = 품종·수령별 실제 결과주수 – 품종·수령별 미보상주수 – 품종·수령별 고사나무주수 – 표본구간 넓이 = (표본구간 윗변 길이 + 표본구간 아랫변 길이) × 표본구간 높이(윗변과 아랫변의 거리) ÷ 2 ○ 과중조사 ▷ 품종별 개당 과중 = 품종별 표본과실 무게 합계 ÷ 표본과실수 ○ 피해구성 조사(품종별로 실시) ▷ 피해구성률 = ((50%형 피해과실수 × 0.5) + (80%형 피해과실수 × 0.8) + (100%형 피해과실수 × 1)) ÷ 표본과실수 ▷ 금차 피해구성률 = 피해구성률 – max A – 금차 피해구성률은 다수 사고인 경우 적용 – max A : 금차 사고 전 기조사된 착과피해구성률 중 최댓값을 말함 ※ 금차 피해구성률이 영(0)보다 작은 경우에는 영(0)으로 함 ○ 피해율 산정 ▷ 피해율 = (평년수확량 – 수확량 – 미보상감수량) ÷ 평년수확량

참다래	수확 개시 전 수확량조사 (조사일 기준)	최초 수확 전	– 수확량 = (품종·수령별 착과수 × 품종별 과중 × (1 − 피해구성률)) + (품종·수령별 면적(㎡)당 평년수확량 × 품종·수령별 미보상주수 × 품종·수령별 재식면적) – 품종·수령별 면적(㎡)당 평년수확량 = 품종별·수령별 평년수확량 ÷ 품종·수령별 재식면적 합계 – 품종·수령별 평년수확량 = 평년수확량 × (품종별·수령별 표준수확량 ÷ 표준수확량) – 미보상 감수량 = (평년수확량 − 수확량) × 미보상비율
	수확 개시 후 수확량조사 (조사일 기준)	사고 발생 직후	○ 착과수조사 ▷ 품종·수령별 착과수 = 품종·수령별 표본조사 대상면적 × 품종·수령별 면적(㎡)당 착과수 ▷ 품종·수령별 조사대상 면적 = 품종·수령별 재식 면적 × 품종·수령별 표본조사 대상 주수 ▷ 품종·수령별 면적(㎡)당 착과수 = 품종별·수령별 표본구간 착과수 ÷ 품종·수령별 표본구간 넓이재식 면적 = 주간 거리 × 열간 거리 ▷ 품종·수령별 조사대상 주수 = 품종·수령별 실제 결과주수 − 품종·수령별 미보상주수 − 품종·수령별 고사나무주수 − 품종·수령별 수확완료주수 ▷ 표본구간 넓이 = (표본구간 윗변 길이 + 표본구간 아랫변 길이) × 표본구간 높이(윗변과 아랫변의 거리) ÷ 2 ○ 낙과수 조사 ▷ 표본조사 – 품종·수령별 낙과수 = 품종·수령별 조사대상면적 × 품종·수령별 면적(㎡)당 낙과수 – 품종·수령별 면적(㎡)당 낙과수 = 품종·수령별 표본주의 낙과수 ÷ 품종·수령별 표본구간 넓이 ▷ 전수조사 – 전체 낙과에 대하여 품종별 구분이 가능한 경우 : 품종별 낙과수 조사 – 전체 낙과에 대하여 품종별 구분이 불가한 경우 : 품종별 낙과수 = 전체 낙과수 × (품종별 표본과실수 ÷ 전체 표본과실수의 합계) ○ 과중조사 ▷ 품종별 개당 과중 = 품종별 표본과실 무게 합계 ÷ 표본과실수

| 참다래 | 수확 개시 후 수확량조사 (조사일 기준) | 사고 발생 직후 | ○ 피해구성 조사(품종별로 실시)
▷ 피해구성률 = {(50%형 피해과실수 × 0.5) + (80%형 피해과실수 × 0.8)+(100%형 피해과실수 × 1)} ÷ 표본과실수
▷ 금차 피해구성률 = 피해구성률 − max A
　− 금차 피해구성률은 다수 사고인 경우 적용
　− max A : 금차 사고 전 기조사된 착과피해구성률 중 최댓값을 말함
　※ 금차 피해구성률이 영(0)보다 작은 경우에는 영(0)으로 함
○ 금차 수확량
　= {품종·수령별 착과수 × 품종별 개당 과중 × (1 − 금차 착과피해구성률)} + {품종·수령별 낙과수 × 품종별 개당 과중 × (1 − 금차 낙과피해구성률)} + {품종·수령별 ㎡ 당 평년수확량 × 미보상주수 × 품종·수령별 재식면적}
○ 금차 감수량
　= {품종·수령별 착과수 × 품종별 과중 × 금차 착과피해구성률} + {품종·수령별 낙과수 × 품종별 과중 × 금차 낙과피해구성률} + {품종·수령별 ㎡ 당 평년수확량 × 금차 고사주수 × (1 − max A)) × 품종·수령별 재식면적}
▷ 금차 고사주수 = 고사주수 − 기조사 고사주수
▷ 품종·수령별 면적(㎡)당 평년수확량 = 품종·수령별 평년수확량 ÷ 품종·수령별 재식면적 합계
▷ 품종·수령별 평년수확량 = 평년수확량 × (품종·수령별 표준수확량 ÷ 표준수확량)
□ 피해율 산정
○ 금차 수확 개시 후 수확량조사가 최초 조사인 경우(이전 수확량조사가 없는 경우)
　1)『금차 수확량 + 금차 감수량 + 기수확량 < 평년수확량』인 경우
　▷ 피해율 = (평년수확량 − 수확량 − 미보상감수량) ÷ 평년수확량
　　− 수확량 = 평년수확량 − 금차 감수량
　　− 미보상 감수량 = 금차 감수량 × 미보상비율
　2)『금차 수확량 + 금차 감수량 + 기수확량 ≧ 평년수확량』인 경우
　▷ 피해율 = (평년수확량 − 수확량 − 미보상감수량) ÷ 평년수확량
　　− 수확량 = 금차 수확량 + 기수확량 |

참다래	수확 개시 후 수확량조사 (조사일 기준)	사고 발생 직후	– 미보상 감수량 = (평년수확량 – (금차 수확량 + 기수확량)) × 미보상비율

위 표의 마지막 칸 내용:

– 미보상 감수량 = (평년수확량 – (금차 수확량 + 기수확량)) × 미보상비율

○ 수확 개시 전 수확량조사가 있는 경우(이전 수확량조사에 수확 개시 전 수확량조사가 포함된 경우)

1) 『금차 수확량 + 금차 감수량 + 기수확량 > 수확 개시 전 수확량조사 수확량』 ⇒ 오류 수정 필요

2) 『금차 수확량 + 금차 감수량 + 기수확량 > 이전 조사 금차 수확량 + 이전 조사 기수확량』 ⇒ 오류 수정 필요

3) 『금차 수확량 + 금차 감수량 + 기수확량 ≦ 수확 개시 전 수확량조사 수확량』이면서
『금차 수확량 + 금차 감수량 + 기수확량 ≦ 이전 조사 금차 수확량 + 이전 조사 기수확량』인 경우

▷ 피해율 = (평년수확량 – 수확량 – 미보상감수량) ÷ 평년수확량

– 수확량 = 수확개시전 수확량 – 사고당 감수량의 합

– 미보상감수량 = {평년수확량 – (수확 개시 전 수확량 – 사고당 감수량의 합)} × max(미보상비율)

○ 수확 개시 후 수확량조사만 있는 경우(이전 수확량조사가 모두 수확 개시 후 수확량조사인 경우)

1) 『금차 수확량 + 금차 감수량 + 기수확량 > 이전 조사 금차 수확량 + 이전 조사 기수확량』 ⇒ 오류 수정 필요

2) 『금차 수확량 + 금차 감수량 + 기수확량 ≦ 이전 조사 금차 수확량 + 이전 조사 기수확량』인 경우

① 최초 조사가 『금차 수확량 + 금차 감수량 + 기수확량 < 평년수확량』인 경우

▷ 피해율 = (평년수확량 – 수확량 – 미보상감수량) ÷ 평년수확량

– 수확량 = 평년수확량 – 사고당 감수량의 합

– 미보상 감수량 = 사고당 감수량의 합 × max(미보상비율)

② 최초 조사가 『금차 수확량 + 금차 감수량 + 기수확량 ≧ 평년수확량』인 경우

▷ 피해율 = (평년수확량 – 수확량 – 미보상감수량) ÷ 평년수확량

– 수확량 = 최초 조사 금차 수확량 + 최초 조사 기수확량 – 2차 이후 사고당 감수량의 합

– 미보상감수량 = {평년수확량 – (최초 조사 금차 수확량 + 최초 조사 기수확량) + 2차 이후 사고당 감수량의 합} × max(미보상비율)

매실, 대추, 살구	수확 개시 전 수확량조사 (조사일 기준)	최초 수확 전	□ 피해율 = (평년수확량 − 수확량 − 미보상감수량) ÷ 평년수확량 ○ 수확량 = {품종·수령별 조사대상주수 × 품종·수령별 주당 착과량 × (1 − 착과피해구성률)} + (품종·수령별 주당 평년수확량 × 품종·수령별 미보상주수) ○ 미보상 감수량 = (평년수확량 − 수확량) × 미보상비율 ▷ 품종·수령별 조사대상주수 = 품종·수령별 실제결과주수 − 품종·수령별 미보상주수 − 품종·수령별 고사나무주수 ▷ 품종·수령별 평년수확량 = 평년수확량 × (품종별 표준수확량 ÷ 표준수확량) ▷ 품종·수령별 주당 평년수확량 = 품종별·수령별 (평년수확량 ÷ 실제결과주수) ▷ 품종·수령별 주당 착과량 = 품종별·수령별 (표본주의 착과무게 ÷ 표본주수) − 표본주 착과무게 = 조사 착과량 × 품종별 비대추정지수(매실) × 2(절반조사 시) ○ 피해구성 조사 ▷ 피해구성률 = ((50%형 피해과실무게 × 0.5)+((80%형 피해과실무게 × 0.8) + (100%형 피해과실무게 × 1)) ÷ 표본과실무게
	수확 개시 후 수확량조사 (조사일 기준)	사고 발생 직후	○ 금차 수확량 = {품종·수령별 조사대상주수 × 품종·수령별 주당 착과량 × (1 − 금차 착과피해구성률)} + {품종·수령별 조사대상주수 × 품종별(·수령별) 주당 낙과량 × (1 − 금차 낙과피해구성률)} + (품종별 주당 평년수확량 × 품종별 미보상주수) ○ 금차 감수량 = (품종·수령별 조사대상주수 × 품종·수령별 주당 착과량 × 금차 착과피해구성률) + (품종·수령별 조사대상 주수 × 품종별(·수령별) 주당 낙과량 × 금차 낙과피해구성률) + {품종·수령별 금차 고사주수 × (품종·수령별 주당 착과량 + 품종별(·수령별) 주당 낙과량) × (1 − max A)} ▷ 품종·수령별 조사대상주수 = 품종·수령별 실제 결과주수 − 품종·수령별 미보상주수 − 품종·수령별 고사나무주수 − 품종·수령별 수확완료주수) ▷ 품종·수령별 평년수확량 = 평년수확량 ÷ 품종·수령별 표준수확량 합계 × 품종·수령별 표준수확량

| 매실,
대추,
살구 | 수확
개시 후
수확량조사
(조사일
기준) | 사고
발생
직후 | ▷ 품종·수령별 주당 평년수확량 = 품종·수령별 평년수확량 ÷ 품종·수령별 실제결과주수
▷ 품종·수령별 주당 착과량 = 품종·수령별 표본주의 착과량 ÷ 품종·수령별 표본주수
▷ 표본주 착과무게 = 조사 착과량 × 품종별 비대추정지수(매실) × 2(절반조사 시)
▷ 품종·수령별 금차 고사주수 = 품종·수령별 고사주수 − 품종·수령별 기조사 고사주수)

○ 낙과량 조사
　▷ 표본조사
　　− 품종·수령별 주당 낙과량 = 품종·수령별 표본주의 낙과량 ÷ 품종·수령별 표본주수
　▷ 전수조사
　　− 품종별 주당 낙과량 = 품종별 낙과량 ÷ 품종별 표본조사 대상 주수
　　− 전체 낙과에 대하여 품종별 구분이 가능한 경우 : 품종별 낙과량 조사
　　− 전체 낙과에 대하여 품종별 구분이 불가한 경우 : 품종별 낙과량 = 전체 낙과량 × (품종별 표본과실수(무게) ÷ 표본 과실 수(무게))

○ 피해구성 조사
　▷ 피해구성률 = ((50%형 피해과실무게 × 0.5) + ((80%형 피해과실무게 × 0.8) 100%형 피해과실무게) ÷ 표본과실무게
　▷ 금차 피해구성률 = 피해구성률 − max A
　　− 금차 피해구성률은 다수 사고인 경우 적용
　　− max A : 금차 사고 전 기조사된 착과피해구성률 중 최댓값을 말함
　　※ 금차 피해구성률이 영(0)보다 작은 경우에는 영(0)으로 함

□ **피해율 산정**
　○ 금차 수확 개시 후 수확량조사가 최초 조사인 경우(이전 수확량조사가 없는 경우)
　1)『금차 수확량 + 금차 감수량 + 기수확량 < 평년수확량』인 경우
　　▷ 피해율 = (평년수확량 − 수확량 − 미보상감수량) ÷ 평년수확량
　　　− 수확량 = 평년수확량 − 금차 감수량
　　　− 미보상 감수량 = 금차 감수량 × 미보상비율 |

매실, 대추, 살구	수확 개시 후 수확량조사 (조사일 기준)	사고 발생 직후	2)『금차 수확량 + 금차 감수량 + 기수확량 ≧ 평년수확량』인 경우 ▷ 피해율 = (평년수확량 − 수확량 − 미보상감수량) ÷ 평년수확량 　− 수확량 = 금차 수확량 + 기수확량 　− 미보상 감수량 = (평년수확량 − (금차 수확량 + 기수확량)) × 미보상비율 ○ 수확 개시 전 수확량조사가 있는 경우(이전 수확량조사에 수확 개시 전 수확량조사가 포함된 경우) 1)『금차 수확량 + 금차 감수량 + 기수확량 > 수확 개시 전 수확량조사 수확량』⇒ 오류 수정 필요 2)『금차 수확량 + 금차 감수량 + 기수확량 > 이전 조사 금차 수확량 + 이전 조사 기수확량』⇒ 오류 수정 필요 3)『금차 수확량 + 금차 감수량 + 기수확량 ≦ 수확 개시 전 수확량조사 수확량』이면서 『금차 수확량 + 금차 감수량 + 기수확량 ≦ 이전 조사 금차 수확량 + 이전 조사 기수확량』인 경우 ▷ 피해율 = (평년수확량 − 수확량 − 미보상감수량) ÷ 평년수확량 　− 수확량 = 수확개시전 수확량 − 사고당 감수량의 합 　− 미보상감수량 = {평년수확량 − (수확 개시 전 수확량 − 사고당 감수량의 합)} × max(미보상비율) ○ 수확 개시 후 수확량조사만 있는 경우(이전 수확량조사가 모두 수확 개시 후 수확량조사인 경우) 1)『금차 수확량 + 금차 감수량 + 기수확량 > 이전 조사 금차 수확량 + 이전 조사 기수확량』⇒ 오류 수정 필요 2)『금차 수확량 + 금차 감수량 + 기수확량 ≦ 이전 조사 금차 수확량 + 이전 조사 기수확량』인 경우 ① 최초 조사가『금차 수확량 + 금차 감수량 + 기수확량 < 평년수확량』인 경우 ▷ 피해율 = (평년수확량 − 수확량 − 미보상감수량) ÷ 평년수확량 　− 수확량 = 평년수확량 − 사고당 감수량의 합 　− 미보상 감수량 = 사고당 감수량의 합 × max(미보상비율) ② 최초 조사가『금차 수확량 + 금차 감수량 + 기수확량 ≧ 평년수확량』인 경우

매실, 대추, 살구	수확 개시 후 수확량조사 (조사일 기준)	사고 발생 직후	▷ 피해율 = (평년수확량 − 수확량 − 미보상감수량) ÷ 평년수확량 − 수확량 = 최초 조사 금차 수확량 + 최초 조사 기수확량 − 2차 이후 사고당 감수량의 합 − 미보상감수량 = {평년수확량 − (최초 조사 금차 수확량 + 최초 조사 기수확량) + 2차 이후 사고당 감수량의 합} × max(미보상비율)
오미자	수확 개시 전 수확량조사 (조사일 기준)	최초 수확 전	□ 피해율 = (평년수확량 − 수확량 − 미보상감수량) ÷ 평년수확량 ○ 수확량 = {형태・수령별 조사대상길이 × 형태・수령별 m당 착과량 × (1 − 착과피해구성률)} + (형태・수령별 m당 평년수확량 × 형태・수령별 미보상 길이) ▷ 형태・수령별 조사대상길이 = 형태・수령별 실제재배길이 − 형태・수령별 미보상길이 − 형태・수령별 고사길이 ▷ 형태・수령별 길이(m)당 착과량 = 형태・수령별 표본구간의 착과무게 ÷ 형태・수령별 표본구간 길이의 합 − 표본구간 착과무게 = 조사 착과무게 × 2(절반조사 시) ▷ 형태・수령별 길이(m)당 평년수확량 = 형태・수령별 평년수확량 ÷ 형태・수령별 실제재배길이 − 형태・수령별 평년수확량 = 평년수확량 × {(형태・수령별 m당 표준수확량 × 형태・수령별 실제재배길이) ÷ 표준수확량} ○ 미보상감수량 = (평년수확량 − 수확량) × 미보상비율 ○ 피해구성 조사 − 피해구성률 = ((50%형 피해과실무게 × 0.5) + (80%형 피해과실무게 × 0.8) + (100%형 피해과실무게 × 1)) ÷ 표본과실무게
	수확 개시 후 수확량조사 (조사일 기준)	사고 발생 직후	○ 기본사항 ▷ 형태・수령별 조사대상길이 = 형태・수령별 실제재배길이 − 형태・수령별 수확완료길이 − 형태・수령별 미보상길이 − 형태・수령별 고사 길이 ▷ 형태・수령별 평년수확량 = 평년수확량 ÷ 표준수확량 × 형태・수령별 표준수확량 ▷ 형태・수령별 길이(m)당 평년수확량 = 형태・수령별 평년수확량 ÷ 형태・수령별 실제재배길이

| 오미자 | 수확 개시 후 수확량조사 (조사일 기준) | 사고 발생 직후 | ▷ 형태·수령별 길이(m)당 착과량 = 형태·수령별 표본구간의 착과무게 ÷ 형태·수령별 표본구간 길이의 합
▷ 표본구간 착과무게 = 조사 착과량 × 2(절반조사 시)
▷ 형태·수령별 금차 고사 길이 = 형태·수령별 고사 길이 − 형태·수령별 기조사 고사 길이

○ 낙과량 조사
▷ 표본조사
　형태·수령별 길이(m)당 낙과량 = 형태·수령별 표본구간의 낙과량의 합 ÷ 형태·수령별 표본구간 길이의 합
▷ 전수조사
　길이(m)당 낙과량 = 낙과량 ÷ 전체 조사대상길이의 합

○ 피해구성 조사
▷ 피해구성률 = ((50%형 과실무게 × 0.5) + ((80%형 과실무게 × 0.8) + (100%형 과실무게 × 1)) ÷ 표본과실무게
▷ 금차 피해구성률 = 피해구성률 − max A
　− max A : 금차 사고 전 기조사된 착과피해구성률 중 최댓값을 말함
　※ 금차 피해구성률이 영(0)보다 작은 경우 : 금차 감수과실수는 영(0)으로 함

○ 금차 수확량
　= {형태·수령별 조사대상길이 × 형태·수령별 m당 착과량 × (1 − 금차 착과피해구성률)} + {형태·수령별 조사대상길이 × 형태·수령별 m당 낙과량 × (1 − 금차 낙과피해구성률)} + (형태·수령별 m당 평년수확량 × 형태별수령별 미보상 길이)

○ 금차 감수량
　= (형태·수령별 조사대상길이 × 형태·수령별 m당 착과량 × 금차 착과피해구성률) + (형태·수령별 조사대상길이 × 형태·수령별 m당 낙과량 × 금차 낙과피해구성률) + (형태·수령별 금차 고사 길이 × (형태·수령별 m당 착과량 + 형태·수령별 m당 낙과량) × (1 − max A))

□ 피해율 산정
○ 금차 수확 개시 후 수확량조사가 최초 조사인 경우(이전 수확량조사가 없는 경우)
1)『금차 수확량 + 금차 감수량 + 기수확량 < 평년수확량』인 경우 |

오미자	수확 개시 후 수확량조사 (조사일 기준)	사고 발생 직후	▷ 피해율 = (평년수확량 – 수확량 – 미보상감수량) ÷ 평년수확량 　– 수확량 = 평년수확량 – 금차 감수량 　– 미보상 감수량 = 금차 감수량 × 미보상비율 2)『금차 수확량 + 금차 감수량 + 기수확량 ≧ 평년수확량』인 경우 　▷ 피해율 = (평년수확량 – 수확량 – 미보상감수량) ÷ 평년수확량 　– 수확량 = 금차 수확량 + 기수확량 　– 미보상 감수량 = (평년수확량 – (금차 수확량 + 기수확량)) × 미보상비율 ○ 수확 개시 전 수확량조사가 있는 경우(이전 수확량조사에 수확 개시 전 수확량조사가 포함된 경우) 1)『금차 수확량 + 금차 감수량 + 기수확량 > 수확 개시 전 수확량조사 수확량』⇒ 오류 수정 필요 2)『금차 수확량 + 금차 감수량 + 기수확량 > 이전 조사 금차 수확량 + 이전 조사 기수확량』⇒ 오류 수정 필요 3)『금차 수확량 + 금차 감수량 + 기수확량 ≦ 수확 개시 전 수확량조사 수확량』이면서 　『금차 수확량 + 금차 감수량 + 기수확량 ≦ 이전 조사 금차 수확량 + 이전 조사 기수확량』인 경우 　▷ 피해율 = (평년수확량 – 수확량 – 미보상감수량) ÷ 평년수확량 　– 수확량 = 수확개시전 수확량 – 사고당 감수량의 합 　– 미보상감수량 = {평년수확량 – (수확 개시 전 수확량 – 사고당 감수량의 합)} × max(미보상비율) ○ 수확 개시 후 수확량조사만 있는 경우(이전 수확량조사가 모두 수확 개시 후 수확량조사인 경우) 1)『금차 수확량 + 금차 감수량 + 기수확량 > 이전 조사 금차 수확량 + 이전 조사 기수확량』⇒ 오류 수정 필요 2)『금차 수확량 + 금차 감수량 + 기수확량 ≦ 이전 조사 금차 수확량 + 이전 조사 기수확량』인 경우 　① 최초 조사가『금차 수확량 + 금차 감수량 + 기수확량 < 평년수확량』인 경우 　　▷ 피해율 = (평년수확량 – 수확량 – 미보상감수량) ÷ 평년수확량 　　– 수확량 = 평년수확량 – 사고당 감수량의 합

오미자	수확 개시 후 수확량조사 (조사일 기준)	사고 발생 직후	– 미보상 감수량 = 사고당 감수량의 합 × max(미보상비율) ② 최초 조사가 『금차 수확량 + 금차 감수량 + 기수확량 ≧ 평년수확량』인 경우 ▷ 피해율 = (평년수확량 – 수확량 – 미보상감수량) ÷ 평년수확량 – 수확량 = 최초 조사 금차 수확량 + 최초 조사 기수확량 – 2차 이후 사고당 감수량의 합 – 미보상감수량 = {평년수확량 – (최초 조사 금차 수확량 + 최초 조사 기수확량) + 2차 이후 사고당 감수량의 합} × max(미보상비율)
유자	수확량조사	수확개시전	○ 기본사항 ▷ 품종·수령별 조사대상주수 = 품종·수령별 실제결과주수 – 품종·수령별 미보상주수 – 품종·수령별 고사주수 ▷ 품종·수령별 평년수확량 = 평년수확량 ÷ 표준수확량 × 품종·수령별 표준수확량 – 품종·수령별 주당 평년수확량 = 품종·수령별 평년수확량 ÷ 품종·수령별 실제결과주수 ▷ 품종·수령별 과중 = 품종·수령별 표본과실 무게합계 ÷ 품종·수령별 표본과실수 ▷ 품종·수령별 표본주당 착과수 = 품종·수령별 표본주 착과수 합계 ÷ 품종·수령별 표본주수 ▷ 품종·수령별 표본주당 착과량 = 품종·수령별 표본주당 착과수 × 품종·수령별 과중 ○ 피해구성 조사 ▷ 피해구성률 = ((50%형 피해과실수 × 0.5) + (80%형 피해과실수 × 0.8) + (100%형 피해과실수 × 1)) ÷ 표본과실수 ○ 피해율 = (평년수확량 – 수확량 – 미보상감수량) ÷ 평년수확량 ▷ 수확량 = {품종·수령별 표본조사 대상 주수 × 품종·수령별 표본주당 착과량 × (1 – 착과피해구성률)} + (품종·수령별 주당 평년수확량 × 품종·수령별 미보상주수) ▷ 미보상감수량 = (평년수확량 – 수확량) × 미보상비율

4. 종합위험 및 수확전 종합위험 과실손해보장방식

품목별	조사종류별	조사시기	피해율 산정 방법
오디	과실손해조사	결실완료 시점 ~ 수확 전	□ 피해율 = (평년결실수 − 조사결실수 − 미보상 감수 결실수) ÷ 평년결실수 ○ 조사결실수 = ∑{(품종·수령별 환산결실수 × 품종·수령별 조사대상주수) + (품종별 주당 평년결실수 × 품종·수령별 미보상주수)} ÷ 전체 실제결과주수 － 품종·수령별 환산결실수 = 품종·수령별 표본가지 결실수 합계 ÷ 품종·수령별 표본가지 길이 합계 － 품종·수령별 표본조사 대상 주수 = 품종·수령별 실제결과주수 − 품종·수령별 고사주수 − 품종·수령별 미보상주수 － 품종별 주당 평년결실수 = 품종별 평년결실수 ÷ 품종별 실제결과주수 － 품종별 평년결실수 = (평년결실수 × 전체 실제결과주수) × (대상 품종 표준결실수 × 대상 품종 실제결과주수) ÷ ∑(품종별 표준결실수 × 품종별 실제결과주수) ○ 미보상감수결실수 = Max((평년결실수 − 조사결실수) × 미보상비율, 0)
감귤	과실손해조사	착과피해조사	○ 과실손해 피해율 = {(등급 내 피해과실수 + 등급 외 피해과실수 × 50%) ÷ 기준과실수} × (1 − 미보상비율) ○ 피해 인정 과실수 = 등급 내 피해과실수 + 등급 외 피해과실수 × 50% 1) 등급 내 피해과실수 = (등급 내 30%형 과실수 합계 × 0.3) + (등급 내 50%형 과실수 합계 × 0.5) + (등급 내 80%형 과실수 합계 × 0.8) + (등급 내 100%형 과실수 × 1) 2) 등급 외 피해과실수 = (등급 외 30%형 과실수 합계 × 0.3) + (등급 외 50%형 과실수 합계 × 0.5) + (등급 외 80%형 과실수 합계 × 0.8) + (등급 외 100%형 과실수 × 1) ※ 만감류는 등급 외 피해과실수를 피해 인정 과실수 및 과실손해 피해율에 반영하지 않음 3) 기준과실수 : 모든 표본주의 과실수 총 합계 ※ 단, 수확전 사고조사를 실시한 경우에는 아래와 같이 적용한다.

감귤	과실손해 조사	착과피해 조사	− (수확전 사고조사 결과가 있는 경우) 과실손 해피해율 = {최종 수확전 과실손해 피해율 ÷ (1 − 최종 수확전 과실손해 조사 미보상비율)} + {(1 − (최종 수확전 과실손해 피해율 ÷ (1 − 최종 수확전 과실손해 조사 미보상비율))) × (과실손해 피해율 ÷ (1 − 과실손해미보상 비율))} × {1 − 최댓값(최종 수확전 과실손해 조사 미보상비율, 과실손해 미보상비율)} • 수확전 과실손해 피해율 = {100%형 피해 과실수 ÷ (정상 과실수 + 100%형 피해과 실수)} × (1 − 미보상비율) • 최종 수확전 과실손해 피해율 = {(이전 100% 피해과실수 + 금차 100% 피해과실 수) ÷ (정상 과실수 + 100%형 피해과실 수)} × (1 − 미보상비율)
	동상해조사	착과피해 조사	○ 동상해 과실손해 피해율 = 동상해 피해과실수 ÷ 기준과 실수 $= \dfrac{(80\%형\ 피해과실수 \times 0.8) + (100\%형\ 피해과실수 \times 1)}{정상과실수 + 80\%형\ 피해과실수 + 100\%형\ 피해과실수}$ ※ 동상해 피해과실수 = (80%형 피해과실수 × 0.8) + (100%형 피해과실수 × 1) ※ 기준과실수(모든 표본주의 과실수 총 합계) = 정상과실 수 + 80%형 피해과실수 + 100%형 피해과실수
복분자	종합위험 과실손해 조사	수정완료 시점 ~ 수확 전	□ 종합위험 과실손해 고사결과모지수 = 평년결과모지수 − (기준 살아있는 결과모지수 − 수정불량 환산 고사결과모지수 + 미보상 고사결과모지수) ○ 기준 살아있는 결과모지수 = 표본구간 살아있는 결과모 지수의 합 ÷ (표본구간수 × 5) ○ 수정불량환산 고사결과모지수 = 표본구간 수정불량 고 사결과모지수의 합 ÷ (표본구간수 × 5) ○ 표본구간 수정불량 고사결과모지수 = 표본구간 살아있 는 결과모지수 × 수정불량환산계수
	특정위험 과실손해 조사	사고접수 직후	○ 수정불량환산계수 = (수정불량결실수 ÷ 전체결실수) − 자연수정불량률 = 최댓값((표본포기 6송이 피해 열매수 의 합 ÷ 표본포기 6송이 열매수의 합계) − 15%, 0) ▷ 자연수정불량률 : 15%(2014 복분자 수확량 연구용역 결과반영)

복분자	종합위험 과실손해 조사	수정완료 시점 ~ 수확 전	○ 미보상 고사결과모지수 = 최댓값({평년결과모지수 − (기준 살아있는 결과모지수 − 수정불량환산 결과모지수)} × 미보상비율, 0) □ 특정위험 과실손해 고사결과모지수 = 수확감소환산 고사결과모지수 − 미보상 고사결과모지수 ○ 수확감소환산 고사결과모지수 (종합위험 과실손해조사를 실시한 경우) = (기준 살아있는 결과모지수 − 수정불량환산 고사결과모지수) × 누적수확감소환산계수 ○ 수확감소환산 고사결과모지수 (종합위험 과실손해조사를 실시하지 않은 경우) 　= 평년결과모지수 × 누적수확감소환산계수 ▷ 누적수확감소환산계수 = 특정위험 과실손해조사별 수확감소환산계수의 합
	특정위험 과실손해 조사	사고접수 직후	▷ 수확감소환산계수 = 최댓값(기준일자별 잔여수확량 비율 − 결실율, 0) ▷ 결실율 = 전체결실수 ÷ 전체개화수 　= Σ(표본송이의 수확 가능한 열매수) ÷ Σ(표본송이의 총열매수) ○ 미보상 고사결과모지수 = 수확감소환산 고사결과모지수 × 최댓값(특정위험 과실손해조사별 미보상비율) □ 피해율 = 고사결과모지수 ÷ 평년결과모지수 　− 고사결과모지수 = 종합위험 과실손해 고사결과모지수 + 특정위험 과실손해 고사결과모지수
무화과	수확량조사	수확 전 수확 후	□ 기본사항 ○ 품종·수령별 조사대상주수 = 품종·수령별 실제결과주수 − 품종·수령별 미보상주수 − 품종·수령별 고사주수 ○ 품종·수령별 평년수확량 = 평년수확량 × (품종·수령별 주당 표준수확량 × 품종·수령별 실제결과주수 ÷ 표준수확량) ▷ 품종·수령별 주당 평년수확량 = 품종·수령별 평년수확량 ÷ 품종·수령별 실제결과주수 □ 7월 31일 이전 피해율 ○ 피해율 = (평년수확량 − 수확량 − 미보상감수량) ÷ 평년수확량 ▷ 수확량 = {품종별·수령별 조사대상주수 × 품종·수령별 주당 수확량 × (1 − 피해구성률)} 　+ (품종·수령별 주당 평년수확량 × 미보상주수]

무화과	수확량조사	수확 전 수확 후	– 품종·수령별 주당 수확량 = 품종·수령별 주당 착과 수 × 표준과중 – 품종·수령별 주당 착과수 = 품종·수령별 표본주 과 실수의 합계 ÷ 품종·수령별 표본주수 ▷ 미보상감수량 = (평년수확량 – 수확량) × 미보상비율 ▷ 피해구성 조사 　– 피해구성률 : {(50%형 과실수 × 0.5) + (80%형 과실 　수 × 0.8) + (100%형 과실수 × 1)} ÷ 표본과실수 □ 8월 1일 이후 피해율 ○ 피해율 = (1 – 수확전사고 피해율) × 잔여수확량비율 × 　결과지 피해율 ▷ 결과지 피해율 = (고사결과지수 + 미고사결과지수 × 　착과피해율 – 미보상고사결과지수) ÷ 기준결과지수 　– 기준결과지수 = 고사결과지수 + 미고사결과지수 　– 고사결과지수 = 보상고사결과지수 + 미보상고사결과 　지수 　※ 8월 1일 이후 사고가 중복 발생할 경우 금차 피해율 　에서 전차 피해율을 차감하고 산정함

5. 종합위험 수확감소보장방식 논작물 품목

품목별	조사종류별	조사시기	피해율 산정 방법
벼	수량요소 (벼만 해당)	수확 전 14일 (전후)	○ 피해율 = (평년수확량 − 수확량 − 미보상감수량) ÷ 평년수확량 (단, 병해충 단독사고일 경우 병해충 최대인정피해율 적용) ▷ 수확량 = 표준수확량 × 조사수확비율 × 피해면적 보정계수 ▷ 미보상감수량 = (평년수확량 − 수확량) × 미보상비율
	표본	수확 가능시기	○ 피해율 : (평년수확량 − 수확량 − 미보상감수량) ÷ 평년수확량 (단, 병해충 단독사고일 경우 병해충 최대인정피해율 적용) ▷ 수확량 = (표본구간 단위면적당 유효중량 × 조사대상면적) + {단위면적당 평년수확량 ×(타작물 및 미보상면적 + 기수확면적)} − 단위면적당 평년수확량 = 평년수확량 ÷ 실제경작면적 − 조사대상면적 = 실제경작면적 − 고사면적 − 타작물 및 미보상면적 − 기수확면적 − 표본구간 단위면적당 유효중량 = 표본구간 유효중량 ÷ 표본구간 면적 • 표본구간 유효중량 = 표본구간 작물 중량 합계 × (1 − Loss율) × {(1 − 함수율) ÷ (1 − 기준함수율)} • Loss율 : 7% / 기준함수율 : 메벼(15%), 찰벼(13%) • 표본구간 면적 = 4포기 길이 × 포기당 간격 × 표본구간 수 ▷ 미보상감수량 = (평년수확량 − 수확량) × 미보상비율
	전수	수확 시	○ 피해율 : (평년수확량 − 수확량 − 미보상감수량) ÷ 평년수확량 (단, 병해충 단독사고일 경우 병해충 최대인정피해율 적용) ▷ 수확량 : 조사대상면적 수확량 + {단위면적당 평년수확량 × (타작물 및 미보상면적 + 기수확면적)} − 단위면적당 평년수확량 = 평년수확량 ÷ 실제경작면적 − 조사대상면적 = 실제경작면적 − 고사면적 − 타작물 및 미보상면적 − 기수확면적 − 조사대상면적 수확량 = 작물 중량 × {(1 − 함수율) ÷ (1 − 기준함수율)} • 기준함수율 : 메벼(15%), 찰벼(13%) ▷ 미보상감수량 = (평년수확량 − 수확량) × 미보상비율

밀, 보리	표본	수확 가능시기	○ 피해율 : (평년수확량 – 수확량 – 미보상감수량) ÷ 평년수확량 ▷ 수확량 = (표본구간 단위면적당 유효중량 × 조사대상면적) + {단위면적당 평년수확량×(타작물 및 미보상면적 + 기수확면적)} – 단위면적당 평년수확량 = 평년수확량 ÷ 실제경작면적 – 조사대상면적 = 실제경작면적 – 고사면적 – 타작물 및 미보상면적 – 기수확면적 – 표본구간 단위면적당 유효중량 = 표본구간 유효중량 ÷ 표본구간 면적 • 표본구간 유효중량 = 표본구간 작물 중량 합계 × (1 – Loss율) × {(1 – 함수율) ÷ (1 – 기준함수율)} • Loss율 : 7% / 기준함수율 : 밀(13%), 보리(13%) • 표본구간 면적 = 4포기 길이 × 포기당 간격 × 표본구간 수 ▷ 미보상감수량 : (평년수확량 – 수확량) × 미보상비율
	전수	수확 시	○ 피해율 : (평년수확량 – 수확량 – 미보상감수량) ÷ 평년수확량 ▷ 수확량 : 조사대상면적 수확량 + {단위면적당 평년수확량 × (타작물 및 미보상면적 + 기수확면적)} – 단위면적당 평년수확량 = 평년수확량 ÷ 실제경작면적 – 조사대상면적 = 실제경작면적 – 고사면적 – 타작물 및 미보상면적 – 기수확면적 – 조사대상면적 수확량 = 작물 중량 × {(1 – 함수율) ÷ (1 – 기준함수율)} • 기준함수율 : 밀(13%), 보리(13%) ▷ 미보상감수량 : (평년수확량 – 수확량) × 미보상비율

※ 하나의 농지에 대하여 여러 종류의 수확량조사가 실시되었을 경우, 피해율 적용 우선순위는 전수, 표본, 수량요소 순임

6. 종합위험 수확감소보장방식 밭작물 품목

품목별	조사종류별	조사시기	피해율 산정 방법
양배추	수확량조사 (수확 전 사고가 발생한 경우)	수확직전	○ 피해율 = (평년수확량 − 수확량 − 미보상감수량) ÷ 평년수확량 ▷ 수확량 = (표본구간 단위면적당 수확량 × 조사대상면적) + {단위면적당 평년수확량 × (타작물 및 미보상면적 + 기수확면적)} 　− 단위면적당 평년수확량 = 평년수확량 ÷ 실제경작면적 　− 표본조사대상면적 = 실제경작면적 − 고사면적 − 타작물 및 미보상면적 − 기수확면적 　− 표본구간 단위면적당 수확량 = 표본구간 수확량 합계 ÷ 표본구간 면적 　• 표본구간 수확량 합계 = 표본구간 정상 양배추 중 + (80% 피해 양배추 중량 × 0.2) ▷ 미보상감수량 = (평년수확량 − 수확량) × 미보상비율
	수확량조사 (수확 중 사고가 발생한 경우)	사고발생 직후	
양파, 마늘	수확량조사 (수확 전 사고가 발생한 경우)	수확직전	○ 피해율 = (평년수확량 − 수확량 − 미보상감수량) ÷ 평년수확량 ▷ 수확량 = (표본구간 단위면적당 수확량 × 조사대상면적) + {단위면적당 평년수확량 × (타작물 및 미보상면적 + 기수확면적)} 　− 단위면적당 평년수확량 = 평년수확량 ÷ 실제경작면적 　− 조사대상면적 = 실제경작면적 − 고사면적 − 타작물 및 미보상면적 − 기수확면적 　− 표본구간 단위면적당 수확량 = 표본구간 수확량 합계 ÷ 표본구간 면적 　• 표본구간 수확량 합계 = (표본구간 정상 작물 중량 + (80% 피해 작물 중량 × 0.2)) × (1 + 비대추정지수) × 환산계수 　• 환산계수는 마늘에 한하여 0.7(한지형), 0.72(난지형)를 적용 　• 누적비대추정지수 = 지역별 수확적기까지 잔여일수 × 일자별 비대추정지수 ▷ 미보상감수량 = (평년수확량 − 수확량) × 미보상비율
	수확량조사 (수확 중 사고가 발생한 경우)	사고발생 직후	

차(茶)	수확량조사 (조사 가능일 전 사고가 발생한 경우)	조사 가능일 직전	○ 피해율 = (평년수확량 − 수확량 − 미보상감수량) ÷ 평년수확량 ▷ 수확량 = (표본구간 단위면적당 수확량 × 조사대상면적) + {단위면적당 평년수확량 × (타작물 및 미보상면적 + 기수확면적)} 　− 단위면적당 평년수확량 = 평년수확량 ÷ 실제경작면적 　− 조사대상면적 = 실제경작면적 − 고사면적 − 타작물 및 미보상면적 − 기수확면적 　− 표본구간 단위면적당 수확량 = 표본구간 수확량 합계 ÷ 표본구간 면적 합계 × 수확면적율
	수확량조사 (조사 가능일 후 사고가 발생한 경우)	사고발생 직후	• 표본구간 수확량 합계 = {(수확한 새싹무게 ÷ 수확한 새싹수) × 기수확 새싹수 × 기수확지수} + 수확한 새싹무게 ▷ 미보상감수량 = (평년수확량 − 수확량) × 미보상비율
콩, 팥	수확량조사 (수확 전 사고가 발생한 경우)	수확직전	○ 피해율 = (평년수확량 − 수확량 − 미보상감수량) ÷ 평년수확량 ▷ 수확량(표본조사) = (표본구간 단위면적당 수확량 × 조사대상면적) + {단위면적당 평년수확량 × (타작물 및 미보상면적 + 기수확면적)} ▷ 수확량(전수조사) = {전수조사 수확량 × (1 − 함수율) ÷ (1 − 기준함수율)} + {단위면적당 평년수확량 × (타작물 및 미보상면적 + 기수확면적)} 　− 표본구간 단위면적당 수확량 = 표본구간 수확량 합계 ÷ 표본구간 면적
	수확량조사 (수확 중 사고가 발생한 경우)	사고발생 직후	• 표본구간 수확량 합계 = 표본구간별 종실중량 합계 × {(1 − 함수율) ÷ (1 − 기준함수율)} 　　• 기준함수율 : 콩(14%), 팥(14%) 　− 조사대상면적 = 실경작면적 − 고사면적 − 타작물 및 미보상면적 − 기수확면적 　− 단위면적당 평년수확량 = 평년수확량 ÷ 실제경작면적 ▷ 미보상감수량 = (평년수확량 − 수확량) × 미보상비율

감자	수확량조사 (수확 전 사고가 발생한 경우)	수확직전	○ 피해율 = {(평년수확량 − 수확량 − 미보상감수량) + 병충해감수량} ÷ 평년수확량 ▷ 수확량 = (표본구간 단위면적당 수확량 × 조사대상면적) + {단위면적당 평년수확량 × (타작물 및 미보상면적 + 기수확면적)} − 단위면적당 평년수확량 = 평년수확량 ÷ 실제경작면적 − 조사대상면적 = 실제경작면적 − 고사면적 − 타작물 및 미보상면적 − 기수확면적 − 표본구간 단위면적당 수확량 = 표본구간 수확량 합계 ÷ 표본구간 면적
	수확량조사 (수확 중 사고가 발생한 경우)	사고발생 직후	• 표본구간 수확량 합계 = 표본구간별 정상 감자 중량 + (최대 지름이 5cm 미만이거나 50%형 피해 감자 중량 × 0.5) + 병충해 입은 감자 중량 ▷ 병충해감수량 = 병충해 입은 괴경의 무게 × 손해정도비율 × 인정비율 ☞ 위 산식은 각각의 표본구간별로 적용되며, 각 표본구간 면적을 감안하여 전체 병충해 감수량을 산정 − 손해정도비율 = 표 2-4-9) 참조, 인정비율 = 표 2-4-10) 참조 ▷ 미보상감수량 = (평년수확량 − 수확량) × 미보상비율
고구마	수확량조사 (수확 전 사고가 발생한 경우)	수확직전	○ 피해율 = (평년수확량 − 수확량 − 미보상감수량) ÷ 평년수확량 ▷ 수확량 = (표본구간 단위면적당 수확량 × 조사대상면적) + {단위면적당 평년수확량 × (타작물 및 미보상면적 + 기수확면적)} − 단위면적당 평년수확량 = 평년수확량 ÷ 실제경작면적 − 조사대상면적 = 실제경작면적 − 고사면적 − 타작물 및 미보상면적 − 기수확면적 − 표본구간 단위면적당 수확량 = 표본구간 수확량 합계 ÷ 표본구간 면적
	수확량조사 (수확 중 사고가 발생한 경우)	사고발생 직후	• 표본구간 수확량 = 표본구간별 정상 고구마 중량 + (50% 피해 고구마 중량 × 0.5) + (80% 피해 고구마 중량 × 0.2) ▷ 미보상감수량 = (평년수확량 − 수확량) × 미보상비율

옥수수	수확량조사 (수확 전 사고가 발생한 경우)	수확직전	○ 손해액 = (피해수확량 − 미보상감수량) × 가입가격 ▷ 피해수확량 = (표본구간 단위면적당 피해수확량 × 표본조사대상면적) + (단위면적당 표준수확량 × 고사면적) − 단위면적당 표준수확량 = 표준수확량 ÷ 실제경작면적 − 조사대상면적 = 실제경작면적 − 고사면적 − 타작물 및 미보상면적 − 기수확면적 − 표본구간 단위면적당 피해수확량 = 표본구간 피해수확량 합계 ÷ 표본구간 면적 − 표본구간 피해수확량 합계 = (표본구간 "하"품 이하 옥수수 개수 + "중"품 옥수수 개수 × 0.5) × 표준중량 × 재식시기지수 × 재식밀도지수 ▷ 미보상감수량 = 피해수확량 × 미보상비율
	수확량조사 (수확 중 사고가 발생한 경우)	사고발생 직후	

7. 종합위험 생산비 보장방식 밭작물 품목 보험금 산정 방법

품목별	조사종류별	조사시기	피해율 산정 방법
고추, 브로콜리, 배추, 무, 단호박, 파, 당근, 메밀	생산비보장 손해조사	사고발생 직후	□ 보험금 산정(고추, 브로콜리) 　○ 보험금 = (잔존보험가입금액 × 경과비율 × 피해율) － 자기부담금 　　(단, 고추는 병충해가 있는 경우 병충해등급별 인정비율 추가하여 피해율에 곱함) 　　▷ 경과비율 　　　• 수확기 이전에 사고 시 　　　　$= \left\{a+(1-a) \times \dfrac{\text{생장일수}}{\text{표준생장일수}}\right\}$ 　　　• 수확기 중 사고 시 $= \left(1-\dfrac{\text{수확일수}}{\text{표준수확일수}}\right)$ 　　　※ α(준비기생산비계수) = (고추 : 55.6%, 브로콜리 : 49.5%) 　　　〈용어의 정의〉 　　　• 생장일수 : 정식일로부터 사고발생일까지 경과일수 　　　• 표준생장일수 : 정식일로부터 수확개시일까지의 일수로 작목별로 사전에 설정된 값 (고추 : 100일, 브로콜리 : 130일) 　　　• 수확일수 : 수확개시일로부터 사고발생일까지 경과일수 　　　• 표준수확일수 : 수확개시일부터 수확종료(예정)일까지 일수 　　▷ 자기부담금 = 잔존보험가입금액 × (3% 또는 5%) □ 보험금 산정(배추, 무, 단호박, 파, 당근, 메밀, 시금치(노지)) 　○ 보험금 = 보험가입금액 × (피해율 － 자기부담비율) □ 품목별 피해율 산정 　○ 고추 피해율 = 피해비율 × 손해정도비율(심도) × (1 － 미보상비율) 　　▷ 피해비율 = 피해면적 ÷ 실제경작면적(재배면적) 　　▷ 손해정도비율 = {(20%형 피해 고추주수 × 0.2) + (40%형 피해 고추주수 × 0.4) + (60%형 피해 고추주수 × 0.6) + (80%형 피해 고추주수 × 0.8) + (100%형 피해 고추주수)} ÷ (정상 고추주수 + 20%형 피해 고추주수 + 40%형 피해 고추주수 + 60%형 피해 고추주수 + 80%형 피해 고추주수 + 100%형 피해 고추주수)

| 고추,
브로콜리,
배추,
무,
단호박,
파,
당근,
메밀 | 생산비보장
손해조사 | 사고발생
직후 | ○ 브로콜리 피해율 = 피해비율 × 작물피해율
▷ 피해비율 = 피해면적 ÷ 실제경작면적(재배면적)
▷ 작물피해율 = {(50%형 피해송이 개수 × 0.5) + (80%형 피해송이 개수 × 0.8) + (100%형 피해송이 개수)} ÷ (정상 송이 개수 + 50%형 피해송이 개수 + 80%형 피해송이 개수 + 100%형 피해송이 개수)
○ 배추, 무, 단호박, 파, 당근, 시금치(노지) 피해율 = 피해비율 × 손해정도비율(심도) × (1 − 미보상비율)
▷ 피해비율 = 피해면적 ÷ 실제경작면적(재배면적)
▷ 손해정도비율
= {(20%형 피해작물 개수 × 0.2) + (40%형 피해작물 개수 × 0.4) + (60%형 피해작물 개수 × 0.6) + (80%형 피해작물 개수 × 0.8) + (100%형 피해작물 개수)} ÷ (정상 작물 개수 + 20%형 피해작물 개수 + 40%형 피해작물 개수 + 60%형 피해작물 개수 + 80%형 피해작물 개수 + 100%형 피해작물 개수)
○ 메밀 피해율 = 피해면적 ÷ 실제경작면적(재배면적)
▷ 피해면적
= (도복으로 인한 피해면적 × 70%) + [도복 이외로 인한 피해면적 × {(20%형 피해 표본면적 × 0.2) + (40%형 피해 표본면적 × 0.4) + (60%형 피해 표본면적 × 0.6) + (80%형 피해 표본면적 × 0.8) + (100%형 피해 표본면적 × 1)} ÷ 표본면적 합계] |

8. 농업수입감소보장방식 과수작물 품목

품목별	조사종류별	조사시기	피해율 산정 방법

포도	수확량조사	착과수조사
		(최초
		수확 품종
		수확 전)
		/
		과중조사
		(품종별
		수확시기)
		/
		착과
		피해조사
		(피해 확인
		가능 시기)
		/
		낙과
		피해조사
		(착과수
		조사 이후
		낙과
		피해 시)
		/
		고사나무
		조사
		(수확
		완료 후)
			□ 착과수(수확개시 전 착과수조사 시)
			 ○ 품종·수령별 착과수 = 품종·수령별 조사대상주수 ×
			 품종·수령별 주당 착과수
			  ▷ 품종·수령별 조사대상주수 = 품종·수령별 실제결과
			  주수 − 품종·수령별 고사주수 − 품종·수령별 미보상
			  주수
			  ▷ 품종·수령별 주당 착과수 = 품종·수령별 표본주의 착
			  과수 ÷ 품종·수령별 표본주수
			
			□ 착과수(착과피해조사 시)
			 ○ 품종·수령별 착과수 = 품종·수령별 조사대상주수 ×
			 품종·수령별 주당 착과수
			  ▷ 품종·수령별 조사대상주수 = 품종·수령별 실제결과
			  주수 − 품종·수령별 고사주수 − 품종·수령별 미보상
			  주수 − 품종·수령별 수확완료주수
			  ▷ 품종·수령별 주당 착과수 = 품종별·수령별 표본주의
			  착과수 ÷ 품종별·수령별 표본주수
			
			□ 과중조사(사고접수 여부와 상관없이 모든 농지마다 실시)
			 ○ 품종별 과중 = 품종별 표본과실 무게 ÷ 품종별 표본과
			 실수
			
			□ 낙과수 산정(착과수조사 이후 발생한 낙과사고마다 산정)
			 ○ 표본조사 시 : 품종·수령별 낙과수 조사
			  ▷ 품종·수령별 낙과수 = 품종·수령별 조사대상 주수 ×
			  품종·수령별 주당 낙과수
			   − 품종·수령별 조사대상주수 = 품종·수령별 실제결과
			   주수 − 품종·수령별 고사주수 − 품종·수령별 미보
			   상주수 − 품종·수령별 수확완료주수
			   − 품종·수령별주당 낙과수 = 품종·수령별 표본주의
			   낙과수 ÷ 품종·수령별 표본주수
			
			 ○ 전수조사 시 : 품종별 낙과수 조사
			  ▷ 전체 낙과수에 대한 품종 구분이 가능할 때 : 품종별로
			  낙과수 조사
			  ▷ 전체 낙과수에 대한 품종 구분이 불가능할 때(전체 낙
			  과수 조사 후 품종별 안분)
			   − 품종별 낙과수 = 전체 낙과수 × (품종별 표본과실수
			   ÷ 품종별 표본과실수의 합계)

포도	수확량조사	착과수조사 (최초 수확 품종 수확 전) / 과중조사 (품종별 수확시기) / 착과 피해조사 (피해 확인 가능 시기) / 낙과 피해조사 (착과수 조사 이후 낙과 피해 시) / 고사나무 조사 (수확 완료 후)	• 품종별 주당 낙과수 = 품종별 낙과수 ÷ 품종별 조사 대상주수 – 품종별 조사대상주수 = 품종별 실제결과주수 – 품종 별 고사주수 – 품종별 미보상주수 – 품종별 수확완료 주수) □ 피해구성조사(낙과 및 착과피해 발생 시 실시) ○ 피해구성률 = {(50%형 피해과실수 × 0.5) + (80%형 피 해과실수 × 0.8) + (100%형 피해과실수 × 1)} ÷ 표본 과실수 ○ 금차 피해구성률 = 피해구성률 – max A ▷ 금차 피해구성률은 다수 사고인 경우 적용 ▷ max A : 금차 사고 전 기조사된 착과피해구성률 중 최 댓값을 말함 ※ 금차 피해구성률이 영(0)보다 작은 경우에는 영(0)으 로 함 □ 착과량 산정 ○ 착과량 = 품종·수령별 착과량의 합 ▷ 품종·수령별 착과량 = (품종·수령별 착과수 × 품종별 과중) + (품종·수령별 주당 평년수확량 × 미보상주수) – 품종·수령별 주당 평년수확량 = 품종·수령별 평년 수확량 ÷ 품종·수령별 실제결과주수 – 품종·수령별 평년수확량 = 평년수확량 × (품종·수 령별 표준수확량 ÷ 표준수확량) – 품종·수령별 표준수확량 = 품종·수령별 주당 표준 수확량 × 품종·수령별 실제결과주수 □ 감수량 산정(사고마다 산정) ○ 금차 감수량 = 금차 착과 감수량 + 금차 낙과 감수량 + 금차 고사주수 감수량 ▷ 금차 착과 감수량 = 금차 품종별·수령별 착과 감수량 의 합 – 금차 품종·수령별 착과 감수량 = 금차 품종·수령별 착과수 × 품종별 과중 × 금차 품종별 착과피해구성률 – 금차 낙과 감수량 = 금차 품종·수령별 낙과수 × 품 종별 과중 × 금차 낙과피해구성률 – 금차 고사주수 감수량 = 품종·수령별 금차 고사주수 × (품종·수령별 주당 착과수 + 품종·수령별 주당 낙과수) × 품종별 과중 × (1 – max A)

포도	수확량조사	착과수조사 (최초 수확 품종 수확 전) / 과중조사 (품종별 수확시기) / 착과 피해조사 (피해 확인 가능 시기) / 낙과 피해조사 (착과수 조사 이후 낙과 피해 시) / 고사나무 조사 (수확 완료 후)	▷ 품종 · 수령별 금차 고사주수 = 품종 · 수령별 고사주수 　 – 품종 · 수령별 기조사 고사주수 ☐ **피해율 산정** 　○ 피해율 = (기준수입 – 실제수입) ÷ 기준수입 　▷ 기준수입 = 평년수확량 × 농지별 기준가격 　▷ 실제수입 = (수확량 + 미보상감수량) × 최솟값(농지별 　　기준가격, 농지별 수확기가격) 　　– 미보상 감수량 = (평년수확량 – 수확량) × 최댓값(미 　　보상비율) ☐ **수확량 산정** 　○ 품종별 개당 과중이 모두 있는 경우 　▷ 수확량 = 착과량 – 사고당 감수량의 합

9. 농업수입감소보장방식 밭작물 품목

품목별	조사종류별	조사시기	피해율 산정 방법
콩	수확량조사	수확직전	○ 피해율 = (기준수입 − 실제수입) ÷ 기준수입 ▷ 기준수입 = 평년수확량 × 농지별 기준가격 ▷ 실제수입 = (수확량 + 미보상감수량) × 최솟값(농지별 기준가격, 농지별 수확기가격) 　− 수확량(표본조사) 　= (표본구간 단위면적당 수확량 × 조사대상면적) + {단위면적당 평년수확량 × (타작물 및 미보상면적 + 기수확면적)} 　− 수확량(전수조사) 　= {전수조사 수확량 × (1 − 함수율) ÷ (1 − 기준함수율)} + {단위면적당 평년수확량 × (타작물 및 미보상면적 + 기수확면적)} 　• 표본구간 단위면적당 수확량 = 표본구간 수확량 합계 ÷ 표본구간 면적 　• 표본구간 수확량 합계 = 표본구간별 종실중량 합계 × {(1 − 함수율) ÷ (1 − 기준함수율)} 　• 기준함수율 : 콩(14%) 　• 조사대상면적 = 실경작면적 − 고사면적 − 타작물 및 미보상면적 − 기수확면적 　• 단위면적당 평년수확량 = 평년수확량 ÷ 실제경작면적 ▷ 미보상감수량 = (평년수확량 − 수확량) × 미보상비율 (또는 보상하는 재해가 없이 감소된 수량)
양파	수확량조사	수확직전	○ 피해율 = (기준수입 − 실제수입) ÷ 기준수입 ▷ 기준수입 = 평년수확량 × 농지별 기준가격 ▷ 실제수입 = (수확량 + 미보상감수량) × 최솟값(농지별 기준가격, 농지별 수확기가격) 　− 미보상감수량 = (평년수확량 − 수확량) × 미보상비율 (또는 보상하는 재해가 없이 감소된 수량) ○ 수확량 = (표본구간 단위면적당 수확량 × 조사대상면적) + {단위면적당 평년수확량 × (타작물 및 미보상면적 + 기수확면적)} ▷ 단위면적당 평년수확량 = 평년수확량 ÷ 실제경작면적 ▷ 조사대상면적 = 실경작면적 − 수확불능면적 − 타작물 및 미보상면적 − 기수확면적 ▷ 표본구간 단위면적당 수확량 = 표본구간 수확량 ÷ 표본구간 면적

양파	수확량조사	수확직전	– 표본구간 수확량 = (표본구간 정상 양파 중량 + 80% 형 피해 양파 중량의 20%) × (1 + 누적비대추정지수) – 누적비대추정지수 = 지역별 수확적기까지 잔여일수 × 비대추정지수
마늘	수확량조사	수확직전	○ 피해율 = (기준수입 − 실제수입) ÷ 기준수입 ▷ 기준수입 = 평년수확량 × 농지별 기준가격 ▷ 실제수입 = (수확량 + 미보상감수량) × 최솟값(농지별 기준가격, 농지별 수확기가격) – 미보상감수량 = (평년수확량 − 수확량) × 미보상비율 (또는 보상하는 재해가 없이 감소된 수량) ○ 수확량 = (표본구간 단위면적당 수확량 × 조사대상면적) + {단위면적당 평년수확량 × (타작물 및 미보상면적 + 기수확면적)} ▷ 단위면적당 평년수확량 = 평년수확량 ÷ 실제경작면적 ▷ 조사대상면적 = 실경작면적 − 수확불능면적 − 타작물 및 미보상면적 − 기수확면적 ▷ 표본구간 단위면적당 수확량 = (표본구간 수확량 × 환산계수) ÷ 표본구간 면적 – 표본구간 수확량 = (표본구간 정상 마늘 중량 + 80% 형 피해 마늘 중량의 20%) × (1 + 누적비대추정지수) – 환산계수 : 0.7(한지형), 0.72(난지형) – 누적비대추정지수 = 지역별 수확적기까지 잔여일수 × 비대추정지수
고구마	수확량조사	수확직전	○ 피해율 = (기준수입 − 실제수입) ÷ 기준수입 ▷ 기준수입 = 평년수확량 × 농지별 기준가격 ▷ 실제수입 = (수확량 + 미보상감수량) × 최솟값(농지별 기준가격, 농지별 수확기가격) – 미보상감수량 = (평년수확량 − 수확량) × 미보상비율 (또는 보상하는 재해가 없이 감소된 수량) ○ 수확량 = (표본구간 단위면적당 수확량 × 조사대상면적) + {단위면적당 평년수확량 × (타작물 및 미보상면적 + 기수확면적)} ▷ 단위면적당 평년수확량 = 평년수확량 ÷ 실제경작면적 ▷ 조사대상면적 = 실경작면적 − 수확불능면적 − 타작물 및 미보상면적 − 기수확면적

고구마	수확량조사	수확직전	▷ 표본구간 단위면적당 수확량 = 표본구간 수확량 ÷ 표본구간 면적 　- 표본구간 수확량 = (표본구간 정상 고구마 중량 + 50% 피해 고구마 중량 × 0.5 + 80% 피해 고구마 중량 × 0.2) 　※ 위 산식은 표본구간별로 적용됨
감자 (가을 재배)	수확량조사	수확직전	○ 피해율 = (기준수입 - 실제수입) ÷ 기준수입 ▷ 기준수입 : 평년수확량 × 농지별 기준가격 ▷ 실제수입 : (수확량 + 미보상감수량 - 병충해감수량) × 최솟값(농지별 기준가격, 수확기가격) 　- 미보상감수량 = (평년수확량 - 수확량) × 미보상비율 (또는 보상하는 재해가 없이 감소된 수량) 　- 병충해감수량 = 병충해 입은 괴경의 무게 × 손해정도비율 × 인정비율 ○ 수확량 = (표본구간 단위면적당 수확량 × 조사대상면적) + {단위면적당 평년수확량 × (타작물 및 미보상면적 + 기수확면적)} ▷ 단위면적당 평년수확량 = 평년수확량 ÷ 실제경작면적 ▷ 조사대상면적 = 실경작면적 - 수확불능면적 - 타작물 및 미보상면적 - 기수확면적 ▷ 표본구간 단위면적당 수확량 = 표본구간 수확량 ÷ 표본구간 면적 　- 표본구간 수확량 = 표본구간 (정상 감자 중량 + (50% 형 피해 감자 중량 × 0.5) + 병충해 입은 감자 중량) 　※ 위 산식은 각각의 표본구간별로 적용되며, 각 표본구간 면적을 감안하여 전체 병충해 감수량을 산정 　손해정도비율 : 표 2-4-9) 참조 　인정비율 : 표 2-4-10) 참조
양배추	수확량조사	수확직전	○ 피해율 = (기준수입 - 실제수입) ÷ 기준수입 ▷ 기준수입 = 평년수확량 × 농지별 기준가격 ▷ 실제수입 = (수확량 + 미보상감수량) × 최솟값(농지별 기준가격, 농지별 수확기가격) 　- 미보상감수량 = (평년수확량 - 수확량) × 미보상비율 (또는 보상하는 재해가 없이 감소된 수량) ○ 수확량 = (표본구간 단위면적당 수확량 × 조사대상면적) + {단위면적당 평년수확량 × (타작물 및 미보상면적 + 기수확면적)}

양배추	수확량조사	수확직전	▷ 단위면적당 평년수확량 = 평년수확량 ÷ 실제경작면적
			▷ 조사대상면적 = 실경작면적 - 수확불능면적 - 타작물 및 미보상면적 - 기수확면적
			▷ 표본구간 단위면적당 수확량 = 표본구간 수확량 ÷ 표본구간 면적
			   - 표본구간 수확량 = (표본구간 정상 양배추 중량 + 80% 피해 양배추 중량 × 0.2)
			     ※ 위 산식은 표본구간별로 적용됨

✽ 종합위험보장 **사과, 배, 단감, 떫은감** 상품

01 농작물재해보험 업무방법에 따른 적과전종합위험 과수 상품의 대상품목이며 과실손해보장에 해당하는 대상 농작물 4가지를 쓰시오.

02 다음 농작물재해보험 업무방법에 따른 적과전종합위험 과수 상품의 대상품목에서 설명하는 것은 무엇인지 (　) 안에 들어갈 알맞은 말을 쓰시오.

> (　　)란 서리 또는 기온의 하강으로 인하여 농작물 등이 얼어서 생기는 피해이다.

03 다음 농작물재해보험 업무방법에 따른 적과전종합위험 과수 상품의 대상품목에서 설명하는 것은 무엇인지 (　) 안에 들어갈 알맞은 말을 쓰시오.

> (　　)란 서리 또는 기온의 하강으로 인하여 과실 또는 잎이 얼어서 생기는 피해이다.

04 다음 농작물재해보험 업무방법에 따른 적과전종합위험 과수 상품의 대상품목에서 설명하는 것은 무엇인지 Ⓐ~Ⓓ에 들어갈 알맞은 말을 쓰시오.

> (Ⓐ)라 함은 기상청에서 호우에 대한 기상특보(호우주의보 또는 호우경보)를 발령한 때 발령 지역의 비 또는 과수원에서 가장 가까운 (Ⓑ)개소의 기상관측장비(기상청 설치)로 측정한 (Ⓒ)시간 누적강수량이 (Ⓓ)mm 이상인 강우상태를 말한다.

05 다음 농작물재해보험 업무방법에 따른 적과전종합위험 과수 상품의 대상품목에서 설명하는 것은 무엇인지 (   ) 안에 들어갈 알맞은 말을 쓰시오.

> (   )이란 적란운과 봉우리적운 속에서 성장하는 얼음알갱이 또는 얼음덩어리가 내리는 현상이다.

06 계약인수 단위에 관한 설명 중 맞으면 ○, 틀리면 × 표시를 하시오.

(1) 과수원 단위로 가입하고 최저 보험가입금액은 100만원 이상으로 한다. (   )

(2) 계약자 1인이 서로 다른 2개 이상 품목을 가입하고자 할 경우에는 별개의 계약으로 각각 가입·처리한다. (   )

(3) 농협은 농협 관할구역에 속한 과수원에 한하여 인수할 수 있으며 계약자가 동일한 관할구역 내에 여러 개의 과수원을 소유하고 있는 경우에는 하나의 농협에 가입하는 것을 원칙으로 한다. (   )

07 다음은 농작물재해보험 업무방법에 따른 적과전종합위험 과수 상품의 대상농작물(사과·배·단감·떫은감)의 보상하는 손해 중 과실손해보장의 경우 보통약관의 적과종료 이전 보상하는 손해에 관한 내용이다. (   ) 안에 들어갈 알맞은 말을 쓰시오.

> (①)피해, (②)피해, 동상해, 호우피해, (③), 한해, (④), 설해, (⑤), 기타자연재해, (⑥), 화재 등이다.

08 다음은 농작물재해보험 업무방법에 따른 적과전종합위험 과수 상품의 대상농작물(사과·배·단감·떫은감)의 보상하는 손해 중 과실손해보장의 경우 보통약관의 적과종료 이후 보상하는 손해에 관한 내용이다. (   ) 안에 들어갈 알맞은 말을 쓰시오.

> 태풍(강풍), 우박, (①), (②), (③), 가을동상해, (④) 등이다.

09 다음은 농작물재해보험 업무방법에 따른 적과전종합위험 과수 상품의 대상농작물(사과·배·단감·떫은감)의 보상하는 손해 중 "과실손해보장의 경우 보통약관 및 나무손해보장의 특별약관"에서 적과종료 이전 및 이후 보상하는 손해에 관한 내용이다. 대상재해별 보험기간에 대한 기준 중 Ⓐ~Ⓚ에 들어갈 알맞은 말을 쓰시오.

구분		대상재해	대상품목	보험기간	
보장	약관			시기	종기
과실손해보장	보통약관	적과종료 이전	자연재해, 조수해, 화재	사과, 배	계약체결 시	적과종료시점 다만, 판매개시연도 (Ⓐ)을 초과할 수 없다.
				단감, 떫은감	계약체결일 24시	적과종료시점 다만, 판매개시연도 (Ⓑ)을 초과할 수 없다.
		적과종료 이후	태풍(강풍), 우박, (Ⓒ), 화재, 지진	사과, 배, 단감, 떫은감	적과종료 이후	수확기종료시점 다만, 판매개시연도 (Ⓓ)을 초과할 수 없다.
			가을동상해보장	사과, 배	판매개시연도 (Ⓔ)	수확기종료시점 다만, 판매개시연도 (Ⓕ)을 초과할 수 없다.
				단감, 떫은감	판매개시연도 (Ⓖ)	수확기종료시점 다만, 판매개시연도 (Ⓗ)을 초과할 수 없다.
			일소피해보장	사과, 배, 단감, 떫은감	적과종료 이후	판매개시연도 (Ⓘ)
나무손해보장	특별약관	자연재해, 조수해, 화재		사과, 배, 단감, 떫은감	판매개시연도 (Ⓙ) (다만, 판매개시연도 2월 1일 이후 보험에 가입하는 경우에는 계약체결일 24시)	이듬해 (Ⓚ)

10 농작물재해보험 업무방법에 따른 적과전종합위험 과수 상품의 대상농작물(사과 · 배 · 단감 · 떫은감)의 보상하는 손해 중 가입지역은 (　　)이다. (　　) 안에 들어갈 알맞은 말을 쓰시오.

11 다음은 농작물재해보험 업무방법에 따른 적과전종합위험 과수 상품의 대상농작물(사과 · 배 · 단감 · 떫은감)의 보상하지 않는 손해 중 인수제한 목적물(과수원)에 관한 내용이다. Ⓐ~Ⓕ에 들어갈 알맞은 말을 쓰시오.

구분		내용
과실 손해 보장	보통 약관	1) 적과종료 이전 ① 계약자, 피보험자(법인인 경우에는 그 이사 또는 법인의 업무를 집행하는 그 밖의 기관) 또는 이들의 법정대리인의 (Ⓐ)로 생긴 손해를 말한다. ② 제초작업, 시비관리 등 통상적인 (Ⓑ)을 하지 않아 발생한 손해를 말한다. ③ 원인의 직 · 간접을 묻지 않고 병해충으로 발생한 손해를 말한다. ④ 보상하지 아니하는 재해로 제방, 댐 등이 붕괴되어 발생한 손해를 말한다. ⑤ 하우스, 부대시설 등의 노후 및 하자로 생긴 손해를 말한다. ⑥ 계약체결 시점 현재 기상청에서 발령하고 있는 기상특보 발령 지역의 기상특보 관련 재해(태풍, 호우, 홍수, 강풍, 풍랑, 해일, 대설, 폭염 등)로 인한 손해를 말한다. ⑦ 보상하는 자연재해로 인하여 발생한 동녹(과실에 발생하는 검은 반점 병) 등 간접손해를 말한다. ⑧ 보상하는 손해에 해당하지 않은 재해로 발생한 손해를 말한다. ⑨ 「식물방역법」 제36조(방제명령 등)에 의거 금지 병해충인 과수 화상병에 의한 폐원으로 인한 손해 및 정부 공공기관의 매립으로 발생한 손해를 말한다. 2) 적과종료 이후 ① 계약자, 피보험자(법인인 경우에는 그 이사 또는 법인의 업무를 집행하는 그 밖의 기관) 또는 이들의 법정대리인의 고의 또는 중대한 과실로 생긴 손해를 말한다. ② (Ⓒ)에 계약자 또는 피보험자의 고의 또는 중대한 과실로 수확하지 못하여 발생한 손해를 말한다. ③ (Ⓓ), 시비관리 등 통상적인 영농활동을 하지 않아 발생한 손해를 말한다.

		④ 보상하지 아니하는 재해로 제방, 댐 등이 붕괴되어 발생한 손해를 말한다.
		⑤ 원인의 직·간접을 묻지 않고 병해충으로 발생한 손해를 말한다.
		⑥ 최대순간풍속 (Ⓔ)m/sec 미만의 바람으로 발생한 손해를 말한다.
		⑦ 보상하는 자연재해로 인하여 발생한 동녹(과실에 발생하는 검은 반점 병) 등 간접손해를 말한다.
		⑧ 보상하는 손해에 해당하지 않은 재해로 발생하는 손해를 말한다.
		⑨ 농업인의 부적절한 잎소지(잎제거)로 인하여 발생하는 손해를 말한다.
		⑩ (Ⓕ) 과실에서 나타나는 손해를 말한다.
		⑪ 저장성 약화, 과실 경도 약화 등 육안으로 판별되지 않는 손해를 말한다.
		⑫ 병으로 인해 낙엽이 발생하여 태양광에 과실이 노출됨으로써 발생한 손해를 말한다.
		⑬ 「식물방역법」 제36조(방제명령 등)에 의거 금지 병해충인 과수 화상병에 의한 폐원으로 인한 손해 및 정부 공공기관의 매립으로 발생한 손해를 말한다.
나무 손해 보장	특별 약관	1) 보상하지 아니하는 재해로 제방, 댐 등이 붕괴되어 발생한 손해를 말한다. 2) 피해를 입었으나 회생 가능한 나무의 손해를 말한다. 3) 토양관리 및 재배기술의 잘못 적용으로 인해 생기는 나무 손해를 말한다. 4) 병충해 등 간접손해에 의해 생긴 나무 손해를 말한다.

12 농작물재해보험 업무방법에 따른 적과전종합위험 과수 상품의 대상농작물(사과·배·단감·떫은감)의 나무손해보장 특별약관에서 보상하지 않는 4가지를 쓰시오.

13 농작물재해보험 업무방법에 따른 적과전종합위험 과수 상품의 대상농작물(사과·배·단감·떫은감)의 과수상품에서 "과실손해보장 보통약관 적용보험료"를 구하는 공식을 쓰시오.

14 다음 [보기]의 조사 자료를 근거로 적과전종합위험(사과) 나무손해보장 보험금을 산출하시오.

[보기]
- 보험가입금액 : 1,000만원
- 실제결과주수 : 400주
- 자기부담비율 : 20%
- 평년착과수 : 4,000개
- 고사주수 : 60주(미보상고사주수 20주)

15 다음은 농작물재해보험 업무방법에 따른 적과전종합위험 과수 상품의 대상농작물(사과·배·단감·떫은감)의 과수상품에서 "나무손해보장 특별약관 적용보험료"를 구하는 공식을 쓰시오.

16 다음 [보기]의 조사 자료를 근거로 적과전종합위험(사과) 나무손해보장 보험금을 산출하시오.

[보기]
- 보험가입금액 : 2,000만원
- 실제결과주수 : 400주
- 자기부담비율 : 20%
- 평년착과수 : 4,000개
- 고사주수 : 60주(미보상고사주수 20주)

17 다음 [보기]의 조사 자료를 근거로 적과전종합위험(사과) 나무손해보장 보험금을 산출하시오.

[보기]
- 보험가입금액 : 1,000만원
- 실제결과주수 : 200주
- 자기부담비율 : 20%
- 평년착과수 : 2,000개
- 고사주수 : 30주(미보상고사주수 10주)

18 농작물재해보험 업무방법에 따른 적과전종합위험 과수 상품의 대상농작물 '사과' 품목의 '착과 감소보장 보통약관 적용보험료'를 구하는 공식을 쓰시오.

19 다음은 농작물재해보험 업무방법에 따른 적과전종합위험 과수 상품의 기준수확량에서 Ⓐ~Ⓒ에 들어갈 알맞은 말을 쓰시오.

기준착과수	적과종료 전에 인정된 착과감소과실수가 없는 과수원	(Ⓐ)
	적과종료 전에 인정된 착과감소과실수가 있는 과수원	(Ⓑ)
기준수확량	(Ⓒ)	

20 농작물재해보험 업무방법에 따른 적과전종합위험 과수 상품의 적과전 사고로 인하여 착과감소 량이 자기부담감수량을 초과하는 경우 Ⓐ~Ⓒ에 들어갈 알맞은 말을 쓰시오.

착과감소보험금	(착과감소량 – 미보상감수량 – 자기부담감수량) × (Ⓐ) × (50%, 70%)
착과감소량	평년착과량 – (Ⓑ)
자기부담감수량	(Ⓒ) × 자기부담비율

21 농작물재해보험 업무방법서상 "사과" 품목의 다음 [보기]의 조사 자료를 근거로 계약 해지(계 약자 또는 피보험자의 책임 없는 사유)로 인한 보험료 환급에서 '순 보험료'를 구하시오.

[보기]

- 보험가입금액 : 1,000만원
- 순보험료율 : 20%
- 보험료할인율 : 10%
- 5종 한정특약 미가입(보장수준 50%)
- 보험료 : 계약 당시 일시납
- 주어진 조건 외 다른 조건은 고려하지 않음

22 농작물재해보험 업무방법서상 "사과" 품목의 다음 [보기]의 조사 자료를 근거로 계약 해지(계약자 또는 피보험자의 책임 없는 사유)로 인한 보험료 환급에서 '보험료 환급금'을 구하시오.

[보기]
- 보험가입금액 : 1,000만원
- 순보험료율 : 20%
- 보험료할인율 : 10%
- 5종 한정특약 미가입(보장수준 50%)
- 보험료 : 계약 당시 일시납
- 주어진 조건 외 다른 조건은 고려하지 않음

23 다음 농작물재해보험 업무방법에 따른 적과전종합위험 과수 상품의 적과종료 이전 "착과감소량"에서 Ⓐ~Ⓒ에 들어갈 알맞은 말을 쓰시오.

(Ⓐ)	착과감소과실수 × 가입과중
(Ⓑ)	평년착과수 − 적과후착과수
(Ⓒ)	보험에 가입할 때 결정한 과실의 1개당 평균과실무게로, 한 과수원에서 다수의 품종이 혼식된 경우에도 품종과 관계없이 동일하다.

24 다음 농작물재해보험 업무방법에 따른 적과전종합위험 과수 상품의 적과종료 이전 자연재해로 인한 적과종료 이후 착과손해에서 Ⓐ~Ⓒ에 들어갈 알맞은 말을 쓰시오.

(1) 적과후착과수가 평년착과수의 60% 미만인 경우
   감수과실수 = (Ⓐ) × 5%
(2) 적과후착과수가 평년착과수의 60% 이상 100% 미만인 경우

   감수과실수 = 적과후착과수 × (Ⓑ) × $\dfrac{100\% - 착과율}{40\%}$

(3) 착과율 = 적과후착과수 ÷ (Ⓒ)

25 다음 농작물재해보험 업무방법에 따른 적과전종합위험 과수 상품의 적과종료 이전 자연재해로 인한 적과종료 이후 착과손해를 구하시오. (단, 주어진 조건 이외는 다른 사항은 고려하지 않는다.)

〈조건〉
적과후착과수가 평년착과수의 60% 이상 100% 미만인 경우
(1) 적과종료 이전 자연재해 : 태풍
(2) 평년착과수 : 10,000개
(3) 적과후착과수 : 8,000개

26 농작물재해보험 업무방법에 따른 적과전종합위험 과수 상품의 나무손해보장특별약관에서 "보상하는 재해로 나무에 발생한 피해율이 자기부담비율을 초과하는 경우" 보험금을 구하는 방식을 쓰시오.

27 농작물재해보험 업무방법에 따른 적과전종합위험 과수 상품의 "부보비율"에 따른 보험금 산출에서 Ⓐ~Ⓓ에 들어갈 알맞은 말을 쓰시오.

가입수확량이 기준수확량의 80% 미만인 경우 부보비율에 따른 보험금을 계산 지급한다.
(1) 고의 또는 중대한 과실로 중요한 사항에 대하여 사실과 다르게 알린 때, 중요한 사항이란 과수원의 (Ⓐ), (Ⓑ), (Ⓒ) 등을 말한다.
(2) 뚜렷한 (Ⓓ)의 변경 또는 증가와 관련된 계약 후 알릴 의무를 이행하지 않을 때를 말한다.

28 다음 농작물재해보험 업무방법에 따른 적과전종합위험 과수 상품의 "부보비율"에 대한 질문에 알맞은 답을 쓰시오.

(1) 부보비율에 따른 보험금 계산식을 쓰시오.

(2) 부보장 및 한정보장 특별약관의 정의를 쓰시오.

(3) 부보장 및 한정보장 특별약관의 특약의 종류를 적고 그 해당하는 내용을 간략하게 요약하여 쓰시오.

29 다음 농작물재해보험 업무방법에 따른 적과전종합위험 과수 상품의 "자기부담비율"에서 Ⓐ~Ⓕ에 들어갈 알맞은 말을 쓰시오.

(1) 과실손해보장의 자기부담비율은 지급보험금을 계산할 때 (Ⓐ)에서 차감하는 비율로서, 계약할 때 계약자가 선택한 비율(10%, 15%, 20%, 30%, 40%), 호두, 살구, 유자의 경우 자기부담비율은 20%, 30%, 40% 등을 말한다.

(2) 자기부담비율 적용기준

　　1) 10%형 : 최근 (Ⓑ)년간 연속 보험가입과수원으로서 (Ⓑ)년간 수령한 보험금이 순보험료의 (Ⓒ)% 이하인 경우에 한하여 선택 가능하다.

　　2) 15%형 : 최근 (Ⓓ)년간 연속 보험가입과수원으로서 (Ⓓ)년간 수령한 보험금이 순보험료의 (Ⓔ)% 이하인 경우에 한하여 선택 가능하다.

　　3) 20%형, 30%형, 40%형 : 제한 없음

(3) 나무손해보장 특별약관의 자기부담비율 : (Ⓕ)%

30 다음 농작물재해보험 업무방법에 따른 적과전종합위험 과수 상품의 "감액미경과비율"에서 Ⓐ~Ⓘ에 들어갈 알맞은 말을 쓰시오.

(1) 보험가입금액의 감액

　　적과전 사고가 없으나 적과후착과량이 (Ⓐ)보다 적게 되는 경우 보험가입금액을 감액한다.

(2) 감액미경과비율

　　1) 적과종료 이전 특정위험 5종 한정보장 특별약관에 가입하지 않은 경우

　　　　① 착과감소보험금 보장수준 50%형

품목	보통약관
사과 · 배	(Ⓑ)%
단감 · 떫은감	(Ⓒ)%

　　　　② 착과감소보험금 보장수준 70%형

품목	보통약관
사과 · 배	(Ⓓ)%
단감 · 떫은감	(Ⓔ)%

　　2) 적과종료 이전 특정위험 5종 한정보장 특별약관에 가입한 경우

　　　　① 착과감소보험금 보장수준 50%형

품목	보통약관
사과 · 배	(Ⓕ)%
단감 · 떫은감	(Ⓖ)%

　　　　② 착과감소보험금 보장수준 70%형

품목	보통약관
사과 · 배	(Ⓗ)%
단감 · 떫은감	(Ⓘ)%

31 다음 농작물재해보험 업무방법에 따른 적과전종합위험 과수 상품의 "보험가입자격"에서 Ⓐ~
Ⓖ에 들어갈 알맞은 말을 쓰시오.

[보험가입자격]
(1) 「농어업경영체 육성 및 지원에 관한 법률」 제4조에 따른 농업경영체로 등록한 자(농업인,
    농업법인)로서 농업인 및 (Ⓐ)와 관계없이 국내에서 보험대상 농작물을 1,000㎡ 이상 실제
    경작하는 주된 경작자이다.
(2) 계약자를 (Ⓑ)가 아닌 가족 등의 명의로 할 수 없다.
(3) 과수원을 다른 사람에게 임대한 경우에 (Ⓒ)은 보험에 가입할 수 있지만 (Ⓓ)는 가입할
    수 없다.
(4) (Ⓔ), (Ⓕ), (Ⓖ), 피한정후견인(한정치산자), 피성년후견인(금치산자)도 보험에 가입할
    수 있다. 미성년자, 피한정후견인(한정치산자)은 법정대리인(친권자, 후견인)의 동의 또는
    대리가 있어야 하며, 피성년후견인은 법정대리인이 대리하여야 한다.

32 다음 농작물재해보험 업무방법에 따른 적과전종합위험 과수 상품의 "보험가입기준"에서 Ⓐ~
Ⓕ에 들어갈 알맞은 말을 쓰시오.

[보험가입기준(계약인수 단위)]
(1) 계약인수는 (Ⓐ) 단위로 가입하고 개별과수원당 최저 보험가입금액은 200만원 이상으로
    한다.
    1) 과수원이라 함은 한 덩어리의 토지의 개념으로 필지(지번)와는 관계없이 실제 경작하는
       단위이므로 한 덩어리 과수원이 여러 필지로 나누어져 있더라도 (Ⓑ)로 취급한다.
    2) 다만, 같은 동(洞) 또는 리(理) 안에 있는 각각 보험가입금액 (Ⓒ)만원 미만의 두 개의
       과수원은 하나의 과수원으로 보고 계약 인수 가능하다.
    3) 과수원 전체를 벌목하여 새로운 유목을 심은 경우에는 (Ⓓ)으로 가입·처리한다.
(2) 계약자 1인이 서로 다른 2개 이상 품목을 가입하고자 할 경우에는 (Ⓔ)으로 각각 가입·처
    리한다.
(3) 농협은 농협 관할구역에 속한 과수원에 한하여 인수할 수 있으며 계약자가 동일한 관할구역
    내에 여러 개의 과수원을 소유하고 있는 경우에는 (Ⓕ)에 가입하는 것을 원칙으로 한다.

33 다음 농작물재해보험 업무방법에 따른 적과전종합위험 과수 상품의 "인수제한 목적물"에서 Ⓐ~Ⓒ에 들어갈 알맞은 수령(나이)을 쓰시오.

[보통약관(주계약) 부문]
가입하는 해의 품목별 나무 수령(나이)이 다음 기준 미만인 경우
(1) 사과

재배유형	수령(나이)
밀식재배	(Ⓐ)
반밀식재배	(Ⓑ)
일반재배	(Ⓒ)

(2) 배 : 3년
(3) 단감·떫은감 : 5년

✱ 종합위험보장 **복숭아** 상품

34 다음 종합위험보장방식 과수 복숭아 상품의 "보험기간"에서 (   ) 안에 들어갈 알맞은 말을 쓰시오.

구분		보장개시	보장종료
보장	약관		
수확감소보장	보통 약관	계약체결일 24시	(①)
나무손해보장	특별 약관	(②)	(③)
수확량감소 추가보장		계약체결일 24시	수확기종료시점 (단, 10월 10일을 초과할 수 없음)

※ 수확량감소 추가보장 특약은 과거 가입 이력이 있는 과수원으로서 손해율에 따른 할증률이 100% 이하인 과수원만 가입 가능(신규 과수원은 가입 불가)

35 다음 종합위험방식 과수 복숭아 상품의 "보험가입금액"에서 Ⓐ~Ⓓ에 들어갈 알맞은 말을 쓰시오.

(1) 수확감소보장 보험가입금액 : (Ⓐ)에 (Ⓑ)을 곱하여 산출한다.

과수손해보장 보험가입금액 = (Ⓐ) × (Ⓑ)

(2) 나무손해보장특약 가입금액 : (Ⓒ)에 (Ⓓ)을 곱하여 산출한다.

나무손해보장특약 가입금액 = (Ⓒ) × (Ⓓ)

36 다음 종합위험보장방식 과수 복숭아 상품의 자연재해에서 (   ) 안에 들어갈 알맞은 말을 쓰시오.

(1) (   ) : 기상청이 태풍주의보 이상 발령할 때 발령 지역의 바람과 비로 인하여 발생하는 피해를 말한다.

(2) (   ) : 적란운과 봉우리적운 속에서 성장하는 얼음알갱이나 얼음덩이가 내려 발생하는 피해를 말한다.

(3) (   ) : 서리 또는 기온의 하강으로 인하여 농작물 등이 얼어서 발생하는 피해를 말한다.

(4) (   ) : 평균적인 강우량 이상의 많은 양의 비로 인하여 발생하는 피해를 말한다.

(5) (   ) : 강한 바람 또는 돌풍으로 인하여 발생하는 피해를 말한다.

(6) (   ) : 태풍이나 비바람 등의 자연현상으로 인하여 연안지대의 경지에 바닷물이 들어와서 발생하는 피해를 말한다.

(7) (   ) : 매우 심한 더위로 인하여 발생하는 피해를 말한다.

37 종합위험보장방식 과수 복숭아 상품의 "수확감소 보험금 산출방식"에서 보상하는 재해로 인해 피해율이 자기부담비율을 초과한 수확량감소가 발생한 경우 Ⓐ~Ⓒ에 들어갈 알맞은 말을 쓰시오.

> (1) 수확감소보험금 = 보험가입금액 × (Ⓐ)
> (2) 피해율 = {(평년수확량 − 수확량 − 미보상감수량) + (Ⓑ)} ÷ (Ⓒ)

38 종합위험보장방식 과수 복숭아 상품의 "나무손해보장 특약 보험금 산출방식"에서 보상하는 재해로 인해 나무에 발생한 피해율이 자기부담금을 초과한 경우 (1) 나무손해보장 특약 보험금 산출방식과 (2) 피해율 산출방식에 대하여 쓰시오.

39 종합위험보장방식 과수 복숭아 상품의 "수확량감소 추가보장 특약보험금 산출방식"에서 보상하는 재해로 인해 발생한 피해율이 자기부담금을 초과한 경우 (1) 수확량감소 추가보장 특약보험금 산출방식과 (2) 피해율 산출방식에 대하여 쓰시오.

40 다음은 종합위험보장방식 과수 복숭아 상품의 "인수제한 목적물"에서 (   ) 안에 들어갈 알맞은 말을 쓰시오.

> (1) 보험대상 농작물의 보험가입금액이 (   ) 미만인 과수원
> (2) 가입하는 해의 나무 수령(나이)이 (   ) 미만인 과수원
> (3) 보험가입 직전연도(이전)에 역병 및 궤양병 등의 병해가 발생하여 보험가입 시 전체 나무의 (   ) 이상이 고사하였거나 정상적인 결실을 하지 못할 것으로 판단된 과수원
> (4) 품목이 혼식된 과수원[단, 복숭아의 결과주수가 (   ) 이상인 과수원은 주품목에 한하여 가입 가능]

41 종합위험방식 과수 복숭아 상품의 "표준수확량"에서 (1) 표준수확량 산출식과 (2) 면적 구하는 방법을 쓰시오.

42 종합위험보장방식 과수 복숭아 상품의 "평년수확량"에서 과거수확량 자료가 있는 경우(최근 5년 이내에 보험가입 2회의 경험이 있는 과수원) (1) 평년수확량 산출식, (2) 산출식 구성요소에 대하여 (   ) 안에 들어갈 알맞은 말을 쓰시오.

> (1) 평년수확량 산출식 = (   )
> (2) 산출식 구성요소
>   1) A(과거평균수확량) = (   )
>   2) B(과거평균표준수확량) = (   )
>   3) Y = (   )
>   4) C = (   )
> ※ 다만, 평년수확량은 보험가입연도 표준수확량의 130%를 초과할 수 없다.

43 종합위험방식 과수 복숭아 상품의 사고가 발생하여 수확량조사를 한 경우 "과거수확량 산출"에 관한 내용으로 (   ) 안에 들어갈 알맞은 말을 쓰시오.

구분	수확량
(①) > 평년수확량 × 50%	조사수확량
조사수확량 ≤ (②)	평년수확량 × 50%

✱ 종합위험과수 **자두** 상품

44 다음 종합위험보장방식 과수 자두 상품의 "보험기간"에서 (   ) 안에 들어갈 알맞은 말을 쓰시오.

구분		보장개시	보장종료
보장	약관		
수확감소보장	보통약관	계약체결일 24시	(②)
나무손해보장	특별약관	(①)	(③)

45 종합위험보장방식 과수 자두 상품의 "인수제한 목적물"에서 (   ) 안에 들어갈 알맞은 말을 쓰시오.

(1) 보험대상 농작물의 보험가입금액이 (   ) 미만인 과수원
(2) 가입하는 해의 나무 수령(나이)이 (   ) 미만인 과수원
(3) 품종이 (   )인 자두

46 다음 종합위험방식 과수 자두 상품에서 "표준수확량"의 산출식을 쓰시오.

✱ 종합위험과수 **밤** 상품

47 다음 종합위험보장방식 과수 밤 상품의 "보험기간"에서 (　) 안에 들어갈 알맞은 말을 쓰시오.

구분		대상재해	보험기간	
보장	약관		시기	종기
수확감소 보장	보통 약관	(①)	(②)	(③)

48 다음 종합위험보장방식 과수 밤 상품의 "인수제한 목적물"에서 (　) 안에 들어갈 알맞은 말을 쓰시오.

(1) 보험대상 농작물의 보험가입금액이 (　) 미만인 과수원
(2) 가입하는 해의 나무 수령(나이)이 (　) 미만인 과수원
(3) 품목이 혼식된 과수원[다만, 주력품목의 결과주수가 (　) 이상인 과수원은 가입 가능]

49 종합위험보장방식 과수 밤 상품의 "인수관련 수확량"에서 (1) 표준수확량 산출식과 (2) 재식밀도지수의 산출식을 쓰시오.

✱ 종합위험과수 **호두** 상품

50 다음 종합위험보장방식 과수 호두 상품의 "가입지역"에서 (   ) 안에 들어갈 알맞은 말을 쓰시오.

> (1) 가입지역은 경북 (   )지역만 가입 가능하다.
> (2) 농가 주소지가 아닌 (   )를 기준으로 가입 가능 여부를 판단한다.

51 다음 종합위험보장방식 과수 호두 상품의 "보험기간"에서 (   ) 안에 들어갈 알맞은 말을 쓰시오.

구분		가입대상 품목	보험기간	
보장	약관		시기	종기
수확감소 보장	보통 약관	호두	(①)	(②)

52 다음 종합위험보장방식 호두 상품의 "인수제한 목적물"에서 (   ) 안에 들어갈 알맞은 말을 쓰시오.

> (1) 보험대상 농작물의 보험가입금액이 (   ) 미만인 과수원은 인수를 제한한다.
> (2) 가입하는 해의 나무 수령(나이)이 (   ) 미만인 과수원은 인수를 제한한다.
> (3) 품목이 혼식된 과수원은 인수를 제한한다[다만, 주력품목의 주수가 (   ) 이상인 과수원은 해당품목에 한하여 가입 가능].

✱ 종합위험보장 **매실** 상품

53 다음 종합위험보장방식 과수 매실 상품의 "보험기간"에서 (   ) 안에 들어갈 알맞은 말을 쓰시오.

구분		보장개시	보장종료
보장	약관		
수확감소보장	보통약관	계약체결일 24시	(②)
나무손해보장	특별약관	(①)	(③)

54 다음 종합위험보장방식 과수 매실 상품의 "인수제한 목적물"에서 (   ) 안에 들어갈 알맞은 말을 쓰시오.

> (1) 보험대상 농작물의 보험가입금액이 (   ) 미만인 과수원
> (2) 가입하는 해의 나무 수령(나이)이 (   ) 미만인 과수원
> (3) 품목이 혼식된 과수원[다만, 매실의 결과주수가 (   ) 이상인 과수원은 가입 가능]

55 다음 종합위험보장방식 과수 매실 상품의 "표준수확량"에서 표준수확량 산출식을 쓰시오.

✻ 종합위험보장 **살구** 상품

56 다음 종합위험보장방식 과수 살구 상품의 "가입지역"에서 (   ) 안에 들어갈 알맞은 말을 쓰시오.

> (1) 가입지역은 경북 (   )지역만 가입 가능하다.
> (2) 농가 주소지가 아닌 (   )를 기준으로 가입 가능 여부를 판단한다.

57 다음 종합위험보장방식 과수 살구 상품의 "보험기간"에서 (   ) 안에 들어갈 알맞은 말을 쓰시오.

구분		보장개시	보장종료
보장	약관		
수확감소 보장	보통 약관	(①)	(②)
나무손해 보장	특별 약관	판매개시연도 12월 1일 (다만, 12월 1일 이후 보험에 가입하는 경우에는 계약체결일 24시)	이듬해 11월 30일

58 다음 종합위험보장방식 살구 상품의 "인수제한 목적물"에서 (   ) 안에 들어갈 알맞은 말을 쓰시오.

> (1) 보험대상 농작물의 보험가입금액이 (   ) 미만인 과수원
> (2) 가입하는 해의 나무 수령(나이)이 (   ) 미만인 과수원
> (3) 품목이 혼식된 과수원[다만, 살구의 결과주수가 (   ) 이상인 과수원은 가입 가능]
> (4) (   ) 재배과수원으로서 일반재배와 결실 차이가 현저히 있다고 판단되는 과수원

59 종합위험보장방식 과수 살구 상품의 "표준수확량"에서 표준수확량 산출식을 쓰시오.

표준수확량 산출식 =

60 다음 종합위험보장방식 과수 살구의 자기부담비율(금)의 "과실손해보장"에서 (1) 보험계약 시
계약자가 선택한 비율, (2) 과실손해보장 자기부담비율(20%형, 30%형, 40%형)의 적용기준
을 쓰시오.

✱ 종합위험보장 **오미자** 상품

61 다음 종합위험보장방식 과수 오미자 상품의 "가입지역"에서 (　) 안에 들어갈 알맞은 말을 쓰시오.

> (1) 가입지역은 경북 (①), 충북 (②), 전북 (③), 경남 (④), 강원 (⑤) 지역만 가입 가능하다.
> (2) 농가 주소지가 아닌 (　)를 기준으로 가입 가능 여부를 판단한다.

62 다음 종합위험보장방식 과수 오미자 상품의 "보험기간"에서 (　) 안에 들어갈 알맞은 말을 쓰시오.

구분	보험의 목적	보장시기	보장종기
보통약관	오미자	(①)	(②)

63 다음 종합위험보장방식 과수 오미자 상품의 "인수제한 목적물"에서 Ⓐ~Ⓘ에 들어갈 알맞은 말을 쓰시오.

> (1) 보험대상 농작물의 보험가입금액이 (Ⓐ) 미만인 과수원
> (2) 삭벌 (Ⓑ) 이상 과수원 또는 삭벌하지 않은 과수원 중 식묘 (Ⓒ) 이상인 과수원
> (3) 주간거리가 (Ⓓ) 이상으로 과도하게 넓은 과수원
> (4) 가지가 과도하게 번무하여 수관 폭이 두꺼워져 (Ⓔ) 현상이 일어날 것으로 예상되는 과수원
> (5) (Ⓕ)의 상태가 적절치 못하여 수확량이 현저하게 낮을 것으로 예상되는 과수원[(Ⓖ)의 붕괴, 매우 낮은 높이의 (Ⓗ)]
> (6) 품목이 혼식된 과수원[다만, 주력 품목의 결과주수가 (Ⓘ) 이상인 과수원은 가입 가능]

64 종합위험보장방식 과수 오미자 상품의 인수관련 수확량 및 결실수에서 "표준수확량 산출식"을 쓰시오.

✱ 종합위험보장 **유자** 상품

65 다음 종합위험보장방식 과수 유자 상품의 "가입지역"에서 Ⓐ~Ⓖ에 들어갈 알맞은 말을 쓰시오.

> (1) 가입지역은 전남 (Ⓐ), (Ⓑ), (Ⓒ)이고, 경남 (Ⓓ), (Ⓔ), (Ⓕ)지역만 가입 가능하다.
>
> (2) 농가 주소지가 아닌 (Ⓖ)를 기준으로 가입 가능 여부를 판단한다.

66 다음 종합위험보장방식 과수 유자 상품의 "보험기간"에서 (   ) 안에 들어갈 알맞은 말을 쓰시오.

구분		보장개시	보장종료
보장	약관		
수확감소보장	보통약관	계약체결일 24시	(②)
나무손해보장	특별약관	(①)	(③)

67 다음 종합위험보장방식 유자 상품의 "인수제한 목적물"에서 (   ) 안에 들어갈 알맞은 말을 쓰시오.

> (1) 보험대상 농작물의 보험가입금액이 (   ) 미만인 과수원
>
> (2) 가입하는 해의 나무 수령(나이)이 (   ) 미만인 과수원
>
> (3) 품목이 혼식된 과수원[다만, 유자의 결과주수가 (   ) 이상인 과수원은 가입 가능]

68 종합위험보장방식 과수 유자 상품의 "표준수확량"에서 (1) 표준수확량 산출식과 (2) 주당재식 면적 산출식을 쓰시오.

> (1) 표준수확량 산출식 =
> (2) 주당재식면적 산출식 =

69 종합위험보장방식 과수 유자 상품의 "자기부담비율"에서 (1) 수확감소보장 자기부담비율과 (2) 나무손해보장 특별약관의 자기부담비율에 대한 내용을 쓰시오.

✱ 종합위험과수 포도 상품

70 다음 종합위험방식 과수 포도 상품의 보험목적에서 Ⓐ~Ⓓ에 들어갈 알맞은 말을 쓰시오.

> (1) 보험약관에 따라 보험가입대상으로서 보험증권에 기재된 (Ⓐ), (Ⓑ), (Ⓒ)를 말한다.
> (2) 종합위험방식 과수 포도 상품은 보험료 납입일이 속하는 (Ⓓ)에 수확하는 해당 품목(포도)이다.

71 다음 종합위험방식 과수 포도 상품의 자연재해에서 ( ) 안에 들어갈 알맞은 말을 쓰시오.
- (1) ( ) : 기상청이 태풍주의보 이상 발령할 때 발령 지역의 바람과 비로 인하여 발생하는 피해를 말한다.
- (2) ( ) : 적란운과 봉우리적운 속에서 성장하는 얼음알갱이나 얼음덩이가 내려 발생하는 피해를 말한다.
- (3) ( ) : 서리 또는 기온의 하강으로 인하여 농작물 등이 얼어서 발생하는 피해를 말한다.
- (4) ( ) : 평균적인 강우량 이상의 많은 양의 비로 인하여 발생하는 피해를 말한다.
- (5) ( ) : 강한 바람 또는 돌풍으로 인하여 발생하는 피해를 말한다.
- (6) ( ) : 태풍이나 비바람 등의 자연현상으로 인하여 연안지대의 경지에 바닷물이 들어와서 발생하는 피해를 말한다.
- (7) ( ) : 매우 심한 더위로 인하여 발생하는 피해를 말한다.

72 종합위험방식 과수 포도 상품의 "비가림시설 화재위험보장손해보장"에서 보상하지 않는 손해를 5가지 이상 쓰시오.

73 다음 종합위험방식 과수 포도 상품의 "보험기간"에서 ( ) 안에 들어갈 알맞은 말을 쓰시오.

구분		보장개시	보장종료
보장	약관		
비가림과수 손해보장(포도)	보통 약관	계약체결일 24시	(②)
비가림과수 손해보장 (비가림시설)		(①)	10월 10일
나무손해보장	특별 약관	판매개시연도 12월 1일 (다만, 12월 1일 이후 보험에 가입하는 경우에는 계약체결일 24시)	(③)
수확량감소 추가보장		(①)	수확기종료시점(단, 10월 10일을 초과할 수 없음)
비가림시설 화재위험보장		(①)	(④)

※ 수확량감소 추가보장 특약은 과거 가입 이력이 있는 과수원으로서 손해율에 따른 할증률이 100%
이하인 과수원만 가입 가능(신규 과수원은 가입 불가)

74 다음 종합위험방식 과수 포도 상품의 "보험가입금액"에서 ( ) 안에 들어갈 알맞은 말을 쓰시오.

(1) 과수손해보장 보험가입금액 : 가입수확량에 ( )을 곱하여 산출하며 천원 단위는 절사한다.

> 과수손해보장 보험가입금액 = 가입수확량 × ( )

(2) 비가림시설보장 보험가입금액 : ( )에 비가림시설 면적을 곱하여 산정(산정된 금액의
80~130% 범위 내에서 계약자가 보험가입금액 결정)

> 비가림시설보장 보험가입금액 = ( ) × 비가림시설 면적

(3) 나무손해보장특약 가입금액 : 가입주수에 ( )을 곱하여 산출한다.

> 나무손해보장특약 가입금액 = 가입주수 × ( )

75 다음 종합위험 비가림과수 포도 상품의 '손해보장방식 구하는 공식'에서 ( ) 안에 들어갈 알 맞은 말을 쓰시오.

> (1) 비가림 과수 손해 위험 보장(기본)
>   ( ) × (피해율 − 자기부담비율)
>   ※ 피해율 = (평년수확량 − 수확량 − 미보상감수량) ÷ 평년수확량
> (2) 나무손해보장 특별약관 적용보험료(선택)
>   특별약관 보험가입금액 × {피해율 − ( )}
>   ※ 피해율 = 피해주수(고사된 나무) ÷ 실제결과주수
>   ※ 자기부담비율은 5%로 함
> (3) 수확량감소 추가보장 특별약관 적용보험료(선택)
>   특별약관 보험가입금액 × {피해율 × ( )%}
>   ※ 피해율 = (평년수확량 − 수확량 − 미보상감수량) ÷ 평년수확량

76 다음 종합위험방식 과수 포도 상품의 "수확감소 보험금 산출방식"에서 보상하는 재해로 인해 평년수확량 대비 자기부담비율을 초과한 수확량감소가 발생한 경우 ( ) 안에 들어갈 알맞은 말을 쓰시오.

> (1) 보험금 = 보험가입금액 × ( )
> (2) 피해율 = (평년수확량 − 수확량 − 미보상감수량) ÷ ( )

77 다음 조건에서 종합위험방식 과수 포도 상품의 "비가림시설보장 보험금 산출방식"에서 보상하는 재해로 인해 자기부담금을 초과한 손해액이 발생한 경우 보험금을 구하시오.

> 〈조건〉
> (1) 보험가입금액 : 55,000,000원
> (2) 손해액 : 62,500,000원
> (3) 화재사고가 아님, 피복재단독사고 제외함

78 종합위험방식 과수 포도 상품의 "나무손해보장 특약 보험금 산출방식"에서 보상하는 재해로 인해 나무에 발생한 피해율이 자기부담금을 초과한 경우 (1) 나무손해보장 특약 보험금 산출방식과 (2) 피해율 산출방식에 대하여 쓰시오.

79 다음 종합위험방식 과수 포도 상품의 "수확량감소 추가보장 특약보험금 산출방식"에서 보상하는 재해로 인해 발생한 피해율이 자기부담금을 초과한 경우 (1) 수확량감소 추가보장 특약보험금 산출방식과 (2) 피해율 산출방식에 대하여 쓰시오.

80 다음 종합위험방식 과수 포도 상품의 "비가림시설 보험가입기준"에서 (   ) 안에 들어갈 알맞은 말을 쓰시오.

> (1) (   ) : 비가림시설은 단지 단위로 가입(구조체 + 피복재)한다.
> (2) (   ) : 최소가입면적은 200㎡ 이상이다.
> (3) (   ) : 단위면적당 시설단가를 기준으로 80~130% 범위에서 가입금액을 선택(10% 단위 선택)한다.
> (4) (   ) : 비가림폭이 2.4m ± 15%, 동고가 3m ± 5%의 범위를 벗어나는 비가림시설 (과수원의 형태 및 품종에 따라 조정)

81 다음 종합위험방식 과수 포도 상품의 "인수제한 목적물"에서 (   ) 안에 들어갈 알맞은 말을 쓰시오.

> (1) 보험대상 농작물의 보험가입금액이 (   ) 미만인 과수원
> (2) 가입하는 해의 나무 수령(나이)이 (   ) 미만인 과수원
> (3) 보험가입 직전 연도(이전)에 역병 및 궤양병 등의 병해가 발생하여 보험가입 시 전체 나무의 (   ) 이상이 고사하였거나 정상적인 결실을 하지 못할 것으로 판단된 과수원
> (4) 품목이 혼식된 과수원[단, 주품목의 결과주수가 (   ) 이상인 과수원은 주품목에 한하여 가입 가능]

82 종합위험방식 과수 포도 상품의 "표준수확량"에서 (1) 표준수확량 산출식과 (2) 면적 구하는 방법을 쓰시오.

83 종합위험방식 과수 포도 상품의 "평년수확량"에서 과거수확량 자료가 있는 경우(최근 5년 이내 에 보험 가입한 경험이 있는 과수원) (1) 평년수확량 산출식, (2) 산출식 구성요소에 대하여 ( )에 들어갈 알맞은 말을 쓰시오.

(1) 평년수확량 산출식 = ( )
(2) 산출식 구성요소
    1) A(과거평균수확량) = ( )
    2) B(과거평균표준수확량) = ( )
    3) Y = ( )
    4) C = ( )
※ 다만, 평년수확량은 보험가입연도 표준수확량의 130%를 초과할 수 없다.

84 다음은 종합위험방식 과수 포도 상품의 사고가 발생하여 수확량조사를 한 경우 "과거수확량 산출"에 관한 내용으로 ( ) 안에 들어갈 알맞은 말을 쓰시오.

구분	수확량
조사수확량 > 평년수확량의 50%	(①)
조사수확량 ≤ 평년수확량의 50%	(②)

✱ 농업수입감소보장 과수 **포도** 상품

85 농업수입감소보장 과수 포도 상품의 "보상하는 손해" 4가지를 쓰시오.

86 농업수입감소보장 과수 포도 상품의 "보험금 산출"에서 보험금 산출방식과 산출식 구성요소 내용에 대해 (   ) 안에 들어갈 알맞은 말을 쓰시오.

---

(1) 보험금 산출식 = (   )
(2) 산출식 구성요소
　　1) 피해율 = (   )
　　2) 기준수입 = (   )
　　3) 실제수입 = (   )
(3) 비가림시설보장 보험금 산출방식 = (   )
(4) 나무손해보장 특약 보험금 산출방식
　　1) 보험금 = (   )
　　2) 피해율 = (   )
(5) 수확량감소 추가보장 특약 보험금 산출방식
　　1) 보험금 = (   )
　　2) 피해율 = (   )

---

87 다음은 농업수입감소보장 과수 포도 상품의 "보통 및 특별약관 보험기간"에서 (   )에 알맞은 말을 쓰시오.

구분		보장개시	보장종료
보장	약관		
비가림과수 손해보장(포도-직접 피해)	보통 약관	계약체결일 24시	(①)
비가림과수 손해보장(포도-가격 하락피해)		계약체결일 24시	(②)
비가림과수 손해보장 (비가림시설)		계약체결일 24시	10월 10일
나무손해보장	특별 약관	(③)	이듬해 11월 30일
수확량감소 추가보장		계약체결일 24시	수확기종료시점 (단, 10월 10일을 초과할 수 없음)
비가림시설 화재위험보장		계약체결일 24시	(④)

※ 수확량 감소 추가보장 특약은 과거 가입 이력이 있는 과수원으로서 손해율에 따른 할증률이 100% 이하인 과수원만 가입 가능(신규 과수원은 가입 불가)

88 다음은 농업수입감소보장 과수 포도 상품의 "보험료 산출식"에서 (   )에 들어갈 알맞은 말을 쓰시오.

> (1) (   ) 적용보험료
>
> 보통약관 보험가입금액 × 지역별 보통약관 영업요율 × (1 + 손해율에 따른 할인·할증률) × (1 − 방재시설 할인율)
>
> (2) (   ) 적용보험료
>
> 특별약관 보험가입금액 × 지역별 특별약관 영업요율 × (1 + 손해율에 따른 할인·할증률)
>
> (3) (   ) 적용보험료
>
> 특별약관 보험가입금액 × 지역별 특별약관 영업요율 × (1 + 손해율에 따른 할인·할증률) × (1 − 방재시설 할인율)

89 농업수입감소보장 과수 포도 상품의 "인수관련 수확량"에서 (1) 표준수확량 산출방식과 (2) 가입 수확량 결정방법을 쓰시오.

✱ 종합위험보장 **대추** 상품

90 다음 종합위험보장방식 과수 대추 상품의 "보험목적 및 가입지역"에서 Ⓐ~Ⓖ에 들어갈 알맞은 말을 쓰시오.

> (1) 보험약관에 따라 보험가입대상으로서 보험증권에 기재된 (Ⓐ) 및 (Ⓑ)을 말한다.
> (2) 종합위험방식 과수 대추 상품은 보험료 납입일이 속하는 (Ⓒ)에 수확하는 해당 품목(대추)이다.
> (3) 재래종 품종의 가입지역은 (Ⓓ)이다.
> (4) 사과대추 품종의 가입지역은 충남 (Ⓔ)와 (Ⓕ)이고, 전남 (Ⓖ) 지역만 가입 가능하다.

91 다음 종합위험보장방식 과수 대추 상품의 "인수제한 목적물"에서 (   ) 안에 들어갈 알맞은 말을 쓰시오.

> (1) 보험가입금액 (   ) 미만인 대추 과수원
> (2) 대추 가입하는 해의 나무 수령(나이)이 (   ) 미만인 경우
> (3) 목재 또는 (   )로 시공된 비가림시설
> (4) (   )가 없거나 대추를 재배하고 있지 않은 시설
> (5) 목적물의 (   )에 대한 확인이 불가능한 비가림시설
> (6) 건축 또는 (   ) 중인 비가림시설
> (7) (   )류를 재배하는 과수원[단, 충남(부여)와 (청양), 전남(영광)지역 재배 경우에 한하여 가입 가능]
> (8) 재래종대추와 사과대추(왕대추)류가 (   )되어 있는 과수원
> (9) (   ) 전체가 피복재로 씌워진 시설(일반적인 비닐하우스와 차이가 없는 시설은 원예시설보험으로 가입)
> (10) 정부에서 보험료 일부를 지원하는 (   )에 이미 가입되어 있는 비가림시설

92 종합위험보장방식 과수 대추 상품의 "비가림시설 화재위험보장"에서 손해보장의 보상하지
    않는 손해를 5가지 이상 쓰시오.

93 다음 종합위험보장방식 과수 대추 상품의 "보험기간"에서 (   ) 안에 들어갈 알맞은 말을
    쓰시오.

구분		보장개시	보장종료
보장	목적물		
비가림과수 손해보장	대추	(①)	(②)
	비가림 시설	(③)	10월 31일
화재위험보장 특별약관	비가림 시설	계약체결일 24시	(④)

✱ 종합위험보장 **참다래** 상품

94 다음 종합위험보장방식 과수 참다래 상품의 "인수제한 목적물"에서 (   ) 안에 들어갈 알맞은 말을 쓰시오.

> (1) 가입면적 (   ) 미만인 참다래 비가림시설
> (2) 참다래 (   ) 목적으로 사용되지 않는 비가림시설
> (3) 목재 또는 (   )로 시공된 비가림시설
> (4) 구조체, 피복재 등 목적물이 (   )되거나 훼손된 비가림시설
> (5) 목적물의 (   )에 대한 확인이 불가능한 비가림시설
> (6) 건축 또는 (   ) 중인 비가림시설
> (7) 1년 이내에 (   ) 예정인 고정식 비가림시설

95 다음 종합위험보장방식 과수 참다래 상품의 보험목적에서 Ⓐ~Ⓗ에 들어갈 알맞은 말을 쓰시오.

> (1) 보험약관에 따라 보험가입대상으로서 보험증권에 기재된 (Ⓐ), (Ⓑ)를 말한다.
> (2) 종합위험방식 과수 참다래 상품은 보험료 납입일이 속하는 (Ⓒ)에 수확하는 해당 품목(참다래)이다.
> (3) 가입대상 품종은 (Ⓓ), 대흥, (Ⓔ), 만대, 제스프리골드(Hort 16A), (Ⓕ), 해금, 한라골드이다.
> (4) 단, (Ⓖ)와 (Ⓗ)는 제주지역 비가림시설 과수원만 가입 가능하다.

96 종합위험보장방식 과수 참다래 상품의 "비가림시설 화재위험보장손해보장"에서 보상하지 않는 손해를 5가지 이상 쓰시오.

97 다음 종합위험보장방식 과수 참다래 상품의 "보험기간"에서 (   ) 안에 들어갈 알맞은 말을 쓰시오.

구분	목적물	보장개시	보장종료
보통약관	이듬해 맺은 참다래 과실	(①)	(②)
	비가림시설	계약체결일 24시	이듬해 6월 30일
나무손해보장 특별약관	참다래	(③)	이듬해 6월 30일
화재위험보장 특별약관	비가림시설	계약체결일 24시	(④)

✴ 종합위험보장 복분자 상품

98 다음 종합위험보장방식 과수 복분자 상품의 "가입지역"에서 ( ) 안에 들어갈 알맞은 말을 쓰시오.

(1) 가입지역은 전북 (①)와 (②) 및 (③)이다.
(2) 가입지역은 전남 (①)와 (②) 및 (③)이다.

99 다음 종합위험보장방식 과수 복분자 상품의 "보험기간"에서 ( ) 안에 들어갈 알맞은 말을 쓰시오.

보장명	대상재해	보장개시	보장종료
경작불능보장	자연재해, 조수해, 화재	계약체결일 24시	(②)
과실손해보장	자연재해, 조수해, 화재	계약체결일 24시	(③)
	태풍(강풍), 우박	(①)	(④)

100 다음 종합위험보장방식 과수 복분자 상품의 "인수제한 목적물"에서 Ⓐ~Ⓔ에 들어갈 알맞은 말을 쓰시오.

(1) 보험대상 농작물의 보험가입금액이 (Ⓐ) 미만인 과수원
(2) 가입연도 기준, 수령이 (Ⓑ) 이하 또는 (Ⓒ) 이상인 포기로 구성된 과수원
(3) 계약인수 시까지 (Ⓓ)(올해 복분자 과실이 열렸던 가지)의 전정활동(통상적인 영농활동)을 하지 않은 과수원
(4) 품목이 혼식된 과수원[다만, 주력품목의 결과주수가 (Ⓔ) 이상인 과수원은 가입 가능]

101 종합위험보장방식 과수 복분자 상품의 "인수관련 수확량"에서 (1) 표준수확량 산출식과 (2) 포기수 산출식을 쓰시오.

✱ 종합위험보장 **무화과** 상품

102 다음 종합위험보장방식 과수 무화과 상품의 "가입지역"에서 Ⓐ~Ⓔ에 들어갈 알맞은 말을 쓰시오.

> (1) 가입지역은 전남 (Ⓐ), (Ⓑ), (Ⓒ), (Ⓓ) 지역만 가입 가능하다.
> (2) 농가 주소지가 아닌 (Ⓔ)를 기준으로 가입 가능 여부를 판단한다.

103 다음 종합위험보장방식 과수 무화과 상품의 "보험기간"에서 (   ) 안에 들어갈 알맞은 말을 쓰시오.

구분		보장개시	보장종료
과실손해 보장	수확개시 전	계약체결일 24시	(②)
	수확개시 후	(①)	수확기종료시점 (단, 10월 31일을 초과할 수 없음)
나무손해보장		판매개시연도 12월 1일 (다만, 12월 1일 이후 보험에 가입하는 경우에는 계약체결일 24시)	(③)

104 다음 종합위험보장방식 무화과 상품의 "인수제한 목적물"에서 (   ) 안에 들어갈 알맞은 말을 쓰시오.

> (1) 보험대상 농작물의 보험가입금액이 (   ) 미만인 과수원
> (2) 가입하는 해의 나무 수령(나이)이 (   ) 미만인 과수원
> (3) 나무특약보장의 경우 가입하는 해의 나무 수령이 (   ) 이내의 무화과나무만 가입 가능하다.
> (4) 품목이 혼식된 과수원[다만, 무화과의 결과주수가 (   ) 이상인 과수원은 가입 가능]
> (5) (   )이 미설치된 과수원
> (6) (   )가 아닌 시설에서 무화과를 재배하는 과수원

105 종합위험보장방식 과수 무화과 상품의 "표준수확량"에서 표준수확량 산출식을 쓰시오.

106 종합위험보장방식 과수 무화과 상품의 보상하는 손해 "과실손해보상"에서 (1) 수확개시 이전 (이듬해 7월 31일 이전) 내용 3가지, (2) 수확개시 이후(이듬해 8월 1일 이후) 내용 중 자연재해 2가지를 쓰시오.

✳ 종합위험보장 **오디** 상품

107 다음 종합위험보장방식 과수 오디 상품의 "가입지역"에서 Ⓐ~Ⓓ에 들어갈 알맞은 말을 쓰시오.

> (1) 가입지역은 (Ⓐ)와 (Ⓑ), (Ⓒ) 지역만 가입 가능하다.
> (2) 농가 주소지가 아닌 (Ⓓ)를 기준으로 가입 가능 여부를 판단한다.

108 다음 종합위험보장방식 과수 오디 상품의 "보험기간"에서 (   ) 안에 들어갈 알맞은 말을 쓰시오.

구분		보장개시	보장종료
보장	약관		
과실손해보장	보통약관	(①)	(②)

109 다음 종합위험보장방식 과수 오디 상품의 "인수제한 목적물"에서 Ⓐ~Ⓖ에 들어갈 알맞은 말을 쓰시오.

> (1) 보험대상 농작물의 보험가입금액이 (Ⓐ) 미만인 과수원
> (2) 가입하는 해의 나무 수령(나이)이 (Ⓑ) 미만인 과수원
> (3) 흰 오디 계통[(Ⓒ), (Ⓓ) 등]
> (4) 보험가입 이전에 (Ⓔ) 등의 병해가 발생하여 과거보험가입 시 전체 나무의 (Ⓕ) 이상이 고사하였거나 정상적인 결실을 하지 못할 것으로 예상되는 과수원
> (5) 품목이 혼식된 과수원[다만, 주력품목의 결과주수가 (Ⓖ) 이상인 과수원은 가입 가능]

110 다음 종합위험보장방식 과수 오디 상품의 "인수관련 수확량 및 결실수"에서 (1) 표준수확량 산출식과 (2) 과거결실수 산출식을 쓰시오.

111 다음 종합위험보장방식 과수 오디 상품의 "보험가입금액"에서 (1) 보험가입금액 산출식과 (2) 보험가입비율을 쓰시오.

✳ 종합위험보장 **감귤** 상품

112 다음 종합위험보장방식 과수 감귤 상품의 "보상하는 손해"에서 Ⓐ~Ⓒ에 들어갈 알맞은 말을 쓰시오.

구분		내용
(Ⓐ)	보통 약관	(1) 자연재해 : 태풍피해, 우박피해, 동상해, 호우피해, 강풍피해, 냉해(冷 害), 한해(旱害), 조해(潮解), 설해(雪害), 폭염(暴炎), 기타 자연재해 등 (2) 조수해(鳥獸害) : 새나 짐승으로 인하여 발생하는 손해를 말한다. (3) 화재 : 화재로 인하여 발생하는 피해를 말한다.
(Ⓑ)	특별 약관	보험의 목적(나무)이 보통약관에서 보상하는 손해로 정한 재해로 인하여 입 은 손해를 말한다.
(Ⓒ)		보험기간 이후 수확기에 동해로 인한 과실손상 피해를 이 특별약관에 따라 보상한다.

113 종합위험보장방식 과수 감귤 상품의 보상하지 않는 손해에서 "나무손해보장" 4가지 내용을 쓰시오.

114 다음 종합위험보장방식 과수 감귤 상품의 "보험기간"에서 ( ) 안에 들어갈 알맞은 말을 쓰시오.

보장		보장개시	보장종료
보통 약관	종합위험 과실손해보장	발아기(단, 발아기가 지난 경우에는 계약체결일 24시)	(①)
특별 약관	동상해 과실손해보장	(②)	(③)
	나무손해보장	발아기(단, 발아기가 지난 경우에는 계약체결일 24시)	
	과실손해 추가보장	발아기(단, 발아기가 지난 경우에는 계약체결일 24시)	11월 30일

※ "판매개시연도"는 해당 품목 판매개시일이 속하는 연도를 말하며 "이듬해"는 판매개시연도의 다음
연도를 말한다.

115 다음 종합위험보장방식 과수 감귤 상품의 "보험가입금액"에서 Ⓐ~Ⓓ에 들어갈 알맞은 말을 쓰시오.

> (1) 과실손해보장 보험가입금액 : (Ⓐ)에 (Ⓑ)을 곱하여 산출하며 천원 단위는 절사한다.
>
> $$과실손해보장\ 보험가입금액 = (\ Ⓐ\ ) \times (\ Ⓑ\ )$$
>
> (2) 나무손해보장특약 가입금액 : (Ⓒ)에 (Ⓓ)을 곱하여 산출한다.
>
> $$나무손해보장특약\ 가입금액 = (\ Ⓒ\ ) \times (\ Ⓓ\ )$$

116 다음 종합위험보장방식 과수 감귤 상품의 자연재해에 대한 내용에서 (   ) 안에 들어갈 알맞은 말을 쓰시오.

(1) (   ) : 농작물의 성장기간 중 작물의 생육에 지장을 초래할 정도의 찬기온으로 인하여 발생하는 피해를 말한다.
(2) (   ) : 적란운과 봉우리적운 속에서 성장하는 얼음알갱이나 얼음덩이가 내려 발생하는 피해를 말한다.
(3) (   ) : 서리 또는 기온의 하강으로 인하여 농작물 등이 얼어서 발생하는 피해를 말한다.
(4) (   ) : 많은 양의 눈으로 인하여 발생하는 피해를 말한다.
(5) (   ) : 강한 바람 또는 돌풍으로 인하여 발생하는 피해를 말한다.
(6) (   ) : 태풍이나 비바람 등의 자연현상으로 인하여 연안지대의 경지에 바닷물이 들어와서 발생하는 피해를 말한다.
(7) (   ) : 매우 심한 더위로 인하여 발생하는 피해를 말한다.

117 다음 종합위험보장방식 과수 감귤 상품의 "동상해 과실손해보장 특약보험금 산출방식"에서 동상해로 인해 자기부담금을 초과한 손해가 발생한 경우 Ⓐ~Ⓒ에 들어갈 알맞은 말을 쓰시오.

> (1) 동상해 과실손해보장 특약보험금 = 손해액 − (Ⓐ)
> (2) 손해액 = {(보험가입금액 − (보험가입금액 × 기사고 피해율)} × (Ⓑ) × (Ⓒ)

118 종합위험보장방식 과수 감귤 상품의 "나무손해보장 보험금 산출방식"에서 보상하는 손해로 나무에 자기부담금을 초과한 손해가 발생한 경우 (1) 나무손해보장 보험금 산출방식과 (2) 피해율 산출방식에 대하여 쓰시오.

119 종합위험보장방식 과수 감귤 상품의 "과실손해추가보장 보험금 산출방식"에서 보상하는 손해로 인해 자기부담금을 초과한 손해가 발생한 경우 과실손해추가보장 보험금 산출방식에 대하여 쓰시오.

120 다음 종합위험보장방식 과수 감귤 상품의 "인수제한 목적물"에서 Ⓐ~Ⓕ에 들어갈 알맞은 말을 쓰시오.

> (1) 보험대상 농작물의 보험가입금액이 (Ⓐ) 미만인 과수원
> (2) 가입하는 해의 나무 수령(나이)이 다음 기준 미만인 과수원
>   1) 온주밀감류, 만감류 재식 : (Ⓑ)
>   2) 만감류 고접 : (Ⓒ) 미만인 과수원
> (3) 온주밀감과 만감류 (Ⓓ) 과수원, (Ⓔ) 만감류를 재배하는 과수원
> (4) 품목이 혼식된 과수원[다만, 감귤의 결과주수가 (Ⓕ) 이상인 과수원은 가입 가능]

121 다음 종합위험보장방식 과수 감귤 상품의 "과거수확량 산출"에 관한 내용에서 ( )에 들어갈 알맞은 말을 쓰시오.

(1) 사고가 발생하지 않아 수확량조사를 하지 않은 경우

> MAX(표준수확량, 평년수확량) × ( )

(2) 사고가 발생하여 수확량조사를 한 경우

구분	수확량
평년수확량 ≥ 평년수확량 × (1 − 피해율) ≥ 평년수확량 × 50%	평년수확량 × (1 − 피해율)
평년수확량 × 50% > 평년수확량 × (1 − 피해율)	( ) × 50%
평년수확량 × (1 − 피해율) > 평년수확량	평년수확량

✱ 종합위험보장 **마늘** 상품

122 다음 종합위험보장방식 마늘 상품의 "가입지역"에서 Ⓐ~Ⓓ에 들어갈 알맞은 말을 쓰시오.

> (1) 가입지역은 (Ⓐ)이다.
> (2) 단, 도서지역의 경우 (Ⓑ)가 설치되어 있지 않고, (Ⓒ)이 운항하지 않는 등 신속한 손해
> 평가가 (Ⓓ) 지역은 제외한다.

123 다음 종합위험보장방식 마늘 상품의 "보험기간"에서 (   ) 안에 들어갈 알맞은 말을 쓰시오.

구분		보장개시	보장종료
보장	목적물		
경작불능보장	마늘	계약체결일 24시	(①)
재파종보장		계약체결일 24시	(②)
수확감소보장		계약체결일 24시	(③)

124 다음 종합위험보장방식 마늘 상품의 "인수제한 목적물"에서 (   ) 안에 들어갈 알맞은 말을 쓰시오.

> (1) 보험대상 농작물의 보험가입금액이 (   ) 미만인 농지는 인수를 제한한다.
> (2) 통상적인 (   )을 하지 않은 농지는 인수를 제한한다.
> (3) 토양 염도가 (   ) 이상인 간척지 농지는 인수를 제한한다.
> (4) (   )를 목적으로 경작하지 않는 농지는 인수를 제한한다.
> (5) 재식밀도가 (   )/10a 미만인 농지는 인수를 제한한다.
> (6) (   )농지는 인수를 제한한다.

125 다음 종합위험보장방식 마늘 상품의 "인수제한 목적물"에서 (   ) 안에 들어갈 알맞은 말을 쓰시오.

> (1) 난지형은 (   ) 이전에 파종을 실시한 농지는 인수를 제한한다.
> (2) 한지형은 (   ) 이전에 파종을 실시한 농지는 인수를 제한한다.
> (3) (   ) 농지는 인수를 제한한다.
> (4) 하천부지 및 (   ) 지역에 소재한 농지는 인수를 제한한다.
> (5) 다른 작물과 (   )되어 있는 농지는 인수를 제한한다.
> (6) 마늘 파종 후 익년 (   ) 이전에 수확하는 농지는 인수를 제한한다.

126 다음 종합위험보장방식 마늘 상품의 "경작불능 보험금 산출방식"에서 (   ) 안에 들어갈 알맞은 말을 쓰시오. (다만, 보상하는 손해로 식물체 피해율이 65% 이상이고, 계약자가 경작불능 보험금을 신청한 경우)

자기부담비율	경작불능 보험금
10%형	보험가입금액의 (①)%
15%형	보험가입금액의 (②)%
20%형	보험가입금액의 (③)%
30%형	보험가입금액의 (④)%
40%형	보험가입금액의 (⑤)%

127 다음 종합위험보장방식 마늘 상품의 "보험료"에서 (   ) 안에 들어갈 알맞은 말을 쓰시오.

(1) 수확감소보장 보통약관 적용보험료

> 수확감소보장 보험가입금액 = 가입수확량 × (   )

(2) 수확감소보장 보험금 산출방식

> 보험금 = 보험가입금액 × (피해율 − 자기부담비율)
> ※ 피해율 = (평년수확량 − 수확량 − 미보상감수량) ÷ (   )

PART 04

128 다음 종합위험보장방식 마늘 상품의 "재파종 보험금 산출방식"에서 (   ) 안에 들어갈 알맞은 말을 쓰시오.

$$보험금 = 보험가입금액의 35\% \times (\quad)$$
$$※ (\quad)(10a\ 기준) = (30,000주 - 출현주수) \div 30,000주$$

129 다음 종합위험보장방식 마늘 상품의 "보험의 목적"에서 (   ) 안에 들어갈 알맞은 말을 쓰시오.

보험료 납입일이 속하는 이듬해에 수확하는 마늘[난지형의 경우 (Ⓐ), 한지형의 경우 (Ⓑ)]이다.

✱ 농업수입감소보장 **마늘** 상품

130 다음 농업수입감소보장방식 마늘 상품의 "가입지역"에서 Ⓐ~Ⓓ에 들어갈 알맞은 말을 쓰시오.

> (1) 가입지역은 (Ⓐ)이다.
> (2) 단, 도서지역의 경우 (Ⓑ)가 설치되어 있지 않고, (Ⓒ)이 운항하지 않는 등 신속한 손해평가가 (Ⓓ) 지역은 제외한다.

131 다음 농업수입감소보장방식 마늘 상품의 "보험기간"에서 (   ) 안에 들어갈 알맞은 말을 쓰시오.

구분		보장개시	보장종료
보장	목적물		
경작불능보장	마늘	계약체결일 24시	(①)
재파종보장		계약체결일 24시	(②)
수확감소보장		계약체결일 24시	(③)

132 다음 농업수입감소보장방식 마늘 상품의 "인수제한 목적물"에서 (   ) 안에 들어갈 알맞은 말을 쓰시오.

> (1) 보험대상 농작물의 보험가입금액이 (   ) 미만인 농지는 인수를 제한한다.
> (2) 통상적인 (   )을 하지 않은 농지는 인수를 제한한다.
> (3) 토양 염도가 (   ) 이상인 간척지 농지는 인수를 제한한다.
> (4) (   )를 목적으로 경작하지 않는 농지는 인수를 제한한다.
> (5) 재식밀도가 (   )/10a 미만인 농지는 인수를 제한한다.
> (6) (   )농지는 인수를 제한한다.

133 다음 농업수입감소보장방식 마늘 상품의 "인수제한 목적물"에서 (   ) 안에 들어갈 알맞은 말을 쓰시오.

> (1) 난지형은 (   ) 이전에 파종을 실시한 농지는 인수를 제한한다.
> (2) 한지형은 (   ) 이전에 파종을 실시한 농지는 인수를 제한한다.
> (3) (   ) 농지는 인수를 제한한다.
> (4) 하천부지 및 (   ) 지역에 소재한 농지는 인수를 제한한다.
> (5) 다른 작물과 (   )되어 있는 농지는 인수를 제한한다.
> (6) 마늘 파종 후 익년 (   ) 이전에 수확하는 농지는 인수를 제한한다.

134 다음 농업수입감소보장방식 마늘 상품의 "경작불능 보험금 산출방식"에서 (   ) 안에 들어갈 알맞은 말을 쓰시오. (다만, 보상하는 손해로 식물체 피해율이 65% 이상이고, 계약자가 경작불능 보험금을 신청한 경우)

자기부담비율	경작불능 보험금
20%형	보험가입금액의 (①)%
30%형	보험가입금액의 (②)%
40%형	보험가입금액의 (③)%

135 다음 농업수입감소보장방식 마늘 상품의 "보험료"에서 (   ) 안에 들어갈 알맞은 말을 쓰시오.

(1) 보험가입금액

> 보험가입금액 = 가입수확량 × (   )

(2) 농업수입감소 보험금 산출방식

> 보험금 = 보험가입금액 × (피해율 − 자기부담비율)
> ※ 피해율 = (기준수입 − 실제수입) ÷ (   )

136 다음 농업수입감소보장방식 마늘 상품의 "재파종 보험금 산출방식"에서 (   ) 안에 들어갈 알맞은 말을 쓰시오.

> 보험금 = 보험가입금액의 35% × (   )
> ※ (   )(10a 기준) = (30,000주 − 출현주수) ÷ 30,000주

137 다음 농업수입감소보장방식 마늘 상품의 "보험의 목적"에서 (   ) 안에 들어갈 알맞은 말을 쓰시오.

> 보험료 납입일이 속하는 이듬해에 수확하는 마늘[난지형의 경우 (Ⓐ), (Ⓑ), 한지형의 경우 (Ⓒ)]이다.

✸ 종합위험보장 양파 상품

138 종합위험보장방식 양파 상품의 "가입지역"에서 Ⓐ~Ⓓ에 들어갈 알맞은 말을 쓰시오.

> (1) 가입지역은 (Ⓐ)이다.
> (2) 단, 도서지역의 경우 (Ⓑ)가 설치되어 있지 않고, (Ⓒ)이 운항하지 않는 등 신속한 손해 평가가 (Ⓓ) 지역은 제외한다.

139 종합위험보장방식 양파 상품의 "보험기간"에서 (   ) 안에 들어갈 알맞은 말을 쓰시오.

구분		보장개시	보장종료
보장	목적물		
경작불능보장	양파	(①)	(②)
수확감소보장		계약체결일 24시	(③)

140 종합위험보장방식 양파 상품의 "인수제한 목적물"에서 (   ) 안에 들어갈 알맞은 말을 쓰시오.

> (1) 보험대상 농작물의 보험가입금액이 (   ) 미만인 농지는 인수를 제한한다.
> (2) 통상적인 (   )을 하지 않은 농지는 인수를 제한한다.
> (3) 극조생종, (   ), (   )을 혼식한 농지는 인수를 제한한다.
> (4) (   )를 목적으로 경작하지 않는 농지는 인수를 제한한다.
> (5) 재식밀도가 (   )/10a 미만, (   )/10a 초과한 농지는 인수를 제한한다.
> (6) (   )농지는 인수를 제한한다.

141 종합위험보장방식 양파 상품의 "인수제한 목적물"에서 ( ) 안에 들어갈 알맞은 말을 쓰시오.

> (1) ( ) 이전에 정식한 농지는 인수를 제한한다.
> (2) 양파 식물체가 똑바로 정식되지 않은 농지[( ) 이하로 정식된 농지]는 인수를 제한한다.
> (3) ( ) 농지는 인수를 제한한다.
> (4) 하천부지 및 ( ) 지역에 소재한 농지는 인수를 제한한다.
> (5) 다른 작물과 ( )되어 있는 농지는 인수를 제한한다.
> (6) 부적절한 ( )을 재배하는 농지는 인수를 제한한다[예 고랭지 봄파종 재배 적응 품종(계투린, 고페이황, 고랭지 여름, 덴신, 마운틴 1호, 스프링골드, 사포로기, 울프, 장생대고, 장일황, 하루히구마, 히구마 등)].

142 종합위험보장방식 양파 상품의 "경작불능 보험금 산출방식"에서 ( ) 안에 들어갈 알맞은 말을 쓰시오. (다만, 보상하는 손해로 식물체 피해율이 65% 이상이고, 계약자가 경작불능 보험금을 신청한 경우)

자기부담비율	경작불능 보험금
10%형	보험가입금액의 (①)%
15%형	보험가입금액의 (②)%
20%형	보험가입금액의 (③)%
30%형	보험가입금액의 (④)%
40%형	보험가입금액의 (⑤)%

143 종합위험보장방식 양파 상품의 "보험료"에서 ( ) 안에 들어갈 알맞은 말을 쓰시오.

(1) 수확감소보장 보통약관 적용보험료

수확감소보장 보통약관 적용보험료 = 가입수확량 × ( )

(2) 수확감소보장 보험금 산출방식

보험금 = 보험가입금액 × (피해율 − 자기부담비율)

※ 피해율 = [평년수확량 − ( ) − 미보상감수량] ÷ 평년수확량

144 종합위험보장방식 양파 상품의 "보험의 목적"에서 ( ) 안에 들어갈 알맞은 말을 쓰시오.

보험료 납입일이 속하는 이듬해에 수확하는 ( )이다.

✱ 농업수입감소보장 **양파** 상품

145 농업수입감소보장방식 양파 상품의 "가입지역"에서 Ⓐ~Ⓗ에 들어갈 알맞은 말을 쓰시오.

> (1) 가입지역은 (Ⓐ), (Ⓑ), (Ⓒ), (Ⓓ)이다.
> (2) 농가 주소지가 아닌 (Ⓔ)를 기준으로 가입 가능 여부를 판단한다.
> (3) 단, 도서지역의 경우 (Ⓕ)가 설치되어 있지 않고, (Ⓖ)이 운항하지 않는 등 신속한 손해평가가 (Ⓗ) 지역은 제외한다.

146 농업수입감소보장방식 양파 상품의 "보험기간"에서 빈칸 안에 들어갈 알맞은 말을 쓰시오.

구분 / 보장	대상재해	보장개시	보장종료
경작불능보장	자연재해 조수해 화재	계약체결일 24시	(①)
농업수입감소보장	자연재해 조수해 화재		(②)
	가격하락		(③)

147 농업수입감소보장방식 양파 상품의 "인수제한 목적물"에서 ( ) 안에 들어갈 알맞은 말을 쓰시오.

(1) 보험대상 농작물의 보험가입금액이 ( ) 미만인 농지는 인수를 제한한다.
(2) 통상적인 ( )을 하지 않은 농지는 인수를 제한한다.
(3) 극조생종, ( ), ( )을 혼식한 농지는 인수를 제한한다.
(4) ( )를 목적으로 경작하지 않는 농지는 인수를 제한한다.
(5) 재식밀도가 ( )/10a 미만, ( )/10a 초과한 농지는 인수를 제한한다.
(6) ( )농지는 인수를 제한한다.

148 농업수입감소보장방식 양파 상품의 "인수제한 목적물"에서 ( ) 안에 들어갈 알맞은 말을 쓰시오.

(1) ( ) 이전에 정식한 농지는 인수를 제한한다.
(2) 양파 식물체가 똑바로 정식되지 않은 농지, ( ) 이하로 정식된 농지는 인수를 제한한다.
(3) ( ) 농지는 인수를 제한한다.
(4) 하천부지 및 ( ) 지역에 소재한 농지는 인수를 제한한다.
(5) 다른 작물과 ( )되어 있는 농지는 인수를 제한한다.
(6) 부적절한 ( )을 재배하는 농지는 인수를 제한한다[예 고랭지 봄파종 재배 적응 품종(게투린, 고페이황, 고랭지 여름, 덴신, 마운틴 1호, 스프링골드, 사포로기, 울프, 장생대고, 장일황, 하루히구마, 히구마 등)].

149 농업수입감소보장방식 양파 상품의 "경작불능 보험금 산출방식"에서 ( ) 안에 들어갈 알맞은 말을 쓰시오. (다만, 보상하는 손해로 식물체 피해율이 65% 이상이고, 계약자가 경작불능 보험금을 신청한 경우)

자기부담비율	경작불능 보험금
20%형	보험가입금액의 (①)%
30%형	보험가입금액의 (②)%
40%형	보험가입금액의 (③)%

150 농업수입감소보장방식 양파 상품의 "보험료"에서 (   ) 안에 들어갈 알맞은 말을 쓰시오.

(1) 수확감소보장 보통약관 적용보험료

수확감소보장 보통약관 적용보험료 = 가입수확량 × (   )

(2) 농업수입감소보장 보험금 산출방식

보험금 = 보험가입금액 × (피해율 − 자기부담금비율)
※ 피해율 = [기준수입 − (   )]÷기준수입

151 농업수입감소보장방식 양파 상품의 "보험의 목적"에서 (   ) 안에 들어갈 알맞은 말을 쓰시오.

보험료 납입일이 속하는 이듬해에 수확하는 (   )이다.

✻ 종합위험보장 **감자(고랭지재배)** 상품

152 다음 종합위험보장방식 고랭지재배감자 상품의 "가입지역"에서 Ⓐ～Ⓔ에 들어갈 알맞은 말을 쓰시오.

> (1) 가입지역은 (Ⓐ)이다.
> (2) 농가 주소지가 아닌 (Ⓑ)를 기준으로 가입 가능 여부를 판단한다.
> (3) 단, 도서지역의 경우 (Ⓒ)가 설치되어 있지 않고, (Ⓓ)이 운항하지 않는 등 신속한 손해평가가 (Ⓔ) 지역은 제외한다.

153 다음 종합위험보장방식 고랭지재배감자 상품의 "보험기간"에서 ( ) 안에 들어갈 알맞은 말을 쓰시오.

구분		보장개시	보장종료
보장	목적물		
경작불능보장	고랭지재배 감자	(①)	(②)
수확감소보장		계약체결일 24시	(③)

154 다음 종합위험보장방식 고랭지재배감자 상품의 "인수제한 목적물"에서 ( ) 안에 들어갈 알맞은 말을 쓰시오.

> (1) 보험대상 농작물의 보험가입금액이 ( ) 미만인 농지는 인수를 제한한다.
> (2) 통상적인 ( )을 하지 않은 농지는 인수를 제한한다.
> (3) 출현율이 ( ) 미만인 농지(보험가입 당시 출현 후 고사된 싹은 출현이 안 된 것으로 판단)는 인수를 제한한다.
> (4) ( ) 목적으로 재배하지 않는 농지는 인수를 제한한다.
> (5) 재식밀도가 ( )/10a 미만인 농지는 인수를 제한한다.
> (6) 군사시설보호구역 중 통제보호구역[민간인 통제선 이북 또는 군사기지 및 군사시설의 최외곽 경계선으로부터 ( )범위 이내 지역] 내의 농지는 인수를 제한한다(단, 통상적인 영농활동 및 손해평가가 가능하다고 판단되는 농지는 영업점장 전결로 인수 가능).

155 다음 종합위험보장방식 가을감자 상품의 "인수제한 목적물"에서 (　) 안에 들어갈 알맞은 말을 쓰시오.

> (1) 파종을 (　) 이전에 실시한 농지는 인수를 제한한다.
> (2) 다른 작물과 (　)되어 있는 농지는 인수를 제한한다.
> (3) (　)가 다른 것을 혼식 재배한 농지는 인수를 제한한다.
> (4) (　) 농지는 인수를 제한한다.
> (5) 하천부지 및 (　) 지역에 소재한 농지는 인수를 제한한다.

156 다음 종합위험보장방식 고랭지재배감자 상품의 "경작불능 보험금 산출방식"에서 (　) 안에 들어갈 알맞은 말을 쓰시오. (다만, 보상하는 손해로 식물체 피해율이 65% 이상이고, 계약자가 경작불능 보험금을 신청한 경우)

자기부담비율	경작불능 보험금
10%형	보험가입금액의 (①)%
15%형	보험가입금액의 (②)%
20%형	보험가입금액의 (③)%
30%형	보험가입금액의 (④)%
40%형	보험가입금액의 (⑤)%

157 다음 종합위험보장방식 고랭지재배감자 상품의 "보험료"에서 (　) 안에 들어갈 알맞은 말을 쓰시오.

(1) (　) 보통약관 적용보험료

> 보통약관 보험가입금액 × 지역별 보통약관 영업요율 × (1 + 손해율에 따른 할인·할증률) × (1 − 방재시설 할인율)

(2) (　) 보험금 산출방식 : 보상하는 재해로 인해 평년수확량 대비 자기부담비율을 초과한 수확감소가 발생한 경우 아래의 식에 따라 계산한다.

> 보험금 = 보험가입금액 × (피해율 − 자기부담금비율)
> ※ 피해율 = {(평년수확량 − 수확량 − 미보상감수량) + 병충해감수량} ÷ 평년수확량

158 다음 종합위험방식 고랭지재배감자 "보상하는 손해 병·해충 및 등급별 인정비율"에서 ( ) 안에 들어갈 알맞은 말을 쓰시오.

▼ 고랭지재배감자 보상하는 병·해충 및 등급별 인정비율

구분		병·해충	인정비율
품목	급수		
고랭지 재배 감자	1급	역병, (①), 모자이크병, 무름병, (②)가루더뎅이병, 잎말림병, 감자뿔나방병	90%
	2급	(③), 시들음병, 마른썩음병, 풋마름병, 줄기검은병, 더뎅이병, (④), 검은무늬썩음병, 줄기기부썩음병, 진딧물류, 아메리카잎굴파리, 방아벌레류	70%
	3급	반쪽시들음병, (⑤), 잿빛곰팡이병, 탄저병, 겹둥근무늬병, 오이총채벌레병, 뿌리혹선충, 파밤나방병, (⑥), 기타	50%

✳ 종합위험보장 **봄감자** 상품

159 다음 종합위험보장방식 봄감자 상품의 "가입지역"에서 Ⓐ~Ⓕ에 들어갈 알맞은 말을 쓰시오.

> (1) 가입지역은 (Ⓐ), (Ⓑ)이다.
> (2) 농가 주소지가 아닌 (Ⓒ) 주소지를 기준으로 가입 가능 여부를 판단한다.
> (3) 단, 도서지역의 경우 (Ⓓ)가 설치되어 있지 않고, (Ⓔ)이 운항하지 않는 등 신속한 손해
>   평가가 (Ⓕ) 지역은 제외한다.

160 다음 종합위험보장방식 봄감자 상품의 "보험기간"에서 (   ) 안에 들어갈 알맞은 말을 쓰시오.

구분		보장개시	보장종료
보장	목적물		
경작불능 보장	봄감자	(①)	(②)
수확감소 보장		파종완료일 24시(단, 보험계약 시 파종완료일이 경과한 경우에는 계약체결일 24시)	(③)

161 다음 종합위험보장방식 봄감자 상품의 "인수제한 목적물"에서 (   ) 안에 들어갈 알맞은 말을 쓰시오.

> (1) 보험대상 농작물의 보험가입금액이 (   ) 미만인 농지는 인수를 제한한다.
> (2) 통상적인 (   )을 하지 않은 농지는 인수를 제한한다.
> (3) (   ) 이상 자가 채종 재배한 농지는 인수를 제한한다.
> (4) (   ) 수확을 목적으로 재배하는 농지는 인수를 제한한다.
> (5) 재식밀도가 (   )/10a 미만인 농지는 인수를 제한한다.
> (6) 군사시설보호구역 중 통제보호구역[민간인 통제선 이북 또는 군사기지 및 군사시설의 최외
>   곽 경계선으로부터 (   ) 범위 이내 지역] 내의 농지는 인수를 제한한다(단, 통상적인 영농
>   활동 및 손해평가가 가능하다고 판단되는 농지는 영업점장 전결로 인수 가능).

162 다음 종합위험보장방식 봄감자 상품의 "인수제한 목적물"에서 ( ) 안에 들어갈 알맞은 말을 쓰시오.

> (1) 파종을 ( ) 이전에 실시한 농지는 인수를 제한한다.
> (2) ( ) 농지는 인수를 제한한다.
> (3) 하천부지 및 ( ) 지역에 소재한 농지는 인수를 제한한다.
> (4) 다른 작물과 ( )되어 있는 농지는 인수를 제한한다.
> (5) 전작으로 ( )를 재배한 농지는 인수를 제한한다.
> (6) 도시계획 등에 편입되어 수확종료 전에 소유권변동 또는 농지 ( ) 등이 예정되어 있는 농지는 인수를 제한한다.

163 다음 종합위험보장방식 봄감자 상품의 "경작불능 보험금 산출방식"에서 ( ) 안에 들어갈 알맞은 말을 쓰시오. (다만, 보상하는 손해로 식물체 피해율이 65% 이상이고, 계약자가 경작불능 보험금을 신청한 경우)

자기부담비율	경작불능 보험금
10%형	보험가입금액의 (①)%
15%형	보험가입금액의 (②)%
20%형	보험가입금액의 (③)%
30%형	보험가입금액의 (④)%
40%형	보험가입금액의 (⑤)%

164 다음 종합위험보장방식 봄감자 상품의 "보험료"에서 ( ) 안에 들어갈 알맞은 말을 쓰시오.

(1) 수확감소보장 보통약관 적용보험료

> 보통약관 보험가입금액 × 지역별 보통약관 영업요율 × (1 + 손해율에 따른 할인·할증률) × ( )

(2) 수확감소보장 보험금 산출방식 : 보상하는 재해로 인해 평년수확량 대비 자기부담비율을 초과한 수확감소가 발생한 경우 아래의 식에 따라 계산한다.

> 보험금 = 보험가입금액 × (피해율 − 자기부담금비율)
>
> ※ 피해율 = {(평년수확량 − 수확량 − 미보상감수량)+ (   )} ÷ 평년수확량
>
> ※ (   ) = 병충해 입은 괴경의 무게 × 손해정도비율 × 인정비율

165 다음 종합위험보장방식 봄감자 상품의 "표준수확량 산출방법"에서 (   ) 안에 들어갈 알맞은 말을 쓰시오.

> 표준수확량 = 지역별 표준수확량 × (   ) × 재배유형지수 × 재식밀도지수

166 다음 종합위험방식 봄감자 "보험의 목적"에서 (   ) 안에 들어갈 알맞은 말을 쓰시오.

> 보험료 납입일이 속하는 해에 가입한 농지에 (Ⓐ)에 파종하여 당해 (Ⓑ)경에 수확하는 봄감자이다.

167 다음 종합위험방식 봄감자 "보상하는 손해 병・해충 및 등급별 인정비율"에서 (   ) 안에 들어갈 알맞은 말을 쓰시오.

▼ 봄감자 보상하는 병・해충 및 등급별 인정비율

구분		병・해충	인정비율
품목	급수		
봄감자	1급	역병, 걀쭉병, (①), 무름병, 둘레썩음병, (②), 잎말림병, 감자뿔나방병	90%
	2급	홍색부패병, 시들음병, 마른썩음병, (③), 줄기검은병, 더뎅이병, 균핵병, 검은무늬썩음병, 줄기기부썩음병, (④), 아메리카잎굴파리, 방아벌레류	70%
	3급	반쪽시들음병, 흰비단병, 잿빛곰팡이병, (⑤), 겹둥근무늬병, (⑥), 뿌리혹선충병, 파밤나방병, 큰28점박이무당벌레, 기타	50%

✱ 종합위험보장 **가을감자** 상품

168 다음 종합위험보장방식 가을감자 상품의 "가입지역"에서 Ⓐ~Ⓓ에 들어갈 알맞은 말을 쓰시오.

> (1) 가입지역은 (Ⓐ)이다.
> (2) 단, 도서지역의 경우 (Ⓑ)가 설치되어 있지 않고, (Ⓒ)이 운항하지 않는 등 신속한 손해
>   평가가 (Ⓓ) 지역은 제외한다.

169 다음 종합위험보장방식 가을감자 상품의 "보험기간"에서 (   ) 안에 들어갈 알맞은 말을 쓰시오.

구분		보장개시	보장종료
보장	목적물		
경작불능 보장	가을 감자	(①)	(②)
수확감소 보장		파종완료일 24시 (단, 보험계약 시 파종완료일이 경과한 경우에는 계약체결일 24시)	(③)

170 다음 종합위험보장방식 가을감자 상품의 "인수제한 목적물"에서 (   ) 안에 들어갈 알맞은 말을 쓰시오.

> (1) 보험대상 농작물의 보험가입금액이 (   ) 미만인 농지는 인수를 제한한다.
> (2) 통상적인 (   )을 하지 않은 농지는 인수를 제한한다.
> (3) (   ) 이상 자가 채종 재배한 농지는 인수를 제한한다.
> (4) (   ) 수확을 목적으로 재배하는 농지는 인수를 제한한다.
> (5) 재식밀도가 (   )/10a 미만인 농지는 인수를 제한한다.
> (6) (   )에 부적합한 품종(수미, 남작, 조풍, 신남작, 세풍 등)이 파종된 농지는 인수를 제한한다.

171 다음 종합위험보장방식 가을감자 상품의 "인수제한 목적물"에서 (   ) 안에 들어갈 알맞은 말을 쓰시오.

> (1) 파종을 (   ) 이전(제주 지역은 8월 10일)에 실시한 농지는 인수를 제한한다.
> (2) 파종을 (   ) 이후(제주 지역은 9월 14일)에 실시한 농지는 인수를 제한한다.
> (3) (   ) 농지는 인수를 제한한다.
> (4) 하천부지 및 (   ) 지역에 소재한 농지는 인수를 제한한다.
> (5) 다른 작물과 (   )되어 있는 농지는 인수를 제한한다.
> (6) 전작으로 (   )를 재배한 농지는 인수를 제한한다.

172 다음 종합위험보장방식 가을감자 상품의 "경작불능 보험금 산출방식"에서 (   ) 안에 들어갈 알맞은 말을 쓰시오. (다만, 보상하는 손해로 식물체 피해율이 65% 이상이고, 계약자가 경작불능 보험금을 신청한 경우)

자기부담비율	경작불능 보험금
10%형	보험가입금액의 (①)%
15%형	보험가입금액의 (②)%
20%형	보험가입금액의 (③)%
30%형	보험가입금액의 (④)%
40%형	보험가입금액의 (⑤)%

173 다음 종합위험보장방식 가을감자 상품의 "보험료"에서 (   ) 안에 들어갈 알맞은 말을 쓰시오.

(1) 수확감소보장 보통약관 적용보험료

> 보통약관 보험가입금액 × 지역별 보통약관 영업요율 × (1 + 손해율에 따른 할인·할증률) × (   )

(2) 수확감소보장 보험금 산출방식 : 보상하는 재해로 인해 평년수확량 대비 자기부담비율을 초과한 수확감소가 발생한 경우 아래의 식에 따라 계산한다.

> 보험금 = 보험가입금액 × (피해율 − 자기부담금비율)
> ※ 피해율 = {(평년수확량 − 수확량 − 미보상감수량)+ (   )} ÷ 평년수확량
> ※ (   ) = 병충해 입은 괴경의 무게 × 손해정도비율 × 인정비율

174 다음 종합위험보장방식 가을감자 상품의 "표준수확량 산출방법"에서 (   ) 안에 들어갈 알맞은 말을 쓰시오.

> 표준수확량 = 지역별 표준수확량 × 재배품종지수 × (   ) × 재식밀도지수

175 다음 종합위험방식 가을감자 "보험의 목적"에서 (   ) 안에 들어갈 알맞은 말을 쓰시오.

> 보험료 납입일이 속하는 해에 수확하는 가을감자[단, 가을재배품종이 아닌 (Ⓐ), 남작, 조풍, 신남작, (Ⓑ) 등은 제외]

176 다음 종합위험방식 가을감자 "보상하는 손해 병·해충 및 등급별 인정비율"에서 (   ) 안에 들어갈 알맞은 말을 쓰시오.

▼ 가을감자 보상하는 병·해충 및 등급별 인정비율

구분		병·해충	인정 비율
품목	급수		
가을 감자	1급	역병, 갈쭉병, 모자이크병, (①), 둘레썩음병, 가루더뎅이병, (②), 감자뿔나방병	90%
	2급	홍색부패병, 시들음병, 마른썩음병, 풋마름병, (③), 더뎅이병, 균핵병, 검은무늬썩음병, 줄기기부썩음병, 진딧물류, (④), 방아벌레류	70%
	3급	반쪽시들음병, 흰비단병, 잿빛곰팡이병, 탄저병, (⑤), 오이총채벌레병, (⑥), 파밤나방병, 큰28점박이무당벌레, 기타	50%

✱ 농업수입감소보장 **가을감자** 상품

177 다음 농업수입감소보장방식 가을감자 상품의 "가입지역"에서 Ⓐ～Ⓔ에 들어갈 알맞은 말을 쓰시오.

> (1) 가입지역은 (Ⓐ)이다.
> (2) 농가 주소지가 아닌 (Ⓑ)를 기준으로 가입 가능 여부를 판단한다.
> (3) 단, 도서지역의 경우 (Ⓒ)가 설치되어 있지 않고, (Ⓓ)이 운항하지 않는 등 신속한 손해평가가 (Ⓔ) 지역은 제외한다.

178 다음 농업수입감소보장방식 가을감자 상품의 "보험기간"에서 (   ) 안에 들어갈 알맞은 말을 쓰시오.

구분		대상재해	보장개시	보장종료
보장	목적물			
경작불능 보장	가을 감자	자연재해, 조수해, 화재, 병충해	파종완료일 24시(단, 보험계약 시 파종완료일이 경과한 경우에는 계약체결일 24시)	(①)
농업수입 수확감소 보장		자연재해, 조수해, 화재, 병충해		(②)
		가격하락		(③)

179 다음 농업수입감소보장방식 가을감자 상품의 "인수제한 목적물"에서 (   ) 안에 들어갈 알맞은 말을 쓰시오.

> (1) 보험대상 농작물의 보험가입금액이 (   ) 미만인 농지는 인수를 제한한다.
> (2) 통상적인 (   )을 하지 않은 농지는 인수를 제한한다.
> (3) (   ) 이상 자가 채종 재배한 농지는 인수를 제한한다.
> (4) (   ) 수확을 목적으로 재배하는 농지는 인수를 제한한다.
> (5) 재식밀도가 (   )/10a 미만인 농지는 인수를 제한한다.
> (6) (   )에 부적합한 품종(수미, 남작, 조풍, 신남작, 세풍 등)이 파종된 농지는 인수를 제한한다.

180 다음 농업수입감소보장방식 가을감자 상품의 "인수제한 목적물"에서 (   ) 안에 들어갈 알맞은 말을 쓰시오.

> (1) 파종을 (   ) 이전에 실시한 농지는 인수를 제한한다.
> (2) 파종을 (   ) 이후에 실시한 농지는 인수를 제한한다.
> (3) (   ) 농지는 인수를 제한한다.
> (4) 하천부지 및 (   ) 지역에 소재한 농지는 인수를 제한한다.
> (5) 다른 작물과 (   )되어 있는 농지는 인수를 제한한다.
> (6) 전작으로 (   )를 재배한 농지는 인수를 제한한다.

181 다음 농업수입감소보장방식 가을감자 상품의 "경작불능 보험금 산출방식"에서 (   ) 안에 들어갈 알맞은 말을 쓰시오. (다만, 보상하는 손해로 식물체 피해율이 65% 이상이고, 계약자가 경작불능 보험금을 신청한 경우)

자기부담비율	경작불능 보험금
20%형	보험가입금액의 (①)%
30%형	보험가입금액의 (②)%
40%형	보험가입금액의 (③)%

182 다음 농업수입감소보장방식 가을감자 상품의 "보험료"에서 (   ) 안에 들어갈 알맞은 말을 쓰시오.

(1) 농업수입감소보장 보통약관 적용보험료

> 보통약관 보험가입금액 × 지역별 보통약관 영업요율 × (1 + 손해율에 따른 할인·할증률) × (   )

(2) 농업수입감소보장 보험금 산출방식

보상하는 재해로 인해 평년수확량 대비 자기부담비율을 초과한 수확감소가 발생한 경우 아래의 식에 따라 계산한다.

> 보험금 = 보험가입금액 × (피해율 − 자기부담금비율)
> ※ 피해율 = (기준수입 − 실제수입) ÷ (   )

183 다음 농업수입감소보장방식 가을감자 상품의 "표준수확량 산출방법"에서 ( ) 안에 들어갈 알맞은 말을 쓰시오.

표준수확량 = ( ) × 재배품종지수 × 재배유형지수 × 재식밀도지수

184 다음 농업수입감소보장방식 가을감자 "보험의 목적"에서 ( ) 안에 들어갈 알맞은 말을 쓰시오.

보험료 납입일이 속하는 해에 수확하는 가을감자[단, 가을재배품종이 아닌 수미, (Ⓐ), (Ⓑ), 신남작, 세풍 등은 제외]

185 다음 농업수입감소보장방식 가을감자 "보상하는 손해 병·해충 및 등급별 인정비율"에서 ( ) 안에 들어갈 알맞은 말을 쓰시오.

▼ 가을감자 보상하는 병·해충 및 등급별 인정비율

구분		병·해충	인정비율
품목	급수		
가을감자	1급	(①), 갈쭉병, 모자이크병, 무름병, 둘레썩음병, 가루더뎅이병, 잎말림병, (②)	90%
	2급	홍색부패병, 시들음병, 마른썩음병, 풋마름병, 줄기검은병, (③), 균핵병, 검은무늬썩음병, 줄기기부썩음병, 진딧물류, 아메리카잎굴파리, (④)	70%
	3급	반쪽시들음병, (⑤), 잿빛곰팡이병, 탄저병, 겹둥근무늬병, 오이총채벌레병, 뿌리혹선충병, (⑥), 큰28점박이무당벌레, 기타	50%

✱ 종합위험보장 **고구마** 상품

186 다음 종합위험보장방식 고구마 상품의 "가입지역"에서 Ⓐ~Ⓓ에 들어갈 알맞은 말을 쓰시오.

> (1) 가입지역은 (Ⓐ)이다.
> (2) 단, 도서지역의 경우 (Ⓑ)가 설치되어 있지 않고, (Ⓒ)이 운항하지 않는 등 신속한 손해평가가 (Ⓓ) 지역은 제외한다.

187 다음 종합위험보장방식 고구마 상품의 "보험기간"에서 (   ) 안에 들어갈 알맞은 말을 쓰시오.

구분		보장개시	보장종료
보장	목적물		
경작불능 보장	고구마	(①)	(②)
수확감소 보장		계약체결일 24시	(③)

188 다음 종합위험보장방식 고구마 상품의 "인수제한 목적물"에서 (   ) 안에 들어갈 알맞은 말을 쓰시오.

> (1) 보험대상 농작물의 보험가입금액이 (   ) 미만인 농지는 인수를 제한한다.
> (2) 통상적인 (   )을 하지 않은 농지는 인수를 제한한다.
> (3) (   ) 품종 재배 농지는 인수를 제한한다.
> (4) (   )용 목적으로 재배하는 농지는 인수를 제한한다.
> (5) 재식밀도가 (   )/10a 미만인 농지는 인수를 제한한다.
> (6) 군사시설보호구역 중 통제보호구역[민간인 통제선 이북 또는 군사기지 및 군사시설의 최외곽 경계선으로부터 (   ) 범위 이내 지역] 내의 농지는 인수를 제한한다(단, 통상적인 영농활동 및 손해평가가 가능하다고 판단되는 농지는 영업점장 전결로 인수 가능).

189 다음 종합위험보장방식 고구마 상품의 "인수제한 목적물"에서 (   ) 안에 들어갈 알맞은 말을 쓰시오.

> (1) (   ) 농지는 인수를 제한한다.
> (2) (   ) 농지는 인수를 제한한다.
> (3) 하천부지 및 (   ) 지역에 소재한 농지는 인수를 제한한다.
> (4) 다른 작물과 (   )되어 있는 농지는 인수를 제한한다.
> (5) (   ) 목적으로 경작하지 않은 농지는 인수를 제한한다.
> (6) 도시계획 등에 편입되어 수확종료 전에 소유권변동 또는 농지 (   ) 등이 예정되어 있는 농지는 인수를 제한한다.

190 다음 종합위험보장방식 고구마 상품의 "경작불능 보험금 산출방식"에서 (   ) 안에 들어갈 알 맞은 말을 쓰시오. (다만, 보상하는 손해로 식물체 피해율이 65% 이상이고, 계약자가 경작불 능 보험금을 신청한 경우)

자기부담비율	경작불능 보험금
10%형	보험가입금액의 (①)%
15%형	보험가입금액의 (②)%
20%형	보험가입금액의 (③)%
30%형	보험가입금액의 (④)%
40%형	보험가입금액의 (⑤)%

191 다음 종합위험보장방식 고구마 상품의 "보험료"에서 (   )에 들어갈 알맞은 말을 쓰시오.

(1) 수확감소보장 보험가입금액

> 수확감소보장 보험가입금액 = (   ) × 가입가격

(2) 수확감소보장 보통약관 적용보험료 산출방식

> 보통약관 보험가입금액 × (   ) × (1 + 손해율에 따른 할인 · 할증률)

192 다음 종합위험보장방식 고구마 상품의 "표준수확량 산출방법"에서 (   ) 안에 들어갈 알맞은 말을 쓰시오.

> 표준수확량 = 지역별·품종별 표준수확량 × (   )

193 다음 종합위험방식 고구마 보험의 대상 품종에서 (   ) 안에 들어갈 알맞은 품종을 쓰시오.

> 종합위험방식 고구마 보험의 대상 품종은 (   ), (   ) 종류이다.

✱ 농업수입감소보장 **고구마** 상품

194 다음 농업수입감소보장방식 고구마 상품의 "가입지역"에서 Ⓐ~Ⓖ에 들어갈 알맞은 말을 쓰시오.

> (1) 가입지역은 경기(Ⓐ), 전남(Ⓑ), 충남(Ⓒ)이다.
> (2) 농가 주소지가 아닌 (Ⓓ) 주소지를 기준으로 가입 가능 여부를 판단한다.
> (3) 단, 도서지역의 경우 (Ⓔ)가 설치되어 있지 않고, (Ⓕ)이 운항하지 않는 등 신속한 손해평가가 (Ⓖ) 지역은 제외한다.

195 다음 농업수입감소보장방식 고구마 상품의 "보험기간"에서 (   ) 안에 들어갈 알맞은 말을 쓰시오.

구분		대상재해	보장개시	보장종료
보장	목적물			
경작불능 보장	고구마	자연재해 조수해 화재	계약체결일 24시	(①)
농업수입 감소보장		자연재해 조수해 화재	계약체결일 24시	(②)
		가격하락	계약체결일 24시	(③)

196 다음 농업수입감소보장방식 고구마 상품의 "인수제한 목적물"에서 (   ) 안에 들어갈 알맞은 말을 쓰시오.

> (1) 보험대상 농작물의 보험가입금액이 (   ) 미만인 농지는 인수를 제한한다.
> (2) 통상적인 (   )을 하지 않은 농지는 인수를 제한한다.
> (3) (   ) 품종 재배 농지는 인수를 제한한다.
> (4) (   )용 목적으로 재배하는 농지는 인수를 제한한다.
> (5) 재식밀도가 (   )/10a 미만인 농지는 인수를 제한한다.
> (6) 군사시설보호구역 중 통제보호구역[민간인 통제선 이북 또는 군사기지 및 군사시설의 최외곽 경계선으로부터 (   ) 범위 이내 지역] 내의 농지는 인수를 제한한다(단, 통상적인 영농활동 및 손해평가가 가능하다고 판단되는 농지는 영업점장 전결로 인수 가능).

197 다음 농업수입감소보장방식 고구마 상품의 "인수제한 목적물"에서 (   ) 안에 들어갈 알맞은 말을 쓰시오.

> (1) (   ) 농지는 인수를 제한한다.
> (2) (   ) 농지는 인수를 제한한다.
> (3) 하천부지 및 (   ) 지역에 소재한 농지는 인수를 제한한다.
> (4) 다른 작물과 (   )되어 있는 농지는 인수를 제한한다.
> (5) (   ) 목적으로 경작하지 않은 농지는 인수를 제한한다.
> (6) 도시계획 등에 편입되어 수확종료 전에 소유권변동 또는 농지 (   ) 등이 예정되어 있는 농지는 인수를 제한한다.

198 다음 농업수입감소보장방식 고구마 상품의 "경작불능 보험금 산출방식"에서 (   ) 안에 들어갈 알맞은 말을 쓰시오. (다만, 보상하는 손해로 식물체 피해율이 65% 이상이고, 계약자가 경작 불능 보험금을 신청한 경우)

자기부담비율	경작불능 보험금
20%형	보험가입금액의 (①)%
30%형	보험가입금액의 (②)%
40%형	보험가입금액의 (③)%

199 다음 농업수입감소보장방식 고구마 상품의 "보험료"에서 ( ) 안에 들어갈 알맞은 말을 쓰시오.

(1) ( ) 보통약관 적용보험료

> 보통약관 보험가입금액 × 지역별 보통약관 영업요율 × (1 + 손해율에 따른 할인·할증률)

(2) ( ) 보험금 산출방식

보상하는 재해로 인해 평년수확량 대비 자기부담비율을 초과한 수확감소가 발생한 경우 아래의 식에 따라 계산한다.

> 보험금 = 보험가입금액 × (피해율 − 자기부담금비율)
> ※ 피해율 = (기준수입 − 실제수입) ÷ 기준수입

200 다음 농업수입감소보장방식 고구마 상품의 "표준수확량 산출방법"에서 ( ) 안에 들어갈 알맞은 말을 쓰시오.

> 표준수확량 = ( ) × 재식밀도지수

201 다음 종합위험방식 고구마 보험의 대상 품종에서 ( ) 안에 들어갈 알맞은 품종을 쓰시오.

> 종합위험방식 고구마 보험의 대상 품종은 ( ), ( ) 종류이다.

✱ 종합위험보장 **옥수수** 상품

202 다음 종합위험보장방식 옥수수 상품의 "가입지역"에서 Ⓐ~Ⓓ에 들어갈 알맞은 말을 쓰시오.

> (1) 가입지역은 (Ⓐ) 가입 가능하다.
> (2) 단, 도서지역의 경우 (Ⓑ)가 설치되어 있지 않고, (Ⓒ)이 운항하지 않는 등 신속한 손해
>   평가가 (Ⓓ) 지역은 제외한다.

203 다음 종합위험보장방식 옥수수 상품의 "보험기간"에서 (   ) 안에 들어갈 알맞은 말을 쓰시오.

구분		보장개시	보장종료
보장	목적물		
경작불능보장	옥수수	보험계약일 24시	(①)
수확감소보장		보험계약일 24시	(②)

204 다음 종합위험보장방식 옥수수 상품의 "인수제한 목적물"에서 (   ) 안에 들어갈 알맞은 말을 쓰시오.

> (1) 보험대상 농작물의 보험가입금액이 (   ) 미만인 농지
> (2) (   )을 이용해 재배하는 농지
> (3) (   )로 수확하지 않는 농지
> (4) 출현율이 (   ) 미만인 농지(보험가입 당시 출현 후 고사된 싹은 출현이 안 된 것으로 판단)
> (5) (   ) 기간 내에 파종(정식)되지 않은 농지
> (6) 군사시설보호구역 중 통제보호구역[민간인 통제선 이북 또는 군사기지 및 군사시설의 최외곽
>   경계선으로부터 (   ) 범위 이내 지역] 내의 농지(단, 통상적인 영농활동 및 손해평가가 가능
>   하다고 판단되는 농지는 영업점장 전결로 인수 가능)

205 다음 종합위험보장방식 옥수수 상품의 "인수제한 목적물"에서 (   ) 안에 들어갈 알맞은 말을 쓰시오.

> ※ 통상적인 재식간격의 범위를 벗어나 재배하는 농지
> (1) 1주 재배
>   1) 전국지역은 1,000㎡(10a)당 정식주수가 (   )인 농지
>   2) 단, 전남·전북·광주·제주 지역은 1,000㎡(10a)당 정식주수가 (   )인 농지
> (2) 2주 재배 : 1,000㎡(10a)당 정식주수가 (   )인 농지

206 다음 종합위험보장방식 옥수수 상품의 "경작불능 보험금 산출방식"에서 (   ) 안에 들어갈 알맞은 말을 쓰시오. (다만, 보상하는 손해로 식물체 피해율이 65% 이상이고, 계약자가 경작불능 보험금을 신청한 경우)

자기부담비율	경작불능 보험금
10%형	보험가입금액의 (①)%
15%형	보험가입금액의 (②)%
20%형	보험가입금액의 (③)%
30%형	보험가입금액의 (④)%
40%형	보험가입금액의 (⑤)%

207 다음 종합위험보장방식 옥수수 상품의 "보험료"에서 (   ) 안에 들어갈 알맞은 말을 쓰시오.

(1) (   ) 보통약관 적용보험료

> 보통약관 보험가입금액 × 지역별 보통약관 영업요율 × (1 + 손해율에 따른 할인·할증률) × (1 − 방재시설 할인율)

(2) (   )이 있는 경우 방재시설 할인(5%) 적용한다.

208 다음 종합위험보장방식 옥수수 상품의 "수확감소보장 자기부담비율 적용기준"에서 (   ) 안에 들어갈 알맞은 말을 쓰시오.

> (1) (   ) : 최근 3년간 연속 보험가입과수원으로서 3년간 수령한 보험금이 순보험료의 100% 이하인 경우에 한하여 선택 가능하다.
> (2) (   ) : 최근 2년간 연속 보험가입과수원으로서 2년간 수령한 보험금이 순보험료의 100% 이하인 경우에 한하여 선택 가능하다.
> (3) (   ) : 제한 없음

209 다음 종합위험방식 옥수수 보험의 대상 품종에서 Ⓐ~Ⓓ에 들어갈 알맞은 말을 쓰시오.

> 종합위험방식 옥수수 보험의 대상 품종은 미백2호, (Ⓐ), 일미찰, (Ⓑ), 얼룩찰, (Ⓒ), 박사찰, 대학찰, (Ⓓ)이다.

✱ 종합위험보장 **양배추** 상품

210 종합위험보장방식 양배추 상품의 "가입지역"에서 Ⓐ~Ⓔ에 들어갈 알맞은 말을 쓰시오.

> (1) 가입지역은 (Ⓐ)이다.
> (2) 농가 주소지가 아닌 (Ⓑ)를 기준으로 가입 가능 여부를 판단한다.
> (3) 단, 도서지역의 경우 (Ⓒ)가 설치되어 있지 않고, (Ⓓ)이 운항하지 않는 등 신속한 손해
>   평가가 (Ⓔ) 지역은 제외한다.

211 종합위험보장방식 양배추 상품의 "보험기간"에서 (   ) 안에 들어갈 알맞은 말을 쓰시오.

구분		보장개시	보장종료
보장	목적물		
재정식보장	양배추	정식완료일 24시 (단, 보험계약 시 정식완료일이 경과한 경우에는 계약체결일 24시이며 정식완료일은 9월 30일을 초과할 수 없다.)	(①) (단, 10월 15일을 초과할 수 없음)
경작불능보장			(②)
수확감소보장			(③) (단, 아래의 날짜를 초과할 수 없음) • 극조생, 조생 : 이듬해 2월 28일 • 중생 : 이듬해 3월 15일 • 만생 : 이듬해 3월 31일

212 종합위험보장방식 양배추 상품의 "인수제한 목적물"에서 (   ) 안에 들어갈 알맞은 말을 쓰시오.

(1) 보험대상 농작물의 보험가입금액이 (   ) 미만인 농지는 인수를 제한한다.
(2) 통상적인 (   )을 하지 않은 농지는 인수를 제한한다.
(3) (   ) 미설치 농지는 인수를 제한한다.
(4) (   )를 목적으로 경작하지 않은 농지는 인수를 제한한다.
(5) (   ) 양배추를 재배하는 농지는 인수를 제한한다.
(6) (   ) 농지는 인수를 제한한다.

213 종합위험보장방식 양배추 상품의 "인수제한 목적물"에서 (   ) 안에 들어갈 알맞은 말을 쓰시오.

(1) (   ) 이후에 정식할 예정인 농지는 인수를 제한한다.
(2) 단, 재정식은 (   ) 이내 재정식을 실시하지 않은 농지는 인수를 제한한다.
(3) 보험계약 시 (   )가 확인된 농지는 인수를 제한한다.
(4) 하천부지 및 (   ) 지역에 소재한 농지는 인수를 제한한다.
(5) (   )를 위해 재배되는 농지는 인수를 제한한다.
(6) 재식밀도가 평당 (   ) 미만인 농지는 인수를 제한한다.

214 종합위험보장방식 양배추 상품의 "경작불능 보험금 산출방식"에서 (   ) 안에 들어갈 알맞은 말을 쓰시오. (다만, 보상하는 손해로 식물체 피해율이 65% 이상이고, 계약자가 경작불능 보험금을 신청한 경우)

자기부담비율	경작불능 보험금
20%형	보험가입금액의 (①)%
30%형	보험가입금액의 (②)%
40%형	보험가입금액의 (③)%

215 종합위험보장방식 양배추 상품의 "보험료"에서 (　　) 안에 들어갈 알맞은 말을 쓰시오.

(1) 수확감소보장 보험가입금액 산출방식

> 수확감소보장 보험가입금액 = 가입수확량 × (　　)

(2) 수확감소보장 보험금 산출방식

> 보험금 = 보험가입금액 × (피해율 － 자기부담금비율)
> ※ 피해율 = (평년수확량 － 수확량 － 미보상감수량) ÷ (　　)

216 종합위험보장방식 양배추 상품의 "재정식 보험금 산출방식"에서 (　　) 안에 들어갈 알맞은 말을 쓰시오.

> 보험금 = 보험가입금액 × 20% × (　　)
> ※ (　　) = 피해면적 ÷ 보험가입면적

217 종합위험보장방식 양배추 상품의 "보험의 목적"에서 (　　) 안에 들어갈 알맞은 말을 쓰시오.

> 보험료 납입일이 속하는 해에 정식하는 (　　)이다.

PART 04

✱ 농업수입감소보장 **양배추** 상품

218 농업수입감소보장방식 양배추 상품의 "가입지역"에서 Ⓐ~Ⓔ에 들어갈 알맞은 말을 쓰시오.

> (1) 가입지역은 (Ⓐ)이다.
> (2) 농가 주소지가 아닌 (Ⓑ)를 기준으로 가입 가능 여부를 판단한다.
> (3) 단, 도서지역의 경우 (Ⓒ)가 설치되어 있지 않고, (Ⓓ)이 운항하지 않는 등 신속한 손해
>   평가가 (Ⓔ) 지역은 제외한다.

219 농업수입감소보장방식 양배추 상품의 "보험기간"에서 (   ) 안에 들어갈 알맞은 말을 쓰시오.

구분 / 보장	대상재해	보장개시	보장종료
재정식보장	자연재해 조수해 화재	(①) (단, 보험계약 시 정식완료일이 경과한 경우에는 계약체결일 24시이며 정식완료일은 9월 30일을 초과할 수 없다.)	(②) (단, 10월 15일을 초과할 수 없음)
경작불능보장			(③)
수확감소보장	자연재해 조수해 화재		(④) (단, 아래의 날짜를 초과할 수 없음) • 극조생, 조생 : 이듬해 2월 28일 • 중생 : 이듬해 3월 15일 • 만생 : 이듬해 3월 31일
	가격하락		(⑤)

220 농업수입감소보장방식 양배추 상품의 "인수제한 목적물"에서 ( ) 안에 들어갈 알맞은 말을 쓰시오.

> (1) 보험대상 농작물의 보험가입금액이 ( ) 미만인 농지는 인수를 제한한다.
> (2) 통상적인 ( )을 하지 않은 농지는 인수를 제한한다.
> (3) ( ) 미설치 농지는 인수를 제한한다.
> (4) ( )를 목적으로 경작하지 않는 농지는 인수를 제한한다.
> (5) ( ) 양배추를 재배하는 농지는 인수를 제한한다.
> (6) ( ) 농지는 인수를 제한한다.

221 농업수입감소보장방식 양배추 상품의 "인수제한 목적물"에서 ( ) 안에 들어갈 알맞은 말을 쓰시오.

> (1) ( ) 이후에 정식할 예정인 농지는 인수를 제한한다.
> (2) 단, 재정식은 ( ) 이내 재정식을 실시하지 않은 농지는 인수를 제한한다.
> (3) 보험계약 시 ( )가 확인된 농지는 인수를 제한한다.
> (4) 하천부지 및 ( ) 지역에 소재한 농지는 인수를 제한한다.
> (5) ( )를 위해 재배되는 농지는 인수를 제한한다.
> (6) 재식밀도가 평당 ( ) 미만인 농지는 인수를 제한한다.

222 농업수입감소보장방식 양배추 상품의 "경작불능 보험금 산출방식"에서 ( ) 안에 들어갈 알맞은 말을 쓰시오. (다만, 보상하는 손해로 식물체 피해율이 65% 이상이고, 계약자가 경작불능 보험금을 신청한 경우)

자기부담비율	경작불능 보험금
20%형	보험가입금액의 (①)%
30%형	보험가입금액의 (②)%
40%형	보험가입금액의 (③)%

223 농업수입감소보장방식 양배추 상품의 "보험료"에서 (   ) 안에 들어갈 알맞은 말을 쓰시오.

(1) 보험가입금액 산출방식

> 보험가입금액 = 가입수확량 × (   )

(2) 수입감소보장 보험금 산출방식

> 수입감소보장 보험금 = 보험가입금액 × (피해율 − 자기부담금비율)
> ※ 피해율 = (기준수입 − 실제수입) ÷ (   )

224 농업수입감소보장방식 양배추 상품의 "재정식 보험금 산출방식"에서 (   ) 안에 들어갈 알맞은 말을 쓰시오.

> 재정식 보험금 = 보험가입금액 × 20% × (   )
> ※ (   ) = 피해면적 ÷ 보험가입면적

225 농업수입감소보장방식 양배추 상품의 "보험의 목적"에서 (   ) 안에 들어갈 알맞은 말을 쓰시오.

> 보험료 납입일이 속하는 해에 정식하는 (   )이다.

226 농업수입감소보장방식 양배추 상품의 "보상하는 손해" 4가지를 쓰시오.

✱ 종합위험보장 **콩** 상품

227 다음 종합위험보장방식 콩 상품의 "가입지역"에서 Ⓐ~Ⓓ에 들어갈 알맞은 말을 쓰시오.

(1) 가입지역은 (Ⓐ)이다.
(2) 단, 도서지역의 경우 (Ⓑ)가 설치되어 있지 않고, (Ⓒ)이 운항하지 않는 등 신속한 손해평가가 (Ⓓ) 지역은 제외한다.

228 다음 종합위험보장방식 콩 상품의 "보험기간"에서 (　　) 안에 들어갈 알맞은 말을 쓰시오.

구분		보장개시	보장종료
보장	목적물		
경작불능보장	콩	(①)	(②)
수확감소보장		계약체결일 24시	(③)

229 다음 종합위험보장방식 콩 상품의 "인수제한 목적물"에서 Ⓐ~Ⓗ에 들어갈 알맞은 말을 쓰시오.

(1) 장류 및 두부용, 나물용, 밥밑용 콩 이외의 콩이 (Ⓐ)된 농지는 인수를 제한한다.
(2) 적정 출현 (Ⓑ) 미만인 농지(10개체/㎡), 제주지역 재배방식이 산파인 경우 (Ⓒ)/㎡ 미만인 농지는 인수를 제한한다.
(3) 통상적인 재배 및 영농활동을 하지 않는다고 판단되는 농지[(Ⓓ)에 재배하는 경우, (Ⓔ)를 위해 재배하는 경우 등]는 인수를 제한한다.
(4) 다른 작물과 (Ⓕ)으로 다른 농작물이 재배주체가 된 경우의 농지는 인수를 제한한다.
(5) (Ⓖ)를 목적으로 경작하지 않는 농지는 인수를 제한한다.
(6) 기타 인수가 부적절한 농지는 인수를 제한한다[제주도 (Ⓗ)용지 등].

230 다음 종합위험보장방식 콩 상품의 "인수제한 목적물"에서 (   ) 안에 들어갈 알맞은 말을 쓰시오.

(1) 보험대상 농작물의 보험가입금액이 (   ) 미만인 농지는 인수를 제한한다.
(2) 통상적인 (   )을 하지 않은 농지는 인수를 제한한다.
(3) 출현율이 (   ) 미만인 농지(보험가입 당시 출현 후 고사된 싹은 출현이 안 된 것으로 판단)는 인수를 제한한다.
(4) (   ) 심사 시 피해가 확인된 농지는 인수를 제한한다.
(5) 하천부지 및 (   ) 지역에 소재한 농지는 인수를 제한한다.
(6) 군사시설보호구역 중 통제보호구역[민간인 통제선 이북 또는 군사기지 및 군사시설의 최외곽 경계선으로부터 (   )범위 이내 지역] 내의 농지는 인수를 제한한다(단, 통상적인 영농활동 및 손해평가가 가능하다고 판단되는 농지는 영업점장 전결로 인수 가능).

231 다음 종합위험보장방식 콩 상품의 "경작불능 보험금 산출방식"에서 (   ) 안에 들어갈 알맞은 말을 쓰시오. (다만, 보상하는 손해로 식물체 피해율이 65% 이상이고, 계약자가 경작불능 보험금을 신청한 경우)

자기부담비율	경작불능 보험금
10%형	보험가입금액의 (①)%
15%형	보험가입금액의 (②)%
20%형	보험가입금액의 (③)%
30%형	보험가입금액의 (④)%
40%형	보험가입금액의 (⑤)%

232 종합위험보장방식 콩 상품의 "인수대상 품종 3가지"를 쓰시오.

233 종합위험보장방식 콩 보험의 주계약에서 보상하는 손해 3가지를 쓰시오.

234 다음 종합위험방식 콩 보험의 파종방법에 따른 정의에서 (   ) 안에 들어갈 알맞은 말을 쓰시오.

(1) (   ) : 경지 전면에 여기저기 흩어지게 씨를 뿌린 후, 경작지의 흙을 부드럽게 하여 흙을 덮어주는 방법

(2) (   ) : 경지 전면에 여기저기 흩어지게 씨를 뿌린 후 이랑을 내어 흙을 덮어주는 방법

(3) (   ) : 이랑을 내지 않고 씨를 일정 간격의 줄로 뿌리는 방법

(4) (   ) : 이랑을 내어 씨를 일정 간격의 줄로 뿌리는 방법

(5) (   )(손파종, 이식재배) : 이랑을 내지 않고 점파 파종기를 이용하여 파종하거나 손을 이용하여 일정한 간격을 두고 띄엄띄엄 파종하는 방법, 다른 곳에 파종하여 재차 옮겨 심는 방법

(6) (   ) : 이랑을 낸 후 일정한 간격을 두고 띄엄띄엄 파종하는 방법

✱ 농업수입감소보장 콩 상품

235 다음 농업수입감소보장방식 콩 상품의 "가입지역"에서 Ⓐ~Ⓙ에 들어갈 알맞은 말을 쓰시오.

> (1) 농작물재해보험 농업수입감소보장방식 농작물 콩 상품(품목)의 가입지역은 (Ⓐ), (Ⓑ), (Ⓒ), (Ⓓ), (Ⓔ), (Ⓕ) 등이다.
> (2) 농가 주소지가 아닌 (Ⓖ)를 기준으로 가입 가능 여부를 판단한다.
> (3) 단, 도서지역의 경우 (Ⓗ)가 설치되어 있지 않고, (Ⓘ)이 운항하지 않는 등 신속한 손해 평가가 (Ⓙ) 지역은 제외한다.

236 다음 농업수입감소보장방식 콩 상품의 "보험기간"에서 ( ) 안에 들어갈 알맞은 말을 쓰시오.

구분		대상재해	보장개시	보장종료
보장	목적물			
경작불능 보장	콩	자연재해 조수해 화재	계약체결일 24시	(①)
농업수입 감소보장		자연재해 조수해 화재	계약체결일 24시	(②)
		가격하락	계약체결일 24시	(③)

237 다음 농업수입감소보장방식 콩 상품의 "인수제한 목적물"에서 Ⓐ~Ⓗ에 들어갈 알맞은
말을 쓰시오.

(1) 장류 및 두부용, 나물용, 밥밑용 콩 이외의 콩이 (Ⓐ)된 농지는 인수를 제한한다.
(2) 적정 출현 (Ⓑ) 미만인 농지(10개체/㎡), 제주지역 재배방식이 산파인 경우 (Ⓒ)/㎡ 미만
인 농지는 인수를 제한한다.
(3) 통상적인 재배 및 영농활동을 하지 않는다고 판단되는 농지[(Ⓓ)에 재배하는 경우, (Ⓔ)를 위해
재배하는 경우 등]는 인수를 제한한다.
(4) 다른 작물과 (Ⓕ)으로 다른 농작물이 재배주체가 된 경우의 농지는 인수를 제한한다.
(5) 도시계획 등에 편입되어 수확종료 전에 (Ⓖ) 또는 농지 형질변경 등이 예정되어 있는 농지
는 인수를 제한한다.
(6) 기타 인수가 부적절한 농지는 인수를 제한한다[예 제주도 (Ⓗ)용지 등].

238 다음 농업수입감소보장방식 콩 상품의 "인수제한 목적물"에서 ( ) 안에 들어갈 알맞은 말을
쓰시오.

(1) 보험대상 농작물의 보험가입금액이 ( ) 미만인 농지는 인수를 제한한다.
(2) ( ) 일환으로 "콩"으로 전환된 농지는 인수를 제한한다[단, ( )으로 가입 가능].
(3) 출현율이 ( ) 미만인 농지(보험가입 당시 출현 후 고사된 싹은 출현이 안 된 것으로 판단)는
인수를 제한한다.
(4) ( ) 심사 시 피해가 확인된 농지는 인수를 제한한다.
(5) 하천부지 및 ( ) 지역에 소재한 농지는 인수를 제한한다.
(6) 군사시설보호구역 중 통제보호구역[민간인 통제선 이북 또는 군사기지 및 군사시설의 최외
곽 경계선으로부터 ( )범위 이내 지역] 내의 농지는 인수를 제한한다(단, 통상적인 영농활동
및 손해평가가 가능하다고 판단되는 농지는 영업점장 전결로 인수 가능).

239 다음 농업수입감소보장방식 콩 상품의 "경작불능 보험금 산출방식"에서 (   ) 안에 들어갈 알맞은 말을 쓰시오. (다만, 보상하는 손해로 식물체 피해율이 65% 이상이고, 계약자가 경작불능 보험금을 신청한 경우)

자기부담비율	경작불능 보험금
20%형	보험가입금액의 (①)%
30%형	보험가입금액의 (②)%
40%형	보험가입금액의 (③)%

240 농업수입감소보장방식 콩 상품의 "인수대상 품종 3가지"를 쓰시오.

241 농업수입감소보장방식 콩 보험의 주계약에서 보상하는 손해 4가지를 쓰시오.

✱ 종합위험보장 **팥** 상품

242 다음 종합위험보장방식 팥 상품의 "가입지역"에서 Ⓐ~Ⓖ에 들어갈 알맞은 말을 쓰시오.

> (1) 가입지역은 (Ⓐ), (Ⓑ), (Ⓒ)이다.
> (2) 농가 주소지가 아닌 (Ⓓ) 주소지를 기준으로 가입 가능 여부를 판단한다.
> (3) 단, 도서지역의 경우 (Ⓔ)가 설치되어 있지 않고, (Ⓕ)이 운항하지 않는 등 신속한 손해
>   평가가 (Ⓖ) 지역은 제외한다.

243 다음 종합위험보장방식 팥 상품의 "보험기간"에서 (   ) 안에 들어갈 알맞은 말을 쓰시오.

구분		보장개시	보장종료
보장	목적물		
경작불능보장	팥	(①)	(②)
수확감소보장		계약체결일 24시	(③)

244 다음 종합위험보장방식 팥 상품의 "인수제한 목적물"에서 (   ) 안에 들어갈 알맞은 말을
쓰시오.

> (1) 보험대상 농작물의 보험가입금액이 (   ) 미만인 농지는 인수를 제한한다.
> (2) (   ) 이전에 정식(파종)한 농지는 인수를 제한한다.
> (3) 통상적인 재배 및 영농활동을 하지 않는다고 판단되는 농지[논두렁에 재배하는 경우, (   )를 위해
>   재배하는 경우 등]는 인수를 제한한다.
> (4) 다른 작물과 (   )으로 다른 농작물이 재배주체가 된 경우의 농지는 인수를 제한한다.
> (5) (   )를 목적으로 경작하지 않는 농지는 인수를 제한한다.

245 다음 종합위험보장방식 팥 상품의 "인수제한 목적물"에서 (　　) 안에 들어갈 알맞은 말을 쓰시오.

> (1) 군사시설보호구역 중 통제보호구역[민간인 통제선 이북 또는 군사기지 및 군사시설의 최외곽 경계선으로부터 (　　)범위 이내 지역] 내의 농지는 인수를 제한한다(단, 통상적인 영농활동 및 손해평가가 가능하다고 판단되는 농지는 영업점장 전결로 인수 가능).
> (2) 통상적인 (　　)을 하지 않은 농지는 인수를 제한한다.
> (3) 출현율이 (　　) 미만인 농지(보험가입 당시 출현 후 고사된 싹은 출현이 안 된 것으로 판단)는 인수를 제한한다.
> (4) (　　) 심사 시 피해가 확인된 농지는 인수를 제한한다.
> (5) 하천부지 및 (　　) 지역에 소재한 농지는 인수를 제한한다.

246 다음 종합위험보장방식 팥 상품의 "경작불능 보험금 산출방식"에서 (　　) 안에 들어갈 알맞은 말을 쓰시오. (다만, 보상하는 손해로 식물체 피해율이 65% 이상이고, 계약자가 경작불능 보험금을 신청한 경우)

자기부담비율	경작불능 보험금
20%형	보험가입금액의 (①)%
30%형	보험가입금액의 (②)%
40%형	보험가입금액의 (③)%

247 종합위험보장방식 팥 보험의 주계약에서 보상하는 손해 3가지를 쓰시오.

✱ 종합위험보장 **차** 상품

248 다음 종합위험보장방식 차(茶) 상품의 "가입지역"에서 Ⓐ~Ⓕ에 들어갈 알맞은 말을 쓰시오.

> (1) 가입지역은 (Ⓐ), (Ⓑ)이다.
> (2) 농가 주소지가 아닌 (Ⓒ) 주소지를 기준으로 가입 가능 여부를 판단한다.
> (3) 단, 도서지역의 경우 (Ⓓ)가 설치되어 있지 않고, (Ⓔ)이 운항하지 않는 등 신속한 손해 평가가 (Ⓕ) 지역은 제외한다.

249 다음 종합위험보장방식 차(茶) 상품의 "보험기간"에서 ( ) 안에 들어갈 알맞은 말을 쓰시오.

구분		보장개시	보장종료
보장	목적물		
수확감소보장	차(茶)	(①)	(②)

250 다음 종합위험보장방식 차(茶) 상품의 "인수제한 목적물"에서 ( ) 안에 들어갈 알맞은 말을 쓰시오.

> (1) 보험대상 농작물의 보험가입면적이 ( ) 미만인 농지는 인수를 제한한다.
> (2) 가입하는 해의 나무 수령이 ( ) 미만인 경우 인수를 제한한다.
> (3) 깊은 전지로 인해 "차(茶)"나무의 높이가 지면으로부터 ( ) 이하인 경우 가입면적에서 제외한다.
> (4) 특수재배[하우스에서 ( ) 등] 농지는 인수를 제한한다.
> (5) 품목이 혼식된 농지는 인수를 제한한다[단, 차나무가 ( ) 이상인 농지에 한하여 가입 가능].

251 다음 종합위험보장방식 차(茶) 상품의 "인수제한 목적물"에서 (   ) 안에 들어갈 알맞은 말을 쓰시오.

---

(1) 동상해 피해로 인한 전정, 비배관리 잘못 또는 품종갱신의 이유로 (   )이 현저히 감소할 것으로 예상되는 농지는 인수를 제한한다.

(2) (   )를 위해 재배되는 농지는 인수를 제한한다.

(3) 하나의 다원에 식재된 "차(茶)"나무 중 (   )만 가입하는 농지는 인수를 제한한다.

(4) (   )를 목적으로 재배하는 농지는 인수를 제한한다.

(5) 하천부지 및 (   ) 지역에 소재한 농지는 인수를 제한한다.

(6) 재래종 외 (   )을 재배하는 농지는 인수를 제한한다.

(7) 기타 인수가 부적절한 농지는 인수를 제한한다[예 (   )경작)].

---

252 종합위험보장방식 차(茶) 상품의 보험의 목적에서 "햇차(茶)의 정의"를 쓰시오.

✱ 종합위험보장 **고추** 상품

253 다음 종합위험보장방식 고추 상품의 "가입지역"에서 Ⓐ~Ⓓ에 들어갈 알맞은 말을 쓰시오.

(1) 가입지역은 (Ⓐ) 가입 가능하다.
(2) 단, 도서지역의 경우 (Ⓑ)가 설치되어 있지 않고, (Ⓒ)이 운항하지 않는 등 신속한 손해평가가 (Ⓓ) 지역은 제외한다.

254 다음 종합위험보장방식 고추 상품의 "보험기간"에서 (   ) 안에 들어갈 알맞은 말을 쓰시오.

구분		보장개시	보장종료
보장	목적물		
종합위험생산비보장	고추	(①)	(②)

255 다음 종합위험보장방식 고추 상품의 "인수제한 목적물"에서 (   ) 안에 들어갈 알맞은 말을 쓰시오.

(1) 보험대상 농작물의 보험가입금액이 (   ) 미만인 농지
(2) 10a당 재식주수가 (   ) 농지는 가입 불가능
(3) (   ) 이전과 (   ) 이후에 고추를 식재한 농지
(4) 고추정식 (   ) 이내에 인삼을 재배한 농지

256 다음 종합위험보장방식 고추 상품의 "인수제한 목적물"에서 ( ) 안에 들어갈 알맞은 말을 쓰시오.

> (1) 보험계약 시 (   )가 확인된 농지
> (2) 노지재배, (   ) 이외의 재배작형으로 재배하는 농지
> (3) (   )이 되어 있지 않은 농지
> (4) 여러 품목이 (   )된 농지
> (5) 하천부지 및 (   ) 지역에 소재한 농지
> (6) (   )한 농지
> (7) 동일 농지 내 (   )이 동일하지 않은 농지(단, 보장생산비가 낮은 재배방법으로 가입하는 경우 인수 가능)
> (8) 수확 이후 건조하는 과정상의 홍고추 또는 (   ) 형태로 판매하기 위해 재배되는 고추의 시설(비닐하우스, 온실 등)에서 재배되는 고추

257 다음 종합위험보장방식 고추 상품의 "보상하는 병·해충 및 등급별 인정비율"에서 ( ) 안에 들어갈 알맞은 말을 쓰시오.

▼ 고추 보상하는 병·해충 및 등급별 인정비율

구분		병·해충	인정비율
품목	급수		
고추	1등급	(①), 풋마름병, (②), 세균성점무늬병, (③)	70%
	2등급	잿빛곰팡이병, (④), 담배가루이, 담배나방	50%
	3등급	흰가루병, 균핵병, (⑤), (⑥) 및 기타	30%

258 다음 종합위험보장방식 고추 상품의 "생산비보장 보통약관 적용보험료"에서 (   ) 안에 들어갈 알맞은 말을 쓰시오.

(1) (   ) 보통약관 적용보험료

> 보험가입금액 × 지역별 기본 영업요율 × (1 + 손해율에 따른 할인·할증률) × (1 − 방재시설 할인율)

(2) (   )이 있는 경우 방재시설 할인(5%) 적용한다.

259 다음 종합위험보장방식 고추 상품의 "생산비보장 자기부담금 적용기준"에서 (   ) 안에 들어갈 알맞은 말을 쓰시오.

> (1) (   ) : 최근 2년간 연속 보험가입계약자로서 2년간 수령한 보험금이 순보험료의 100% 이하인 경우에 한하여 선택가능하다.
> (2) (   ) : 제한 없음

＊ 종합위험보장 **브로콜리** 상품

260 다음 종합위험보장방식 브로콜리 상품의 "가입지역"에서 Ⓐ～Ⓔ에 들어갈 알맞은 말을 쓰시오.

> (1) 가입지역은 (Ⓐ)이다.
> (2) 농가 주소지가 아닌 (Ⓑ)를 기준으로 가입 가능 여부를 판단한다.
> (3) 단, 도서지역의 경우 (Ⓒ)가 설치되어 있지 않고, (Ⓓ)이 운항하지 않는 등 신속한 손해 평가가 (Ⓔ) 지역은 제외한다.

261 다음 종합위험보장방식 브로콜리 상품의 "보험기간"에서 빈칸 안에 들어갈 알맞은 말을 쓰시오.

구분		보장개시	보장종료
보장	목적물		
종합위험 생산비보장	브로콜리	(①) (단, 보험계약 시 정식완료일이 경과한 경우에는 계약체결일 24시)	(②)

262 다음 종합위험보장방식 브로콜리 상품의 "인수제한 목적물"에서 ( ) 안에 들어갈 알맞은 말을 쓰시오.

> (1) 통상적인 ( )을 하지 않은 농지는 인수를 제한한다.
> (2) 수확하여 ( )를 목적으로 경작하지 않는 농지는 인수를 제한한다.
> (3) 다른 작물과 ( )되어 있는 농지는 인수를 제한한다.
> (4) ( ) 및 상습침수 지역에 소재한 농지는 인수를 제한한다.

263 다음 종합위험보장방식 브로콜리 상품의 "인수제한 목적물"에서 ( ) 안에 들어갈 알맞은 말을 쓰시오.

> (1) 정식을 ( ) 이후에 실시 또는 할 예정인 농지는 인수를 제한한다.
> (2) 목초지, 목야지 등 지목이 ( )인 농지는 인수를 제한한다.
> (3) 보험계약 시 ( )가 확인된 농지는 인수를 제한한다.
> (4) ( ) 농지는 인수를 제한한다.
> (5) 기타 인수가 ( ) 농지는 인수를 제한한다.

264 다음 종합위험보장방식 브로콜리 상품의 "생산비보장 자기부담금 적용기준"에서 ( ) 안에 들어갈 알맞은 말을 쓰시오.

> (1) ( ) : 최근 2년간 연속 보험가입계약자로서 2년간 수령한 보험금이 순보험료의 100% 이하인 경우에 한하여 선택 가능하다.
> (2) ( ) : 제한 없음

265 다음 종합위험보장방식 브로콜리 상품의 "보험료"에서 ( ) 안에 들어갈 알맞은 말을 쓰시오.

(1) 생산비보장 보험가입금액 산출방식

> 생산비보장 보험가입금액 = 가입면적 × ( )

(2) 생산비보장보험금 산출방식

> 보험금 = [( ) × 경과비율 × 피해율] − 자기부담금
> ※ ( ) = 보험가입금액 − 보상액(기 발생 생산비보장보험금 합계액)
> ※ 자기부담금 = ( ) × 보험가입을 할 때 계약자가 선택한 비율

266 다음 종합위험보장방식 브로콜리 상품의 "생산비보장 보통약관 적용보험료"에서 (   ) 안에 들어갈 알맞은 말을 쓰시오.

> 생산비보장 보통약관 적용보험료
> = (   ) × 지역별 영업요율 × (1 + 손해율에 따른 할인율)

267 종합위험보장방식 브로콜리 상품에서 (   ) 안에 들어갈 알맞은 말을 쓰시오.

(1) 경과비율 산출방법

> ① 수확기 이전에 보험사고가 발생한 경우
>
> | 사고지점 | 경과비율 |
> |---|---|
> | 수확기 이전
사고 | 준비기생산비계수 + [(1 − 준비기생산비계수) × $\dfrac{(\quad)}{\text{표준생장일수}}$]

※ 단, 준비기생산비계수 = $\dfrac{\text{정식기까지 투입된 생산비}}{\text{보험가입금액}}$ |
>
> ② 수확기 중에 보험사고가 발생한 경우
>
> $$1 - [\text{수확일수} \div (\quad)]$$
>
> ③ 경과비율 구성내용 용어해설
> ⓐ 생장일수 : 정식일로부터 사고발생일까지 경과일수이다.
> ⓑ (   ) : 정식일로부터 수확개시일까지 일수로 작물별로 사전에 설정한 값이다.
> ⓒ 수확일수 : 수확개시일로부터 사고발생일까지 경과일수이다.
> ⓓ (   ) : 해당 작물의 수확가능일수로 정식일로부터 보험계약 시 고지 받는 수확종료일 까지 일수에서 표준생장일수를 차감한 일수
> ⓔ 준비기생산비계수 = 준비기생산비 ÷ 보장생산비 = 50.9%
> ⓕ (   ) = 130일(생장일수를 표준생장일수로 나눈 값은 1을 초과할 수 없다.)

(2) 피해율 산출방법

> 피해율 = 피해비율 × 작물피해율
> ※ (   ) : 피해면적(㎡) ÷ 재배면적(㎡)
> ※ 작물피해율은 피해면적 내 피해송이 수를 총 송이 수로 나누어 산출한다.

> ※ 피해송이는 송이별로 피해 정도에 따라 피해인정계수(별표 2 참조)를 정하며, 피해송이 수는 피해송이별 피해인정계수의 합계로 산출한다.

✱ 종합위험보장 **메밀** 상품

268 다음 종합위험보장방식 메밀 상품의 "가입지역"에서 Ⓐ~Ⓕ에 들어갈 알맞은 말을 쓰시오.

> (1) 가입지역은 (Ⓐ), (Ⓑ)이다.
> (2) 농가 주소지가 아닌 (Ⓒ)를 기준으로 가입 가능 여부를 판단한다.
> (3) 단, 도서지역의 경우 (Ⓓ)가 설치되어 있지 않고, (Ⓔ)이 운항하지 않는 등 신속한 손해
> 평가가 (Ⓕ) 지역은 제외한다.

269 다음 종합위험보장방식 메밀 상품의 "보험기간"에서 ( ) 안에 들어갈 알맞은 말을 쓰시오.

구분		보장개시	보장종료
보장	목적물		
종합위험 생산비보장	메밀	(①) (단, 보험계약 시 파종완료일이 경과한 경우에는 계약체결일 24시)	최초 수확 직전 (단, 11월 20일을 초과할 수 없다.)
종합위험 경작불능보장		파종완료일 24시 (단, 보험계약 시 파종완료일이 경과한 경우에는 계약체결일 24시)	(②) (단, 11월 20일을 초과할 수 없다.)

270 다음 종합위험보장방식 메밀 상품의 "인수제한 목적물"에서 ( ) 안에 들어갈 알맞은 말을 쓰시오.

> (1) ( ) 등의 피해를 입어 복구가 완전히 이루어지지 않은 농지는 인수를 제한한다.
> (2) ( ) 및 상습침수 지역에 소재한 농지는 인수를 제한한다.
> (3) 파종을 ( ) 이후에 실시한 농지는 인수를 제한한다.
> (4) ( ) 방식에 의한 ( )을 실시한 농지는 인수를 제한한다.
> (5) 농업용지가 다른 용도로 전용되어 ( )로 결정된 농지는 인수를 제한한다.
> (6) 최근 ( ) 이내에 간척된 농지는 인수를 제한한다.

271 다음 종합위험보장방식 메밀 상품의 "인수제한 목적물"에서 (   ) 안에 들어갈 알맞은 말을 쓰시오.

> (1) 보험대상 농작물의 보험가입금액이 (   ) 미만인 농지는 인수를 제한한다.
> (2) 통상적인 (   )을 하지 않은 농지는 인수를 제한한다.
> (3) 최근 (   ) 연속 침수피해를 입은 농지는 인수를 제한한다(다만, 호우주의보 및 호우경보 등 기상특보에 해당되는 재해로 피해를 입은 경우는 제외).
> (4) 전환지(개간, 복토 등을 통해 논으로 변경한 농지), 휴경지 등 농지로 변경하여 경작한지 (   ) 이내인 농지는 인수를 제한한다.
> (5) 다른 작물과 (   )되어 있는 농지는 인수를 제한한다.
> (6) (   )를 목적으로 경작하지 않은 농지는 인수를 제한한다.

272 다음 종합위험보장방식 메밀 상품의 "경작불능 보험금 산출방식"에서 (   ) 안에 들어갈 알맞은 말을 쓰시오. (다만, 보상하는 손해로 식물체 피해율이 65% 이상이고, 계약자가 경작불능 보험금을 신청한 경우)

자기부담비율	경작불능 보험금
20%형	보험가입금액의 (①)%
30%형	보험가입금액의 (②)%
40%형	보험가입금액의 (③)%

273 다음 종합위험보장방식 메밀 상품의 보험료 산출에서 "생산비보장 보통약관 적용보험료 보험금 산출방식"을 쓰시오.

274 다음 종합위험보장방식 메밀 상품의 "보험가입기준(계약인수 단위)"에서 (   ) 안에 들어갈 알맞은 말을 쓰시오.

> 계약인수는 농지 단위로 가입하고 개별 농지당 최저 보험가입금액은 (   ) 이상으로 한다(단, 하나의 리(동)에 있는 각각 (   ) 미만의 2개의 농지는 하나의 농지로 취급하여 계약 가능하다).

✱ 종합위험보장 **단호박** 상품

275 다음 종합위험보장방식 단호박 상품의 "가입지역"에서 Ⓐ~Ⓔ에 들어갈 알맞은 말을 쓰시오.

> (1) 가입지역은 (Ⓐ)이다.
> (2) 농가 주소지가 아닌 (Ⓑ)를 기준으로 가입 가능 여부를 판단한다.
> (3) 단, 도서지역의 경우 (Ⓒ)가 설치되어 있지 않고, (Ⓓ)이 운항하지 않는 등 신속한 손해 평가가 (Ⓔ) 지역은 제외한다.

276 다음 종합위험보장방식 단호박 상품의 "보험기간"에서 ( ) 안에 들어갈 알맞은 말을 쓰시오.

구분		보장개시	보장종료
보장	목적물		
종합위험 경작불능보장	단호박	(①) (단, 보험계약 시 정식완료일이 경과한 경우에는 계약체결일 24시)	(②)
종합위험 생산비보장		정식완료일 24시 (단, 보험계약 시 정식완료일이 경과한 경우에는 계약체결일 24시)	(③) (단, 종합위험생산비보장에서 정하는 보장종료일을 초과할 수 없다.)

277 다음 종합위험보장방식 단호박 상품의 "인수제한 목적물"에서 ( ) 안에 들어갈 알맞은 말을 쓰시오.

> (1) 보험대상 농작물의 보험가입금액이 ( ) 미만인 농지는 인수를 제한한다.
> (2) 통상적인 ( )을 하지 않은 농지는 인수를 제한한다.
> (3) 수확하여 ( )를 목적으로 경작하지 않는 농지는 인수를 제한한다.
> (4) 다른 작물과 ( )되어 있는 농지는 인수를 제한한다.
> (5) ( ) 및 상습침수 지역에 소재한 농지는 인수를 제한한다.

278 다음 종합위험보장방식 단호박 상품의 "인수제한 목적물"에서 (   ) 안에 들어갈 알맞은 말을 쓰시오.

> (1) (   )을 초과하여 정식한 농지는 인수를 제한한다.
> (2) 군사시설보호구역 중 통제보호구역[민간인 통제선 이북 또는 군사기지 및 군사시설의 최외곽 경계선으로부터 (   ) 범위 이내 지역] 내의 농지는 인수를 제한한다(단, 통상적인 영농활동 및 손해평가가 가능하다고 판단되는 농지는 영업점장 전결로 인수 가능).
> (3) 보험계약 시 (   )가 확인된 농지는 인수를 제한한다.
> (4) (   ) 농지는 인수를 제한한다.
> (5) 기타 인수가 (   ) 농지는 인수를 제한한다.

279 다음 종합위험보장방식 단호박 상품의 "경작불능 보험금 산출방식"에서 (   ) 안에 들어갈 알맞은 말을 쓰시오. (다만, 보상하는 재해로 식물체 피해율이 65% 이상이고, 계약자가 경작불능 보험금을 신청한 경우)

자기부담비율	경작불능 보험금
20%형	보험가입금액의 (①)%
30%형	보험가입금액의 (②)%
40%형	보험가입금액의 (③)%

280 다음 종합위험보장방식 단호박 상품의 "보험료"에서 (   ) 안에 들어갈 알맞은 말을 쓰시오.

(1) 생산비보장 보험가입금액 산출방식

> 생산비보장 보험가입금액 = 가입면적 × (   )

(2) 생산비보장보험금 산출방식

> 보험금 = 보험가입금액 × (피해율 − 자기부담비율)
> ※ 피해율 = 피해비율 × (   ) × (1 − 미보상비율)

281 종합위험보장방식 단호박 상품의 "생산비보장 보통약관 적용보험료"에서 (   ) 안에 들어갈
알맞은 말을 쓰시오.

생산비보장 보통약관 적용보험료
= (   ) × 지역별 기본 영업요율 × (1 + 손해율에 따른 할인·할증률)

✱ 종합위험보장 **당근** 상품

282 다음 종합위험보장방식 당근 상품의 "가입지역"에서 Ⓐ~Ⓔ에 들어갈 알맞은 말을 쓰시오.

> (1) 가입지역은 (Ⓐ)이다.
> (2) 농가 주소지가 아닌 (Ⓑ)를 기준으로 가입 가능 여부를 판단한다.
> (3) 단, 도서지역의 경우 (Ⓒ)가 설치되어 있지 않고, (Ⓓ)이 운항하지 않는 등 신속한 손해
>   평가가 (Ⓔ) 지역은 제외한다.

283 다음 종합위험보장방식 당근 상품의 "보험기간"에서 (   ) 안에 들어갈 알맞은 말을 쓰시오.

구분		보장개시	보장종료
보장	목적물		
종합위험 경작불능보장	당근	(①) (단, 보험계약 시 정식완료일이 경과한 경우에는 계약체결일 24시)	(②) (단, 종합위험생산비보장에서 정하는 보장종료일을 초과할 수 없음)
종합위험 생산비보장		파종완료일 24시 (단, 보험계약 시 정식완료일이 경과한 경우에는 계약체결일 24시)	(③)

284 다음 종합위험보장방식 당근 상품의 "인수제한 목적물"에서 (   ) 안에 들어갈 알맞은 말을 쓰시오.

> (1) 보험대상 농작물의 보험가입금액이 (   ) 미만인 농지는 인수를 제한한다.
> (2) 통상적인 (   )을 하지 않은 농지는 인수를 제한한다.
> (3) 수확하여 (   )를 목적으로 경작하지 않는 농지는 인수를 제한한다.
> (4) 파종을 (   ) 이후에 실시 또는 할 예정인 농지는 인수를 제한한다[파종완료일은 (   )
>   을 초과할 수 없다].
> (5) (   ) 농지는 인수를 제한한다.
> (6) (   ) 재배 농지(대상 품종 : 베이비당근, 미농, 파맥스, 미니 당근 등)는 인수를 제한한다.

285 다음 종합위험보장방식 당근 상품의 "인수제한 목적물"에서 (   ) 안에 들어갈 알맞은 말을 쓰시오.

> (1) 하천부지 및 (   ) 지역에 소재한 농지는 인수를 제한한다.
> (2) 보험계약 시 (   )가 확인된 농지는 인수를 제한한다.
> (3) 다른 작물과 (   )되어 있는 농지는 인수를 제한한다.
> (4) 군사시설보호구역 중 통제보호구역[민간인 통제선 이북 또는 군사기지 및 군사시설의 최외곽 경계선으로부터 (   ) 범위 이내 지역] 내의 농지는 인수를 제한한다(단, 통상적인 영농활동 및 손해평가가 가능하다고 판단되는 농지는 영업점장 전결로 인수 가능).
> (5) 목초지, 목야지 등 지목이 (   )인 농지는 인수를 제한한다.
> (6) 기타 인수가 (   ) 농지는 인수를 제한한다.

286 다음 종합위험보장방식 당근 상품의 "경작불능 보험금 산출방식"에서 (   ) 안에 들어갈 알맞은 말을 쓰시오. (다만, 보상하는 재해로 식물체 피해율이 65% 이상이고, 계약자가 경작불능 보험금을 신청한 경우)

자기부담비율	경작불능 보험금
20%형	보험가입금액의 (①)%
30%형	보험가입금액의 (②)%
40%형	보험가입금액의 (③)%

287 다음 종합위험보장방식 당근 상품의 "보험료"에서 (   ) 안에 들어갈 알맞은 말을 쓰시오.

(1) 생산비보장 보험가입금액 산출방식

> 생산비보장 보험가입금액 = 가입면적 × (   )

(2) 생산비보장보험금 산출방식

> 보험금 = 보험가입금액 × (피해율 − 자기부담금비율)
> ※ 피해율 = 피해비율 × (   ) × (1 − 미보상비율)

288 다음 종합위험보장방식 당근 상품의 "생산비보장 보통약관 적용보험료"에서 ( ) 안에 들어갈 알맞은 말을 쓰시오.

> 생산비보장 보통약관 적용보험료
> = ( ) × 지역별 보통약관 영업요율 × (1 + 손해율에 따른 할인·할증률)

289 다음 종합위험보장방식 당근 상품의 "인수관련 생산비"에서 ( ) 안에 들어갈 알맞은 말을 쓰시오.

> (1) ( ) : 작물의 생산을 위하여 소비되는 재화나 용역에 대한 비용을 말한다.
> (2) ( ) : 종묘비, 비료비, 농약비, 광열동력비, 수리(水利)비, 제재료비, 소농구비, 대 농구상각비, 영농시설 상각비, 수선비, 임차료, 위탁영농비, 자가노력비, 자본용 역비, 토지용역비 등이다.

✳ 종합위험보장 **고랭지배추** 상품

290 종합위험보장방식 고랭지배추 상품의 "가입지역"에서 Ⓐ～Ⓔ에 들어갈 알맞은 말을 쓰시오.

> (1) 가입지역은 (Ⓐ)이다.
> (2) 농가 주소지가 아닌 (Ⓑ)를 기준으로 가입 가능 여부를 판단한다.
> (3) 단, 도서지역의 경우 (Ⓒ)가 설치되어 있지 않고, (Ⓓ)이 운항하지 않는 등 신속한 손해 평가가 (Ⓔ) 지역은 제외한다.

291 종합위험보장방식 고랭지배추 상품의 "보험기간"에서 ( ) 안에 들어갈 알맞은 말을 쓰시오.

구분		보장개시	보장종료
보장	목적물		
종합위험 경작불능보장	고랭지 배추	(①) (단, 보험계약 시 정식완료일이 경과한 경우에는 계약체결일 24시)	(②) (단, 종합위험생산비보장에서 정하는 보장종료일을 초과할 수 없다.)
종합위험 생산비보장		정식완료일 24시 (단, 보험계약 시 정식완료일이 경과한 경우에는 계약체결일 24시)	(③)

292 종합위험보장방식 고랭지배추 상품의 "인수제한 목적물"에서 ( ) 안에 들어갈 알맞은 말을 쓰시오.

> (1) 보험대상 농작물의 보험가입금액이 ( ) 미만인 농지는 인수를 제한한다.
> (2) 통상적인 ( )을 하지 않은 농지는 인수를 제한한다.
> (3) 최근 ( ) 연속 침수피해를 입은 농지는 인수를 제한한다(다만, 호우주의보 및 호우경보 등 기상특보에 해당되는 재해로 피해를 입은 경우는 제외한다).
> (4) ( )를 목적으로 경작하지 않는 농지는 인수를 제한한다.
> (5) 최근 ( ) 이내에 간척된 농지는 인수를 제한한다.
> (6) ( ) 농지는 인수를 제한한다.
> (7) 정식완료일은 ( )을 초과할 수 없다.

293 종합위험보장방식 고랭지배추 상품의 "인수제한 목적물"에서 (　　) 안에 들어갈 알맞은 말을 쓰시오.

---

(1) 농업용지가 다른 용도로 전용되어 (　　)로 결정된 농지는 인수를 제한한다.

(2) 보험목적물을 수확하여 판매를 목적으로 경작하지 않는 농지는 인수를 제한한다[예 (　　) 등].

(3) 오염 및 훼손 등의 피해를 입어 (　　)가 완전히 이루어지지 않은 농지는 인수를 제한한다.

(4) 군사시설보호구역 중 통제보호구역[민간인 통제선 이북 또는 군사기지 및 군사시설의 최외곽 경계선으로부터 (　　)범위 이내 지역] 내의 농지는 인수를 제한한다(단, 통상적인 영농활동 및 손해평가가 가능하다고 판단되는 농지는 영업점장 전결로 인수 가능).

(5) 전환지(개간, 복토 등을 통해 논으로 변경한 농지), 휴경지 등 농지로 변경하여 경작한지 (　　) 이내인 농지는 인수를 제한한다.

---

294 종합위험보장방식 고랭지배추 상품의 "경작불능 보험금 산출방식"에서 (　　) 안에 들어갈 알맞은 말을 쓰시오. (다만, 보상하는 재해로 식물체 피해율이 65% 이상이고, 계약자가 경작불능 보험금을 신청한 경우)

자기부담비율	경작불능 보험금
20%형	보험가입금액의 (①)%
30%형	보험가입금액의 (②)%
40%형	보험가입금액의 (③)%

295 종합위험보장방식 고랭지배추 상품의 "보험료"에서 ( ) 안에 들어갈 알맞은 말을 쓰시오.

(1) 생산비보장 보험가입금액 산출방식

> 생산비보장 보험가입금액 = 가입면적 × ( )

(2) 생산비보장보험금 산출방식

> 보험금 = 보험가입금액 × (피해율 − 자기부담금비율)
> ※ 피해율 = 피해비율 × ( ) × (1 − 미보상비율)

296 종합위험보장방식 고랭지배추 상품의 "생산비보장 보통약관 적용보험료"에서 ( ) 안에 들어갈 알맞은 말을 쓰시오.

> 생산비보장 보통약관 적용보험료
> = 보통약관 보험가입금액 × ( ) × (1 + 손해율에 따른 할인·할증률)

297 종합위험보장방식 고랭지배추 상품의 "인수관련 생산비"에서 ( ) 안에 들어갈 알맞은 말을 쓰시오.

> (1) ( ) : 작물의 생산을 위하여 소비되는 재화나 용역에 대한 비용을 말한다.
> (2) ( ) : 종자·종묘비, 비료비, 농약비, 수리비, 재료비, 농구비, 상각비, 수선비, 임차료, 위탁영농비, 고용노동비, 경영비, 자가노력비, 기타 용역비 등

✱ 종합위험보장 **월동배추** 상품

298 종합위험보장방식 월동배추 상품의 "가입지역"에서 Ⓐ~Ⓔ에 들어갈 알맞은 말을 쓰시오.

> (1) 가입지역은 (Ⓐ)이다.
> (2) 농가 주소지가 아닌 (Ⓑ)를 기준으로 가입 가능 여부를 판단한다.
> (3) 단, 도서지역의 경우 (Ⓒ)가 설치되어 있지 않고, (Ⓓ)이 운항하지 않는 등 신속한 손해 평가가 (Ⓔ) 지역은 제외한다.

299 종합위험보장방식 월동배추 상품의 "보험기간"에서 ( ) 안에 들어갈 알맞은 말을 쓰시오.

구분		보장개시	보장종료
보장	목적물		
종합위험 경작불능보장	월동 배추	(①) (단, 보험계약 시 정식완료일이 경과한 경우에는 계약체결일 24시)	(②) (단, 종합위험생산비보장에서 정하는 보장종료일을 초과할 수 없음)
종합위험 생산비보장			(③)

300 종합위험보장방식 월동배추 상품의 "인수제한 목적물"에서 ( ) 안에 들어갈 알맞은 말을 쓰시오.

> (1) 보험대상 농작물의 보험가입금액이 ( ) 미만인 농지는 인수를 제한한다.
> (2) 통상적인 ( )을 하지 않은 농지는 인수를 제한한다.
> (3) 최근 ( ) 연속 침수피해를 입은 농지는 인수를 제한한다(다만, 호우주의보 및 호우경보 등 기상특보에 해당되는 재해로 피해를 입은 경우는 제외한다).
> (4) ( )를 목적으로 경작하지 않는 농지는 인수를 제한한다.
> (5) 최근 ( ) 이내에 간척된 농지는 인수를 제한한다.
> (6) ( ) 농지는 인수를 제한한다.
> (7) 정식완료일은 ( )을 초과할 수 없다.

301 종합위험보장방식 월동배추 상품의 "인수제한 목적물"에서 (   ) 안에 들어갈 알맞은 말을 쓰시오.

> (1) 농업용지가 다른 용도로 전용되어 (   )로 결정된 농지는 인수를 제한한다.
> (2) 보험목적물을 수확하여 판매를 목적으로 경작하지 않는 농지는 인수를 제한한대[예 (   ) 등].
> (3) 오염 및 훼손 등의 피해를 입어 (   )가 완전히 이루어지지 않은 농지는 인수를 제한한다.
> (4) 군사시설보호구역 중 통제보호구역[민간인 통제선 이북 또는 군사기지 및 군사시설의 최외곽 경계선으로부터 (   ) 범위 이내 지역] 내의 농지는 인수를 제한한다(단, 통상적인 영농활동 및 손해평가가 가능하다고 판단되는 농지는 영업점장 전결로 인수 가능).
> (5) 전환지(개간, 복토 등을 통해 논으로 변경한 농지), 휴경지 등 농지로 변경하여 경작한지 (   ) 이내인 농지는 인수를 제한한다.

302 종합위험보장방식 월동배추 상품의 "경작불능 보험금 산출방식"에서 (   ) 안에 들어갈 알맞은 말을 쓰시오. (다만, 보상하는 재해로 식물체 피해율이 65% 이상이고, 계약자가 경작불능 보험금을 신청한 경우)

자기부담비율	경작불능 보험금
20%형	보험가입금액의 (①)%
30%형	보험가입금액의 (②)%
40%형	보험가입금액의 (③)%

303 종합위험보장방식 월동배추 상품의 "보험료"에서 (   ) 안에 들어갈 알맞은 말을 쓰시오.

(1) 생산비보장 보험가입금액 산출방식

> 생산비보장 보험가입금액 = 가입면적 × (   )

(2) 생산비보장보험금 산출방식

> 보험금 = 보험가입금액 × (피해율 - 자기부담비율)
> ※ 피해율 = 피해비율 × (   ) × (1 - 미보상비율)

304 다음은 종합위험보장방식 월동배추 상품의 "생산비보장 보통약관 적용보험료"에서 (   ) 안에 들어갈 알맞은 말을 쓰시오.

> 생산비보장 보통약관 적용보험료
> = 보통약관 보험가입금액 × (   ) × (1 + 손해율에 따른 할인 · 할증률)

305 종합위험보장방식 월동배추 상품의 "인수관련 생산비"에서 (   ) 안에 들어갈 알맞은 말을 쓰시오.

> (1) (   ) : 작물의 생산을 위하여 소비되는 재화나 용역에 대한 비용을 말한다.
> (2) (   ) : 종자 · 종묘비, 비료비, 농약비, 수리비, 재료비, 농구비, 상각비, 수선비, 임차료, 위탁영농비, 고용노동비, 경영비, 자가노력비, 기타 용역비 등

✽ 종합위험보장 **고랭지무** 상품

306 다음 종합위험보장방식 고랭지무 상품의 "가입지역"에서 Ⓐ~Ⓔ에 들어갈 알맞은 말을 쓰시오.

> (1) 가입지역은 (Ⓐ)이다.
> (2) 농가 주소지가 아닌 (Ⓑ)를 기준으로 가입 가능 여부를 판단한다.
> (3) 단, 도서지역의 경우 (Ⓒ)가 설치되어 있지 않고, (Ⓓ)이 운항하지 않는 등 신속한 손해평가가 (Ⓔ) 지역은 제외한다.

307 다음 종합위험보장방식 고랭지무 상품의 "보험기간"에서 (   ) 안에 들어갈 알맞은 말을 쓰시오.

구분		보장개시	보장종료
보장	목적물		
종합위험 경작불능보장	고랭지무	(①) (단, 보험계약 시 정식완료일이 경과한 경우에는 계약체결일 24시)	(②) (단, 종합위험생산비보장에서 정하는 보장종료일을 초과할 수 없음)
종합위험 생산비보장		파종완료일 24시 (단, 보험계약 시 정식완료일이 경과한 경우에는 계약체결일 24시)	(③)

308 다음 종합위험보장방식 고랭지무 상품의 "인수제한 목적물"에서 (   ) 안에 들어갈 알맞은 말을 쓰시오.

> (1) 보험대상 농작물의 보험가입금액이 (   ) 미만인 농지는 인수를 제한한다.
> (2) 통상적인 (   )을 하지 않은 농지는 인수를 제한한다.
> (3) 수확하여 (   )를 목적으로 경작하지 않는 농지는 인수를 제한한다.
> (4) (   ) 이후에 무를 파종한 농지는 인수를 제한한다(파종완료일은 (   )을 초과할 수 없음).
> (5) (   ) 이외의 재배작형(시설하우스 등)으로 재배하는 농지는 인수를 제한한다.

309 다음 종합위험보장방식 고랭지무 상품의 "인수제한 목적물"에서 (   ) 안에 들어갈 알맞은 말을 쓰시오.

> (1) 하천부지 및 (   ) 지역에 소재한 농지는 인수를 제한한다.
> (2) 보험계약 시 (   )가 확인된 농지는 인수를 제한한다.
> (3) 다른 작물과 (   )되어 있는 농지는 인수를 제한한다.
> (4) 군사시설보호구역 중 통제보호구역[민간인 통제선 이북 또는 군사기지 및 군사시설의 최외곽 경계선으로부터 (   ) 범위 이내 지역] 내의 농지는 인수를 제한한다(단, 통상적인 영농활동 및 손해평가가 가능하다고 판단되는 농지는 영업점장 전결로 인수 가능).
> (5) 기타 인수가 (   ) 농지는 인수를 제한한다.

310 다음 종합위험보장방식 고랭지무 상품의 "경작불능 보험금 산출방식"에서 (   ) 안에 들어갈 알맞은 말을 쓰시오. (다만, 보상하는 재해로 식물체 피해율이 65% 이상이고, 계약자가 경작불능 보험금을 신청한 경우)

자기부담비율	경작불능 보험금
20%형	보험가입금액의 (①)%
30%형	보험가입금액의 (②)%
40%형	보험가입금액의 (③)%

311 다음 종합위험보장방식 고랭지무 상품의 "보험료"에서 (   ) 안에 들어갈 알맞은 말을 쓰시오.

(1) 생산비보장 보험가입금액 산출방식

> 생산비보장 보험가입금액 = 가입면적 × (   )

(2) 생산비보장보험금 산출방식

> 보험금 = 보험가입금액 × (피해율 − 자기부담비율)
> ※ 피해율 = 피해비율 × (   ) × (1 − 미보상비율)

312 다음 종합위험보장방식 고랭지무 상품의 "생산비보장 보통약관 적용보험료"에서 (   ) 안에 들어갈 알맞은 말을 쓰시오.

생산비보장 보통약관 적용보험료
= (   ) × 지역별 보통약관 영업요율 × (1 + 손해율에 따른 할인·할증률)

313 다음 종합위험보장방식 고랭지무 상품의 "인수관련 생산비"에서 (   ) 안에 들어갈 알맞은 말을 쓰시오.

(1) (   ) : 작물의 생산을 위하여 소비되는 재화나 용역에 대한 비용을 말한다.
(2) (   ) : 종묘비, 비료비, 농약비, 광열동력비, 수리(水利)비, 제재료비, 소농구비, 대농구상각비, 영농시설 상각비, 수선비, 임차료, 위탁영농비, 자가노력비, 자본용역비, 토지용역비 등이다.

✱ 종합위험보장 **월동무** 상품

314 다음 종합위험보장방식 월동무 상품의 "가입지역"에서 Ⓐ~Ⓔ에 들어갈 알맞은 말을 쓰시오.

> (1) 가입지역은 (Ⓐ)이다.
> (2) 농가 주소지가 아닌 (Ⓑ)를 기준으로 가입 가능 여부를 판단한다.
> (3) 단, 도서지역의 경우 (Ⓒ)가 설치되어 있지 않고, (Ⓓ)이 운항하지 않는 등 신속한 손해
> 평가가 (Ⓔ) 지역은 제외한다.

315 다음 종합위험보장방식 월동무 상품의 "보험기간"에서 빈칸 안에 들어갈 알맞은 말을 쓰시오.

구분		보장개시	보장종료
보장	목적물		
종합위험 경작불능보장	월동무	(①) (단, 보험계약 시 파종완료일이 경과한 경우에는 계약체결일 24시)	(②) (단, 종합위험생산비보장에서 정하는 보장종료일을 초과할 수 없음)
종합위험 생산비보장			최초 수확 직전 (③)

316 종합위험보장방식 월동무 상품의 "인수제한 목적물"에서 ( ) 안에 들어갈 알맞은 말을 쓰시오.

> (1) 보험대상 농작물의 보험가입금액이 ( ) 미만인 농지는 인수를 제한한다.
> (2) 통상적인 ( )을 하지 않은 농지는 인수를 제한한다.
> (3) 수확하여 ( )를 목적으로 경작하지 않는 농지는 인수를 제한한다(예 채종농지 등).
> (4) ( )에 해당하는 품종 또는 ( )로 수확할 목적으로 재배하는 농지는 인수를 제한한다.
> (5) ( ) 이후에 무를 파종한 농지는 인수를 제한한다[단, 파종완료일은 ( )을 초과할 수 없음].
> (6) ( ) 이외의 재배작형(시설하우스 등)으로 재배하는 농지는 인수를 제한한다.

317 종합위험보장방식 월동무 상품의 "인수제한 목적물"에서 (   ) 안에 들어갈 알맞은 말을 쓰시오.

> (1) 하천부지 및 최근 (   ) 연속 침수피해를 입은 농지는 인수를 제한한다(다만, 호우주의보 및 호우경보 등 기상특보에 해당되는 재해로 피해를 입은 경우는 제외).
> (2) 보험계약 시 (   )가 확인된 농지는 인수를 제한한다.
> (3) 다른 작물과 (   )되어 있는 농지는 인수를 제한한다.
> (4) 군사시설보호구역 중 통제보호구역[민간인 통제선 이북 또는 군사기지 및 군사시설의 최외곽 경계선으로부터 (   ) 범위 이내 지역] 내의 농지는 인수를 제한한다(단, 통상적인 영농활동 및 손해평가가 가능하다고 판단되는 농지는 영업점장 전결로 인수 가능).
> (5) 오염 및 훼손 등의 피해를 입어 (   )가 완전히 이루어지지 않은 농지는 인수를 제한한다.
> (6) 기타 인수가 (   ) 농지는 인수를 제한한다.

318 종합위험보장방식 월동무 상품의 "경작불능 보험금 산출방식"에서 (   ) 안에 들어갈 알맞은 말을 쓰시오. (다만, 보상하는 재해로 식물체 피해율이 65% 이상이고, 계약자가 경작불능 보험금을 신청한 경우)

자기부담비율	경작불능 보험금
20%형	보험가입금액의 (①)%
30%형	보험가입금액의 (②)%
40%형	보험가입금액의 (③)%

319 다음 종합위험보장방식 월동무 상품의 "보험료"에서 (   ) 안에 들어갈 알맞은 말을 쓰시오.

(1) 생산비보장 보험가입금액 산출방식

> 생산비보장 보험가입금액 = 가입면적 × (   )

(2) 생산비보장보험금 산출방식

> 보험금 = 보험가입금액 × (피해율 − 자기부담비율)
> ※ 피해율 = 피해비율 × (   ) × (1 − 미보상비율)

320 다음 종합위험보장방식 월동무 상품의 "생산비보장 보통약관 적용보험료"에서 (   ) 안에 들어갈 알맞은 말을 쓰시오.

> 생산비보장 보통약관 적용보험료
> = (   ) × 지역별 보통약관 영업요율 × (1 + 손해율에 따른 할인·할증률)

321 다음 종합위험보장방식 월동무 상품의 "보험의 목적"에서 (   ) 안에 들어갈 알맞은 말을 쓰시오.

> (1) "보험의 목적"이라 함은 보험약관에 따라 보험에 가입한 농작물(대상)로서 보험증권에 기재된 품목(월동무)을 말한다.
> (2) 종합위험보장방식 농작물 월동무 상품
>   1) 보험료 납입일이 속하는 해에 파종하여 재배하는 (①)이다.
>   2) 시설(비닐하우스, 온실 등) 내 파종한 무, (②), 가을무는 가입대상이 아니다.

✱ 종합위험보장 **시금치** 상품

322 다음 종합위험보장방식 시금치 상품의 "가입지역"에서 Ⓐ~Ⓔ에 들어갈 알맞은 말을 쓰시오.

> (1) 가입지역은 (Ⓐ)이다.
> (2) 농가 주소지가 아닌 (Ⓑ)를 기준으로 가입 가능 여부를 판단한다.
> (3) 단, 도서지역의 경우 (Ⓒ)가 설치되어 있지 않고, (Ⓓ)이 운항하지 않는 등 신속한 손해 평가가 (Ⓔ) 지역은 제외한다.

323 다음 종합위험보장방식 시금치 상품의 "보험기간"에서 빈칸 안에 들어갈 알맞은 말을 쓰시오.

구분		보장개시	보장종료
보장	목적물		
종합위험 경작불능보장	시금치	(①) (단, 보험계약 시 파종완료일이 경과한 경우에는 계약체결일 24시)	(②) (단, 종합위험생산비보장에서 정하는 보장종료일을 초과할 수 없음)
종합위험 생산비보장			(③)

324 다음 종합위험보장방식 시금치 상품의 "인수제한 목적물"에서 (   ) 안에 들어갈 알맞은 말을 쓰시오.

> (1) 보험대상 농작물의 보험가입금액이 (   ) 미만인 농지는 인수를 제한한다.
> (2) 통상적인 (   )을 하지 않은 농지는 인수를 제한한다.
> (3) 수확하여 (   )를 목적으로 경작하지 않는 농지는 인수를 제한한다.
> (4) 다른 (   )에 소재하는 농지는 인수를 제한한다(단, 인접한 광역시·도에 소재하는 농지로서 보험사고 시 지역 농협·축협의 통상적인 손해조사가 가능한 농지는 본부의 승인을 받아 인수 가능).
> (5) (   )에 소재한 농지는 인수를 제한한다.
> (6) 최근 (   ) 이내에 간척된 농지는 인수를 제한한다.

325 다음 종합위험보장방식 시금치 상품의 "인수제한 목적물"에서 (   ) 안에 들어갈 알맞은 말을 쓰시오.

> (1) 최근 (   ) 연속 침수피해를 입은 농지는 인수를 제한한다(다만, 호우주의보 및 호우경보 등 기상특보에 해당되는 재해로 피해를 입은 경우는 제외).
> (2) (   ) 등의 피해를 입어 복구가 완전히 이루어지지 않은 농지는 인수를 제한한다.
> (3) 농업용지가 다른 용도로 전용되어 (   )로 결정된 농지는 인수를 제한한다.
> (4) 군사시설보호구역 중 통제보호구역[민간인 통제선 이북 또는 군사기지 및 군사시설의 최외곽 경계선으로부터 (   )범위 이내 지역] 내의 농지는 인수를 제한한다(단, 통상적인 영농활동 및 손해평가가 가능하다고 판단되는 농지는 영업점장 전결로 인수 가능).
> (5) 보험목적물을 수확하여 판매를 목적으로 경작하지 않는 농지는 인수를 제한한다.
> 　　[예 (   ) 등]
> (6) 전환지(개간, 복토 등을 통해 논으로 변경한 농지), 휴경지 등 농지로 변경하여 경작한지 (   ) 이내인 농지는 인수를 제한한다.

326 다음 종합위험보장방식 시금치 상품의 "경작불능 보험금 산출방식"에서 (   ) 안에 들어갈 알 맞은 말을 쓰시오. (다만, 보상하는 재해로 식물체 피해율이 65% 이상이고, 계약자가 경작불 능 보험금을 신청한 경우)

자기부담비율	경작불능 보험금
20%형	보험가입금액의 (①)%
30%형	보험가입금액의 (②)%
40%형	보험가입금액의 (③)%

327 다음 종합위험보장방식 시금치 상품의 "보험료"에서 (   ) 안에 들어갈 알맞은 말을 쓰시오.

(1) 생산비보장 보험가입금액 산출방식

> 생산비보장 보험가입금액 = 가입면적 × (   )

(2) 생산비보장보험금 산출방식

> 보험금 = 보험가입금액 × (피해율 − 자기부담비율)
>
> ※ 피해율 = 피해비율 × (   ) × (1 − 미보상비율)

328 다음 종합위험보장방식 시금치 상품의 "생산비보장 보통약관 적용보험료"에서 (   ) 안에 들어 갈 알맞은 말을 쓰시오.

> 생산비보장 보통약관 적용보험료
> = (   ) × 지역별 보험요율 × (1 + 손해율에 따른 할인·할증률)

✱ 종합위험보장 **대파** 상품

329 종합위험보장방식 대파 상품의 "가입지역"에서 Ⓐ~Ⓔ에 들어갈 알맞은 말을 쓰시오.

> (1) 가입지역은 (Ⓐ)이다.
> (2) 농가 주소지가 아닌 (Ⓑ)를 기준으로 가입 가능 여부를 판단한다.
>   단, 도서지역의 경우 (Ⓒ)가 설치되어 있지 않고, (Ⓓ)이 운항하지 않는 등 신속한 손해
>   평가가 (Ⓔ) 지역은 제외한다.

330 종합위험보장방식 대파 상품의 "보험기간"에서 (   ) 안에 들어갈 알맞은 말을 쓰시오.

구분		보장개시	보장종료
보장	목적물		
종합위험 경작불능보장	대파	(①)	(②)
종합위험 생산비보장		정식완료일 24시 (단, 보험계약 시 정식완료일이 경과한 경우에는 계약체결일 24시)	(③)

331 종합위험보장방식 대파 상품의 "인수제한 목적물"에서 (   ) 안에 들어갈 알맞은 말을 쓰시오.

> (1) 보험대상 농작물의 보험가입금액이 (   ) 미만인 농지는 인수를 제한한다.
> (2) 통상적인 (   )을 하지 않은 농지는 인수를 제한한다.
> (3) (   )을 초과하여 정식한 농지는 인수를 제한한다.
> (4) (   )를 목적으로 경작하지 않는 농지는 인수를 제한한다.
> (5) 재식밀도가 (   )/10a 미만인 농지는 인수를 제한한다.
> (6) (   ) 농지는 인수를 제한한다.

332 종합위험보장방식 대파 상품의 "인수제한 목적물"에서 (   ) 안에 들어갈 알맞은 말을 쓰시오.

> (1) 다른 작물과 (   )되어 있는 농지는 인수를 제한한다.
> (2) 보험계약 시 (   )가 확인된 농지는 인수를 제한한다.
> (3) (   ) 농지는 인수를 제한한다.
> (4) 하천부지 및 (   ) 지역에 소재한 농지는 인수를 제한한다.
> (5) 기타 인수가 (   ) 농지는 인수를 제한한다.

333 종합위험보장방식 대파 상품의 "경작불능 보험금 산출방식"에서 (   ) 안에 들어갈 알맞은 말을 쓰시오. (다만, 보상하는 재해로 식물체 피해율이 65% 이상이고, 계약자가 경작불능 보험금을 신청한 경우)

자기부담비율	경작불능 보험금
20%형	보험가입금액의 (①)%
30%형	보험가입금액의 (②)%
40%형	보험가입금액의 (③)%

334 종합위험보장방식 대파 상품의 "보험료"에서 (   ) 안에 들어갈 알맞은 말을 쓰시오.
(1) 생산비보장 보험가입 금액

> 생산비보장 보험가입 금액 = 가입면적 × (   )

(2) 생산비보장보험금 산출방식

> 보험금 = 보험가입금액 × (피해율 - 자기부담비율)
> ※ 피해율 = 피해비율 × (   ) × (1 - 미보상비율)

335 다음 종합위험보장방식 대파 상품의 "보험의 목적"에서 (   ) 안에 들어갈 알맞은 말을 쓰시오.

보험료 납입일이 속하는 (   )에 수확하는 대파이다.

✱ 종합위험보장 쪽파(실파) 상품

336 종합위험보장방식 쪽파(실파) 상품의 "가입지역"에서 Ⓐ~Ⓖ에 들어갈 알맞은 말을 쓰시오.

> (1) 농작물재해보험 종합위험보장방식 농작물 쪽파(실파) 상품(품목)의 가입지역은 1형 – (Ⓐ), (Ⓑ), 2형 – (Ⓒ)이다.
> (2) 농가 주소지가 아닌 (Ⓓ)를 기준으로 가입 가능 여부를 판단한다. 단, 도서지역의 경우 (Ⓔ)가 설치되어 있지 않고, (Ⓕ)이 운항하지 않는 등 신속한 손해평가가 (Ⓖ) 지역은 제외한다.

337 종합위험보장방식 쪽파(실파) 상품의 "보험기간"에서 ( ) 안에 들어갈 알맞은 말을 쓰시오.

품목 구분	보장	보험기간	
		시기	종기
쪽파(실파) [1형]	생산비 보장	(①)	(②)
	경작불능 보장		최초 수확 직전 (단, 종합위험생산비보장에서 정하는 보장종료일을 초과할 수 없음)
쪽파(실파) [2형]	생산비 보장	파종완료일 24시 (단, 보험계약 시 파종완료일이 경과한 경우에는 계약체결일 24시)	(③)
	경작불능 보장		최초 수확 직전 (단, 종합위험생산비보장에서 정하는 보장종료일을 초과할 수 없음)

338 종합위험보장방식 쪽파(실파) 상품의 "인수제한 목적물"에서 (　) 안에 들어갈 알맞은 말을 쓰시오.

> (1) 보험대상 농작물의 보험가입금액이 (　) 미만인 농지는 인수를 제한한다.
> (2) 통상적인 (　)을 하지 않은 농지는 인수를 제한한다.
> (3) (　)으로 재배하는 농지는 인수를 제한한다.
> (4) (　)를 목적으로 경작하지 않는 농지는 인수를 제한한다.
> (5) 상품 유형별 (　)을 초과하여 파종한 농지는 인수를 제한한다.

339 종합위험보장방식 쪽파(실파) 상품의 "인수제한 목적물"에서 (　) 안에 들어갈 알맞은 말을 쓰시오.

> (1) 다른 작물과 (　)되어 있는 농지는 인수를 제한한다.
> (2) 보험계약 시 (　)가 확인된 농지는 인수를 제한한다.
> (3) (　) 농지는 인수를 제한한다.
> (4) 하천부지 및 (　) 지역에 소재한 농지는 인수를 제한한다.
> (5) 기타 인수가 (　) 농지는 인수를 제한한다.

340 종합위험보장방식 쪽파(실파) 상품의 "경작불능 보험금 산출방식"에서 (　) 안에 들어갈 알맞은 말을 쓰시오. (다만, 보상하는 재해로 식물체 피해율이 65% 이상이고, 계약자가 경작불능 보험금을 신청한 경우)

자기부담비율	경작불능 보험금
20%형	보험가입금액의 (①)%
30%형	보험가입금액의 (②)%
40%형	보험가입금액의 (③)%

341 종합위험보장방식 쪽파(실파) 상품의 "보험료"에서 ( ) 안에 들어갈 알맞은 말을 쓰시오.

(1) 생산비보장 보험가입 금액

생산비보장 보험가입금액 = 가입면적 × ( )

(2) 생산비보장보험금 산출방식

보험금 = 보험가입금액 × (피해율 − 자기부담비율)

※ 피해율 = 피해비율 × ( ) × (1 − 미보상비율)

342 다음은 종합위험보장방식 쪽파(실파) 상품의 "보험의 목적"에서 ( ) 안에 들어갈 알맞은 말을 쓰시오.

(1) 보험료 납입일이 속하는 해에 가입한 농지에 식재된 쪽파(실파)를 말한다.

(2) 1형과 2형은 사업지역과 파종 및 수확시기에 따라 구분한다.

1) 1형 : (Ⓐ) 지역에서 9월 15일 이전에 파종하거나, (Ⓑ) 지역에서 재배하여 당해 연도에 수확하는 노지 쪽파(실파)이다.

2) 2형 : (Ⓐ) 지역에서 9월 15일 이후에 파종하여 이듬해 4~5월에 수확하는 노지 쪽파(실파)이다.

✱ 종합위험보장 **벼** 상품

343 다음 종합위험보장방식 벼 상품의 "가입지역"에서 Ⓐ~Ⓓ에 들어갈 알맞은 말을 쓰시오.

> (1) 가입지역은 (Ⓐ)이다.
> (2) 단, 도서지역의 경우 (Ⓑ)가 설치되어 있거나, 농작물재해보험 (Ⓒ)을 체결한 (Ⓓ) 또는 품목농협(지소 포함, 이하 "농협"이라 함)이 소재하고 있고, 손해평가인 구성이 가능한 지역만 보험가입이 가능하다.

344 다음 종합위험보장방식 벼 상품의 "보험기간"에서 (   ) 안에 들어갈 알맞은 말을 쓰시오.

구분		보장개시	보장종료
보통약관	이앙·직파 불능보장	(①)	7월 31일
	재이앙· 재직파 보장	이앙(직파)완료일 24시 (단, 보험계약 시 이앙(직파)완료일이 경과한 경우에는 계약체결일 24시)	(②)
	경작 불능보장	이앙(직파)완료일 24시 (단, 보험계약 시 이앙(직파)완료일이 경과한 경우에는 계약체결일 24시)	(③)
	수확 불능보장	(④)	수확기종료시점 (단, 11월 30일을 초과할 수 없음)
	수확 감소보장	이앙(직파)완료일 24시 (단, 보험계약 시 이앙(직파)완료일이 경과한 경우에는 계약체결일 24시)	(⑤)

345 다음 종합위험보장방식 벼 상품의 "보험기간"에서 ( ) 안에 들어갈 알맞은 말을 쓰시오.

구분			보장개시	보장종료
특별 약관	병해충 보장	재이앙· 재직파 보장	보통약관 재이앙·재직파보장 보험시기와 동일	(①)
		경작 불능보장	보통약관 경작불능보장 보험시기와 동일	(②)
		수확 불능보장	보통약관 수확불능보장 보험시기와 동일	(③)
		수확 감소보장	(④)	보통약관 수확감소보장 보험종기와 동일

346 다음 종합위험보장방식 벼 상품의 "인수제한 목적물"에서 ( ) 안에 들어갈 알맞은 말을 쓰시오.

(1) ( ) 등의 피해를 입어 복구가 완전히 이루어지지 않은 농지는 인수를 제한한다.
(2) ( )를 재배하는 농지는 인수를 제한한다.
(3) 농업용지가 다른 용도로 전용되어 ( )로 결정된 농지는 인수를 제한한다.
(4) 보험가입 전 벼의 ( )가 확인된 농지는 인수를 제한한다.
(5) 보험목적물을 수확하여 ( )를 목적으로 경작하지 않는 농지는 인수를 제한한다(예 채종 농지).
(6) 기타 인수가 ( )한 농지는 인수를 제한한다.

347 다음 종합위험보장방식 벼 상품의 "인수제한 목적물"에서 (   ) 안에 들어갈 알맞은 말을 쓰시오.

> (1) 보험대상 농작물의 보험가입금액이 (   ) 미만인 농지는 인수를 제한한다.
> (2) 통상적인 (   )을 하지 않은 농지는 인수를 제한한다.
> (3) 최근 (   ) 연속 침수피해를 입은 농지는 인수를 제한한다(다만, 호우주의보 및 호우경보 등 기상특보에 해당되는 재해로 피해를 입은 경우는 제외).
> (4) 전환지(개간, 복토 등을 통해 논으로 변경한 농지), 휴경지 등 농지로 변경하여 경작한지 (   ) 이내인 농지는 인수를 제한한다.
> (5) (   )에 소재한 농지는 인수를 제한한다.
> (6) 군사시설보호구역 중 통제보호구역[민간인 통제선 이북 또는 군사기지 및 군사시설의 최외곽 경계선으로부터 (   ) 범위 이내 지역] 내의 농지는 인수를 제한한다(단, 통상적인 영농활동 및 손해평가가 가능하다고 판단되는 농지는 영업점장 전결로 인수 가능).

348 다음 종합위험보장방식 벼 상품의 "이앙직파불능 보험금 산출방식"에서 (   ) 안에 들어갈 알맞은 말을 쓰시오.

(1) 보험기간 내에 보상하는 재해로 농지 전체를 이앙·직파하지 못하게 된 경우 아래와 같이 계산한다.

> 보험금 = 보험가입금액 × (   )

(2) 논둑 정리, 논갈이, 비료 시비, 제초제 살포 등 이앙 전의 통상적인 (   )을 하지 않은 농지에 대해서는 이앙·직파불능 보험금을 미지급한다.

(3) 이앙·직파불능 보험금을 지급한 때에는 그 손해보상의 원인이 생긴 때로부터 해당 농지의 (   )되며, 이 경우 환급보험료는 발생하지 않는다.

349 종합위험보장방식 벼 상품의 보험료 산출에서 (1) "재이앙·재직파 보험금 산출방식, (2) 면적피해율을 쓰시오. (단, 보험기간 내에 보상하는 재해로 면적 피해율이 10%를 초과하고, 재이앙(재직파)한 경우 계산하여 1회 지급한다)

(1) 재이앙·재직파 보험금 산출방식

(2) 면적피해율

350 다음 종합위험보장방식 벼 상품의 "경작불능 보험금 산출방식"에서 (　　) 안에 들어갈 알맞은 말을 쓰시오. (다만, 보상하는 손해로 식물체 피해율이 65% 이상이고, 계약자가 경작불능 보험금을 신청한 경우).

자기부담비율	경작불능 보험금
10%형	보험가입금액의 (①)%
15%형	보험가입금액의 (②)%
20%형	보험가입금액의 (③)%
30%형	보험가입금액의 (④)%
40%형	보험가입금액의 (⑤)%

351 다음 종합위험보장방식 벼 상품의 "수확불능 보험금 산출방식"에서 (　　) 안에 들어갈 알맞은 말을 쓰시오.

(1) 수확불능 보험금 산출방식 : 보험기간 내에 보상하는 손해로 제현율이 65% 미만으로 떨어져 정상 벼로서 출하가 불가능하게 되고, 계약자가 수확불능 보험금을 신청한 경우 아래의 표와 같이 계산한다.

자기부담비율	경작불능 보험금
10%형	보험가입금액의 (①)%
15%형	보험가입금액의 (②)%
20%형	보험가입금액의 (③)%
30%형	보험가입금액의 (④)%
40%형	보험가입금액의 (⑤)%

(2) 수확불능 보험금을 지급한 경우 그 손해보상의 원인이 생긴 때로부터 해당 농지의 계약은 (　　)한다(수확감소 보험금 미지급).

(3) 수확불능 보험금은 회사가 보험목적물이 (　　)된 것을 확인하고 지급한다.

(4) 계약자 또는 피보험자가 보험목적물을 수확하여 시장 등으로 (　　)한 것이 확인되는 경우에는 수확불능 보험금 지급이 불가하다.

352 종합위험보장방식 벼 상품의 보험료 산출에서 (1) 수확감소보장 보통약관 적용보험료 산출 방식과 (2) 병해충보장 특별약관 적용보험료 산출방식을 쓰시오.

(1) 수확감소보장 보통약관 적용보험료 산출방식

(2) 병해충보장 특별약관 적용보험료 산출방식

353 다음 종합위험보장방식 벼 상품의 "보험가입기준(계약인수 단위)"에서 (   ) 안에 들어갈 알맞은 말을 쓰시오.

> (1) 계약인수는 농지 단위로 가입하고 개별 농지당 최저 보험가입금액은 (   ) 이상으로 한다.
>   [단, 가입금액이 (   ) 미만의 농지라도 인접농지의 면적과 합하여 (   ) 이상이 되면 통합하여 하나의 농지로 가입할 수 있음]
> (2) 통합하는 농지는 (①)개까지만 가능하며, 가입 후 농지를 (②)할 수 없다.
> (3) 하나의 농지 내에 품종, 재배방식, 이앙일자가 상이한 경우에는 품종, 재배방식은 가장 (①) 것으로, 이앙일자는 (②)으로 이앙한 날짜로 한다.
> (4) 다만, 숙기가 동일하지 않은 경우 한 품종이 (   ) 이상 재식되어 있지 않으면 가입할 수 없다.

354 다음 종합위험보장방식 벼 상품의 "보험가입기준(계약인수 단위) 1인 1증권 계약의 체결"에서 (   ) 안에 들어갈 알맞은 말을 쓰시오.

> 1인이 경작하는 (   )가 있는 경우, 그 농지의 전체를 하나의 증권으로 보험계약을 체결한다. 다만, 읍·면·동을 달리하는 농지를 가입하는 경우, 기타 보험사업자가 필요하다고 인정하는 경우는 예외로 한다.

355 다음 종합위험보장방식 벼 상품의 "보험가입기준(계약인수 단위) 농지의 구성 방법"에서 ( ) 안에 들어갈 알맞은 말을 쓰시오.

> (1) ( )로 가입한다. 동일 "리(동)" 내에 있는 여러 농지를 묶어 하나의 ( )를 부여한다.
> (2) 가입하는 농지가 여러 리(동)에 있는 경우 각 리(동)마다 각각 경지를 구성하고 보험계약은 여러 경지를 묶어 ( )으로 가입한다. 전산조작 시 리(동)별로 목적물 등록을 별도로 하여 ( )로 경지가 구성되도록 한다.

356 다음 종합위험보장방식 벼 상품의 "인수관련 수확량 중 표준수확량 산출방법"에서 ( ) 안에 들어갈 알맞은 말을 쓰시오.

> 표준수확량 산출방법 = 지역별 기준수량 × ( ) × 품종보정계수 × ( ) × 재배방식보정계수

357 다음 종합위험보장방식 벼 상품의 "인수관련 수확량 중 평년수확량 산출방법"에서 ( ) 안에 들어갈 알맞은 말을 쓰시오.

> [평년수확량 산출방법]
>
> (1) 과거수확량 자료가 없는 경우(신규 보험가입 시) : ( )
> (2) 과거수확량 자료가 있는 경우(최근 5년 이내 보험가입 경험 있는 경우)
>
>   1) 평년수확량 = $\{A + (B \times D - A) \times (1 - \frac{Y}{5})\} \times \frac{C}{D}$
>
>   ① A( ) = Σ과거 5년간 수확량 ÷ Y
>   ② B = ( )
>   ③ C( ) = 가입연도의 품종, 이앙일자, 친환경재배 보정계수를 곱한 값
>   ④ D( ) = Σ과거 5년간 보정계수 ÷ Y
>   ⑤ Y = ( )
>   2) 다만, 평년수확량은 보험가입연도 표준수확량의 ( )를 한도로 초과할 수 없다.

358 종합위험보장방식 벼 보험의 주계약에서 (1) 보상하는 손해 4가지, (2) 특별약관피해보장 병충해 7가지를 쓰시오.

359 다음 종합위험보장방식 벼 보험의 "용어 정의"에서 (   ) 안에 들어갈 알맞은 말을 쓰시오.

> (1) (   ) : 농작물을 재배하는 경작자 또는 법인을 말한다.
> (2) (   ) : 한 덩어리의 토지의 개념으로 필지(지번)와는 관계없이 농작물을 재배하는 하나의 경작지를 말한다.
> (3) (   ) : 못자리 등에서 기른 모를 농지로 옮겨 심는 일을 말한다.
> (4) (   ) : 물이 있는 논에 파종 하루 전 물을 빼고 종자를 파종 방법을 말한다.
> (5) (   ) : 벼(조곡)의 이삭이 줄기 밖으로 자란 상태를 말한다.
> (6) (   ) : 농지에서 전체 이삭이 70% 정도 출수한 시점을 말한다.
> (7) (   ) : 농지가 위치한 지역의 기상여건을 감안하여 통상적으로 해당 농작물을 수확하는 기간을 말한다.
> (8) (   ) : 국가 및 지방자치단체의 지원보험료를 제외한 계약자가 부담하는 보험료를 말한다.

360 다음 종합위험보장방식 벼 상품의 "자기부담비율에 따른 정부지원율"에서 (   ) 안에 들어갈 알맞은 말을 쓰시오. (다만, 순보험료의 50~60%는 정부에서 지원하고 10~40%는 지방자치 단체에서 지원)

자기부담비율	정부지원율
10%형, 15%형, 20%형	순보험료의 (①)%
30%형	순보험료의 (②)%
40%형	순보험료의 (③)%

361 다음 종합위험보장방식 벼 상품의 "벼 보험의 목적"에서 (   ) 안에 들어갈 알맞은 말을 쓰시오.

> (1) "보험의 목적"이라 함은 보험약관에 따라 보험에 가입한 농작물(대상)로서 (   )에 기재된 품목(벼)을 말한다.
>
> (2) 종합위험보장방식 농작물 벼 상품은 보험료 납입일이 속하는 해에 가입한 농지에 (   )된 벼 이다(단, 밭벼 재배 농지는 제외).

✱ 종합위험보장 보리 상품

362 다음 종합위험보장방식 보리 상품의 "가입지역"에서 Ⓐ~Ⓖ에 들어갈 알맞은 말을 쓰시오.

> (1) 가입지역은 (Ⓐ), (Ⓑ), (Ⓒ)이다.
> (2) 농가 주소지가 아닌 (Ⓓ)를 기준으로 가입 가능 여부를 판단한다.
> (3) 단, 도서지역의 경우 (Ⓔ)가 설치되어 있지 않고, (Ⓕ)이 운항하지 않는 등 신속한 손해평
>   가가 (Ⓖ) 지역은 제외한다.

363 다음 종합위험보장방식 보리 상품의 "보험기간"에서 (   ) 안에 들어갈 알맞은 말을 쓰시오.

구분		보장개시	보장종료
보장	목적물		
경작불능보장	보리	(①)	(②)
수확감소보장		계약체결일 24시	(③)

364 다음 종합위험보장방식 보리 상품의 "인수제한 목적물"에서 (   ) 안에 들어갈 알맞은 말을 쓰시오.

> (1) (   ) 등의 피해를 입어 복구가 완전히 이루어지지 않은 농지는 인수를 제한한다.
> (2) (   )에 소재한 농지는 인수를 제한한다.
> (3) 파종을 (   ) 이전과 (   ) 이후에 실시한 농지는 인수를 제한한다.
> (4) (   ) 방식에 의한 (   )을 실시한 농지는 인수를 제한한다.
> (5) 농업용지가 다른 용도로 전용되어 (   )로 결정된 농지는 인수를 제한한다.
> (6) 최근 (   ) 이내에 간척된 농지는 인수를 제한한다.

365 다음 종합위험보장방식 보리 상품의 "인수제한 목적물"에서 (　　) 안에 들어갈 알맞은 말을 쓰시오.

(1) 가입금액이 (　　) 미만인 농지는 인수를 제한한다.
(2) 통상적인 (　　)을 하지 않은 농지는 인수를 제한한다.
(3) 최근 (　　) 연속 침수피해를 입은 농지는 인수를 제한한다(다만, 호우주의보 및 호우경보 등 기상특보에 해당되는 재해로 피해를 입은 경우는 제외).
(4) 전환지(개간, 복토 등을 통해 논으로 변경한 농지), 휴경지 등 농지로 변경하여 경작한지 (　　) 이내인 농지는 인수를 제한한다.
(5) 출현율 (　　) 미만인 농지는 인수를 제한한다.
(6) (　　)를 목적으로 경작하지 않은 농지는 인수를 제한한다.

366 다음 종합위험보장방식 보리 상품의 "경작불능 보험금 산출방식"에서 (　　) 안에 들어갈 알맞은 말을 쓰시오. (다만, 보상하는 손해로 식물체 피해율이 65% 이상이고, 계약자가 경작불능 보험금을 신청한 경우)

자기부담비율	경작불능 보험금
20%형	보험가입금액의 (①)%
30%형	보험가입금액의 (②)%
40%형	보험가입금액의 (③)%

367 종합위험보장방식 보리 상품의 보험료 산출에서 "수확감소보장 보통약관 적용보험료 보험금 산출방식"을 쓰시오. (보험기간 내에 보상하는 재해로 평년수확량 대비 자기부담비율을 초과한 수확량감소가 발생한 경우)

368 다음 종합위험보장방식 보리 상품의 "보험가입기준(계약인수 단위)"에서 (   ) 안에 들어갈 알맞은 말을 쓰시오.

> (1) 계약인수는 농지 단위로 가입하고 개별 농지당 최저 보험가입금액은 (   ) 이상으로 한다.
> [단, 가입금액이 (   ) 미만의 농지라도 인접농지의 면적과 합하여 (   ) 이상이 되면 통합하여 하나의 농지로 가입할 수 있음]
> (2) 통합하는 농지의 (①)제한은 없으나 가입 후 농지를 (②)할 수 없다.

369 다음 종합위험보장방식 보리 상품의 "보험가입기준(계약인수 단위) 농지의 구성방법"에서 (   ) 안에 들어갈 알맞은 말을 쓰시오.

> (1) 동일 "리(동)" 내에 있는 여러 농지를 묶어 하나의 (   )를 부여한다.
> (2) 가입하는 농지가 여러 리(동)에 있는 경우 각 리(동)마다 각각 경지를 구성하고 보험계약은 여러 경지를 묶어 (   )으로 가입한다.

370 다음 종합위험보장방식 보리 상품의 "인수관련 수확량 중 표준수확량 산출방법"에서 (   ) 안에 들어갈 알맞은 말을 쓰시오.

> 표준수확량 산출방법 = 지역별·품종별 기준수량 × (①) × 파종방법지수 × (②)

371 다음 종합위험보장방식 보리 상품의 "인수관련 수확량 중 평년수확량 산출방법"에서 (   ) 안에 들어갈 알맞은 말을 쓰시오.

[평년수확량 산출방법]

(1) 과거수확량 자료가 없는 경우(신규 보험가입 시) : (   )

(2) 과거수확량 자료가 있는 경우(최근 5년 이내 보험가입 경험 있는 경우)

   1) 평년수확량 = $\{A + (B - A) \times (1 - \frac{Y}{5})\} \times \frac{C}{B}$

     ① A(   ) = Σ과거 5년간 수확량 ÷ Y

     ② B(   ) = Σ과거 5년간 표준수확량 ÷ Y

     ③ C(   ) = 가입하는 해의 표준수확량

     ④ Y = (   )

   2) 다만, 평년수확량은 보험가입연도 표준수확량의 (   )를 한도로 초과할 수 없다.

372 종합위험보장방식 보리 상품의 보험의 주계약에서 "보상하는 손해 3가지"를 쓰시오.

✱ 종합위험보장 **밀** 상품

373 다음 종합위험보장방식 밀 상품의 "가입지역"에서 Ⓐ~Ⓘ에 들어갈 알맞은 말을 쓰시오.

> (1) 가입지역은 (Ⓐ), (Ⓑ), (Ⓒ), (Ⓓ), (Ⓔ)이다.
> (2) 농가 주소지가 아닌 (Ⓕ)를 기준으로 가입 가능 여부를 판단한다.
> (3) 단, 도서지역의 경우 (Ⓖ)가 설치되어 있지 않고, (Ⓗ)이 운항하지 않는 등 신속한 손해 평가가 (Ⓘ) 지역은 제외한다.

374 다음 종합위험보장방식 밀 상품의 "보험기간"에서 (   ) 안에 들어갈 알맞은 말을 쓰시오.

구분		보장개시	보장종료
보장	목적물		
경작불능보장	밀	(①)	(②)
수확감소보장		계약체결일 24시	(③)

375 다음 종합위험보장방식 밀 상품의 "인수제한 목적물"에서 (   ) 안에 들어갈 알맞은 말을 쓰시오.

> (1) (   ) 등의 피해를 입어 복구가 완전히 이루어지지 않은 농지는 인수를 제한한다.
> (2) (   )에 소재한 농지는 인수를 제한한다.
> (3) 파종을 (   ) 이후에 실시한 농지는 인수를 제한한다.
> (4) (①) 방식에 의한 (②)을 실시한 농지는 인수를 제한한다.
> (5) 농업용지가 다른 용도로 전용되어 (   )로 결정된 농지는 인수를 제한한다.
> (6) 최근 (   ) 이내에 간척된 농지는 인수를 제한한다.

376 다음 종합위험보장방식 밀 상품의 "인수제한 목적물"에서 (   ) 안에 들어갈 알맞은 말을 쓰시오.

> (1) 보험대상 농작물의 보험가입금액이 (   ) 미만인 농지는 인수를 제한한다.
> (2) 통상적인 (   )을 하지 않은 농지는 인수를 제한한다.
> (3) 최근 (   ) 연속 침수피해를 입은 농지는 인수를 제한한다(다만, 호우주의보 및 호우경보 등 기상특보에 해당되는 재해로 피해를 입은 경우는 제외).
> (4) 전환지(개간, 복토 등을 통해 논으로 변경한 농지), 휴경지 등 농지로 변경하여 경작한지 (   ) 이내인 농지는 인수를 제한한다.
> (5) 출현율 (   ) 미만인 농지는 인수를 제한한다.
> (6) (   )를 목적으로 경작하지 않은 농지는 인수를 제한한다.

377 다음 종합위험보장방식 밀 상품의 "경작불능 보험금 산출방식"에서 (   ) 안에 들어갈 알맞은 말을 쓰시오. (다만, 보상하는 손해로 식물체 피해율이 65% 이상이고, 계약자가 경작불능 보험금을 신청한 경우)

자기부담비율	경작불능 보험금
10%형	보험가입금액의 (①)%
15%형	보험가입금액의 (②)%
20%형	보험가입금액의 (③)%
30%형	보험가입금액의 (④)%
40%형	보험가입금액의 (⑤)%

378 종합위험보장방식 밀 상품의 보험료 산출에서 "수확감소보장 보통약관 적용보험료 보험금 산출방식"을 쓰시오. (보험기간 내에 보상하는 재해로 평년수확량 대비 자기부담비율을 초과한 수확량감소가 발생한 경우)

379 다음 종합위험보장방식 밀 상품의 "보험가입기준(계약인수 단위)"에서 (   ) 안에 들어갈 알맞은 말을 쓰시오.

> (1) 계약인수는 농지 단위로 가입하고 개별 농지당 최저 보험가입금액은 (   ) 이상으로 한다.
>   [단, 가입금액이 (   ) 미만의 농지라도 인접농지의 면적과 합하여 (   ) 이상이 되면 통합하
>   여 하나의 농지로 가입할 수 있음]
> (2) 통합하는 농지의 (①)제한은 없으나 가입 후 농지를 (②)할 수 없다.

380 다음 종합위험보장방식 밀 상품의 "보험가입기준(계약인수 단위) 농지의 구성방법"에서 (   ) 안에 들어갈 알맞은 말을 쓰시오.

> (1) 동일 "리(동)" 내에 있는 여러 농지를 묶어 하나의 (   )를 부여한다.
> (2) 가입하는 농지가 여러 리(동)에 있는 경우 각 리(동)마다 각각 경지를 구성하고 보험계약은
>   여러 경지를 묶어 (   )으로 가입한다.

381 다음 종합위험보장방식 밀 상품의 "인수관련 수확량 중 표준수확량 산출방법"에서 (   ) 안에 들어갈 알맞은 말을 쓰시오.

> 표준수확량 산출방법 = 지역별·품종별 기준수량 × (①) × 파종방법지수 × (②)

382 다음 종합위험보장방식 밀 상품의 "인수관련 수확량 중 평년수확량 산출방법"에서 (   ) 안에 들어갈 알맞은 말을 쓰시오.

> (1) 과거수확량 자료가 없는 경우(신규 보험가입 시) : (   )
>
> (2) 과거수확량 자료가 있는 경우(최근 5년 이내 보험가입 경험 있는 경우)
>
>   1) 평년수확량 = $\{A + (B - A) \times (1 - \frac{Y}{5})\} \times \frac{C}{B}$
>
>   ① A(   ) = Σ과거 5년간 수확량 ÷ Y
>
>   ② B(   ) = Σ과거 5년간 표준수확량 ÷ Y
>
>   ③ C(   ) = 가입하는 해의 표준수확량
>
>   ④ Y = (   )
>
>   2) 다만, 평년수확량은 보험가입연도 표준수확량의 (   )를 한도로 초과할 수 없다.

383 종합위험보장방식 밀 보험의 주계약에서 "보상하는 손해 3가지"를 쓰시오.

✱ 특정위험보장 **인삼** 상품

384 특정위험방식 인삼 보험에서 보험의 목적을 쓰시오.

385 인삼 보험의 경우 보상하지 않는 손해를 5가지 이상 쓰시오.

386 특정위험방식 인삼의 보험가입자격에 대하여 쓰시오.

387 특정위험보장 인삼의 "인삼 보험가입금액" 산출방법과 "해가림시설 보험가입금액" 산출방법을 쓰시오.

(1) 인삼 보험가입금액 산출방법 :
(2) 해가림시설 보험가입금액 산출방법 :

388 인삼 보험가입 시 인수제한대상을 5가지 이상 쓰시오.

389 인삼재배 해가림시설의 보험가입 시 인수제한 대상 4가지를 쓰시오.

390 특정위험보장 인삼 품목의 인삼 적용보험료를 구하시오. (단, 판매시기는 5월이고, 조건은 다음과 같다)

〈조건〉
(1) 재배면적 : 3,000㎡
(2) 가입당시 연근 : 3년근
(3) 영업요율 : 8%
(4) 최근 5년간 평가 손해율은 250%로, 15% 할증 대상 농지이다.
(5) 인삼재배농지에 관수시설이 있는 경우로서 방재시설 할인율은 5%를 적용한다.

1) 인삼 적용보험료 :
2) 보험가입금액 :

391 다음 특정위험방식 인삼보험의 "보험기간"에서 Ⓐ~Ⓓ에 들어갈 알맞은 말을 쓰시오.

목적물	보장개시	보장종료
인삼·해가림시설(1형 : 판매시기 4~5월)	판매개시연도 (Ⓐ) [단, (Ⓐ) 이후 보험에 가입하는 경우에는 계약체결일 24시]	이듬해 (Ⓑ) 24시 (단, 6년근은 판매개시연도 10월 31일을 초과할 수 없음)
인삼·해가림시설(2형 : 판매시기 4~5월)	판매개시연도 (Ⓒ) (단, 11월 1일 이후 보험에 가입하는 경우에는 계약체결일 24시)	이듬해 (Ⓓ) 24시

※ 판매개시연도 : 해당품목 판매개시일이 속하는 연도를 말한다.
※ 이듬해 : 해당품목 판매개시일이 속하는 다음 연도를 말한다.

392 특정위험보장 인삼 보상하는 손해로 피해율이 자기부담비율을 초과하는 경우의 (1) 보험금 구하는 방식, (2) 피해율 구하는 방식을 쓰시오.

(1) 보험금 :

(2) 피해율 :

393 다음 특정위험방식 인삼의 인수제한 목적물에서 Ⓐ~Ⓔ에 들어갈 알맞은 말을 쓰시오.

(1) 보험가입액이 (Ⓐ) 미만인 농지
(2) (Ⓑ) 미만 또는 (Ⓒ) 이상인 인삼
(3) 식재연도 기준 과거(Ⓓ) 이내(논은 6년 이내)에 인삼을 재배했던 농지
(4) 두둑높이가 (Ⓔ) 미만인 농지

✱ 종합위험보장 **버섯** 상품

394 다음 종합위험보장 버섯 상품에서 보험의 목적인 농업용 시설물 및 부대시설의 경우 Ⓐ~Ⓛ에 들어갈 알맞은 말을 쓰시오.

---

(1) 농업용 시설물

　1) 버섯재배용 단동하우스 : 고정식 및 이동식하우스 (Ⓐ)를 보장대상으로 한다.

　2) 버섯재배용 (Ⓑ)하우스

　3) 버섯재배용 경량(Ⓒ) 및 버섯재배사

　4) (Ⓓ), (Ⓔ)로 시공된 하우스는 제외한다.

　5) 보험목적물은 버섯재배사의 구조체, 피복재 및 벽으로 한정한다. 단, (Ⓕ), (Ⓖ), (Ⓗ) 등은 가입대상에서 제외한다.

　6) 최소 가입면적은 버섯 단동하우스 및 버섯 연동하우스는 (Ⓘ)㎡로 한다.

(2) 부대시설

　1) 버섯재배를 위하여 농업용 시설물에 설치한 시설로 농업용 시설물 구조체에 영향을 미치지 않고 (Ⓙ)가 가능한 것으로 한다.

　2) 보험목적물은 관수시설, 보온시설, (Ⓚ), 난방시설, 냉방시설, 환기시설로 한한다.

　3) 수확기에 사용하는 선별기, 냉장고 등 농업용 시설물 내에 수용되어 있는 부대시설과 구분되는 (Ⓛ)은 해당되지 않는다.

---

395 다음 종합위험보장 버섯 상품에서 보험의 목적인 시설물(버섯)의 경우 Ⓐ~Ⓖ에 들어갈 알맞은 말을 쓰시오.

> (1) 인수 가능한 농업용 시설물에서 아래의 방식으로 재배하는 버섯으로 한다.
>   1) 표고버섯 : 「농어업경영체 육성 및 지원에 관한 법률」 제4조에 따른 농업경영체로 등록한 자(농업인, 농업법인)로서 자경 및 임차 여부에 관계없이 보험가입 가능한 농업용 시설물에서 (Ⓐ)재배 또는 (Ⓑ)재배 방식으로 표고버섯을 재배하는 개인 또는 법인으로 한다.
>   2) 느타리버섯 : 「농어업경영체 육성 및 지원에 관한 법률」 제4조에 따른 농업경영체로 등록한 자(농업인, 농업법인)로서 자경 및 임차 여부에 관계없이 보험가입 가능한 농업용 시설물에서 (Ⓒ)재배 또는 (Ⓓ)재배 방식으로 느타리버섯을 재배하는 개인 또는 법인으로 한다.
>   3) 새송이버섯 : 「농어업경영체 육성 및 지원에 관한 법률」 제4조에 따른 농업경영체로 등록한 자(농업인, 농업법인)로서 자경 및 임차 여부에 관계없이 보험가입 가능한 농업용 시설물에서 (Ⓔ)재배 방식으로 새송이버섯을 재배하는 개인 또는 법인으로 한다.
>   4) 양송이버섯 : 「농어업경영체 육성 및 지원에 관한 법률」 제4조에 따른 농업경영체로 등록한 자(농업인, 농업법인)로서 자경 및 임차 여부에 관계없이 보험가입 가능한 농업용 시설물에서 (Ⓕ)재배 방식으로 양송이버섯을 재배하는 개인 또는 법인으로 한다.
> (2) 균상 이후의 버섯만 가입대상이며 (Ⓖ)인 버섯은 가입 불가능하다.

396 종합위험보장 버섯 상품에서 느타리버섯(균상재배, 병재배)의 인수제한 목적물 4가지를 쓰시오.

397 종합위험보장 버섯 상품에서 표고버섯(원목재배, 톱밥배지재배)의 인수제한 목적물 5가지를 쓰시오.

398 종합위험보장 버섯 상품에서 새송이버섯(병재배)의 인수제한 목적물 4가지를 쓰시오.

399 종합위험보장 버섯 상품에서 양송이버섯(균상재배)의 인수제한 목적물 4가지를 쓰시오.

✱ 종합위험보장 **원예시설** 상품

400 종합위험보장방식 원예시설의 보험의 목적에서 "농업용 시설물" 4가지를 쓰시오.

401 다음 종합위험보장방식 원예시설의 보험의 목적 중 부대시설에서 (   ) 안에 들어갈 알맞은
말을 쓰시오.

> (1) 부대시설은 시설작물 재배를 위하여 농업용 시설물에 설치한 시설로, 농업용 시설물 구조
>   체에 영향을 미치지 않고 (   )가 가능한 것을 의미한다.
> (2) 보험목적물은 (   ), 양액재배시설, (   ), 난방시설로 한정한다[터널과 연동하우스의 수평
>   커튼도 부대시설(보온시설)로 가입].
> (3) 수확기에 사용하는 선별기, (   ) 등 농업용 시설물 내에 수용되어 있는 부대시설과 구분되
>   는 (   )은 해당되지 않는다.

402 종합위험보장방식 원예시설 보통약관 보상하는 손해에서 "농업용 시설물 및 부대시설" 보상하는
손해 2가지를 쓰시오.

403 다음 종합위험보장방식 원예시설 보험의 보험기간에서 (   ) 안에 들어갈 알맞은 말을 쓰
시오.

> (1) 보험기간은 1년을 원칙으로 하되, 존치기간이 1년 미만인 (   )시설물의 경우에는 1년 미만
>   의 단기계약을 체결할 수 있다.
> (2) 이동식 농업용 시설물은 존치기간이 (   ) 이상이어야 하며, 계약자 임의로 존치기간 일부를
>   보험기간으로 설정할 수 없다.
> (3) 기존 계약의 보험종료일 이전에 (   )을 체결하는 경우에는 기존 계약보험종료일 24시부터
>   보험기간이 시작된다[이동식하우스만 가입되어 있는 하우스 단지는 (   )을 할 수 없음].

404 다음 종합위험보장방식 원예시설 보험에서 사용하는 용어의 정의에서 (   ) 안에 알맞은 말을 쓰시오.

> (1) (   ) : 하나의 지붕구조로 되어있는 하우스
> (2) (   ) : 2개 이상의 지붕구조로 되어있는 하우스
> (3) (   ) : 전체 하우스 면적 중 80% 이상에 시설작물을 재배하거나 재배를 위해 토양관리를 하고 있는 하우스
> (4) (   ) : 처마가 없이 서까래를 반원형으로 벤딩하여 시공한 단동 하우스

405 다음은 종합위험보장방식 원예시설 보험에서 사용하는 단지의 용어 정의이다. (   ) 안에 들어갈 알맞은 말을 쓰시오.

> (1) 도로, 둑, 제방 등으로 경계가 명확히 구분되는 경지 내에 위치한 하우스는 (   )로 판단한다.
> (2) 다만, 경지 내에서 하우스가 평형하게 위치하지 않은 경우 (   )로 판단할 수 있다.
> (3) 원예시설 보험에 가입하기 위해서는 단지의 가입기준이 단동하우스는 (Ⓐ)㎡ 이상, 연동하우스는 (Ⓑ)㎡ 이상이어야 되며 단동과 연동 하우스는 각각 (Ⓒ)로 판단한다.

406 종합위험보장방식 원예시설 보험에서 사용하는 용어 중 (1) 경년감가율의 정의, (2) 경년감가율의 산출방법을 쓰시오.

(1) 경년감가율의 정의 :

(2) 경년감가율의 산출방법 :

407 다음 종합위험보장방식 원예시설 보험에서 사용하는 용어 중 잔가율에서 (   ) 안에 들어갈 알맞은 말을 쓰시오.

> (1) 잔가율이란 유형고정자산의 내용연수 만료 시에 있어서의 잔존가액의 재조달가액에 대한 비율로 하우스의 경우 (   )% 적용한다.
> (2) 내용연수가 경과한 경우라도 현재 정상 사용 중에 있는 하우스는 당해 목적물의 경제성을 고려하여 최대 (   )%로 수정한다.
> (3) 고정식하우스의 경우 보험가입 전 5년 이내 구조체의 (Ⓐ)% 이상을 교체하는 개보수가 이루어진 경우에는 그 경과연수와 관계없이 현재가액을 재조달가액의 (Ⓑ)%까지 수정하여 평가할 수 있다.

408 종합위험보장방식 원예시설 보험 시설작물 중 전국에서 가입이 가능한 시설작물 11개 품목을 쓰시오.

409 종합위험보장방식 원예시설 보험의 목적에서 인수 가능한 "시설작물"을 (1) 화훼류와 (2) 비화훼류로 구분지어 쓰시오.

(1) 화훼류 :

(2) 비화훼류 :

410 종합위험보장방식 원예시설 보험의 계약인수 단위이다. (   ) 안에 들어갈 알맞은 말을 쓰시오.

> (1) 시설 (   ) 단위로 가입한다(단, 단지 내 인수제한 목적물은 제외).
> (2) 최소 가입면적은 다음과 같다.
>
> | 구분 | 단동하우스 | 연동하우스 | 유리(경질판)온실 |
> |---|---|---|---|
> | 최소 가입면적 | (Ⓐ)m² | (Ⓑ)m² | (Ⓒ) |
>
> (3) 보험가입금액은 단지 내 시설 (   ) 단위로 설정한다.

411 종합위험보장방식 원예시설 중 "농업용 시설물 및 부대시설"의 인수제한목적물에 대하여 5가지 이상 쓰시오.

412 종합위험보장방식 원예시설 중 "시설작물"의 인수제한목적물에 대하여 3가지 이상 쓰시오.

413 다음은 종합위험보장방식 원예시설 중 시설작물의 인수제한목적물에서 "시설작물별 10a당 인수제한 재식밀도 미만인 경우"이다. (   ) 안에 들어갈 알맞은 말을 쓰시오.

시설작물별 10a당 인수제한 재식밀도 미만인 경우	
품목	인수제한 재식밀도
(①)	400주/10a 미만
멜론	400주/10a 미만
(②)	600주/10a 미만
호박	600주/10a 미만
(③)	1,000주/10a 미만
파프리카	1,500주/10a 미만
(④)	1,500주/10a 미만
오이	1,500주/10a 미만
(⑤)	1,500주/10a 미만
가지	1,500주/10a 미만
(⑥)	3,000주/10a 미만
딸기	5,000주/10a 미만
(⑦)	30,000주/10a 미만
상추	40,000주/10a 미만
부추	62,500주/10a 미만
시금치	100,000주/10a 미만
파 (⑧)	15,000주/10a 미만
쪽파	18,000주/10a 미만

01 사과, 배, 단감, 떫은감

02 동상해

03 가을동상해

04 Ⓐ 집중호우, Ⓑ 3, Ⓒ 12, Ⓓ 80

05 우박

06 (1) ×, 과수원 단위로 가입하고 최저 보험가입금액은 200만원 이상으로 한다.
    (2) ○
    (3) ○

07 ① 태풍(강풍), ② 우박, ③ 냉해, ④ 조해, ⑤ 폭염, ⑥ 조수해

08 ① 집중호우, ② 화재, ③ 지진, ④ 일소피해

09 Ⓐ 6월 30일, Ⓑ 7월 31일, Ⓒ 집중호우, Ⓓ 11월 30일, Ⓔ 9월 1일, Ⓕ 11월 10일, Ⓖ 9월 1일, Ⓗ 11월 15일,
    Ⓘ 9월 30일, Ⓙ 2월 1일, Ⓚ 1월 31일

10 전국

11 Ⓐ 고의 또는 중대한 과실, Ⓑ 영농활동, Ⓒ 수확기, Ⓓ 제초작업, Ⓔ 14, Ⓕ 저장한

12 ① 보상하지 아니하는 재해로 제방, 댐 등이 붕괴되어 발생한 손해를 말한다.
    ② 피해를 입었으나 회생 가능한 나무의 손해를 말한다.
    ③ 토양관리 및 재배기술의 잘못 적용으로 인해 생기는 나무의 손해를 말한다.
    ④ 병충해 등 간접손해에 의해 생긴 나무의 손해를 말한다.

13 과실손해보장 보통약관 적용보험료
= (적과종료 이후 누적감수량 − 자기부담감수량) × 가입가격

14 보험금 = 보험가입금액(1,000만원) × {피해율(10%) − 자기부담비율(5%)} = 50만원
피해율 = 피해주수(고사된 나무40주) ÷ 실제 결과주수(400주) = 10%

15 나무손해보장 특별약관 적용보험료 = 보험가입금액 × (피해율 − 자기부담비율)
피해율 = 피해주수(고사된 나무) ÷ 실제 결과주수

16 보험금 = 보험가입금액(2,000만원) × {피해율(10%) − 자기부담비율(5%)} = 100만원
피해율 = 피해주수(고사된 나무40주) ÷ 실제 결과주수(400주) = 10%

17 보험금 = 보험가입금액(1,000만원) × {피해율(10%) − 자기부담비율(5%)} = 50만원
피해율 = 피해주수(고사된 나무20주) ÷ 실제 결과주수(200주) = 10%

18 착과감소보장 보통약관 적용보험료
= (착과감소량 − 미보상감수량 − 자기부담감수량) × 가입가격 × 80%

19 Ⓐ 적과후착과수, Ⓑ 적과후착과수 + 착과감수과실수, Ⓒ 기준착과수 × 가입과중

20 Ⓐ 가입가격, Ⓑ 적과후착과량, Ⓒ 기준수확량

21 순보험료 = 보험가입금액(1,000만원) × 순보험요율(20%) × 할인·할증률(1 − 0.1) = 180만원

22 환급보험료 = 계약자부담보험료(180만원) × 미경과비율(70%) = 126만원

[감액미경과비율]

▼적과종료 이전 특정위험 5종 한정보장 특별약관에 가입하지 않은 경우

품목	착과감소보험금 보장수준 50%형	착과감소보험금 보장수준 70%형
사과, 배	70%	63%
단감, 떫은감	84%	79%

▼적과종료 이전 특정위험 5종 한정보장 특별약관에 가입한 경우

품목	착과감소보험금 보장수준 50%형	착과감소보험금 보장수준 70%형
사과, 배	83%	78%
단감, 떫은감	90%	88%

23 Ⓐ 착과감소량, Ⓑ 착과감소과실수, Ⓒ 가입과중

24 Ⓐ 적과후착과수, Ⓑ 5%, Ⓒ 평년착과수

25 감수과실수 $=$ 적과후착과수 $\times$ 5% $\times \dfrac{100\% - 착과율}{40\%}$

착과율 $=$ 적과후착과수 $\div$ 평년착과수 $= 8{,}000 \div 10{,}000 = 80\%$

$\therefore 8{,}000 \times 0.05 \times \dfrac{1 - 0.8}{0.4} = 200$개

26 보험금 $=$ 보험가입금액 $\times$ (피해율 $-$ 자기부담비율)
※ 피해율 $=$ 피해주수(고사된 나무) $\div$ 실제결과주수
※ 피해주수는 손해평가요령에 따라 조사·평가
※ 자기부담비율 : 5%

27 (1) Ⓐ 주수, Ⓑ 수령, Ⓒ 품종
(2) Ⓓ 위험

28 (1) 부보비율에 따른 보험금 계산식

보험금 $=$ 제2조 또는 제3조에 의해 계산된 보험금 $\times \dfrac{가입수확량}{기준수확량의\ 80\%}$

(2) 부보장 및 한정보장 특별약관의 정의
부보장 특별약관 선택(가입) 시 선택한 보장에 대해서는 보장하지 않고, 한정보장 특약가입 시 한정된 위험에 대해서만 보장하는 특약을 말한다.
(3) 부보장 및 한정보장 특별약관의 특약의 종류
　1) 한정보장 특별약관
　　① 적과종료 이전 특정위험 5종 한정보장 특별약관 : 해당 특약을 가입할 경우, 기존 특정위험과수에서 보장하는 손해 5종(태풍, 우박, 집중호우, 지진, 화재)만 보장된다(봄동상해, 조수해, 기타자연재해 등은 보장되지 않는다).
　2) 부보장 특별약관
　　① 적과종료 이후 가을동상해 부보장 특별약관 : 해당 특약을 가입할 경우 가을동상해로 인한 사고는 보장되지 않는다.
　　② 적과종료 이후 일소피해 부보장 특별약관 : 해당 특약을 가입할 경우 일소피해로 인한 사고는 보장되지 않는다.

29 (1) Ⓐ 피해율
(2) Ⓑ 3, Ⓒ 100, Ⓓ 2, Ⓔ 100
(3) Ⓕ 5

30
    (1) Ⓐ 평년착과량
    (2) Ⓑ 70, Ⓒ 84, Ⓓ 63, Ⓔ 79, Ⓕ 83, Ⓖ 90, Ⓗ 78, Ⓘ 88

31
    (1) Ⓐ 임차농 여부
    (2) Ⓑ 주된 경작자
    (3) Ⓒ 임차농, Ⓓ 과수원 소유자
    (4) Ⓔ 법인, Ⓕ 외국인, Ⓖ 미성년자

32
    (1) Ⓐ 과수원, Ⓑ 하나의 농지, Ⓒ 200, Ⓓ 신규 과수원
    (2) Ⓔ 별개의 계약
    (3) Ⓕ 하나의 농협

33
    Ⓐ 3년, Ⓑ 4년, Ⓒ 5년

34
    ① 수확기종료시점(단, 10월 10일을 초과할 수 없음)
    ② 판매개시연도 12월 1일(다만, 12월 1일 이후 보험에 가입하는 경우에는 계약체결일 24시)
    ③ 이듬해 11월 30일

35
    (1) Ⓐ 가입수확량, Ⓑ 가입가격
    (2) Ⓒ 결과주수, Ⓓ 1주당 가입가격

36
    (1) 태풍피해, (2) 우박피해, (3) 동상해, (4) 호우피해, (5) 강풍피해, (6) 조해, (7) 폭염

37
    (1) Ⓐ 피해율 − 자기부담비율(5%)
    (2) Ⓑ 병충해감수량, Ⓒ 평년수확량

38
    나무손해보장 특약 보험금 산출방식 : 보상하는 재해로 나무에 발생한 피해율이 자기부담비율을 초과하는
    경우 아래의 식에 따라 계산한다.
    (1) 보험금 = 보험가입금액 × [피해율 − 자기부담비율(5%)]
    (2) 피해율 = 피해주수(고사된 나무) ÷ 실제결과주수

39
    수확량감소 추가보장 특약 : 보상하는 재해로 인한 피해율이 자기부담비율을 초과하는 경우 아래의 식에
    따라 계산한다.
    (1) 수확량감소 추가보장 특약보험금 = 보험가입금액 × (피해율 × 10%)
    (2) 피해율 = {(평년수확량 − 수확량 − 미보상감수량) + 병충해감수량} ÷ 평년수확량

40 (1) 200만원, (2) 3년, (3) 20%, (4) 90%

41 (1) 표준수확량 산출식 = 품종별·수령별 표준수확량 × 면적
(2) 면적 구하는 방법 = 주간거리(m) × 열간거리(m) × 주수(주)
※ 주간거리, 열간거리 측정방법
   1) 표본 이랑 선정(전체 이랑의 30% 수준으로 선정)
   2) 한 이랑당 연속되는 4개 나무의 주간거리, 열간거리 측정
   3) 전체 조사된 주간거리, 열간거리의 평균을 소수점 첫째자리까지 m로 입력

42 (1) 평년수확량 산출식 = $\{A + (B - A) \times (1 - \dfrac{Y}{5})\} \times \dfrac{C}{B}$
(2) 산출식 구성요소
   1) A(과거평균수확량) = Σ과거 5년간 수확량 ÷ Y
   2) B(과거평균표준수확량) = Σ과거 5년간 표준수확량 ÷ Y
   3) Y = 과거 수확량 산출연도 횟수
   4) C = 금년도 표준수확량
   ※ 다만, 평년수확량은 보험가입연도 표준수확량의 130%를 초과할 수 없다.

43 ① 조사수확량, ② 평년수확량 × 50%

44 ① 판매개시연도 12월 1일(다만, 12월 1일 이후 보험에 가입하는 경우에는 계약체결일 24시)
② 수확기종료시점(단, 9월 30일을 초과할 수 없음)
③ 이듬해 11월 30일

45 (1) 200만원, (2) 6년, (3) 귀양

46 표준수확량 = 품종별·수령별 표준수확량 × 재식밀도지수 × 혼식지수 × 가입주수

47 ① 자연재해, 조수해, 화재
② 발아기(다만, 발아기가 경과한 경우에는 계약체결일 24시)
③ 수확기종료시점(단, 10월 31일을 초과할 수 없음)

48 (1) 200만원, (2) 5년, (3) 90%

49
(1) 표준수확량 = 품종별·수령별 표준수확량 × 재식밀도지수 × 가입주수
(2) 재식밀도지수 = 0.64 + (C − B) ÷ {(A − B) ÷ 36} ÷ 100
　　(A : 기준주수 면적, B : 최대인정주수 면적, C : 밤나무 재배면적)
　　① 기준주수 면적은 수령별 가입주수에 기준주수 수령별 본당면적을 곱하여 산정한 면적을 가입 과수원 단위로 합산하여 산정한다.
　　② 최대인정주수 면적은 수령별 가입주수에 최대인정주수 수령별 주당면적을 곱하여 산정한 면적을 가입 과수원 단위로 합산하여 산정한다.
　　③ 밤나무 재배면적(C)이 최대인정주수 면적(B) 미만인 경우, 가입주수를 제한한다.
　　④ 밤나무 재배면적(C)이 기준주수 면적(A) 이상인 경우, 최대지수는 1을 적용한다.

50
(1) 김천
(2) 과수원 주소지

51
① 발아기(다만, 발아기가 경과한 경우에는 계약체결일 24시)
② 수확기종료시점(다만, 9월 30일을 초과할 수 없음)

52
(1) 200만원
(2) 8년
(3) 90%

53
① 판매개시연도 12월 1일(다만, 12월 1일 이후 보험에 가입하는 경우에는 계약체결일 24시)
② 수확기종료시점(단, 7월 31일을 초과할 수 없음)
③ 이듬해 11월 30일

54
(1) 200만원, (2) 5년, (3) 90%

55
표준수확량 = 품종별·수령별 표준수확량 × 재식밀도지수 × 지역지수 × 면적지수 × 혼식지수 × 가입주수

56
(1) 영천
(2) 과수원 주소지

57
① 계약체결일 24시, ② 수확기종료시점(단, 7월 20일을 초과할 수 없음)

58
(1) 200만원
(2) 5년
(3) 90%
(4) 친환경

59　표준수확량 = 숙기별·수령별 주당 표준수량 × 재식밀도별 산출지수 × 주수

60　(1) 20%형, 30%형, 40%형
　　(2) 제한 없음

61　(1) ① 문경, 상주, 예천, ② 단양, ③ 장수, ④ 거창, ⑤ 인제
　　(2) 과수원 주소지

62　① 계약체결일 24시, ② 수확기종료시점(단, 10월 10일을 초과할 수 없음)

63　Ⓐ 200만원, Ⓑ 3년차, Ⓒ 4년차, Ⓓ 50㎝, Ⓔ 광부족, Ⓕ 유인틀, Ⓖ 유인틀, Ⓗ 유인틀, Ⓘ 90%

64　표준수확량 산출식 = 재배유형·실생묘 여부·수확기식묘(삭벌)연차별 유인틀 1m당 표준수확량 × 유인틀
　　길이(m)

65　(1) Ⓐ 고흥, Ⓑ 완도, Ⓒ 진도, Ⓓ 거제, Ⓔ 통영, Ⓕ 남해
　　(2) Ⓖ 과수원 주소지

66　① 판매개시연도 12월 1일(다만, 12월 1일 이후 보험에 가입하는 경우에는 계약체결일 24시)
　　② 수확기종료시점(단, 10월 31일을 초과할 수 없음)
　　③ 이듬해 11월 30일

67　(1) 200만원, (2) 4년, (3) 90%

68　(1) 표준수확량 산출식 = 수령별 표준수확량 × (주수 × 1주당 재식 면적)
　　(2) 주당재식면적 산출식 = 주간거리(m) × 열간거리(m)

69　(1) 수확감소보장의 자기부담비율 : 지급보험금을 계산할 때 자기부담비율은 지급보험금을 계산할 때 피해
　　　율에서 차감하는 비율로서, 보험계약 시 보험계약자가 선택한 비율(20%, 30%, 40% 등)을 말한다.
　　(2) 나무손해보장 특별약관의 자기부담비율 : 5%

70　(1) Ⓐ 농작물-포도, Ⓑ 포도 재배용 비가림시설, Ⓒ 포도나무
　　(2) Ⓓ 이듬해

71 (1) 태풍피해, (2) 우박피해, (3) 동상해, (4) 호우피해, (5) 강풍피해, (6) 조해, (7) 폭염

72 (1) 계약자, 피보험자(법인인 경우에는 그 이사 또는 법인의 업무를 집행하는 그 밖의 기관) 또는 이들의 법정대리인의 고의 또는 중대한 과실로 생긴 손해를 말한다.
(2) 화재가 발생했을 때 도난 또는 분실로 생긴 손해를 말한다.
(3) 보험의 목적의 발효, 자연발열, 자연발화로 생긴 손해, 그러나 자연발열 또는 자연발화로 연소된 다른 보험의 목적에 생긴 손해는 보상한다.
(4) 화재로 기인되지 않은 수도관, 수관 또는 수압기 등의 파열로 생긴 손해를 말한다.
(5) 발전기, 여자기(정류기 포함), 변류기, 변압기, 전압조정기, 축전기, 개폐기, 차단기, 피뢰기, 배전반 및 그 밖의 전기기기 또는 장치의 전기적 사고로 생긴 손해는 보상하지 않는다. 그러나 그 결과로 생긴 화재 손해는 보상한다.
(6) 원인의 직·간접을 묻지 않고 지진, 분화 또는 전쟁, 혁명, 내란, 사변, 폭동, 소요, 노동쟁의, 기타 이들과 유사한 사태로 생긴 화재 및 연소 또는 그 밖의 손해를 말한다.
(7) 핵연료 물질(사용된 연료 포함) 또는 핵연료 물질에 의해 오염된 물질(원자핵 분열 생성물 포함)에 의한 사고로 인한 손해 이외의 방사선을 쬐는 것 또는 방사능 오염으로 인한 손해를 말한다.
(8) 핵연료 물질(사용된 연료 포함) 또는 핵연료 물질에 의해 오염된 물질(원자핵 분열 생성물 포함)의 방사성, 폭발성 그 밖의 유해한 특성 또는 이들의 특성에 의한 사고로 인한 손해를 말한다.
(9) 국가 및 지방자치단체의 명령에 의한 재산의 소각 및 이와 유사한 손해를 말한다.

73 ① 계약체결일 24시, ② 수확기종료시점(단, 10월 10일을 초과할 수 없음)
③ 이듬해 11월 30일, ④ 10월 10일

74 (1) 가입가격, (2) 포도비가림시설의 ㎡당 시설비, (3) 1주당 가입가격

75 (1) 보통약관 보험가입금액, (2) 자기부담비율, (3) 10

76 (1) 피해율 − 자기부담비율(5%), (2) 평년수확량

77 ① 비가림시설보장보험금 = MIN(손해액 − 자기부담금, 보험가입금액)
② 비가림시설보장 자기부담금 : 30만원 ≦ 손해액의 10% ≦ 100만원의 범위에서 자기부담금을 차감한다 (다만, 피복재 단독사고는 10만원 ≦ 손해액의 10% ≦ 30만원의 범위에서 자기부담금을 차감한다).
③ 보험금 = MIN [손해액(62,500,000원) − 자기부담금(1,000,000원), 보험가입금액(55,000,000원)]
= 55,000,000원

78 나무손해보장 특약 보험금 산출방식 : 보상하는 재해로 나무에 발생한 피해율이 자기부담비율을 초과하는 경우 아래의 식에 따라 계산한다.
(1) 보험금 = 보험가입금액 × [피해율 − 자기부담비율(5%)]
(2) 피해율 = 피해주수(고사된 나무) ÷ 실제결과주수

79 　수확량감소 추가보장 특약 : 보상하는 재해로 인한 피해율이 자기부담비율을 초과하는 경우 아래의 식에
　　따라 계산한다.
　　(1) 수확량감소 추가보장 특약보험금 = 보험가입금액 × (피해율 × 10%)
　　(2) 피해율 = (평년수확량 − 수확량 − 미보상감수량) ÷ 평년수확량

80 　(1) 가입단위, (2) 가입면적, (3) 가입금액, (4) 인수제한

81 　(1) 200만원, (2) 3년, (3) 20%, (4) 90%

82 　(1) 표준수확량 산출식 = 품종별·수령별 표준수확량 × 면적
　　(2) 면적 구하는 방법 = 주간거리(m) × 열간거리(m) × 주수(주)
　　※ 주간거리, 열간거리 측정방법
　　　㉠ 표본 이랑 선정(전체 이랑의 30% 수준으로 선정)
　　　㉡ 한 이랑당 연속되는 4개 나무의 주간거리, 열간거리 측정
　　　㉢ 전체 조사된 주간거리, 열간거리의 평균을 소수점 첫째자리까지 m로 입력

83 　(1) 평년수확량 산출식 = $\{A + (B − A) × (1 − \dfrac{Y}{5})\} × \dfrac{C}{B}$

　　(2) 산출식 구성요소
　　　1) A(과거평균수확량) = Σ과거 5년간 수확량 ÷ Y
　　　2) B(과거평균표준수확량) = Σ과거 5년간 표준수확량 ÷ Y
　　　3) Y = 과거 수확량 산출연도 횟수
　　　4) C = 금년도 표준수확량

84 　① 조사수확량, ② 평년수확량의 50%

85 　① 자연재해(태풍, 우박, 호우, 강풍, 동상(凍霜)해, 설해, 냉(冷)해, 한(旱)해, 조(潮)해, 기타 자연재해)
　　② 조수(鳥獸)해 : 새나 짐승으로 인하여 발생하는 손해
　　③ 화재(비가림시설의 경우 특약) : 화재로 인하여 발생하는 피해를 말한다.
　　④ 가격하락(나무손해보장특약 및 비가림시설보장은 미적용) : 기준가격보다 수확기 가격이 하락하여 발생
　　　하는 피해를 말한다.

86 　(1) 보험금 산출식 = 보험가입금액 × (피해율 − 자기부담비율)
　　(2) 산출식 구성요소
　　　1) 피해율 = (기준수입 − 실제수입) ÷ 기준수입
　　　2) 기준수입 = 평년수확량 × 농지별 기준가격
　　　3) 실제수입 = (조사수확량 + 미보상감수량) × MIN(농지별 기준가격, 수확기가격)

PART 04

(3) 비가림시설보장 보험금 산출방식 = MIN(손해액 − 자기부담금, 보험가입금액)

(4) 나무손해보장 특약 보험금 산출방식

    1) 보험금 = 보험가입금액 × [피해율 − 자기부담비율(5%)]

    2) 피해율 = 피해주수(고사된 나무) ÷ 실제결과주수

(5) 수확량감소 추가보장 특약 보험금 산출방식

    1) 보험금 = 보험가입금액 × (주계약 피해율 × 10%)

    2) 주계약 피해율 = (평년수확량 − 수확량 − 미보상감수량) ÷ 평년수확량

87   ① 수확기종료시점(단, 10월 10일을 초과할 수 없음)

    ② 수확기가격 공시시점

    ③ 판매개시연도 12월 1일(다만, 12월 1일 이후 보험에 가입하는 경우에는 계약체결일 24시)

    ④ 10월 10일

88   (1) 수입감소보장 보통약관

    (2) 나무손해보장 특별약관

    (3) 수확량감소 추가보장 특별약관

89   (1) 표준수확량 산출방식

      ① 표준수확량 = 품종별·수령별 표준수확량 × 면적

      ② 면적 = 주간거리(m) × 열간거리(m) × 주수(주)

    (2) 가입수확량 결정방법 : 평년수확량의 50~100% 사이 범위에서 보험계약자가 가입수확량으로 결정한다.

90   Ⓐ 품목(대추), Ⓑ 재배용 비가림시설, Ⓒ 이듬해, Ⓓ 전국, Ⓔ 부여, Ⓕ 청양, Ⓖ 영광

91   (1) 200만원, (2) 4년, (3) 죽재, (4) 피복재, (5) 소유권, (6) 공사, (7) 사과대추(왕대추), (8) 혼식, (9) 비가림시설, (10) 다른 계약

92   ① 계약자, 피보험자(법인인 경우에는 그 이사 또는 법인의 업무를 집행하는 그 밖의 기관) 또는 이들의 법정대리인의 고의 또는 중대한 과실로 생긴 손해를 말한다.

    ② 화재가 발생했을 때 도난 또는 분실로 생긴 손해를 말한다.

    ③ 보험의 목적의 발효, 자연발열, 자연발화로 생긴 손해. 그러나 자연발열 또는 자연발화로 연소된 다른 보험의 목적에 생긴 손해는 보상한다.

    ④ 화재로 기인되지 않은 수도관, 수관 또는 수압기 등의 파열로 생긴 손해를 말한다.

    ⑤ 발전기, 여자기(정류기 포함), 변류기, 변압기, 전압조정기, 축전기, 개폐기, 차단기, 피뢰기, 배전반 및 그 밖의 전기기기 또는 장치의 전기적 사고로 생긴 손해는 보상하지 않는다. 그러나 그 결과로 생긴 화재 손해는 보상한다.

    ⑥ 원인의 직·간접을 묻지 않고 지진, 분화 또는 전쟁, 혁명, 내란, 사변, 폭동, 소요, 노동쟁의, 기타 이들과 유사한 사태로 생긴 화재 및 연소 또는 그 밖의 손해를 말한다.

⑦ 핵연료 물질(사용된 연료 포함) 또는 핵연료 물질에 의해 오염된 물질(원자핵 분열 생성물 포함)에 의한 사고로 인한 손해 이외의 방사선을 쬐는 것 또는 방사능 오염으로 인한 손해를 말한다.

⑧ 핵연료 물질(사용된 연료 포함) 또는 핵연료 물질에 의해 오염된 물질(원자핵 분열 생성물 포함)의 방사성, 폭발성 그 밖의 유해한 특성 또는 이들의 특성에 의한 사고로 인한 손해를 말한다.

⑨ 국가 및 지방자치단체의 명령에 의한 재산의 소각 및 이와 유사한 손해를 말한다.

93　　① 신초발아기(단, 신초발아기가 경과한 경우에는 계약체결일 24시)
　　② 수확기종료시점(단, 10월 31일을 초과할 수 없음)
　　③ 계약체결일 24시
　　④ 10월 31일

94　　(1) 200㎡, (2) 재배, (3) 죽재, (4) 변형, (5) 소유권, (6) 공사, (7) 철거

95　　Ⓐ 농작물(참다래), Ⓑ 재배용 비가림시설, Ⓒ 이듬해, Ⓓ 헤이워드, Ⓔ 보옥, Ⓕ 제시골드, Ⓖ 제스프리 골드(Hort 16A), Ⓗ 한라골드

96　　① 계약자, 피보험자(법인인 경우에는 그 이사 또는 법인의 업무를 집행하는 그 밖의 기관) 또는 이들의 법정대리인의 고의 또는 중대한 과실로 생긴 손해를 말한다.
　　② 화재가 발생했을 때 도난 또는 분실로 생긴 손해를 말한다.
　　③ 보험의 목적의 발효, 자연발열, 자연발화로 생긴 손해, 그러나 자연발열 또는 자연발화로 연소된 다른 보험의 목적에 생긴 손해는 보상한다.
　　④ 화재로 기인되지 않은 수도관, 수관 또는 수압기 등의 파열로 생긴 손해를 말한다.
　　⑤ 발전기, 여자기(정류기 포함), 변류기, 변압기, 전압조정기, 축전기, 개폐기, 차단기, 피뢰기, 배전반 및 그 밖의 전기기기 또는 장치의 전기적 사고로 생긴 손해는 보상하지 않는다. 그러나 그 결과로 생긴 화재손해는 보상한다.
　　⑥ 원인의 직·간접을 묻지 않고 지진, 분화 또는 전쟁, 혁명, 내란, 사변, 폭동, 소요, 노동쟁의, 기타 이들과 유사한 사태로 생긴 화재 및 연소 또는 그 밖의 손해를 말한다.
　　⑦ 핵연료 물질(사용된 연료 포함) 또는 핵연료 물질에 의해 오염된 물질(원자핵 분열 생성물 포함)에 의한 사고로 인한 손해 이외의 방사선을 쬐는 것 또는 방사능 오염으로 인한 손해를 말한다.
　　⑧ 핵연료 물질(사용된 연료 포함) 또는 핵연료 물질에 의해 오염된 물질(원자핵 분열 생성물 포함)의 방사성, 폭발성 그 밖의 유해한 특성 또는 이들의 특성에 의한 사고로 인한 손해를 말한다.
　　⑨ 국가 및 지방자치단체의 명령에 의한 재산의 소각 및 이와 유사한 손해를 말한다.

97　　① 꽃눈분화기(단, 꽃눈분화기가 지난 경우에는 계약체결일 24시)
　　② 해당 꽃눈이 성장하여 맺은 과실의 수확기종료시점(단, 11월 30일을 초과할 수 없음)
　　③ 판매개시연도 7월 1일(다만, 7월 1일 이후 보험에 가입하는 경우에는 계약체결일 24시)
　　④ 이듬해 6월 30일

98
(1) ① 고창, ② 정읍, ③ 순창
(2) ① 함평, ② 담양, ③ 장성

99
① 이듬해 6월 1일
② 수확 개시 시점(단, 이듬해 5월 31일을 초과할 수 없음)
③ 이듬해 5월 31일
④ 이듬해 수확기종료 시점(단, 이듬해 6월 20일을 초과할 수 없음)

100
Ⓐ 200만원, Ⓑ 1년, Ⓒ 11년, Ⓓ 구결과모지, Ⓔ 90%

101
(1) 표준수확량 산출식 = 포기별 표준수확량 × 수령구간별 지수 × 포기수
(2) 포기수 산출식 = (과수원 실제경작 면적 ÷ 1주당 식재면적) − 고사포기수

102
(1) Ⓐ 영암, Ⓑ 신안, Ⓒ 해남, Ⓓ 목포
(2) Ⓔ 과수원 주소지

103
① 이듬해 8월 1일, ② 이듬해 7월 31일, ③ 이듬해 11월 30일

104
(1) 200만원, (2) 4년, (3) 4년~9년, (4) 90%, (5) 관수시설, (6) 노지재배

105
표준수확량 = 수령별 표준수확량 × (주수 × 1주당 재식 면적)

106
(1) 자연재해, 조수해, 화재
(2) 태풍(강풍), 우박

107
Ⓐ 전북, Ⓑ 전남, Ⓒ 경북(상주, 안동), Ⓓ 과수원 주소지

108
① 계약체결일 24시, ② 결실완료시점(단, 5월 31일을 초과할 수 없음)

109
Ⓐ 200만원, Ⓑ 3년, Ⓒ 터키 − D, Ⓓ 백옹왕, Ⓔ 균핵병, Ⓕ 20%, Ⓖ 90%

110
(1) 표준수확량 = 표준수량 × 재식밀도지수
(2) 과거결실수(보험에 가입된 과수원에 사고가 발생하지 않아 수확량조사를 하지 않은 경우)
산출식 = MAX(표준결실수, 평년결실수) × 110%

111   (1) 보험가입금액 = 표준수확량 × 표준가격 × (평년결실수 ÷ 표준결실수)
           (2) 보험가입비율 : 10% 단위로 50%~100% 사이에서 선택한다.

112   Ⓐ 과실손해보장, Ⓑ 나무손해보장, Ⓒ 동상해과실손해보장

113   ① 보상하지 아니하는 재해로 제방, 댐 등이 붕괴되어 발생한 손해를 말한다.
           ② 피해를 입었으나 회생 가능한 나무의 손해를 말한다.
           ③ 토양관리 및 재배기술의 잘못 적용으로 인해 생기는 나무 손해를 말한다.
           ④ 병충해 등 간접손해에 의해 생긴 나무 손해를 말한다.

114   ① 11월 30일, ② 판매개시연도 12월 1일, ③ 이듬해 2월 말일

115   (1) Ⓐ 가입수확량, Ⓑ 가입가격
           (2) Ⓒ 결과주수, Ⓓ 1주당 가입가격

116   (1) 냉해피해, (2) 우박피해, (3) 동상해, (4) 설해피해, (5) 강풍피해, (6) 조해, (7) 폭염

117   (1) Ⓐ 자기부담금
           (2) Ⓑ 수확기 잔존비율, Ⓒ 동상해피해율

118   (1) 보험금 = 보험가입금액 × (피해율 − 자기부담비율)
           (2) 피해율 = 피해주수(고사된 나무) ÷ 실제결과주수

119   과실손해추가보장 보험금 = 보험가입금액 × 피해율 × 10%

120   (1) Ⓐ 200만원
           (2) Ⓑ 4년, Ⓒ 2년
           (3) Ⓓ 혼식, Ⓔ 노지
           (4) Ⓕ 90%

121   (1) 120%, (2) 평년수확량

122   (1) Ⓐ 전국
           (2) Ⓑ 연륙교, Ⓒ 정기선, Ⓓ 불가능한

123   ① 수확 개시 시점, ② 판매개시연도 10월 31일, ③ 수확기종료 시점(단, 6월 30일을 초과할 수 없음)

124 (1) 200만원, (2) 재배 및 영농활동, (3) 0.1%, (4) 판매, (5) 30,000주, (6) 시설재배

125 (1) 8월 31일, (2) 10월 10일, (3) 무멀칭, (4) 상습침수, (5) 혼식, (6) 4월 15일

126 ① 45%, ② 42%, ③ 40%, ④ 35%, ⑤ 30%

127 (1) 가입가격, (2) 평년수확량

128 표준출현피해율

129 Ⓐ 남도, Ⓑ 의성

130 (1) Ⓐ 전국
(2) Ⓑ 연륙교, Ⓒ 정기선, Ⓓ 불가능한

131 ① 수확 개시 시점, ② 판매개시연도 10월 31일, ③ 수확기종료 시점(단, 6월 30일을 초과할 수 없음)

132 (1) 200만원, (2) 재배 및 영농활동, (3) 0.1%, (4) 판매, (5) 30,000주, (6) 시설재배

133 (1) 8월 31일, (2) 10월 10일, (3) 무멀칭, (4) 상습침수, (5) 혼식, (6) 4월 15일

134 ① 40%, ② 35%, ③ 30%

135 (1) 기준가격, (2) 기준수입

136 표준출현피해율

137 Ⓐ 남도, Ⓑ 대서, Ⓒ 의성

138 (1) Ⓐ 전국
(2) Ⓑ 연륙교, Ⓒ 정기선, Ⓓ 불가능한

139 ① 계약체결일 24시, ② 수확 개시 시점, ③ 수확기종료 시점(단, 6월 30일을 초과할 수 없음)

140　　(1) 200만원
　　　　(2) 재배 및 영농활동
　　　　(3) 조생종, 중만생종
　　　　(4) 판매
　　　　(5) 23,000주, 40,000주
　　　　(6) 무멀칭

141　　(1) 9월 30일
　　　　(2) 70°
　　　　(3) 시설재배지
　　　　(4) 상습침수
　　　　(5) 혼식
　　　　(6) 품종

142　　① 45%, ② 42%, ③ 40%, ④ 35%, ⑤ 30%

143　　(1) 가입가격
　　　　(2) 수확량

144　　가을뿌림재배양파

145　　(1) Ⓐ 전남(무안, 함평), Ⓑ 전북(익산), Ⓒ 경남(창녕, 합천), Ⓓ 경북(청도)
　　　　(2) Ⓔ 농지 주소지
　　　　(3) Ⓕ 연륙교, Ⓖ 정기선, Ⓗ 불가능한

146　　① 수확 개시 시점, ② 수확기종료 시점(단, 6월 30일을 초과할 수 없음), ③ 수확기가격 공시시점

147　　(1) 200만원
　　　　(2) 재배 및 영농활동
　　　　(3) 조생종, 중만생종
　　　　(4) 판매
　　　　(5) 23,000주, 40,000주
　　　　(6) 무멀칭

148
(1) 9월 30일
(2) 70°
(3) 시설재배지
(4) 상습침수
(5) 혼식
(6) 품종

149
① 40%, ② 35%, ③ 30%

150
(1) 기준가격, (2) 실제수입

151
가을뿌림재배양파

152
(1) Ⓐ 강원
(2) Ⓑ 농지 주소지
(3) Ⓒ 연륙교, Ⓓ 정기선, Ⓔ 불가능한

153
① 계약체결일 24시, ② 수확 개시 시점, ③ 수확기종료 시점(단, 10월 31일을 초과할 수 없음)

154
(1) 200만원, (2) 재배 및 영농활동, (3) 90%, (4) 판매, (5) 3,500주, (6) 300m

155
(1) 4월 10일, (2) 혼식, (3) 재배용도, (4) 시설재배, (5) 상습침수

156
① 45%, ② 42%, ③ 40%, ④ 35%, ⑤ 30%

157
(1) 수확감소보장
(2) 수확감소보장

158
① 갈쭉병, ② 둘레썩음병, ③ 홍색부패병, ④ 균핵병, ⑤ 흰비단병, ⑥ 큰28점박이무당벌레

159
(1) Ⓐ 경북, Ⓑ 충남
(2) Ⓒ 농지
(3) Ⓓ 연륙교, Ⓔ 정기선, Ⓕ 불가능한

160
① 파종완료일 24시(단, 보험계약 시 파종완료일이 경과한 경우에는 계약체결일 24시), ② 수확 개시 시점, ③ 수확기종료 시점(단, 7월 31일 초과할 수 없음)

161 (1) 200만원
(2) 재배 및 영농활동
(3) 2년
(4) 씨감자
(5) 4,000주
(6) 300m

162 (1) 3월 1일
(2) 시설재배지
(3) 상습침수
(4) 혼식
(5) 유채
(6) 형질변경

163 ① 45%, ② 42%, ③ 40%, ④ 35%, ⑤ 30%

164 (1) (1 − 방재시설 할인율), (2) 병충해감수량

165 재배품종지수

166 Ⓐ 3월, Ⓑ 6월 말~7월

167 ① 모자이크병, ② 가루더뎅이병, ③ 풋마름병, ④ 진딧물류, ⑤ 탄저병, ⑥ 오이총채벌레병

168 (1) Ⓐ 전국
(2) Ⓑ 연륙교, Ⓒ 정기선, Ⓓ 불가능한

169 ① 파종완료일 24시(단, 보험계약 시 파종완료일이 경과한 경우에는 계약체결일 24시), ② 수확 개시 시점,
③ 수확기종료 시점(단, 제주는 12월 15일, 제주 이외는 11월 30일을 초과할 수 없음)

170 (1) 200만원, (2) 재배 및 영농활동, (3) 2년, (4) 씨감자, (5) 4,000주, (6) 가을재배

171 (1) 7월 31일
(2) 8월 31일
(3) 시설재배지
(4) 상습침수
(5) 혼식
(6) 유채

172 ① 45%, ② 42%, ③ 40%, ④ 35%, ⑤ 30%

173 (1) (1 - 방재시설 할인율), (2) 병충해감수량

174 재배유형지수

175 Ⓐ 수미, Ⓑ 세풍

176 ① 무름병, ② 잎말림병, ③ 줄기검은병, ④ 아메리카잎굴파리, ⑤ 겹둥근무늬병, ⑥ 뿌리혹선충병

177 (1) Ⓐ 전남(보성)
(2) Ⓑ 농지 주소지
(3) Ⓒ 연륙교, Ⓓ 정기선, Ⓔ 불가능한

178 ① 수확 개시 시점 , ② 수확기종료 시점(단, 11월 30일 초과할 수 없음), ③ 수확기가격 공시시점

179 (1) 200만원, (2) 재배 및 영농활동, (3) 2년, (4) 씨감자, (5) 4,000주, (6) 가을재배

180 (1) 7월 31일, (2) 8월 31일, (3) 시설재배지, (4) 상습침수, (5) 혼식, (6) 유채

181 ① 40%, ② 35%, ③ 30%

182 (1) (1 - 방재시설 할인율)
(2) 기준수입

183 지역별 표준수확량

184 Ⓐ 남작, Ⓑ 조풍

185 ① 역병, ② 감자뿔나방병, ③ 더뎅이병, ④ 방아벌레류 ⑤ 흰비단병, ⑥ 파밤나방병

186 (1) Ⓐ 전국
(2) Ⓑ 연륙교, Ⓒ 정기선, Ⓓ 불가능한

187 　① 계약체결일 24시, ② 수확 개시 시점, ③ 수확기종료 시점(단, 10월 31일 초과할 수 없음)

188 　(1) 200만원
　　　(2) 재배 및 영농활동
　　　(3) "수"
　　　(4) 채소, 나물
　　　(5) 4,000주
　　　(6) 300m

189 　(1) 무멀칭
　　　(2) 시설재배지
　　　(3) 상습침수
　　　(4) 혼식
　　　(5) 판매
　　　(6) 형질변경

190 　① 45%, ② 42%, ③ 40%, ④ 35%, ⑤ 30%

191 　(1) 가입수확량
　　　(2) 지역별 보통약관 영업요율

192 　재식밀도지수

193 　밤고구마, 호박고구마

194 　(1) Ⓐ 여주, 이천, Ⓑ 영암, 해남, Ⓒ 당진, 아산
　　　(2) Ⓓ 농지
　　　(3) Ⓔ 연륙교, Ⓕ 정기선, Ⓖ 불가능한

195 　① 수확 개시 시점, ② 수확기종료 시점(단, 10월 31일 초과할 수 없음), ③ 수확기가격 공시시점

196 　(1) 200만원
　　　(2) 재배 및 영농활동
　　　(3) "수"
　　　(4) 채소, 나물
　　　(5) 4,000주
　　　(6) 300m

197 (1) 무멀칭, (2) 시설재배, (3) 상습침수, (4) 혼식, (5) 판매, (6) 형질변경

198 ① 40%, ② 35%, ③ 30%

199 (1) 농업수입감소보장
(2) 농업수입감소보장

200 지역별·품종별 표준수확량

201 밤고구마, 호박고구마

202 (1) Ⓐ 전국
(2) Ⓑ 연륙교, Ⓒ 정기선, Ⓓ 불가능한

203 ① 정식일부터 150일째 되는 날 24시, ② 수확기종료 시점(단, 9월 30일 초과할 수 없음)

204 (1) 100만원
(2) 자가 채종
(3) 1주 1개
(4) 90%
(5) 3.1.~6.12.
(6) 300m

205 (1) 1) 3,500주 미만 5,000주 초과, 2) 3,000주 미만 5,000주 초과
(2) 4,000주 미만 6,000주 초과

206 ① 45%, ② 42%, ③ 40%, ④ 35%, ⑤ 30%

207 (1) 수확감소보장
(2) 전기시설물(전기철책, 전기울타리 등)

208 (1) 10%형
(2) 15%형
(3) 20%형, 30%형, 40%형

209 Ⓐ 미흑찰, Ⓑ 연자흑찰, Ⓒ 찰옥4호, Ⓓ 연농2호

210   (1) Ⓐ 제주(제주시, 서귀포시)
       (2) Ⓑ 농지 주소지
       (3) Ⓒ 연륙교, Ⓓ 정기선, Ⓔ 불가능한

211   ① 재정식 종료 시점, ② 수확 개시 시점, ③ 수확기종료 시점

212   (1) 200만원, (2) 재배 및 영농활동, (3) 관수시설, (4) 판매, (5) 소구형, (6) 시설재배지

213   (1) 9월 30일, (2) 10월 15일, (3) 피해, (4) 상습침수, (5) 시험연구, (6) 8구

214   ① 40%, ② 35%, ③ 30%

215   (1) 가입가격, (2) 평년수확량

216   면적피해율

217   노지 양배추

218   (1) Ⓐ 제주(제주시, 서귀포시)
       (2) Ⓑ 농지 주소지
       (3) Ⓒ 연륙교, Ⓓ 정기선, Ⓔ 불가능한

219   ① 정식완료일 24시, ② 재정식 종료 시점, ③ 수확 개시 시점,
       ④ 수확기종료 시점, ⑤ 수확기 가격 공시 시점

220   (1) 200만원, (2) 재배 및 영농활동, (3) 관수시설, (4) 판매, (5) 소구형, (6) 시설재배지

221   (1) 9월 30일, (2) 10월 15일, (3) 피해, (4) 상습침수, (5) 시험연구, (6) 8구

222   ① 40%, ② 35%, ③ 30%

223   (1) 기준가격, (2) 기준수입

224   면적피해율

225 노지 양배추

226 ① 자연재해, ② 조수해, ③ 화재, ④ 가격하락

227 (1) Ⓐ 전국
(2) Ⓑ 연륙교, Ⓒ 정기선, Ⓓ 불가능한

228 ① 계약체결일 24시, ② 종실 비대기 전, ③ 수확기종료 시점(단, 11월 30일을 초과할 수 없음)

229 Ⓐ 식재, Ⓑ 개체수, Ⓒ 15개체, Ⓓ 논두렁, Ⓔ 시험연구, Ⓕ 간작 또는 혼작, Ⓖ 판매, Ⓗ 목장

230 (1) 100만원, (2) 재배 및 영농활동, (3) 90%, (4) 계약인수, (5) 상습침수, (6) 300m

231 ① 45%, ② 42%, ③ 40%, ④ 35%, ⑤ 30%

232 ① 장류 및 두부용 : 태광콩, 대원콩, 대찬콩, 우람콩, 황금콩, 대풍콩, 청두1호, 올콩(새올콩, 큰올콩, 황금올콩, 한올콩, 참올콩 등 황색종피 올콩), 대풍2호, 진풍, 선풍, 연풍, 태선, 선유콩, 천상콩, 새단백콩, 기타
※ 황색종피 올콩 : 올콩(유월태) 중에서 황색종피를 갖고 있는 품종을 말한다.
② 나물용 : 풍산나물콩, 소원콩, 장기콩, 풍원콩, 해품콩, 해원콩, 신화콩, 소명콩, 기타
③ 밥밑용 : 일품검정콩(검정콩 등 유색 황자엽), 청자콩(속청, 서리태 포함 유색 녹자엽), 올콩(검정새올콩, 검정 올콩 등 유색종피 올콩), 기타
ⓐ 유색 황자엽 : 흑, 갈, 녹, 얼룩색종피 품종 중에서 자엽색(콩알)이 황색인 품종을 말한다.
ⓑ 유색 녹자엽 : 흑, 갈, 녹, 얼룩색종피 품종 중에서 자엽색(콩알)이 녹색인 품종을 말한다.
ⓒ 유색종피 올콩 : 올콩(유월태) 중에서 황색종을 제외한 흑, 갈, 녹, 얼룩색 종피종을 말한다.
※ 단, 완두, 강낭콩, 팥, 녹두, 땅콩, 적두 등은 인수제한 품종이다.

233 ① 자연재해(태풍, 우박, 강풍, 동상(凍霜)해, 설해, 냉(冷)해, 한(旱)해, 조(潮)해, 기타 자연재해),
② 조수(鳥獸)해, ③ 화재

234 ① 산파 후 로터리복토, ② 산파 후 휴립복토, ③ 평면 줄뿌림, ④ 휴립 줄뿌림, ⑤ 평면 점파, ⑥ 휴립점파

235 (1) Ⓐ 강원(정선), Ⓑ 경기(파주), Ⓒ 전북(김제), Ⓓ 전남(무안), Ⓔ 경북(문경), Ⓕ 제주
(2) Ⓖ 농지 주소지
(3) Ⓗ 연륙교, Ⓘ 정기선, Ⓙ 불가능한

236 ① 종실 비대기(꼬투리 형성기) 전, ② 수확기종료 시점(단, 11월 30일을 초과할 수 없음),
③ 수확기가격 공시 시점

237   (1) Ⓐ 식재
          (2) Ⓑ 개체수, Ⓒ 15개체
          (3) Ⓓ 논두렁, Ⓔ 시험연구
          (4) Ⓕ 간작 또는 혼작
          (5) Ⓖ 소유권변동
          (6) Ⓗ 목장

238   (1) 100만원, (2) "논타작물재배지원사업", 수확량감소보장보험, (3) 90%, (4) 계약인수, (5) 상습침수,
          (6) 300m

239   ① 40%, ② 35%, ③ 30%

240   ① 장류 및 두부용, ② 나물용, ③ 밥밑용

241   ① 자연재해, ② 조수(鳥獸)해, ③ 화재, ④ 가격하락

242   (1) Ⓐ 강원(횡성), Ⓑ 전남(나주), Ⓒ 충남(천안)
          (2) Ⓓ 농지
          (3) Ⓔ 연륙교, Ⓕ 정기선, Ⓖ 불가능한

243   ① 계약체결일 24시, ② 종실 비대기 전, ③ 수확기종료 시점(단, 11월 13일을 초과할 수 없음)

244   (1) 100만원
          (2) 6월 1일
          (3) 시험연구
          (4) 간작 또는 혼작
          (5) 판매

245   (1) 300m
          (2) 재배 및 영농활동
          (3) 85%
          (4) 계약인수
          (5) 상습침수

246   ① 40%, ② 35%, ③ 30%

247　① 자연재해(태풍, 우박, 강풍, 동상(凍霜)해, 설해, 냉(冷)해, 한(旱)해, 조(潮)해, 기타 자연재해)
　　　② 조수(鳥獸)해
　　　③ 화재

248　(1) Ⓐ 전남(보성, 광양, 구례), Ⓑ 경남(하동)
　　　(2) Ⓒ 농지
　　　(3) Ⓓ 연륙교, Ⓔ 정기선, Ⓕ 불가능한

249　① 계약체결일 24시, ② 햇차 수확기종료 시점(단, 이듬해 5월 10일을 초과할 수 없음)

250　(1) 1,000㎡
　　　(2) 7년
　　　(3) 30cm
　　　(4) 촉성재배
　　　(5) 90%

251　(1) 수확량
　　　(2) 시험연구
　　　(3) 일부 나무
　　　(4) 관상용, 조경수
　　　(5) 상습침수
　　　(6) 외국품종
　　　(7) 말차

252　'햇차'라 함은 차나무의 신초(新草, 햇가지)를 수확한 것을 말하며 통상 생산자조합 또는 농협의 수매기한(5월 10일까지) 내에 수확한 것에 한한다.

253　(1) Ⓐ 전국
　　　(2) Ⓑ 연륙교, Ⓒ 정기선, Ⓓ 불가능한

254　① 계약체결일 24시, ② 정식일부터 150일째 되는 날 24시

255　(1) 200만원
　　　(2) 1,500주 미만 4,000주 초과
　　　(3) 4월 1일, 5월 31일
　　　(4) 6개월

256　① 피해, ② 터널재배, ③ 비닐멀칭, ④ 혼재, ⑤ 상습침수, ⑥ 직파, ⑦ 재배법, ⑧ 풋고추

257 ① 역병, ② 바이러스병, ③ 탄저병, ④ 시들음병, ⑤ 무름병, ⑥ 진딧물

258 (1) 생산비보장
(2) 관수시설

259 (1) 3%형
(2) 5%형

260 (1) Ⓐ 제주
(2) Ⓑ 농지 주소지
(3) Ⓒ 연륙교, Ⓓ 정기선, Ⓔ 불가능한

261 ① 정식완료일 24시, ② 정식일로부터 160일째 되는 날 24시

262 (1) 재배 및 영농활동, (2) 판매, (3) 혼식, (4) 하천부지

263 (1) 9월 30일, (2) 목, (3) 피해, (4) 시설재배지, (5) 부적절한

264 (1) 3%형, (2) 5%형

265 (1) 보장생산비, (2) 잔존보험가입금액

266 보험가입금액

267 (1) ① 생장일수, ② 표준수확일수, ③ (ⓑ 표준생장일수, ⓓ 표준수확일수, ⓕ 표준생장일수)
(2) 피해비율

268 (1) Ⓐ 전남, Ⓑ 제주
(2) Ⓒ 농지 주소지
(3) Ⓓ 연륙교, Ⓔ 정기선, Ⓕ 불가능한

269 ① 파종완료일 24시, ② 최초 수확 직전

270 (1) 오염 및 훼손
(2) 하천부지
(3) 9월 15일
(4) 춘파재배, 봄파종
(5) 수용예정지
(6) 5년

271 (1) 50만원
(2) 재배 및 영농활동
(3) 3년
(4) 3년
(5) 혼식
(6) 수확판매

272 ① 40%, ② 35%, ③ 30%

273 생산비보장 보통약관 적용보험료 보험금 산출방식
= 보통약관 보험가입금액 × 지역별 보통약관 영업요율 × (1 + 손해율에 따른 할인·할증률)

274 50만원

275 (1) Ⓐ 경기도 전 지역
(2) Ⓑ 농지 주소지
(3) Ⓒ 연륙교, Ⓓ 정기선, Ⓔ 불가능한

276 ① 정식완료일 24시, ② 정식일부터 90일째 되는 날 24시, ③ 최초 수확 직전

277 (1) 100만원, (2) 재배 및 영농활동, (3) 판매, (4) 혼식, (5) 하천부지

278 (1) 5월 29일, (2) 300m, (3) 피해, (4) 시설재배, (5) 부적절한

279 ① 40%, ② 35%, ③ 30%

280 (1) 보장생산비, (2) 손해정도비율

281 보험가입금액

282   (1) Ⓐ 제주(서귀포, 제주)
        (2) Ⓑ 농지 주소지
        (3) Ⓒ 연륙교, Ⓓ 정기선, Ⓔ 불가능한

283   ① 파종완료일 24시, ② 최초 수확 직전, ③ 최초 수확 직전(다만, 이듬해 2월 29일을 초과할 수 없음)

284   (1) 100만원, (2) 재배 및 영농활동, (3) 판매, (4) 8월 31일, (5) 시설재배, (6) 미니당근

285   (1) 상습침수, (2) 피해, (3) 혼식, (4) 300m, (5) 목, (6) 부적절한

286   ① 40%, ② 35%, ③ 30%

287   (1) 보장생산비, (2) 손해정도비율

288   보통약관 보험가입금액

289   (1) 생산비, (2) 구성항목

290   (1) Ⓐ 강원(평창, 정선, 삼척, 태백, 강릉)
        (2) Ⓑ 농지 주소지
        (3) Ⓒ 연륙교, Ⓓ 정기선, Ⓔ 불가능한

291   ① 정식완료일 24시, ② 최초 수확 직전, ③ 정식일로부터 70일째 되는 날 24시

292   (1) 100만원, (2) 재배 및 영농활동, (3) 3년, (4) 판매, (5) 5년, (6) 하천부지, (7) 7월 31일

293   (1) 수용예정농지, (2) 채종농지, (3) 복구, (4) 300m, (5) 3년

294   ① 40%, ② 35%, ③ 30%

295   (1) 보장생산비, (2) 손해정도비율

296   지역별 보통약관 영업요율

297   (1) 생산비, (2) 구성항목

298   (1) Ⓐ 전남(해남)
(2) Ⓑ 농지 주소지
(3) Ⓒ 연륙교, Ⓓ 정기선, Ⓔ 불가능한

299   ① 정식완료일 24시, ② 최초 수확 직전, ③ 최초 수확 직전(다만, 이듬해 3월 31일을 초과할 수 없음)

300   (1) 100만원, (2) 재배 및 영농활동, (3) 3년, (4) 판매, (5) 5년, (6) 하천부지, (7) 9월 25일

301   (1) 수용예정농지, (2) 채종농지, (3) 복구, (4) 300m, (5) 3년

302   ① 40%, ② 35%, ③ 30%

303   (1) 보장생산비, (2) 손해정도비율

304   지역별 보통약관 영업요율

305   (1) 생산비, (2) 구성항목

306   (1) Ⓐ 강원(홍천, 정선, 평창, 강릉)
(2) Ⓑ 농지 주소지
(3) Ⓒ 연륙교, Ⓓ 정기선, Ⓔ 불가능한

307   ① 파종완료일 24시, ② 최초 수확 직전, ③ 파종일로부터 80일째 되는 날 24시

308   (1) 100만원, (2) 재배 및 영농활동, (3) 판매, (4) 7월 31일, (5) 노지재배

309   (1) 상습침수, (2) 피해, (3) 혼식, (4) 300m, (5) 부적절한

310   ① 40%, ② 35%, ③ 30%

311   (1) 보장생산비, (2) 손해정도비율

312   보통약관 보험가입금액

313   (1) 생산비, (2) 구성항목

314 　(1) Ⓐ 제주
　　(2) Ⓑ 농지 주소지
　　(3) Ⓒ 연륙교, Ⓓ 정기선, Ⓔ 불가능한

315 　① 파종완료일 24시, ② 최초 수확 직전, ③ 단, 이듬해 3월 31일을 초과할 수 없다.

316 　(1) 100만원
　　(2) 재배 및 영농활동
　　(3) 판매
　　(4) 가을무
　　(5) 10월 15일
　　(6) 노지재배

317 　(1) 3년, (2) 피해, (3) 혼식, (4) 300m, (5) 복구, (6) 부적절한

318 　① 40%, ② 35%, ③ 30%

319 　(1) 보장생산비, (2) 손해정도비율

320 　보통약관 보험가입금액

321 　① 노지 월동무, ② 알타리무

322 　(1) Ⓐ 전남(신안), 경남(남해)
　　(2) Ⓑ 농지 주소지
　　(3) Ⓒ 연륙교, Ⓓ 정기선, Ⓔ 불가능한

323 　① 파종완료일 24시, ② 최초 수확 직전, ③ 최초 수확 직전(다만, 이듬해 1월 15일을 초과할 수 없음)

324 　(1) 100만원, (2) 재배 및 영농활동, (3) 판매, (4) 광역시·도, (5) 하천부지, (6) 5년

325 　(1) 3년, (2) 오염 및 훼손, (3) 수용예정지, (4) 300m, (5) 채종농지, (6) 3년

326 　① 40%, ② 35%, ③ 30%

327 　(1) 보장생산비, (2) 손해정도비율

328 보험가입금액

329 (1) Ⓐ 전남(진도, 신안)
(2) Ⓑ 농지 주소지
(3) Ⓒ 연륙교, Ⓓ 정기선, Ⓔ 불가능한

330 ① 정식완료일 24시(단, 보험계약 시 정식완료일이 경과한 경우에는 계약체결일 24시)
② 최초 수확 직전(단, 종합위험생산비보장에서 정하는 보장종료일을 초과할 수 없음)
③ 정식일부터 200일째 되는 날 24시

331 (1) 100만원, (2) 재배 및 영농활동, (3) 5월 20일, (4) 판매, (5) 15,000주 (6) 시설재배

332 (1) 혼식, (2) 피해, (3) 시설재배, (4) 상습침수, (5) 부적절한

333 ① 40%, ② 35%, ③ 30%

334 (1) 보장생산비, (2) 손해정도비율

335 해

336 (1) Ⓐ 충남(아산), Ⓑ 전남(보성), Ⓒ 충남(아산)
(2) Ⓓ 농지 주소지
(3) Ⓔ 연륙교, Ⓕ 정기선, Ⓖ 불가능한

337 ① 파종완료일 24시(단, 보험계약 시 파종완료일이 경과한 경우에는 체약체결일 24시)
② 최초 수확 직전(단, 판매개시연도 12월 31일을 초과할 수 없음)
③ 최초 수확 직전(단, 이듬해 5월 31일을 초과할 수 없음)

338 (1) 100만원, (2) 재배 및 영농활동, (3) 종구용(씨쪽파), (4) 판매, (5) 파종기간

339 (1) 혼식, (2) 피해, (3) 시설재배, (4) 상습침수, (5) 부적절한

340 ① 40%, ② 35%, ③ 30%

341 (1) 보장생산비, (2) 손해정도비율

342 Ⓐ 충남 아산, Ⓑ 전남 보성

343 (1) Ⓐ 전국, (2) Ⓑ 연륙교, Ⓒ 위탁계약, Ⓓ 지역농협·축협

344 ① 계약체결일 24시, ② 7월 31일, ③ 출수기 전,
④ 이앙(직파)완료일 24시(단, 보험계약 시 이앙(직파)완료일이 경과한 경우에는 계약체결일 24시),
⑤ 수확기종료시점(단, 11월 30일을 초과할 수 없음)

345 ① 보통약관 재이앙·재직파보장 보험종기와 동일, ② 보통약관 경작불능보장 보험종기와 동일,
③ 보통약관 수확불능보장 보험종기와 동일, ④ 보통약관 수확감소보장 보험시기와 동일

346 (1) 오염 및 훼손, (2) 밭벼, (3) 수용예정지, (4) 피해, (5) 판매, (6) 부적절한

347 (1) 50만원, (2) 재배 및 영농활동, (3) 3년, (4) 3년, (5) 하천부지, (6) 300m

348 (1) 10%, (2) 영농활동, (3) 계약은 소멸

349 (1) 재이앙·재직파 보험금 산출방식 = 보험가입금액 × 25% × 면적피해율
(2) 면적피해율 = 피해면적 ÷ 보험가입면적

350 ① 45%, ② 42%, ③ 40%, ④ 35%, ⑤ 30%

351 (1) ① 60%, ② 57%, ③ 55%, ④ 50%, ⑤ 45%, (2) 소멸, (3) 산지폐기, (4) 유통

352 (1) 수확감소보장 보통약관 적용보험료 : 주계약 보험가입금액 × 지역별 기본 영업요율 × (1 + 손해율에
따른 할인·할증률) × (1 + 친환경 재배 시 할증률) × (1 + 직파재배 농지 할증률)
(2) 병해충보장 특별약관 적용보험료 : 특별약관 보험가입금액 × 지역별 기본 영업요율 × (1 + 손해율에
따른 할인·할증률) × (1 + 친환경 재배 시 할증률) × (1 + 직파재배 농지 할증률)

353 (1) 50만원, (2) ① 2, ② 분리, (3) ① 많은, ② 마지막, (4) 90%

354 다수의 농지

355 (1) 리(동) 단위, 경지 번호
(2) 하나의 계약, 리(동)별

356 ① 재배양식보정계수, ② 이앙시기보정계수

357 (1) 산출된 표준수확량의 100%를 평년수확량으로 결정한다.
(2) 1) ① (과거평균수확량)
② 가입연도 지역별 기준수량
③ (가입연도 보정계수)
④ (과거평균보정계수)
⑤ 과거 5년간 가입횟수
2) 130%

358 (1) 보상하는 손해 4가지 : 자연재해, 조수(鳥獸)해, 화재, 병해충(조사료용 벼 제외)
(2) 특별약관피해보장 병해충 7가지 : 흰잎마름병, 줄무늬잎마름병, 벼멸구, 도열병, 깨씨무늬병, 먹노린재,
세균성벼알마름병

359 (1) 농가, (2) 농지, (3) 이앙, (4) 직파(담수직파), (5) 출수, (6) 출수기, (7) 수확기,
(8) 계약자부담보험료

360 ① 50%, ② 55%, ③ 60%

361 (1) 보험증권
(2) 이앙

362 (1) Ⓐ 전북(김제, 군산), Ⓑ 전남(해남, 보성), Ⓒ 경남(밀양)
(2) Ⓓ 농지 주소지
(3) Ⓔ 연륙교, Ⓕ 정기선, Ⓖ 불가능한

363 ① 계약체결일 24시, ② 수확 개시 시점, ③ 수확기종료시점(단, 6월 30일을 초과할 수 없음)

364 (1) 오염 및 훼손, (2) 하천부지, (3) 10월 1일, 11월 20일, (4) 춘파재배, 봄파종, (5) 수용예정지, (6) 5년

365 (1) 50만원, (2) 재배 및 영농활동, (3) 3년, (4) 3년, (5) 80%, (6) 수확판매

366 ① 40%, ② 35%, ③ 30%

367 수확감소보장 보통약관 적용보험료 보험금 산출방식 = 보험가입금액 × (피해율 − 자기부담비율)
※ 피해율 = (평년수확량 − 수확량 − 미보상감수량) ÷ 평년수확량

368   (1) 50만원, (2) ① 개수, ② 분리

369   (1) 경지번호, (2) 하나의 계약

370   ① 농지종류지수, ② 재배방법지수

371   (1) 산출된 표준수확량의 100%를 평년수확량으로 결정한다.
          (2) 1) ① 과거평균수확량
                 ② 과거평균표준수확량
                 ③ 표준수확량
                 ④ 과거 수확량 산출연도 횟수
           2) 130%

372   ① 자연재해, ② 조수(鳥獸)해, ③ 화재

373   (1) Ⓐ 전북, Ⓑ 전남, Ⓒ 경남, Ⓓ 충남, Ⓔ 광주광역시
          (2) Ⓕ 농지 주소지
          (3) Ⓖ 연륙교, Ⓗ 정기선, Ⓘ 불가능한

374   ① 계약체결일 24시, ② 수확 개시 시점, ③ 수확기종료시점(단, 6월 30일을 초과할 수 없음)

375   (1) 오염 및 훼손, (2) 하천부지, (3) 11월 20일, (4) ① 춘파재배, ② 봄파종, (5) 수용예정지, (6) 5년

376   (1) 50만원, (2) 재배 및 영농활동, (3) 3년, (4) 3년, (5) 80%, (6) 수확판매

377   ① 45%, ② 42%, ③ 40%, ④ 35%, ⑤ 30%

378   수확감소보장 보통약관 적용보험료 보험금 산출방식 = 보험가입금액 × (피해율 − 자기부담비율)
          ※ 피해율 = (평년수확량 − 수확량 − 미보상감수량) ÷ 평년수확량

379   (1) 50만원, (2) ① 개수, ② 분리

380   (1) 경지번호, (2) 하나의 계약

381 ① 농지종류지수, ② 재배방법지수

382 (1) 산출된 표준수확량의 100%를 평년수확량으로 결정한다.
　　(2) 1) ① 과거평균수확량
　　　　　　② 과거평균표준수확량
　　　　　　③ 표준수확량
　　　　　　④ 과거 수확량 산출연도 횟수
　　　　2) 130%

383 ① 자연재해, ② 조수(鳥獸)해, ③ 화재

384 보험의 목적
　　(1) 보험료 납입일이 속하는 해에 설치하거나 이미 설치되어 있는 인삼재배시설은 보험의 목적에서 제외한다.
　　(2) 인삼재배시설을 설치하여 재배하는 2년근 이상의 인삼으로 관할 농협에 경작 신고된 인삼 및 해가림시설(특약으로 운영)을 목적으로 한다.
　　(3) 보험가입연도의 연근 + 1년 적용하여 가입금액 산정하고, 6년근(미수확분)은 인수 불가능하다. 단, 직전연도 인삼 1형은 상품에 5년근으로 가입한 농지에 한하여 6년근 가입 가능하다.

385 보상하지 않는 손해
　　(1) 계약자, 피보험자 또는 이들의 법정 대리인의 고의 또는 중대한 과실로 생긴 손해
　　(2) 수확기에 계약자 또는 피보험자의 고의 또는 중대한 과실로 수확하지 못하여 발생한 손해
　　(3) 제초작업, 시비관리 등 통상적인 영농활동을 하지 않아 발생한 손해
　　(4) 원인의 직접, 간접을 묻지 아니하고 병해충으로 발생한 손해
　　(5) 보상하지 아니하는 재해로 제방, 댐 등이 붕괴되어 발생한 손해
　　(6) 해가림시설 등의 노후 및 하자로 생긴 손해
　　(7) 계약체결 시점 현재 기상청에서 발령하고 있는 기상특보 발령 지역의 기상특보 관련 재해(태풍, 호우, 홍수, 강풍, 풍랑, 해일, 대설, 폭염 등)로 인한 손해
　　(8) 보상하는 손해에 해당하지 않은 재해로 발생한 손해
　　(9) 연작장해, 염류장해 등 생육장해로 인한 손해

386 보험가입자격
　　(1) 「농어업경영체 육성 및 지원에 관한 법률」 제4조에 따른 농업경영체로 등록한 자(농업인, 농업법인)로서 농업인 및 임차농여부와 관계없이 국내에서 보험대상 농작물을 1,000㎡ 이상 실제 경작하는 주된 경작자이다.
　　　1) 계약자를 주된 경작자가 아닌 가족 등의 명의로 할 수 없다.
　　　2) 농지를 다른 사람에게 임대한 경우에 임차농은 보험에 가입할 수 있지만, 과수원 소유자는 가입할 수 없다.
　　(2) 법인, 외국인, 미성년자, 피한정후견인(한정치산자), 피성년후견인(금치산자)도 보험에 가입할 수 있다. 미성년자, 피한정후견인(한정치산자)은 법정대리인(친권자, 후견인)의 동의 또는 대리가 있어야 하며, 피성년후견인은 법정대리인이 대리하여야 한다.

387 (1) 인삼 보험가입금액 : 보험가입액 = 연근별(보상)가액 × 재배면적(㎡)

    (2) 해가림시설 보험가입금액 : 보험가입금액 = 재조달가액 × (100% − 감가상각률)

388 인삼 보험가입 시 인수제한 대상은 다음과 같다.

    (1) 2년근 미만 또는 6년근 이상인 인삼(단, 직전 연도 인삼1형 상품에 5년근으로 가입한 농지에 한하여 6년근 가입 가능하다)

    (2) 식재연도 기준 과거 10년 이내(논은 6년 이내)에 인삼을 재배했던 농지

    (3) 두둑높이가 15cm 미만인 농지

    (4) 보험가입 이전에 피해가 이미 발생한 농지(단, 자기부담비율 미만의 피해가 발생한 경우이거나 피해 발생 부분을 수확한 경우에는 농지의 남은 부분에 한해 인수 가능)

    (5) 통상적인 재배 및 영농활동을 하지 않는다고 판단되는 농지

    (6) 하천부지 및 상습침수 지역에 소재한 농지

    (7) 판매를 목적으로 경작하지 않는 농지

    (8) 군사시설보호구역 중 통제보호구역 내의 농지(단, 통상적인 영농활동 및 손해평가가 가능하다고 판단되는 농지는 영업점장 전결로 인수 가능)

    (9) 보험가입액이 200만원 미만인 농지

    (10) 산양삼(장뇌삼), 묘삼, 수경재배인삼

    (11) 기타 인수가 부적절한 농지

389 인삼재배해가림시설의 가입 시 인수제한 대상은 다음과 같다.

    ① 농림축산식품부가 고시하는 내재해형 인삼재배시설 규격에 맞지 않는 시설

    ② 목적물에 대한 확인이 불가능한 시설

    ③ 보험가입 당시 공사 중인 시설

    ④ 정부에서 보험료의 일부를 지원하는 다른 보험 계약에 이미 가입되어 있는 시설

390 (1) 인삼 적용보험료 : 보통약관가입금액 × 지역별 보통약관 영업요율 × (1 + 손해율에 따른 할인·할증률) × (1 − 방재시설 할인율) = 3,690만원 × 0.08 × (1 + 0.15) × (1 − 0.05) = 3,225,060원

    (2) 보험가입금액 : 연근별(보상)가액 × 재배면적(㎡) = 12,300 × 3,000 = 36,900,000원

      1) 인삼의 가액은 농협통계 및 농촌진흥청 자료를 기초로 연근별 투입되는 평균 누적 생산비를 고려하여 연근별로 차등설정(10,000원 단위 미만은 절삭)한다.

      2) 연근별(보상)가액(가입 당시 연근 + 1년)

구분	2년근	3년근	4년근	5년근	6년근
1형	9,400	10,600	12,300	13,700	16,100
2형	8,000	9,100	10,400	11,700	13,700

391 Ⓐ 5월 1일, Ⓑ 4월 30일, Ⓒ 11월 1일, Ⓓ 10월 31일

392 (1) 보험금 : 보험금 = 보험가입금액 × (피해율 − 자기부담비율)

(2) 피해율 : $(1 - \dfrac{수확량}{연근별 \ 기준수확량}) × \dfrac{피해면적}{재배면적}$

※ 농지(삼포)별로 피해율을 산정하며, 2회 이상의 보험사고인 경우 위에서 계산한 보험금에서 기발생지급 보험금을 차감하여 계산한다.

393 (1) Ⓐ 200만원
(2) Ⓑ 2년근, Ⓒ 6년근
(3) Ⓓ 10년
(4) Ⓔ 15cm

394 (1) Ⓐ 모두, Ⓑ 연동, Ⓒ 철골조, Ⓓ 목재, Ⓔ 죽재, Ⓕ 선별장, Ⓖ 창고, Ⓗ 작업장, Ⓘ 300
(2) Ⓙ 재설치, Ⓚ 터널과 연동하우스의 수평커튼, Ⓛ 집기비품

395 (1) Ⓐ 원목, Ⓑ 톱밥배지, Ⓒ 균상, Ⓓ 병, Ⓔ 병, Ⓕ 균상
(2) Ⓖ 배양 중

396 느타리버섯(균상재배, 병재배)의 인수제한 목적물은 다음과 같다.
(1) 통상적인 재배 및 영농활동을 하지 않는다고 판단되는 하우스
(2) 판매를 목적으로 재배하지 않는 느타리버섯
(3) 균상재배, 병재배 이외의 방법으로 재배하는 느타리버섯
(4) 기타 인수가 부적절한 느타리버섯

397 표고버섯(원목재배, 톱밥배지재배)의 인수제한 목적물은 다음과 같다.
(1) 통상적인 재배 및 영농활동을 하지 않는다고 판단되는 하우스
(2) 원목 5년차 이상의 원목재배 표고버섯
(3) 원목재배, 톱밥배지재배 이외의 방법으로 재배하는 표고버섯
(4) 판매를 목적으로 재배하지 않는 표고버섯
(5) 기타 인수가 부적절한 표고버섯

398 새송이버섯(병재배) 인수제한 목적물은 다음과 같다.
(1) 통상적인 재배 및 영농활동을 하지 않는다고 판단되는 하우스
(2) 판매를 목적으로 재배하지 않는 새송이버섯
(3) 병재배 이외의 방법으로 재배하는 새송이버섯
(4) 기타 인수가 부적절한 새송이버섯

399   양송이버섯(균상재배) 인수제한 목적물은 다음과 같다.
       (1) 통상적인 재배 및 영농활동을 하지 않는다고 판단되는 하우스
       (2) 판매를 목적으로 재배하지 않는 양송이버섯
       (3) 균상재배 이외의 방법으로 재배하는 양송이버섯
       (4) 기타 인수가 부적절한 양송이버섯

400   ① 시설작물 재배용 단동하우스, ② 시설작물 재배용 연동하우스, ③ 시설작물 재배용 내재해형하우스,
       ④ 시설작물 재배용 유리온실

401   (1) 재설치
       (2) 관수시설, 보온시설
       (3) 냉장고, 집기비품

402   ① 자연재해 : 태풍(颱風), 우박(雨雹), 동상(凍霜)해, 호우(豪雨), 강풍(强風), 냉(冷)해, 한(旱)해, 조(潮)해, 설(雪)
       해, 기타 자연재해
       ② 조수해 : 새나 짐승으로 인하여 발생하는 피해

403   (1) 이동식 농업용, (2) 4개월, (3) 갱신계약

404   (1) 단동하우스, (2) 연동하우스, (3) 시설작물 재배용 하우스, (4) 반원형 하우스

405   (1) 1단지, (2) 별도의 단지, (3) Ⓐ 1,000, Ⓑ 400, Ⓒ 개별단지

406   (1) 경년감가율의 정의 : 자산의 내용연수 경과에 따른 사용손모, 자연소모로 인한 자산가치의 체감을 비율로
       표시한 것이다.
       (2) 경년감가율의 산출방법 : 아래와 같은 방법으로 산출한다.

$$경년감가율 = \frac{100\% - 잔가율}{내용연수}$$

407   (1) 20, (2) 30, (3) Ⓐ 20, Ⓑ 50

408   전국에서 가입 가능(11개 품목) : 수박, 딸기, 토마토, 오이, 참외, 호박, 풋고추, 국화, 장미, 멜론, 파프리카
       등(단, 도서지역의 경우 연륙교가 설치되어 있지 않거나 정기선이 운항하지 않는 등 신속한 손해평가가 불가
       능한 지역은 제외)

409 보험의 목적(시설작물)
(1) 화훼류 : 국화, 장미, 백합, 카네이션 등
(2) 비화훼류 : 딸기, 오이, 토마토, 참외, 풋고추, 호박, 수박, 멜론, 파프리카, 상추, 부추, 시금치, 가지, 배추, 파(대파·쪽파), 무, 미나리, 쑥갓

410 (1) 1단지, (2) Ⓐ 300, Ⓑ 300, Ⓒ 제한없음, (3) 1동

411 농업용 시설물 및 부대시설의 인수제한 목적물은 다음과 같다.
① 판매를 목적으로 시설작물을 재배하지 않는 시설은 인수를 제한한다.
② 작업동, 창고동 등 시설작물 경작용으로 사용되지 않는 시설은 인수를 제한한다(농업용 시설물 1동의 면적은 80% 이상을 작물재배용으로 사용하는 경우에 가입이 가능).
③ 피복재가 없거나 시설작물을 재배하고 있지 않는 시설은 인수를 제한한다(다만, 지역적 기후특성 등에 따른 한시적 휴경은 제외).
④ 목재, 죽재로 시공된 시설은 인수를 제한한다.
⑤ 버섯 재배사 및 비가림시설은 인수를 제한한다.
⑥ 1년 이내에 철거 예정인 고정식 시설은 인수를 제한한다.
⑦ 구조체, 피복재 등 목적물이 변형되거나 훼손된 시설은 인수를 제한한다.
⑧ 목적물의 소유권에 대한 확인이 불가능한 시설은 인수를 제한한다.
⑨ 건축 또는 공사 중인 시설은 인수를 제한한다.
⑩ 하천부지 및 상습침수지역에 소재한 시설은 인수를 제한한다(다만, 수재위험 부보장 특약에 가입하여 풍재만은 보장 가능).
⑪ 정부에서 보험료의 일부를 지원하는 다른 계약에 이미 가입되어 있는 시설은 인수를 제한한다.
⑫ 기타 인수에 부적절한 하우스 및 부대시설은 인수를 제한한다.

412 시설작물의 인수제한 목적물은 다음과 같다.
① 작물별 재배면적이 시설면적의 50% 미만인 경우는 인수를 제한한다(다만, 시설백합, 카네이션의 경우 시설별 200㎡ 미만인 경우 인수를 제한).
② 분화류(국화, 장미, 백합, 카네이션)를 재배하는 경우는 인수를 제한한다.
③ 판매를 목적으로 재배하지 않는 시설작물은 인수를 제한한다.
④ 한 시설에서 화훼류와 비화훼류를 혼식 재배 중이거나, 또는 재배 예정인 경우는 인수를 제한한다.
⑤ 통상적인 재배시기, 재배품목, 재배방식이 아닌 경우에는 인수를 제한한다.
　　예 ㉠ 여름재배 토마토가 불가능한 지역에서 여름재배 토마토를 가입하는 경우 인수를 제한한다.
　　　㉡ 파프리카 토경재배가 불가능한 지역에서 토경재배 파프리카를 가입하는 경우 인수를 제한한다.
⑥ 시설작물별 10a당 인수제한 재식밀도(주/10a) 미만인 경우 인수를 제한한다.

품목	인수제한 재식밀도	품목	인수제한 재식밀도
수박	40주/10a 미만	무	3,000주/10a 미만
멜론	400주/10a 미만	상추	40,000주/10a 미만
참외	600주/10a 미만	딸기	5,000주/10a 미만
호박	600주/10a 미만	백합	15,000주/10a 미만
풋고추	1,000주/10a 미만	카네이션	15,000주/10a 미만

오이	1,500주/10a 미만	파	대파	15,000주/10a 미만
토마토	1,500주/10a 미만		쪽파	18,000주/10a 미만
가지	1,500주/10a 미만	국화		30,000주/10a 미만
파프리카	1,500주/10a 미만	부추		62,500주/10a 미만
장미	1,500주/10a 미만	시금치		100,000주/10a 미만
배추	3,000주/10a 미만			

413 ① 수박, ② 참외, ③ 풋고추, ④ 토마토, ⑤ 장미, ⑥ 배추, 무, ⑦ 국화, ⑧ 대파

시설작물별 10a당 인수제한 재식밀도 미만인 경우		
품목		**인수제한 재식밀도**
① (수박)		400주/10a 미만
멜론		400주/10a 미만
② (참외)		600주/10a 미만
호박		600주/10a 미만
③ (풋고추)		1,000주/10a 미만
파프리카		1,500주/10a 미만
④ (토마토)		1,500주/10a 미만
오이		1,500주/10a 미만
⑤ (장미)		1,500주/10a 미만
가지		1,500주/10a 미만
⑥ (배추, 무)		3,000주/10a 미만
딸기		5,000주/10a 미만
⑦ (국화)		30,000주/10a 미만
상추		40,000주/10a 미만
부추		62,500주/10a 미만
시금치		100,000주/10a 미만
파	⑧ (대파)	15,000주/10a 미만
	쪽파	18,000주/10a 미만

손해평가사 _ 2차 제1과목
농작물재해보험 및 가축재해보험의
이론과 실무

PART

05

가축재해보험 제도

CHAPTER 01

가축재해보험 관련 용어

1. 가축재해보험 관련 용어

(1) 가축재해보험 계약관련 용어

1) **보험의 목적** : 보험에 가입한 물건으로 보험증권에 기재된 가축 등을 말한다.

2) **보험계약자** : 재해보험사업자와 계약을 체결하고 보험료를 납입할 의무를 지는 사람을 말한다.

3) **피보험자** : 보험사고로 인하여 손해를 입은 사람을 말한다.
   ※ 법인인 경우에는 그 이사 또는 법인의 업무를 집행하는 그 밖의 기관을 말한다.

4) **보험기간** : 계약에 따라 보장을 받는 기간을 말한다.

5) **보험증권** : 계약의 성립과 그 내용을 증명하기 위하여 재해보험사업자가 계약자에게 드리는 증서를 말한다.

6) **보험약관** : 보험계약에 대한 구체적인 내용을 기술한 것으로 재해보험사업자가 작성하여 보험계약자에게 제시하는 약정서를 말한다.

7) **보험사고** : 보험계약에서 재해보험사업자가 어떤 사실의 발생을 조건으로 보험금의 지급을 약정한 우연한 사고(사건 또는 위험)를 말한다.

8) **보험가액** : 피보험이익을 금전으로 평가한 금액으로 보험목적에 발생할 수 있는 최대 손해액을 말한다(재해보험사업자가 실제 지급하는 보험금은 보험가액을 초과할 수 없음).

9) **자기부담금** : 보험사고로 인하여 발생한 손해에 대하여 계약자 또는 피보험자가 부담하는 일정 금액을 말한다.

10) **보험금 분담** : 보험계약에서 보장하는 위험과 같은 위험을 보장하는 다른 계약(공제계약 포함)이 있을 경우 비율에 따라 손해를 보상을 말한다.

11) **대위권** : 재해보험사업자가 보험금을 지급하고 취득하는 법률상의 권리를 말한다.

12) **재조달가액** : 보험의 목적과 동형, 동질의 신품을 재조달하는데 소요되는 금액을 말한다.

13) **가입률** : 가입대상 두(頭)수 대비 가입두수를 백분율(100%)을 말한다.

14) **손해율** : 보험료에 대한 보험금의 백분율(100%)을 말한다.

15) **사업이익** : 1두당 평균 가격에서 경영비를 뺀 잔액을 말한다.

16) **경영비** : 통계청에서 발표한 최근의 비육돈 평균 경영비를 말한다.

17) **이익률** : 손해발생 시에 다음의 산식에 의해 얻어진 비율을 말한다(단, 이 기간 중에 이익률이 16.5% 미만일 경우 이익률은 16.5%이다).

이익률 = (1두당 비육돈(100kg 기준)의 평균가격 − 경영비)
÷ 1두당 비육돈(100kg 기준)의 평균가격

---

(2) 가축재해 관련 용어

1) **풍재·수재·설해·지진** : 태풍, 홍수, 호우, 강풍, 풍랑, 해일, 대설, 조수, 우박, 지진, 분화 등으로 인한 피해를 말한다.

2) **폭염** : 대한민국 기상청에서 내려지는 폭염특보(주의보 및 경보)로 인한 피해를 말한다.

3) **소(牛)도체결함** : 도축장에서 도축되어 경매시까지 발견된 도체의 결함이 경락가격에 직접적인 영향을 주어 손해 발생한 경우를 말한다.

4) **축산휴지** : 보험의 목적의 손해로 인하여 불가피하게 발생한 전부 또는 일부의 축산업 중단을 말한다.

5) **축산휴지손해** : 보험의 목적의 손해로 인하여 불가피하게 발생한 전부 또는 일부의 축산업 중단되어 발생한 사업이익과 보상위험에 의한 손해가 발생하지 않았을 경우 예상되는 사업이익의 차감금액을 말한다.

6) **전기적 장치위험** : 여자기(정류기 포함), 변류기, 변압기, 전압조정기, 축전기, 개폐기, 차단기, 피뢰기, 배전반 및 이와 비슷한 전기장치 또는 설비 중 전기장치 또는 설비가 파괴 또는 변조되어 온도의 변화로 보험의 목적에 손해가 발생한 경우를 말한다.

(3) 가축질병 관련 용어

1) **돼지 전염성 위장염(TGE)** : Coronavirus 속에 속하는 전염성 위장염 바이러스의 감염에 의한 돼지의 전염성 소화기병 구토, 수양성 설사, 탈수가 특징으로 일령에 관계없이 발병하며 자돈일수록 폐사율이 높게 나타난다. 주로 추운 겨울철에 많이 발생하며 전파력이 높다.

2) **돼지 유행성설사병(PED)** : Coronavirus에 의한 자돈의 급성 유행성설사병으로 포유자돈의 경우 거의 100%의 치사율을 나타난다(로타바이러스감염증). 레오바이러스과의 로타바이러스 속의 돼지 로타바이러스가 병원체이며, 주로 2~6주령의 자돈에서 설사를 일으키며 3주령부터 폐사가 더욱 심하게 나타난다.

3) **구제역** : 구제역 바이러스의 감염에 의한 우제류 동물(소·돼지 등 발굽이 둘로 갈라진 동물)의 악성가축전염병(1종법정가축전염병)으로 발굽 및 유두 등에 물집이 생기고, 체온상승과식욕저하가 수반되는 것이 특징이다.

4) **AI(조류인플루엔자, Avian Influenza)** : AI 바이러스 감염에 의해 발생하는 조류의 급성 전염병으로 병원의 정도에 따라 고병원성과 저병원성으로 구분되며, 고병원성 AI의 경우 세계 동물보건기구(OIE)의 관리대상질병으로 지정되어 있어 발생 시 OIE에 의무적으로 보고해야 한다.

5) **돼지열병** : 제1종 가축전염병으로 사람에 감염되지 않으나, 발생국은 돼지 및 돼지고기의 수출이 제한된다('01년 청정화 이후, '02년 재발되어 예방접종 실시함).

6) **난계대 전염병** : 조류의 특유 병원체가 종란에 감염하여 부화 후 초생추에서 병을 발생시키는 질병(추백리 등)이다.

(4) 기타 축산 관련 용어

1) **가축계열화** : 가축의 생산이나 사육·사료공급·가공·유통의 기능을 연계한 일체의 통합 경영활동을 의미한다.

> ※ 가축계열화 사업 : 농민과 계약(위탁)에 의하여 가축·사료·동물용 의약품·기자재·보수 또는 경영지도 서비스 등을 공급(제공)하고, 당해 농민이 생산한 가축을 도축·가공 또는 유통하는 사업방식이다.

2) **돼지 MSY(Marketing per Sow per Year)** : 어미돼지 1두가 1년간 생산한 돼지 중 출하체중(110kg)이 될 때까지 생존하여 출하한 마리 수를 말한다.

3) **산란수** : 산란계 한 계군에서 하루 동안에 생산된 알의 수를 의미하며, 산란계 한 마리가 산란을 시작하여 도태 시까지 낳는 알의 총수는 산란지수로 표현한다.

4) **자조금관리위원회** : 자조금의 효과적인 운용을 위해 축산업자 및 학계·소비자·관계 공무원 및 유통 전문가로 구성된 위원회이며 품목별로 설치되어 해당 품목의 자조금의 조성 및 지출, 사업 등 운용에 관한 사항을 심의·의결을 한다.

> ※ 축산자조금(9개 품목) : 한우, 양돈, 낙농, 산란계, 육계, 오리, 양록, 양봉, 육우

5) **축산물 브랜드 경영체** : 특허청에 브랜드를 등록하고 회원 농가들과 종축·사료·사양관리 등 생산에 대한 규약을 체결하여 균일한 품질의 고급육을 생산·출하하는 축협조합 및 영농조합법인을 말한다.

6) **쇠고기 이력제도** : 소의 출생부터 도축, 포장처리, 판매까지의 정보를 기록·관리하여 위생·안전에 문제가 발생할 경우 이를 확인하여 신속하게 대처하기 위한 제도를 말한다.

7) **수의사 처방제** : 항생제 오남용으로 인한 축산물 내 약품잔류 및 항생제 내성문제 등의 예방을 위해 동물 및 인체에 위해를 줄 수 있는 "동물용 의약품"을 수의사의 처방에 따라 사용토록 하는 제도를 말한다.

제도 일반

1. 사업실시 개요

(1) 실시 배경

축산업은 축산물을 생산하는 과정에서 자연재해 및 가축 질병 등으로 인한 피해가 크며, 그 피해가 광범위하고 동시다발적으로 발생하게 되므로 개별농가로는 이를 예방하거나 복구하는 데 한계가 있다. 하지만 축산농가의 피해규모에 비해 정부지원은 미미한 수준에 머무르자, 자연재해(수해, 풍해 등) 및 화재 등으로 인해 가축 및 가축사육시설의 피해를 입은 농가에게 재생산 여건을 제공하여 안정적인 양축 기반을 조성해야 할 필요성이 대두되었다.

(2) 추진 경과

이에 따라 1997년부터 '소' 가축공제 시범사업을 시작하였고, 2007년부터 민영보험사업자의 참여를 허가하여 경쟁체제를 도입하였다.

▼ 가축재해보험 사업자 참여 확대

구분	2007	2016	2017
보험사업자	2개사 (농협중앙회, LIG컨소시엄)	4개사 (NH손보, KB손보, DB손보, 한화손보) *컨소시엄 해체	5개사 (NH손보, KB손보, DB손보, 한화손보, 현대해상)

2012년부터는 담보 축종을 현재의 16종(소·말·돼지·닭·오리·거위·꿩·메추리·칠면조·타조·관상조·사슴·양·벌·토끼·오소리)까지 확장하였다.

▼ 가축재해보험 대상 축종 확대

구분	'97	'00	'02	'04	'05	'06	'07	'08	'09	'10	'11	'12
도입 축종	소	말 돼지	닭	오리	꿩 메추리	칠면조 사슴	거위 타조 축사	염소	벌	토끼	관상조	오소리

▼ 가축재해보험 연혁

연도 (축종수)	내용	사업 대상
2000 (3)	• 『돼지·말』 보험 판매 • 가축공제 재보험 도입	소, 돼지, 말
2002 (4)	• 『닭』 보험 판매 　☞ 보장내용 : 풍수재·화재 • 『돼지』 보장 확대 　☞ 풍수재·화재 → 설해까지 확대 　☞『경영손실보장특약』 신설 • "소" 가입연령 확대(6개월 → 2개월)	소, 돼지, 말, 닭
2004 (5)	• 『오리』 보험 판매 　☞ 닭 공제 → 가금 공제로 명칭 변경	소, 돼지, 말, 가금(닭, 오리)
2005 (7)	• 『꿩』, 『메추리』 보험 판매	소, 돼지, 말, 가금(닭, 오리, 꿩, 메추리)
2006 (9)	• 『칠면조』, 『사슴』 보험 판매	소, 돼지, 말, 가금(닭, 오리, 꿩, 메추리, 칠면조), 사슴
2007 (11)	• 『타조』, 『거위』 보험 판매 • 『가금』 보장 확대 　☞ 풍수재·화재 → 설해까지 확대 • 『축사보험』 판매 　– 보장범위 : 풍수재·화재 　– 정부지원 : 30%	소, 돼지, 말, 가금(닭, 오리, 꿩, 메추리, 칠면조, 타조, 거위), 사슴 및 축사
2008 (12)	• 『양』 보험 판매	소, 돼지, 말, 가금(타조, 거위 등), 기타 가축(사슴, 양)
2009 (13)	• 『꿀벌』 보험 판매 • 『축사보험』 보장 확대 　– 보장범위 : 설해·풍수재·화재 　– 정부지원 : 50%	소, 돼지, 말, 가금(타조, 거위 등), 기타 가축(사슴, 양, 꿀벌)
2010 (14)	• 『가축재해보험』 상품 판매 　– 농어업재해보험법 제정에 따른 상품명 변경 • 『축사보험』 보장 확대 　– 보상가액 최저 70%까지로 확대 　　(구, 보상가액 최저 30%) • 『토끼』 보험 판매	소, 돼지, 말 가금(타조, 거위 등) 기타 가축(사슴, 양, 꿀벌, 토끼)

2011 (15)	• 『관상조』 보험 판매	소, 돼지, 말 가금(타조, 거위, 관상조 등) 기타 가축(사슴, 양, 꿀벌, 토끼)
2012 (16)	• 『폭염재해보장』 판매 • 『소도난손해』 판매 • 『소도체결함보상특약』 판매 • 『오소리』 보험 판매	소, 돼지, 말 가금(타조, 거위, 관상조 등) 기타 가축(사슴, 양, 꿀벌, 토끼, 오소리)
2013 (16)	• 『화재대물배상특약』 판매 • 젖소 축종 가입 시 사진 촬영 삭제 • 소 보험 보험금 지급 개선 • 계열화 사업회사 정부 지원 제외	소, 돼지, 말 가금(타조, 거위, 관상조 등) 기타 가축(사슴, 양, 꿀벌, 토끼, 오소리)
2014 (16)	• 사고가축『잔존물처리비』 보상 추가 • 젖소 유량 감소로 인한 긴급도축 보장 • 『유량검정젖소』 판매 • 보험요율 표준화(참조순요율)	소, 돼지, 말 가금(타조, 거위, 관상조 등) 기타 가축(사슴, 양, 꿀벌, 토끼, 오소리)
2015 (16)	• 돈사, 가금사 설해부보장 특약 신설 • 지자체 보조금 예산 관리 전산화	소, 돼지, 말 가금(타조, 거위, 관상조 등) 기타 가축(사슴, 양, 꿀벌, 토끼, 오소리)
2016 (16)	• 계약자별 손해율에 따른 할인·할증률 적용 • 『소』 가입가능 월령 확대 • 보험사업자 참여 확대(2개 → 4개)	소, 돼지, 말 가금(타조, 거위, 관상조 등) 기타 가축(사슴, 양, 꿀벌, 토끼, 오소리)
2017 (16)	• 가금 축종 폭염 담보 특약의 주계약 전환 • 『젖소』 가입연령 확대 • 가금 표준발육표 도입 • 보험사업자 참여 확대(4개 → 5개)	소, 돼지, 말 가금(타조, 거위, 관상조 등) 기타 가축(사슴, 양, 꿀벌, 토끼, 오소리)
2018 (16)	• 동물복지인증농가 보험료 할인 도입 • 전기안전 점검 시 등급에 따른 보험료 할인 도입 • '랜더링' 비용 보장 확대 • 구내 폭발 특약 신설 • 꿀벌 질병 담보 추가 담보 • 제주 경주마 요율 신설	소, 돼지, 말 가금(타조, 거위, 관상조 등) 기타 가축(사슴, 양, 꿀벌, 토끼, 오소리)
2019 (16)	• 태양광 설비 인수금지 • 계약자별 손해율에 따른 보험료 할인/할증율 확대 • 지역별 요율 차등 배제	소, 돼지, 말 가금(타조, 거위, 관상조 등) 기타 가축(사슴, 양, 꿀벌, 토끼, 오소리)

2020 (16)	• 가금 요율 세분화(8종 단일 → 6종 세분) • 돼지·가금 자기부담금 개정	소, 돼지, 말 가금(타조, 거위, 관상조 등) 기타 가축(사슴, 양, 꿀벌, 토끼, 오소리)
2021 (16)	• 닭(육계·토종닭) 적정사육 기준 적용 • 비용손해에 대한 자기부담금 적용 배제 • 보험사업자와 Agrix간 '소' 이력제 전산 연계	소, 돼지, 말 가금(타조, 거위, 관상조 등) 기타 가축(사슴, 양, 꿀벌, 토끼, 오소리)
2022 (16)	• 부가보험료율 인하(15% → 13%) • 축사 주계약 단독 가입 허용 및 자기부담비율 선택폭 확대 • 적정사육 기준 적용 축종 확대 (육계·토종닭 → 돼지·오리 추가) • 소 포괄가입 기준 완화 • 폭염 담보 특약으로 일원화	소, 돼지, 말 가금(타조, 거위, 관상조 등) 기타 가축(사슴, 양, 꿀벌, 토끼, 오소리)

(3) 실시 배경과 사업목적

1) **가축재해보험의 사업목적** : 해마다 발생하는 자연재해와 화재, 질병 등 재해로 인한 가축 및 가축사육시설의 피해에 따른 손해를 보상하여 농가의 경영 안정, 생산성 향상을 도모하는 데 있다.

2) 축산업은 축산물을 생산하는 과정에서 자연재해 및 가축 질병 등으로 인한 피해가 크며, 그 피해가 광범위하고 동시다발적으로 발생하게 되므로 개별농가로는 이를 예방하거나 복구하는 데 한계가 있다.

3) 자연재해(수해, 풍해 등) 및 화재 등으로 인해 가축 및 가축사육 시설의 피해를 입은 농가에게 재생산 여건을 제공하여 안정적인 양축 기반을 조성해야 할 필요성이 대두되었다.

(4) 사업 운영

▼ 가축재해보험 운영기관

구분	대상
사업총괄	농림축산식품부(재해보험정책과)
사업관리	농업정책보험금융원
사업운영	농업정책보험금융원과 사업 운영 약정을 체결한 자 (NH손보, KB손보, DB손보, 한화손보, 현대해상)
보험업 감독기관	금융위원회
분쟁해결	금융감독원
심의기구	농업재해보험심의회

1) **가축재해보험의 사업 주관부서 : 농림축산식품부**

재해보험 관계법령의 개정, 보험료 및 운영비 등 국고 보조금 지원 등 전반적인 제도 업무를 총괄한다.

2) **가축재해보험의 사업관리기관 : 농업정책보험금융원**

① 농어업재해보험법 제25조의2(농어업재해보험사업의 관리) 제2항에 의거 농림축산식품부로부터 가축재해보험 사업관리를 수탁 받아서 업무를 수행한다.

② 농업정책보험금융원의 주요 업무는 재해보험사업자의 선정·관리·감독, 재해보험 상품의 연구 및 보급, 재해 관련 통계 생산 및 데이터베이스 구축·분석, 조사자의 육성, 손해평가기법의 연구·개발 및 보급 등이다.

3) **가축재해보험의 사업시행기관**

① 사업관리기관과 약정체결을 한 재해보험사업자이며, 현재는 가축재해보험사업자는 NH손보, KB손보, DB손보, 한화손보, 현대해상이다.

② 가축재해보험 사업자는 보험상품의 개발 및 판매, 손해평가, 보험금 지급 등 실질적인 보험사업 운영을 한다.

4) **가축재해보험 가축재해보험 감독기관**

가축재해보험 상품도 손해보험이므로 보험업에 대한 감독기관은 금융위원회이며, 분쟁 해결 기관은 금융감독원이다.

5) **농업재해보험심의회**

가축재해보험을 포함한 농업재해보험에 대한 중요사항을 심의하는 농업재해보험심의회는 농림축산식품부장관 소속으로 설치되었고 차관을 위원장으로 하여 재해보험 목적물 선정, 보상하는 재해의 범위, 재해보험사업 재정지원, 손해평가 방법 등 농업재해보험에 중요사항에 대해 심의한다.

▼ 가축재해보험 운영체계

2. 보험사업시행 주요 내용(2022년 기준)

(1) 사업대상자

1) **가축재해보험 사업대상자** : 농어업재해보험법 제5조에 따라 농림축산식품부장관이 고시하는 가축을 사육하는 개인 또는 법인이다.

2) 2022년 현재 가축재해보험의 목적물로 고시된 가축은 16개 축종이다.

① **가축 16종** : 소, 말, 돼지, 닭, 오리, 꿩, 메추리, 칠면조, 사슴, 거위, 타조, 양, 꿀벌, 토끼, 관상조, 오소리 등이다.

② **가축 사육시설** : 가축을 수용하는 건물 및 가축 사육과 관련된 건물 등이다.

> 〈관련 법령〉
> [농어업재해보험법]
> **제5조(보험목적물)** 보험목적물은 다음 각 호의 구분에 따르되, 그 구체적인 범위는 보험의 효용성 및 보험 실시 가능성 등을 종합적으로 고려하여 농업재해보험심의회 또는 어업재해보험심의회를 거쳐 농림축산식품부장관 또는 해양수산부장관이 고시한다.

1. 농작물재해보험 : 농작물 및 농업용 시설물

1의2. 임산물재해보험 : 임산물 및 임업용 시설물

2. 가축재해보험 : 가축 및 축산시설물

3. 양식수산물재해보험 : 양식수산물 및 양식시설물

제7조(보험가입자) 재해보험에 가입할 수 있는 자는 농림업, 축산업, 양식수산업에 종사하는 개인 또는 법인으로 하고, 구체적인 보험가입자의 기준은 대통령령으로 정한다.

[농어업재해보험법 시행령]

제9조(보험가입자의 기준) 법 제7조에 따른 보험가입자의 기준은 다음 각 호의 구분에 따른다.

1. 농작물재해보험 : 법 제5조에 따라 농림축산식품부장관이 고시하는 농작물을 재배하는 자

1의2. 임산물재해보험 : 법 제5조에 따라 농림축산식품부장관이 고시하는 임산물을 재배하는 자

2. 가축재해보험 : 법 제5조에 따라 농림축산식품부장관이 고시하는 가축을 사육하는 자

(2) 정부 지원

1) 가축재해보험 가입방식은 농작물재해보험과 같은 방식으로 가입 대상자(축산농업인)가 가입 여부를 판단하여 가입하는 "임의보험" 방식이다.

2) 가축재해보험에 가입하여 정부의 지원을 받는 요건은 농업경영체에 등록하고, 축산업 허가(등록)를 받은 자로 한다.

3) 가축재해보험과 관련하여 정부의 지원은 개인 또는 법인당 5,000만원 한도 내에서 납입 보험료의 50%까지 받을 수 있으며, 상세 내용은 아래와 같다.

① **정부지원 대상** : 가축재해보험 목적물을 사육하는 개인 또는 법인

② **정부지원 요건**

  ㉠ **농업인·법인** : 축산법 제22조 제1항 및 제3항에 따른 축산업 허가(등록)를 받은 자로, 농어업경영체법 제4조에 따라 해당 축종으로 농업경영정보를 등록한 자

    ⓐ 단, 축산법 제22조 제5항에 의한 축산업등록 제외 대상은 해당 축종으로 농업경영정보를 등록한 자

    ⓑ 축사는 가축사육과 관련된 적법한 건물(시설물 포함)로 건축물관리대장 또는 가설건축물관리대장이 있는 경우에 한함

      ㉮ 가축전염병예방법 제19조에 따른 경우에는 사육 가축이 없어도 축사가입가능

      ㉯ 건축물관리대장 또는 가설건축물관리대장 미제출 시 정부 지원 제외

      ㉰ 건축물관리대장상 주택용도는 정부지원 제외

      ㉱ 건축물관리대장상 위반건축물이 있는 경우 정부지원 제외

  ㉡ **농·축협** : 농업식품기본법 시행령 제4조 제1호의 농축협으로 축산업 허가(등록)를 받은 자

ⓐ 축산법 제22조 제5항에 의한 축산업등록 제외 대상도 지원
ⓑ 축사는 가축사육과 관련된 적법한 건물(시설물 포함)로 건축물관리대장 또는 가설건축물관리대장이 있는 경우에 한함
㉮ 가축전염병예방법 제19조에 따른 경우에는 사육가축이 없어도 축사가입가능
㉯ 건축물관리대장 또는 가설건축물관리대장(보험기간이 가설 건축물관리대장 상 존치기간 내 지원 가능) 미제출 시 정부 지원 제외
㉰ 건축물관리대장상 주택용도는 정부지원 제외
㉱ 건축물관리대장상 위반건축물이 있는 경우 정부지원 제외

▼ 가축사육업 허가 및 등록기준

> 1. 허가대상 : 4개 축종(소·돼지·닭·오리, 아래 사육시설 면적 초과 시)
>   − 소·돼지·닭·오리 : 50㎡ 초과
> 2. 등록대상 : 11개 축종
>   − 소·돼지·닭·오리(4개 축종) : 허가대상 사육시설 면적 이하인 경우
>   − 양·사슴·거위·칠면조·메추리·타조·꿩(7개 축종)
> 3. 등록제외 대상 : 12개 축종
>   − 등록대상 가금 중 사육시설면적이 10㎡ 미만은 등록 제외(닭, 오리, 거위, 칠면조, 메추리, 타조, 꿩)
>   − 말, 토끼, 꿀벌, 오소리, 관상조(5개 축종)

③ **정부지원 범위** : 가축재해보험에 가입한 재해보험가입자의 납입 보험료의 50% 지원 [단, 농업인(주민등록번호) 또는 법인별(법인등록번호) 5천만원 한도 지원]

> [예시] : 보험 가입하여 4천만원 국고지원 받고 계약 만기일 전 중도 해지한 후 보험을 재가입할 경우 1천만원 국고 한도 내 지원 가능
> ※ 말(馬)은 마리당 가입금액 4천만원 한도 내 보험료의 50%를 지원하되, 4천만원을 초과하는 경우는 초과 금액의 70%까지 가입금액을 산정하여 보험료의 50% 지원(단, 외국산 경주마는 정부지원 제외)
> ※ 닭(육계·토종닭), 돼지, 오리 축종은 가축재해보험 가입두수가 축산업 허가(등록)증의 가축사육 면적을 기준으로 아래의 범위를 초과하는 경우 정부지원 제외

▼ 가축사육면적당 보험가입 적용 기준

닭 (육계·토종닭)	돼지(㎡/두)						오리(㎡/두)	
	개별가입					일괄가입	산란용	육용
	웅돈	모돈	자돈(초기)	자돈(후기)	육성돈 비육돈			
22.5두/㎡	6	2.42	0.2	0.3	0.62	0.79	0.333	0.246

(3) 보험 목적물

1) **가축재해보험의 목적물 가축(16종)** : 소, 돼지, 말, 닭, 오리, 꿩, 메추리, 칠면조, 타조, 거위, 관상조, 사슴, 양, 꿀벌, 토끼, 오소리 등

   ※ 축산법 및 동법 시행령과 농림축산식품부장관으로 고시된 가축 중에서 곤충과 개 등 일부 가축을 제외한 대부분의 축종이 해당된다.

2) **가축재해보험의 목적물 축산시설물** : 가축을 사육하는 축사 및 부속물과 부착물 및 부속 설비 등을 포함하며, 태양광 및 태양열 발전시설은 제외한다.

(4) 보험 가입 단위

가축재해보험은 사육하는 가축 및 축사를 전부 보험가입하는 것을 원칙으로 하고 있다. 종모우인 소와 말은 개별 가입이 가능하다.

1) 종모우와 말은 개별 가입 가능
2) 소는 1년 이내 출하 예정인 경우 아래 조건에서 일부 가입 가능
   ① 축종별 및 성별을 구분하지 않고 보험가입 시에는 소 이력제 현황의 70% 이상
   ② 축종별 및 성별을 구분하여 보험가입 시에는 소 이력제 현황의 80% 이상

▼ 축종별 가입대상·형태 및 지원비율

구분	소		돼지	말	가금	기타가축	축사
	한우·육우·젖소	종모우					
가입대상	• 한우·육우·젖소 – 생후 15일령 이상 13세 미만	• 한우 • 젖소	제한없음	• 종빈마 • 종모마 • 경주마 • 육성마 • 일반마 • 제주마	• 닭 • 오리 • 꿩 • 메추리 • 타조 • 거위 • 관상조 • 칠면조	• 사슴 – 만 2개월 이상 • 양 – 만 3개월 이상 • 꿀벌 • 토끼 • 오소리	• 가축사육 건물 및 부속설비
가입형태	포괄가입	개별가입	포괄가입	개별가입	포괄가입	포괄가입	포괄가입
지원비율	총 보험료의 50% 국고 지원 총 보험료의 0~50% 지자체 지원						

(5) 보험 판매 기간

1) 보험 판매 기간은 연중으로 상시 가입 가능하다.
2) 단, 재해보험사업자는 폭염·태풍 등 기상상황에 따라 신규 가입에 한해 보험 가입 기간을 제한할 수 있고, 이 경우 농업정책보험금융원에 보험 가입 제한 기간을 통보하여야 한다.
   ① 폭염 : 6~8월
   ② 태풍 : 태풍이 한반도에 영향을 주는 것이 확인된 날부터 태풍특보 해제 시

(6) 보상하는 재해의 범위 및 축종별 보장 수준

1) 가축재해보험에서 보상하는 재해는 자연재해(풍해, 수해, 설해, 지진 등), 질병(축종별로 다름), 화재 등이다.
   ※ 가축재해보험도 자연재해, 질병, 화재로 인한 모든 피해를 보장하지는 않는다. 가축재해보험뿐만 아니라 일반 손해보험의 경우도 마찬가지이다.
2) 가축재해보험도 대부분의 손해보험과 같이 보험가입금액의 일정 부분을 보장하고 있으며 별도 설정된 보장 수준 내에서 보상한다.
3) 축종별 구체적인 보장 수준은 다음과 같다.

▼ 보상하는 재해의 범위 및 축종별 보장수준 (2022년 기준)

축종		보상하는 재해	보장수준(%)					
			60	70	80	90	95	100
소	주계약	① 질병 또는 사고로 인한 폐사 → 가축전염병예방법 제2조 제2항에서 정한 가축전염병 제외 ② 긴급도축 → 부상(경추골절·사지골절·탈구), 난산, 산욕마비, 급성고창증, 젖소의 유량감소 등으로 즉시 도살해야 하는 경우 ③ 도난·행방불명(종모우 제외) ④ 경제적도살(종모우 한정)	O	O	O	–	–	–
	특약	도체결함	–	–	O	–	–	–
돼지	주계약	자연재해(풍재·수재·설해·지진), 화재로 인한 폐사	–	–	O	O	O	–
	특약	질병위험[주1], 전기적 장치위험, 폭염	보험금의 10%, 20%, 30%, 40% 또는 200만원 중 큰 금액					

가금 주2)	주계약	자연재해(풍재·수재·설해·지진), 화재로 인한 폐사	O	O	O	O	–	–
	특약	전기적 장치위험, 폭염	보험금의 10%, 20%, 30%, 40% 또는 200만원 중 큰 금액					
말	주계약	① 질병 또는 고로 인한 폐사 → 가축전염병예방법 제2조 제2항에서 정한 가축전염병 제외 ② 긴급도축 → 부상(경추골절·사지골절·탈구), 난산, 산욕마비, 산통, 경주마 중 실명으로 즉시 도살해야 하는 경우 ③ 불임(암컷)	–	–	O	O	O	–
	특약	씨수말 번식첫해 불임, 운송위험, 경주마 부적격	–	–	O	O	O	–
기타 가축 주3)	주계약	자연재해(풍재·수재·설해·지진), 화재로 인한 폐사	O	O	O	O	O	–
	특약	(사슴, 양) 폐사·긴급도축 확장보장	O	O	O	O	O	–
		(꿀벌) 부저병·낭충봉아부패병으로 인한 폐사	O	O	O	O	O	–
축사	주계약	자연재해(풍재·수재·설해·지진), 화재로 인한 손해	–	–	–	O	O	O
	특약	설해손해 부보장(돈사·가금사에 한함)	–	–	–	–	–	–
공통특약		구내폭발위험, 화재대물배상책임	–	–	–	–	–	–

※ 주1) TGE(전염성위장염), PED(돼지유행성설사병), 로타바이러스감염증

※ 주2) 가금(8개 축종) : 닭, 오리, 꿩, 메추리, 타조, 거위, 칠면조, 관상조

※ 주3) 기타가축(5개 축종) : 사슴, 양, 꿀벌, 토끼, 오소리

(7) 보험 가입절차

1) 가축재해보험에 가입하는 절차

재해보험가입자에게 보험 홍보 및 보험 가입안내(대리점 등) → 가입신청(재해보험가입자) → 사전 현지확인(대리점 등) → 청약서 작성(재해보험가입자) 및 보험료 수납(대리점 등) → 재해보험가입자에게 보험증권 발급(대리점 등)의 순서를 거친다.

2) 가축재해보험은 재해보험사업자와 판매 위탁계약을 체결한 지역 대리점(지역농협 및 품목농협, 민영보험사 취급점) 등에서 보험 모집 및 판매를 담당한다.

▼ 가축재해보험 추진절차

```
                    ┌──────────────┐
                    │   가입 안내    │
                    └──────┬───────┘
                           ↓
                    ┌──────────────┐
                    │   가입 신청    │
                    └──────┬───────┘
                           ↓
                    ┌──────────────┐
                    │   현장 방문    │
                    └──────┬───────┘
                           
┌──────────────┐   ┌──────────────┐   ┌──────────────┐
│ 축종, 사육두수, │→ │ 청약서 작성 및  │ ←│   가입가격     │
│  축사면적 등   │   │  보험료 수납    │   │  (표준가격)    │
└──────────────┘   └──────┬───────┘   └──────────────┘
                           ↓
┌──────────────┐   ┌──────────────┐
│  재해 발생 시  │   │  보험증권 발급  │
└──────┬───────┘   └──────────────┘
       ↓
┌──────────────┐   ┌──────────────┐
│재해발생통지(계약자)│→│ 피해사실 확인 및 │
└──────────────┘   │ 손해평가(피해 목적물│
                   │ 수량, 피해면적 등 산정)│
                   └──────┬───────┘   ┌──────────────┐
                          │           │   검증조사     │
                          │          ←│ (재해보험사업자, │
                          ↓           │  재보험사업자)  │
                   ┌──────────────┐   └──────────────┘
                   │  지급보험금    │
                   │  결정 및 통지   │
                   └──────┬───────┘
         ┌────────────────┤
         ↓                ↓
┌──────────────┐   ┌──────────────┐
│보험금 청구(계약자)│   │  보험금 지급   │
└──────┬───────┘   └──────────────┘
       └──────────────────↑
```

(8) 보험료율 적용기준 및 할인 · 할증

1) 보험료의 할인 · 할증의 종류는 축종별, 주계약별, 특약별로 각각 보험요율 적용한다.

2) 보험료 할인 · 할증은 축종별로 다르며, 재해보험요율서에 따라 적용한다.

   ① 전문기관(보험업법 제176조에 따른 보험요율 산출기관(보험개발원))이 산출한 요율이 없는 경우에는 재보험사와의 협의 요율 적용 가능하다.

   ② 과거 손해율에 따른 할인 · 할증, 축사전기안전점검, 동물복지축산농장 할인 등을 적용한다.

(9) 손해평가

1) 가축재해보험 손해평가는 가축재해보험에 가입한 계약자에게 보상하는 재해가 발생한 경우 피해 사실을 확인하고, 손해액을 평가하여 약정한 보험금을 지급하기 위하여 실시한다.

2) 재해보험사업자는 보험목적물에 관한 지식과 경험을 갖춘 자 또는 그 밖에 전문가를 손해평가인으로 위촉하여 손해평가를 담당하게 하거나, 손해평가사 또는 보험업법에 따른 손해사정사에게 손해평가를 담당하게 할 수 있다(농어업재해보험법 제11조).

3) 재해보험사업자는 농어업재해보험법 제11조 및 농림축산식품부장관이 정하여 고시하는 농업재해보험 손해평가요령에 따라 손해평가를 실시하고, 손해평가 시 고의로 진실을 숨기거나 허위로 하여서는 안 된다.
   ① 재해보험사업자는 손해평가의 공정성 확보를 위해 보험목적물에 대한 수의사진단 및 검안 시 시·군 공수의사, 수의사로 하여금 진단 및 검안 등 실시한다.
   ② 소(牛) 사고 사진은 귀표가 정확하게 나오도록 하고 매장 시 매장장소가 확인되도록 전체 배경화면이 나오는 사진 추가, 검안 시 해부 사진을 첨부한다.
   ③ 진단서, 폐사 진단서 등은 상단에 연도별 일련번호 표기 및 법정서식을 사용한다.
   ※ 수의사법 시행규칙 제9조(진단서의 발급 등)

4) 재해보험사업자는 농어업재해보험법 제11조 제5항에 따라 손해평가에 참여하고자 하는 손해평가인을 대상으로 연 1회 이상 실무교육(정기교육)을 실시하여야 한다.

5) 농업정책보험금융원은 「재보험사업 및 농업재해보험사업의 운영 등에 관한 규정」 제15조에 따라 손해평가에 참여하고자 하는 손해평가사를 대상으로 1회 이상 실무교육 및 3년마다 1회 이상 보수교육을 실시하여야 한다.

6) **손해평가 교육내용**(단, 현장교육이 어려울 경우 교육 대상자가 컴퓨터나 스마트폰 등의 기기를 통해 온라인교육 사이트(농정원 농업교육포털)에 접속하여 교육 수강)
   ① **실무교육(정기교육)** : 농업재해보험 관련 법령 및 제도에 관한 사항, 농업재해보험 손해평가의 이론 및 실무에 관한 사항, 그 밖에 농업재해보험 관련 교육, CS교육, 청렴교육, 개인정보보호 교육 등
   ② **보수교육** : 보험상품 및 손해평가 이론과 실무 개정사항, CS교육, 청렴교육 등

(10) 보험금 지급

1) 재해보험사업자는 계약자(또는 피보험자)가 재해발생 사실 통지 시 지체없이 지급할 보험금을 결정하고, 지급할 보험금이 결정되면 7일 이내에 보험금을 지급한다.

2) 지급할 보험금이 결정되기 전이라도 피보험자의 청구가 있을 때에는 재해보험사업자가 추정한 보험금의 50% 상당액을 가지급금으로 지급한다.

> 〈손해평가 및 보험금 지급 과정〉
> ① 보험사고 접수 : 계약자·피보험자는 재해보험사업자에게 보험사고 발생 사실 통보
> ② 보험사고 조사 : 재해보험사업자는 보험사고 접수가 되면, 손해평가반을 구성하여 보험사고를 조사, 손해액을 산정
>   ⊙ 보상하지 않는 손해 해당 여부, 사고 가축과 보험목적물이 동일 여부, 사고발생 일시 및 장소, 사고 발생 원인과 가축 폐사 등 손해 발생과의 인과관계 여부, 다른 계약 체결 유무, 의무 위반 여부 등 확인 조사
>   ⓛ 보험목적물이 입은 손해 및 계약자·피보험자가 지출한 비용 등 손해액 산정
> ③ 지급보험금 결정 : 보험가입금액과 손해액을 검토하여 결정
> ④ 보험금 지급 : 지급할 보험금이 결정되면 7일이 내에 지급하되, 지급보험금이 결정되기 전이라도, 피보험자의 청구가 있으면 추정보험금의 50%까지 보험금 지급 가능

(11) 담당기관별 역할

1) 가축재해보험 사업을 추진하는 주요 기관으로는 정부(농림축산식품부), 농업정책보험금융원, 재해보험사업자 등이 있다.

2) 가축재해보험 사업의 차질 없는 수행을 위해서는 관련 기관 간 효율적 역할 분담과 긴밀한 업무 협조가 절대적이다.

3) 업무 협조를 위해 농림축산식품부는 '가축재해보험 사업 시행지침'에 가축재해보험 사업 추진단계별 기관별 역할 분담을 정하고 있다.

  ① 농림축산식품부

    ⊙ 가축재해보험 세부사업 기본계획(사업 대상, 지원조건, 보조율, 사업 기간 등)을 확정하여 농업정책보험금융원 및 재해보험사업자에 시달하고, 농업정책보험금융원에서 마련한 상품개선안을 승인한다.

    ⓛ 재해보험사업자의 가축재해보험 자금배정 신청 및 농업정책보험금융원의 검토결과를 근거로 가축재해보험에 필요한 자금을 배정한다.

    ⓒ 가축재해보험의 사고예방을 위한 위험관리를 체계화하기 위하여 재해보험사업자의 사업추진상황을 점검하고, 보험사고 목적물에 대한 불법 진단·검진하거나 공모한 수의사 등에 대해 관계법령에 의하여 면허정지 처분 등을 할 수 있도록 관계 기관 또는 관련 부서에 통보한다.

  ② 농업정책보험금융원

    ⊙ 재해보험사업자 및 지역 대리점에 대한 사업점검, 상품 및 제도개선연구·개선, 위험관리점검, 재해보험 홍보 등 사업관리 계획 수립하고, 재해보험사업자와 사업약정체결을 실시(농어업재해보험법 제8조)한다.

    ⓛ 보험상품 및 손해평가 방법에 대해 현장의견·자체검토사항, 보험상품 및 제도개선 사항 등 검토하고, 축종별 상품개선안, 보험료율 등의 적정성을 검토하여 축종

별 최종 상품개선안 재해보험사업자에 통보하여 시행한다.

    ⓒ 재해보험사업자 및 대리점에 대한 사업점검, 상품개선, 농업인·지자체에 제도홍보 및 손해평가사 교육 등을 추진한다.

    ⓔ 재해보험사업자, 지역 대리점 및 계약자를 대상으로 부당 위법 여부에 대한 사실관계를 현장 조사하여 해당 지원 및 해당 기관의 징계, 계약자의 계약 취소 등을 재해보험사업자에게 요구할 수 있다.

③ 재해보험사업자

    ㉠ 보험가입 촉진계획, 보험상품 개선·개발 계획, 재해보험 교육·홍보 등 세부 시행계획을 수립하고 농업정책보험금융원에 제출한다.

    ㉡ 농업인들의 현장 의견을 적극 수렴하여 상품을 개발하고, 객관적인 통계를 활용하여 보험요율을 산출하며, 그 결과와 재해보험 기초서류(사업방법서, 요율검증보고서, 보험약관 등)를 농업정책보험금융원에 제출한다.

    ㉢ 가축재해보험사업 시행지침에 따라 사업을 추진하고, 재해 발생 시 신속한 손해평가를 실시하며, 보험사고 접수현황·추정보험금 등을 파악한다.

    ㉣ 농업인·지자체에 대한 보험 상품 내용 교육 및 홍보를 실시하며, 지역 대리점 및 농축협 등 판매직원, 손해사정사에 대한 보험 상품 내용 교육 및 홍보를 실시한다.

    ㉤ 판매위탁 계약을 체결한 지역 대리점 등이 가축재해보험 사업 세부 시행계획 등을 준수하여 사업 집행이 적정하게 수행되고 있는지를 확인한다.

    ㉥ 판매위탁 계약을 체결한 지역 대리점 및 계약자 등에 다음의 부당사유가 확인되었을 경우 당해 보조금을 회수 조치한다.

> [부당사유]
> • 보조금을 목적 외로 사용한 때
> • 허위 또는 가공 보험계약을 체결하여 보조금을 집행할 때
> • 관련 법령을 위반한 때
> • 기타 약정사항 미이행 등

    ㉦ 보험계약자가 보험사기와 관련되었거나 손해조사자를 위협 또는 폭력을 행사하는 등 인수손해조사 업무를 방해하는 경우 해당 보험계약자에 대하여는 보험가입 제한 등을 할 수 있다.

    ㉧ 손해평가자의 부당부실 손해평가를 확인하였을 때에는 '가축재해보험의 손해평가 결과 보고'를 농업정책보험금융원에 보고한다.

1. 가축재해보험 약관

(1) 산업사회가 고도화되면서 다양한 요인에 의하여 축산농가의 경영과 소득에 대한 불안 요인이 점점 증가하고 있는 상황에서 자연재해, 화재, 각종 사고 및 질병 등으로 가축 피해 발생 시 보험제도를 이용하여 손실을 보전함으로써 축산농가의 소득 및 경영안정을 도모하기 위해 시행하는 정책보험이 가축재해보험이다.

(2) 가축재해보험사업은 농림축산식품부가 총괄하고, 농업정책보험금융원이 관리하며, 농업정책보험금융원과 사업 운영 약정을 체결한 재해보험사업자가 운용하고 있으며 이러한 가축재해보험의 모든 계약 내용을 담고 있는 것이 가축재해보험약관이다.

(3) 현행 가축재해보험약관을 중심으로 살펴보면 가축재해보험약관은 특정한 보험계약에 일반적이고 정형적으로 적용하기 위하여 보험자가 미리 작성한 계약조항인 보통보험약관과 보통보험계약만으로는 불충분하며 보충적이고 세부적인 내용에 대한 계약이 필요한 경우 그러한 계약조항을 담고 있는 20개의 특별보험약관으로 구성되어 있다.

(4) 가축재해보험 보통약관에서는 보험의 목적인 가축을 소, 돼지, 말, 가금(닭, 오리, 꿩, 메추리, 타조, 거위, 칠면조, 관상조), 기타 가축(사슴, 양, 꿀벌, 토끼, 오소리)의 5개 부문 16개 축종으로 분류하고 있다.

2. 부문별 보험의 목적

(1) 재해보험사업자는 보험의 목적에 보험사고가 난 경우에 보험금을 지급할 책임을 지기 때문에 일반적으로 보험의 목적은 보험사고 발생의 객체가 되는 경제상의 재화 또는 자연인(생명이나 신체)을 의미하며 가축재해보험에서 보험의 목적은 보험사고의 대상이 되는 가축 등을 의미한다.

(2) 현행 가축재해보험 보통약관에서 보험의 목적으로 하는 축종을 부문별로 분류하여 보면 다음과 같다.

부문	보험의 목적
소	한우, 육우, 젖소, 종모우
돼지	종모돈, 종빈돈, 비육돈, 육성돈(후보돈 포함), 자돈, 기타 돼지
가금	닭, 오리, 꿩, 메추리, 타조, 거위, 칠면조, 관상조
말	경주마, 육성마, 일반마, 종빈마, 종모마, 제주마
기타 가축	사슴, 양(염소 포함), 꿀벌, 토끼, 오소리
축사	가축사육건물(건물의 부속물, 부착물, 부속설비, 기계장치 포함)

1) 소(牛) 부문

① 소(牛) 부문에서는 보험기간 중에 계약에서 정한 수용장소에서 사육하는 소를 한우, 육우, 젖소로 분류하여 보험의 목적으로 하고 있다.

　ㄱ 육우 : 품종에 관계없이 쇠고기 생산을 목적으로 비육되는 소로 주로 고기생산을 목적으로 사육하는 품종으로는 샤롤레, 헤어포드, 브라만 등이 있다.

　ㄴ 젖소 : 수컷 및 송아지를 낳은 경험이 없는 젖소도 육우로 분류되고 젖소는 가축으로 사육되는 소(牛) 중에서 우유 생산을 목적으로 사육되는 소로 대표적인 품종은 홀스타인종(Holstein)이 있다.

　ㄷ 한우 : 체질이 강하고 성질이 온순하며 누런 갈색의 우리나라 재래종 소로 넓은 의미로는 한우도 육우의 한 품종으로 보아야 할 것이나 가축재해보험에서는 한우는 별도로 분류하고 있다.

② 보험의 목적 : 소(牛)는 보험기간 중에 계약에서 정한 소(牛)의 수용장소(소재지)에서 사육하는 소(牛)는 모두 보험에 가입하여야 하며 위반 시 보험자는 그 사실을 안 날부터 1개월 이내에 이 계약을 해지할 수 있다.

③ 소(牛)가 1년 이내 출하 예정인 경우

　ㄱ 축종별 및 성별을 구분하지 않고 보험가입 시에는 소(牛) 이력제 현황의 70% 이상 가입 시 포괄가입으로 간주하고 있다.

　ㄴ 축종별 및 성별을 구분하여 보험가입 시에는 소 이력제 현황의 80% 이상 가입 시 포괄가입으로 간주하고 있다.

　ㄷ 소(牛)는 생후 15일령부터 13세 미만까지 보험 가입이 가능하다.

　ㄹ 보험에 가입하는 소(牛)는 모두 귀표(가축의 개체를 식별하기 위하여 가축의 귀에 다는 표지)가 부착되어 있어야 한다.

　ㅁ 젖소 불임우(프리마틴 등)는 암컷으로, 거세우는 수컷으로 분류한다.

④ 계약에서 정한 소(牛)의 수용장소에서 사육하는 소(牛)라도 다른 계약이 있거나, 과거 병력, 발육부진 또는 발병 등의 사유로 인수가 부적절하다고 판단되는 경우에는 보험목적에서 제외할 수 있다.

⑤ 보험기간 중 가축 증가(출산, 매입 등)에 따라 추가보험료를 납입하지 않은 가축에 대하여는 보험목적에서 제외한다.

2) 돼지(豚) 부문

① 돼지(豚) 부문에서는 계약에서 정한 수용장소에서 사육하는 돼지를 종모돈, 종빈돈, 비육돈, 육성돈(후보돈 포함), 자돈(仔豚), 기타 돼지로 분류하여 보험의 목적으로 하고 있다.

② 비육돈

  ㉠ 돼지는 평균 수명이 10~15년으로 알려져 있으나 고기를 생산하기 위한 비육돈은 일반적으로 약 180일 정도 길러져서 도축된다.

  ㉡ 비육돈을 시기별로 구분하면 다음과 같다.

    ⓐ **포유기간(포유자돈)** : 출산에서 약 4주차까지 포유기간(포유자돈)으로 어미돼지의 모유를 섭취한다.

    ⓑ **자돈기간(이유자돈)** : 출산에서 약 4주차~8주차까지 자돈기간(이유자돈)으로 어미돼지와 떨어져서 이유식에 해당하는 자돈사료를 섭취하게 된다.

    ⓒ **육성기간(육성돈)** : 출산에서 약 8주차~22주차까지 육성기간(육성돈)으로 이 시기에 근육이 생성되는 급격한 성장기이다.

    ⓓ **비육기간(비육돈)** : 출산에서 약 22주차~26주차까지 비육기간(비육돈)으로 출하를 위하여 근내지방을 침착시키는 시기이다.

③ 종모돈

  ㉠ 번식을 위하여 기르는 돼지를 종돈이라고 하고, 종돈에는 종모돈(씨를 받기 위하여 기르는 수퇘지)과 종빈돈(씨를 받기 위하여 기르는 암퇘지)이 있다.

  ㉡ 종돈은 통상 육성돈 단계에서 선발 과정을 거쳐서 후보돈으로 선발되어 종돈으로 쓰이게 된다.

3) 가금(家禽) 부문

① 가금(家禽) 부문에서는 보험기간 중에 계약에서 정한 수용장소에서 사육하는 가금을 닭, 오리, 꿩, 메추리, 칠면조, 거위, 타조, 관상조로 분류하여 보험의 목적으로 하고 있다.

② 닭 : 종계(種鷄), 육계(肉鷄), 산란계(産卵鷄), 토종닭 및 그 연관 닭을 모두 포함한다.

▼ 닭의 분류

종계(種鷄)	능력이 우수하여 병아리 생산을 위한 종란을 생산하는 닭
육계(肉鷄)	주로 고기를 얻으려고 기르는 빨리 자라는 식육용의 닭. 즉, 육용의 영계와 채란계(採卵鷄)의 폐계(廢鷄)인 어미닭의 총칭
산란계(産卵鷄)	계란 생산을 목적으로 사육되는 닭
토종닭	우리나라에 살고 있는 재래닭

4) 말(馬) 부문

① 말(馬) 부문에서는 보험기간 중에 계약에서 정한 수용장소에서 사육하는 말(馬)을 종마(종모마, 종빈마), 경주마(육성마 포함), 일반마, 기타 재해보험사업자가 인정하는 말(馬)로 분류하여 보험의 목적으로 하고 있다.

② 계약에서 정한 말(馬)의 수용장소에서 사육하는 말(馬)이라도 다른 계약이 있거나,

과거 병력, 발육부진 또는 발병 등의 사유로 인수가 부적절하다고 판단되는 경우에는 보험목적에서 제외할 수 있다.

종마	우수한 형질의 유전인자를 갖는 말을 생산할 목적으로 외모, 체형, 능력 등이 뛰어난 마필을 번식용으로 쓰기 위해 사육하는 씨말로 씨수말을 종모마, 씨암말을 종빈마라고 한다.
경주마	경주용으로 개량된 말과 경마에 출주하는 말을 총칭하여 경주마라고 하며 대한민국 내에서 말을 경마에 출주시키기 위해서는 말을 한국마사회에 등록해야 하고 보통 경주마는 태어난 지 대략 2년 정도 뒤 경주마 등록을 하고 등록함으로써 경주마로 인정받게 된다.

5) 종모우(種牡牛) 부문
① 종모우(種牡牛) 부문에서는 보험기간 중에 계약에서 정한 수용장소에서 사육하는 종모우(씨수소)를 한우, 육우, 젖소로 분류하여 보험의 목적으로 하고 있으며, 보험목적은 귀표가 부착되어 있어야 한다.
② 종모우(種牡牛)는 능력이 우수하여 자손생산을 위해 정액을 이용하여 인공수정에 사용되는 수소를 말한다.

6) 기타 가축(家畜) 부문
① 기타 가축 부문에서는 보험기간 중에 계약에서 정한 가축의 수용장소에서 사육하는 사슴, 양, 꿀벌, 토끼, 오소리를 보험의 목적으로 한다.
② 단, 계약에서 정한 가축의 수용장소에서 사육하는 가축이라도 다른 계약이 있거나, 과거 병력, 발육부진 또는 발병 등의 사유로 인수가 부적절하다고 판단되는 경우에는 보험목적에서 제외할 수 있다.
③ 보험기간 중 가축 증가(출산, 매입 등)에 따라 추가보험료를 납입하지 않은 가축에 대하여는 보험목적에서 제외한다.
④ 기타 가축 중 꿀벌의 경우 보험의 목적이 아래와 같은 벌통인 경우 보상이 가능하다.
　㉠ 서양종(양봉)은 꿀벌이 있는 상태의 소비(巢脾)가 3매 이상 있는 벌통
　㉡ 동양종(토종벌, 한봉)은 봉군(蜂群)이 있는 상태의 벌통

▼ 용어의 정의

소비 (巢脾)	소비(巢脾)라 함은 소광(巢光, comb frame; 벌집의 나무틀)에 철선을 건너매고 벌집의 기초가 되는 소초(巢礎)를 매선기로 붙여 지은 집으로 여왕벌이 알을 낳고 일벌이 새끼들을 기르며 꿀과 화분을 저장하는 6,600개의 소방을 가지고 있는 장소를 말한다.
봉군 (蜂群)	봉군(蜂群)은 여왕벌, 일벌, 수벌을 갖춘 꿀벌의 무리를 말한다. 우리말로 "벌무리"라고도 한다.

7) 축사(畜舍) 부문

축사 부문에서는 보험기간 중에 계약에서 정한 가축을 수용하는 건물 및 가축사육과 관련된 건물을 보험의 목적으로 한다.

건물의 부속물	피보험자 소유인 칸막이, 대문, 담, 곳간 및 이와 비슷한 것
건물의 부착물	피보험자 소유인 게시판, 네온싸인, 간판, 안테나, 선전탑 및 이와 비슷한 것
건물의 부속설비	피보험자 소유인 전기가스설비, 급배수설비, 냉난방설비, 급이기, 통풍설비 등 건물의 주 용도에 적합한 부대시설 및 이와 비슷한 것
건물의 기계장치	착유기, 원유냉각기, 가금사의 기계류(케이지, 부화기, 분류기 등) 및 이와 비슷한 것

3. 부문별 보상하는 손해

(1) 소(牛) 부문(종모우 부문 포함)

구분		보상하는 손해	자기부담금
주계약 (보통 약관)	한우 육우 젖소	• 법정전염병을 제외한 질병 또는 각종 사고 (풍해·수해·설해 등 자연재해, 화재)로 인한 폐사 • 부상(경추골절, 사지골절, 탈구·탈골), 난산, 산욕마비, 급성고창증 및 젖소의 유량 감소로 긴급도축을 하여야 하는 경우 ※ 젖소유량감소는 유방염, 불임 및 각종 대사성 질병으로 인하여 젖소로서의 경제적 가치가 없는 경우에 한함 ※ 신규가입일 경우 가입일로부터 1개월 이내 질병 관련 사고(긴급도축 제외)는 보상하지 아니함 • 소 도난 및 행방불명에 의한 손해 ※ 도난손해는 보험증권에 기재된 보관장소 내에 보관되어 있는 동안에 불법침입자, 절도 또는 강도의 도난행위로 입은 직접 손해(가축의 상해, 폐사 포함)에 한함 • 가축사체 잔존물 처리비용	보험금의 20%, 30%, 40%
	종모우	• 연속 6주 동안 정상적으로 정액을 생산하지 못하고, 종모우로서의 경제적 가치가 없다고 판정 시	

	종모우	※ 정액생산은 6주 동안 일주일에 2번에 걸쳐 정액을 채취한 후 이를 근거로 경제적 도살여부 판단 • 그 외 보상하는 사고는 한우·육우·젖소와 동일	보험금의 20%
주계약 (보통 약관)	축사	• 화재(벼락 포함)에 의한 손해 • 화재(벼락 포함)에 따른 소방손해 • 풍재, 수재, 설해, 지진에 의한 손해 • 화재(벼락 포함) 및 풍재, 수재, 설해, 지진에 의한 피난 손해 • 잔존물 제거비용	• 풍재·수재·설해·지진 : 지급보험금 계산 방식에 따라 계산한 금액에 0%, 5%, 10%를 곱한 금액 또는 50만원 중 큰 금액 • 화재 : 지급보험금 계산 방식에 따라 계산한 금액에 자기부담비율 0%, 5%, 10%를 곱한 금액
특별 약관	소 도체결함 보장	• 도축장에서 도축되어 경매시까지 발견된 도체의 결함(근출혈, 수종, 근염, 외상, 근육제거, 기타 등)으로 손해액이 발생한 경우	보험금의 20%
	협정보험 가액	• 협의 평가로 보험 가입한 금액 ※ 시가와 관계없이 가입금액을 보험가액으로 평가	주계약, 특약조건 준용
	화재대물 배상책임	• 축사 화재로 인해 인접 농가에 피해가 발생한 경우	–

1) 폐사는 질병 또는 불의의 사고에 의하여 수의학적으로 구할 수 없는 상태가 되고 맥박, 호흡, 그 외 일반증상으로 폐사한 것이 확실한 때로 하며 통상적으로는 수의사의 검안서 등의 소견을 기준으로 판단하게 된다.

2) 긴급도축은 "사육하는 장소에서 부상, 난산, 산욕마비, 급성고창증 및 젖소의 유량 감소 등이 발생한 소(牛)를 즉시 도축장에서 도살하여야 할 불가피한 사유가 있는 경우"에 한한다.

3) 긴급도축에서 부상 범위는 경추골절, 사지골절 및 탈구(탈골)에 한하며, 젖소의 유량 감소는 유방염, 불임 및 각종 대사성질병으로 인하여 수의학적으로 유량 감소가 예견되어 젖소로서의 경제적 가치가 없다고 판단이 확실시되는 경우에 한정하고 있으나, 약관에서 열거하는 질병 및 상해 이외의 경우에도 수의사의 진료 소견에 따라서 치료 불가능 사유 등으로 불가피하게 긴급도축을 시켜야 하는 경우도 포함한다.

> - 산욕마비 : 일반적으로 분만 후 체내의 칼슘이 급격히 저하되어 근육의 마비를 일으켜 기립 불능이 되는 질병
> - 급성고창증 : 이상발효에 의한 개스의 충만으로 조치를 취하지 못하면 폐사로 이어질수 있는 중요한 소화기 질병으로 변질 또는 부패 발효된 사료, 비맞은 풀, 두과풀(알파파류) 다량 섭취, 갑작스런 사료변경 등으로 인하여 반추위내의 이상 발효로 장마로 인한 사료 변패 등으로 인하여 여름철에 많이 발생
> - 대사성질병 : 비정상적인 대사 과정에서 유발되는 질병(대사 : 생명 유지를 위해 생물체가 필요한 것을 섭취하고 불필요한 것을 배출하는 일)

4) 도난 손해는 보험증권에 기재된 보관장소 내에 보관되어 있는 동안에 불법침입자, 절도 또는 강도의 도난 행위로 입은 직접손해(가축의 상해, 폐사를 포함)로 한정하고 있으며 보험증권에 기재된 보관장소에서 이탈하여 운송 도중 등에 발생한 도난손해 및 도난 행위로 입은 간접손해(경제능력 저하, 전신 쇠약, 성장 지체·저하 등)는 도난 손해에서 제외된다.

5) 도난, 행방불명의 사고 발생 시 계약자, 피보험자, 피보험자의 가족, 감수인(監守人) 또는 당직자는 지체없이 이를 관할 경찰서와 재해보험사업자에 알려야 하며, 보험금 청구 시 관할 경찰서의 도난신고(접수) 확인서를 재해보험사업자에 제출하여야 한다. 즉 도난, 행방불명의 경우는 경찰서 신고를 의무화하고 있다.

6) 단, 종모우(種牡牛)는 아래와 같다.
   ① 보험의 목적이 폐사, 긴급도축, 경제적 도살의 사유로 입은 손해를 보상한다.
   ② 폐사는 질병 또는 불의의 사고에 의하여 수의학적으로 구할 수 없는 상태가 되고 맥박, 호흡, 그 외 일반증상으로 폐사한 것이 확실한 때로 한다.
   ③ 긴급도축의 범위는 "사육하는 장소에서 부상, 급성고창증이 발생한 소(牛)를 즉시 도축장에서 도살하여야 할 불가피한 사유가 있는 경우"에 한하여 인정한다.
   종모우는 긴급도축의 범위를 약관에서 열거하고 있는 2가지 경우에 한정하여 인정하고 있으며, 부상의 경우도 범위를 아래와 같이 3가지 경우에 한하여 인정하고 있다.
   ④ 부상 범위는 경추골절, 사지골절 및 탈구(탈골)에 한한다.
   ⑤ 경제적 도살은 종모우가 연속 6주 동안 정상적으로 정액을 생산하지 못하고, 자격 있는 수의사에 의하여 종모우로서의 경제적 가치가 없다고 판정되었을 때로 한다. 이 경우 정액 생산은 6주 동안 일주일에 2번에 걸쳐 정액을 채취한 후 이를 근거로 경제적 도살 여부를 판단한다.

(2) 돼지(豚) 부문

구분		보상하는 손해	자기부담금
주계약 (보통 약관)	돼지	• 화재 및 풍재, 수재, 설해, 지진에 의한 손해 • 화재 및 풍재, 수재, 설해, 지진 발생 시 방재 또는 긴급피난에 필요한 조치로 목적물에 발생한 손해 • 가축사체 잔존물 처리 비용	보험금의 5%, 10%, 20%
	축사	• 화재(벼락 포함)에 의한 손해 • 화재(벼락 포함)에 따른 소방손해 • 풍재, 수재, 설해, 지진에 의한 손해 • 화재(벼락 포함) 및 풍재, 수재, 설해, 지진에 의한 피난손해 • 잔존물 제거비용	• 풍재·수재·설해·지진 : 지급보험금 계산 방식에 따라 계산한 금액에 0%, 5%, 10%를 곱한 금액 또는 50만원 중 큰 금액 • 화재 : 지급보험금 계산 방식에 따라 계산한 금액에 자기부담비율 0%, 5%, 10%를 곱한 금액
특별 약관	질병위험 보장	• TGE, PED, Rota virus에 의한 손해 ※ 신규가입일 경우 가입일로부터 1개월 이내 질병 관련 사고는 보상하지 아니함	보험금의 20%, 30%, 40% 또는 200만원 중 큰 금액
	축산휴지 위험보장	• 주계약 및 특별약관에서 보상하는 사고의 원인으로 축산업이 휴지되었을 경우에 생긴 손해액	–
	전기적 장치 위험보장	• 전기장치가 파손되어 온도의 변화로 가축 폐사 시	보험금의 10%, 20%, 30%, 40% 또는 200만원 중 큰 금액
	폭염재해보장	• 폭염에 의한 가축 피해 보상	
	협정보험가액	• 협의 평가로 보험 가입한 금액 ※ 시가와 관계없이 가입금액을 보험가액으로 평가	주계약, 특약 조건 준용
	설해손해 부보장	• 설해에 의한 손해는 보장하지 않음 ※ 축사보험료의 4.9% 할인	–
	화재대물 배상책임	• 축사 화재로 인해 인접 농가에 피해가 발생한 경우	–

※ 폭염재해보장 특약은 전기적 장치위험보장특약 가입자에 한하여 가입 가능

1) 화재 및 풍재·수재·설해·지진의 직접적인 원인으로 보험목적이 폐사 또는 맥박, 호흡 그 외 일반증상이 수의학적으로 폐사가 확실시되는 경우 그 손해를 보상한다.

2) 화재 및 풍재·수재·설해·지진의 발생에 따라서 보험의 목적의 피해를 방재 또는 긴급피난에 필요한 조치로 보험목적에 생긴 손해도 보상한다.

3) 상기 손해는 사고 발생 때부터 120시간(5일) 이내에 폐사되는 보험목적에 한하여 보상하며 다만, 재해보험사업자가 인정하는 경우에 한하여 사고 발생 때부터 120시간(5일) 이후에 폐사되어도 보상한다.

(3) 가금(家禽) 부문

구분		보상하는 손해	자기부담금
주계약 (보통 약관)	가금	• 화재 및 풍재, 수재, 설해, 지진에 의한 손해 • 화재 및 풍재, 수재, 설해, 지진 발생 시 방재 또는 긴급피난에 필요한 조치로 목적물에 발생한 손해 • 가축 사체 잔존물 처리 비용	보험금의 10%, 20%, 30%, 40%
	축사	• 화재(벼락 포함)에 의한 손해 • 화재(벼락 포함)에 따른 소방손해 • 풍재, 수재, 설해, 지진에 의한 손해 • 화재(벼락 포함) 및 풍재, 수재, 설해, 지진에 의한 피난손해 • 잔존물 제거 비용	• 풍재·수재·설해·지진 : 지급보험금 계산방식에 따라 계산한 금액에 0%, 5%, 10%를 곱한 금액 또는 50만원 중 큰 금액 • 화재 : 지급보험금 계산방식에 따라 계산한 금액에 자기부담비율 0%, 5%, 10%를 곱한 금액
특별 약관	전기적 장치 위험보장	• 전기장치가 파손되어 온도의 변화로 가축 폐사 시	보험금의 10%, 20%, 30%, 40% 또는 200만원 중 큰 금액
	폭염재해보장	• 폭염에 의한 가축 피해 보상	
	협정보험가액	• 협의평가로 보험 가입한 금액 ※ 시가와 관계없이 가입금액을 보험가액으로 평가	주계약, 특약 조건 준용
	설해손해 부보장	• 설해에 의한 손해는 보장하지 않음 ※ 축사보험료의 9.4% 할인	–
	화재대물 배상책임	• 축사 화재로 인해 인접 농가에 피해가 발생한 경우	–

※ 폭염재해보장 특약은 전기적 장치위험보장특약 가입자에 한하여 가입 가능

1) 화재, 풍재·수재·설해·지진의 직접적인 원인으로 보험목적이 폐사 또는 맥박, 호흡 그 외 일반증상이 수의학적으로 폐사가 확실시되는 경우 그 손해를 보상한다.

2) 화재, 풍재·수재·설해·지진의 발생에 따라서 보험의 목적의 피해를 방재 또는 긴급 피난에 필요한 조치로 보험 목적에 생긴 손해도 보상한다.

3) 상기 손해(폭염 제외)는 사고 발생 때부터 120시간(5일) 이내에 폐사되는 보험 목적에 한하여 보상하며 다만, 재해보험사업자가 인정하는 경우에 한하여 사고 발생 때부터 120시간(5일) 이후에 폐사되어도 보상한다.

4) 폭염 손해는 폭염특보 발령 전 24시간(1일) 전부터 해제 후 24시간(1일) 이내에 폐사되는 보험 목적에 한하여 보상하고 폭염특보는 보험목적의 수용 장소(소재지)에 발표된 해당 지역별 폭염특보를 적용하며 보험기간 종료일까지 폭염특보가 해제되지 않을 경우 보험기간 종료일을 폭염특보 해제일로 본다. 폭염특보는 일 최고 체감온도를 기준으로 발령되는 기상경보로 주의보와 경보로 구분되며 주의보와 경보 모두 폭염특보로 본다.

(4) 말(馬) 부문

구분		보상하는 손해	자기부담금
주계약 (보통 약관)	경주마 육성마 종빈마 종모마 일반마 제주마	• 법정전염병을 제외한 질병 또는 각종 사고(풍해·수해·설해 등 자연재해, 화재)로 인한 폐사 • 부상(경추골절, 사지골절, 탈골·탈구), 난산, 산욕마비, 산통, 경주마의 실명으로 긴급도축 하여야 하는 경우 • 불임 ※ 불임은 임신 가능한 암컷말(종빈마)의 생식기관의 이상과 질환으로 인하여 발생하는 영구적인 번식 장애를 의미 • 가축 사체 잔존물 처리 비용	보험금의 20% 단, 경주마 (육성마)는 경마장 외 30%, 경마장 내 5%, 10%, 20% 중 선택
	축사	• 화재(벼락 포함)에 의한 손해 • 화재(벼락 포함)에 따른 소방손해 • 풍재, 수재, 설해, 지진에 의한 손해 • 화재(벼락 포함) 및 풍재, 수재, 설해, 지진에 의한 피난손해 • 잔존물 제거비용	• 풍재·수재·설해·지진 : 지급보험금 계산 방식에 따라 계산한 금액에 0%, 5%, 10%를 곱한 금액 또는 50만원 중 큰 금액 • 화재 : 지급보험금 계산 방식에 따라 계산한 금액에 자기부담비율 0%, 5%, 10%를 곱한 금액

특별 약관	말운송위험 확장보장	• 말 운송 중 발생되는 주계약 보상사고	-
	경주마 부적격	• 경주마 부적격 판정을 받은 경우 보상	-
	화재대물 배상책임	• 축사 화재로 인해 인접 농가에 피해가 발생한 경우	-

1) 보험의 목적이 폐사, 긴급도축, 불임의 사유로 입은 손해를 보상한다.
2) 폐사는 질병 또는 불의의 사고에 의하여 수의학적으로 구할 수 없는 상태가 되고 맥박, 호흡, 그 외 일반증상으로 폐사한 것이 확실한 때로 한다.
3) 긴급도축의 범위는 "사육하는 장소에서 부상, 난산, 산욕마비, 산통, 경주마 중 실명이 발생한 말(馬)을 즉시 도축장에서 도살하여야 할 불가피한 사유가 있는 경우"로 한다.
   말은 소와 다르게 긴급도축의 범위를 약관에서 열거하고 있는 상기 5가지 경우에 한하여 인정하고 있으며, 부상의 경우도 범위를 아래와 같이 3가지 경우에 한하여 인정하고 있다.
4) 부상 범위는 경추골절, 사지골절 및 탈구(탈골)에 한하여 인정한다.
5) 불임은 임신 가능한 암컷말(종빈마)의 생식기관의 이상과 질환으로 인하여 발생하는 영구적인 번식 장애를 말한다.

(5) 기타 가축(家畜) 부문

구분		보상하는 사고	자기부담금
주계약 (보통 약관)	사슴, 양, 오소리, 꿀벌, 토끼	• 화재 및 풍재, 수재, 설해, 지진에 의한 손해 • 화재 및 풍재, 수재, 설해, 지진 발생 시 방재 또는 긴급피난에 필요한 조치로 목적물에 발생한 손해 • 가축 사체 잔존물 처리 비용	보험금의 5%, 10%, 20%, 30%, 40%
	축사	• 화재(벼락 포함)에 의한 손해 • 화재(벼락 포함)에 따른 소방손해 • 풍재, 수재, 설해, 지진에 의한 손해 • 화재(벼락 포함) 및 풍재, 수재, 설해, 지진에 의한 피난손해 • 잔존물 제거 비용	• 풍재·수재·설해·지진 : 지급보험금 계산 방식에 따라 계산한 금액에 0%, 5%, 10%를 곱한 금액 또는 50만원 중 큰 금액 • 화재 : 지급보험금 계산 방식에 따라 계산한 금액에 자기부담비율 0%, 5%, 10%를 곱한 금액

특별약관	폐사·긴급도축 확장보장 특약 (사슴, 양 자동부가)	• 법정전염병을 제외한 질병 또는 각종 사고(풍해·수해·설해 등 자연재해, 화재)로 인한 폐사 • 부상(사지골절, 경추골절, 탈골), 산욕마비, 난산으로 긴급도축을 하여야 하는 경우 ※ 신규가입일 경우 가입일로부터 1개월 이내 질병 관련 사고(긴급도축 제외)는 보상하지 아니한다.	보험금의 5%, 10%, 20%, 30%, 40%
	꿀벌 낭충봉아 부패병보장	• 벌통의 꿀벌이 낭충봉아부패병으로 폐사(감염 벌통 소각 포함)한 경우	보험금의 5%, 10%, 20%, 30% 40%
	꿀벌 부저병보장	• 벌통의 꿀벌이 부저병으로 폐사(감염 벌통 소각 포함)한 경우	
	화재대물 배상채임	• 축사 화재로 인해 인접 농가에 피해가 발생한 경우	–

1) 보험의 목적이 화재 및 풍재·수재·설해·지진의 직접적인 원인으로 보험목적이 폐사 또는 맥박, 호흡 그 외 일반증상으로 수의학적으로 구할 수 없는 상태가 확실시되는 경우 그 손해를 보상한다.

2) 화재 및 풍재·수재·설해·지진의 발생에 따라서 보험의 목적의 피해를 방재 또는 긴급피난에 필요한 조치로 보험목적에 생긴 손해는 보상한다.

3) 상기 손해는 사고 발생 때부터 120시간(5일) 이내에 폐사되는 보험목적에 한하여 보상하며 다만, 재해보험사업자가 인정하는 경우에는 사고 발생 때 부터 120시간(5일) 이후에 폐사되어도 보상한다.

4) 꿀벌의 경우는 아래와 같은 벌통에 한하여 보상한다.
   ① 서양종(양봉)은 꿀벌이 있는 상태의 소비(巢脾; 소광(巢光, comb frame; 벌집의 나무틀)에 철선을 건너매고 벌집의 기초가 되는 소초(巢礎)를 매선기를 붙여 지은 집으로 여왕벌이 알을 낳고 일벌이 새끼들을 기르며 꿀과 화분을 저장하는 6,600개의 소방을 가지고 있는 장소를 말한다)가 3매 이상 있는 벌통
   ② 동양종(토종벌, 한봉)은 봉군(蜂群; 봉군(蜂群)은 여왕벌, 일벌, 수벌을 갖춘 꿀벌의 무리를 말한다. 우리말로 "벌무리"라고도 한다)이 있는 상태의 벌통

(6) 축사(畜舍) 부문

보상하는 손해는 보험의 목적이 화재 및 풍재·수재·설해·지진으로 입은 직접손해, 피난과정에서 발생하는 피난손해, 화재진압 과정에서 발생하는 소방손해 그리고 약관에서 규정하고 있는 비용손해로 아래와 같다.

1) 화재에 따른 손해

2) 화재에 따른 소방손해

3) 태풍, 홍수, 호우(豪雨), 강풍, 풍랑, 해일(海溢), 조수(潮水), 우박, 지진, 분화 및 이와 비슷한 풍재 또는 수재로 입은 손해

4) 설해에 따른 손해

5) 화재 또는 풍재·수재·설해·지진에 따른 피난손해
   ① 피난지에서 보험기간 내의 5일 동안에 생긴 상기 손해를 포함한다.
   ② 지진 피해의 경우 아래의 최저기준을 초과하는 손해를 담보한다.
      ㉠ 기둥 또는 보 1개 이하를 해체하여 수선 또는 보강하는 것
      ㉡ 지붕틀의 1개 이하를 해체하여 수선 또는 보강하는 것
      ㉢ 기둥, 보, 지붕틀, 벽 등에 2m 이하의 균열이 발생한 것
      ㉣ 지붕재의 2㎡ 이하를 수선하는 것

사고 현장에서의 잔존물의 해체 비용, 청소비용 및 차에 싣는 비용인 잔존물제거비용은 손해액의 10%를 한도로 지급보험금 계산방식에 따라서 보상하며 잔존물제거비용에 사고 현장 및 인근 지역의 토양, 대기 및 수질 오염물질 제거비용과 차에 실은 후 폐기물 처리비용은 포함되지 않으며, 보상하지 않는 위험으로 보험의 목적이 손해를 입거나 관계 법령에 의하여 제거됨으로써 생긴 손해에 대하여는 보상하지 않는다.

(7) 비용 손해

보장하는 위험으로 인하여 발생한 보험사고와 관련하여 보험계약자 또는 피보험자가 지출한 비용 중 아래 5가지 비용을 가축재해보험에서는 손해의 일부로 간주하여 재해보험사업자가 보상하고 있으며 인정되는 비용은 보험계약자나 피보험자가 여러 가지 조치를 취하면서 발생하는 휴업 손실, 일당 등의 소극적 손해는 제외되고 적극적 손해만을 대상으로 약관 규정에 따라서 보상하고 있다.

1) 잔존물처리비용

보험목적물이 폐사한 경우 사고 현장에서의 잔존물의 견인비용 및 차에 싣는 비용(사고 현장 및 인근 지역의 토양, 대기 및 수질 오염물질 제거 비용과 차에 실은 후 폐기물 처리비용은 포함하지 않는다. 다만, 적법한 시설에서의 랜더링비용은 포함). 다만, 보장하지 않는 위험으로 보험의 목적이 손해를 입거나 관계 법령에 의하여 제거됨으로써 생긴 손해에 대하여는 보상하지 않는다.

▼ 용어의 정의

폐사	가축 또는 동물의 생명 현상이 끝남을 말함
랜더링	사체를 고온·고압 처리하여 기름과 고형분으로 분리함으로써 유지(사료·공업용) 및 육분·육골분(사료·비료용)을 생산하는 과정

가축재해보험에서 잔존물처리비용은 목적물이 폐사한 경우에 한정하여 인정하고 있으며 인정하는 비용의 범위는 폐사한 가축에 대한 매몰 비용이 아니라 견인비용 및 차에 싣는 비용에 한정하여 인정하고 있으나 매몰에 따른 환경오염 문제 때문에 적법한 시설에서의 랜더링비용은 잔존물 처리비용으로 보상하고 있다.

2) 손해방지비용

보험사고 발생 시 손해의 방지 또는 경감을 위하여 지출한 필요 또는 유익한 비용을 손해 방지비용으로 보상한다. 다만, 약관에서 규정하고 있는 보험 목적의 관리의무를 위하여 지출한 비용은 제외한다.

보험목적의 관리의무에 따른 비용이란 일상적인 관리에 소요되는 비용과 예방접종, 정기검진, 기생충구제 등에 소용되는 비용 그리고 보험목적이 질병에 걸리거나 부상을 당한 경우 신속하게 치료 및 조치를 취하는 비용 등을 의미하며, "필요 또는 유익한"의 판단은 사회 통념상으로 보아서 인정되는 정도면 되는 것이고 반드시 그 결과가 필요한 것은 아니라고 보아야 할 것이다.

3) 대위권 보전비용

재해보험사업자가 보험사고로 인한 피보험자의 손실을 보상해주고, 피보험자가 보험사고와 관련하여 제3자에 대하여 가지는 권리가 있는 경우 보험금을 지급한 재해보험사업자는 그 지급한 금액의 한도에서 그 권리를 법률상 당연히 취득하게 되며, 이와 같이 보험사고와 관련하여 제3자로부터 손해의 배상을 받을 수 있는 경우에는 그 권리를 지키거나 행사하기 위하여 지출한 필요 또는 유익한 비용을 보상한다.

4) 잔존물 보전비용

잔존물 보전비용이란 보험사고로 인해 멸실된 보험목적물의 잔존물을 보전하기 위하여 지출한 필요 또는 유익한 비용으로 이러한 잔존물을 보전하기 위하여 지출한 필요 또는 유익한 비용을 보상한다. 그러나 잔존물 보전비용은 재해보험사업자가 보험금을 지급하고 잔존물을 취득할 의사표시를 하는 경우에 한하여 지급한다. 즉 재해보험사업자가 잔존물에 대한 취득 의사를 포기하는 경우에는 지급되지 않는다.

5) 기타 협력비용

재해보험사업자의 요구에 따라 지출한 필요 또는 유익한 비용을 보상한다.

4. 부문별 보상하지 않는 손해

(1) 전 부문 공통

1) 계약자, 피보험자 또는 이들의 법정대리인의 고의 또는 중대한 과실

2) 계약자 또는 피보험자의 도살 및 위탁 도살에 의한 가축 폐사로 인한 손해

3) 가축전염병예방법 제2조에서 정하는 가축전염병에 의한 폐사로 인한 손해 및 정부 및 공공기관의 살처분 또는 도태 권고로 발생한 손해

4) 보험목적이 유실 또는 매몰되어 보험목적을 객관적으로 확인할 수 없는 손해. 다만, 풍수해 사고로 인한 직접손해 등 재해보험사업자가 인정하는 경우에는 보상

5) 원인의 직접, 간접을 묻지 않고 전쟁, 혁명, 내란, 사변, 폭동, 소요, 노동쟁의, 기타 이들과 유사한 사태로 인한 손해

6) 지진의 경우 보험계약일 현재 이미 진행 중인 지진(본진, 여진을 포함한다)으로 인한 손해

7) 핵연료 물질 또는 핵연료 물질에 의하여 오염된 물질의 방사성, 폭발성 그 밖의 유해한 특성 또는 이들의 특성에 의한 사고로 인한 손해

8) 이외의 방사선을 쬐는 것 또는 방사능 오염으로 인한 손해

9) 계약체결 시점 현재 기상청에서 발령하고 있는 기상특보 발령 지역의 기상특보 관련 재해(풍재, 수재, 설해, 지진, 폭염)로 인한 손해

▼ 용어의 정의

핵연료물질	사용된 연료를 포함한다.
핵연료물질에 의하여 오염된 물질	원자핵 분열 생성물을 포함한다.

(2) 소(牛) 부문

1) 사료 공급 및 보호, 피난처 제공, 수의사의 검진, 소독 등 사고의 예방 및 손해의 경감을 위하여 당연하고 필요한 안전대책을 강구하지 않아 발생한 손해

2) 계약자 또는 피보험자가 보험가입 가축의 번식장애, 경제능력저하 또는 전신쇠약, 성장지체·저하에 의해 도태시키는 경우. 다만, 우유방염, 불임 및 각종 대사성질병으로 인하여 수의학적으로 유량감소가 예견되어 젖소로서의 경제적 가치가 없다고 판단이 확실시 되는 경우의 도태는 보상

3) 개체 표시인 귀표가 오손, 훼손, 멸실되는 등 목적물을 객관적으로 확인할 수 없는 상태에서 발생한 손해

4) 외과적 치료행위로 인한 폐사 손해. 다만, 보험목적의 생명 유지를 위하여 질병, 질환 및 상해의 치료가 필요하다고 자격 있는 수의사가 확인하고 치료한 경우 제외

5) 독극물의 투약에 의한 폐사 손해

6) 정부, 공공기관, 학교 및 연구기관 등에서 학술 또는 연구용으로 공여하여 발생된 손해. 다만, 재해보험사업자의 승낙을 얻은 경우에는 제외

7) 보상하는 손해 이외의 사고로 재해보험사업자 등 관련 기관으로부터 긴급 출하 지시를 통보(구두, 유선 및 문서 등) 받았음에도 불구하고 계속하여 사육 또는 치료하다 발생된 손해 및 자격 있는 수의사가 도살하여야 할 것으로 확인하였으나 이를 방치하여 발생한 손해

8) 제1회 보험료 등을 납입한 날의 다음월 응당일(다음월 응당일이 없는 경우는 다음월 마지막날로 한다) 이내에 발생한 긴급도축과 화재·풍수해에 의한 직접손해 이외의 질병 등에 의한 폐사로 인한 손해. 보험기간 중에 계약자가 보험목적을 추가하고 그에 해당하는 보험료를 납입한 경우에도 같음.

9) 도난 손해의 경우, 아래의 사유로 인한 손해

① 계약자, 피보험자 또는 이들의 법정대리인의 고의 또는 중대한 과실로 생긴 도난 손해

② 피보험자의 가족, 친족, 피고용인, 동거인, 숙박인, 감수인(監守人) 또는 당직자가 일으킨 행위 또는 이들이 가담하거나 이들의 묵인하에 생긴 도난 손해

③ 지진, 분화, 풍수해, 전쟁, 혁명, 내란, 사변, 폭동, 소요, 노동쟁의 기타 이들과 유사한 사태가 발생했을 때 생긴 도난 손해

④ 화재, 폭발이 발생했을 때 생긴 도난 손해

⑤ 절도, 강도 행위로 발생한 화재 및 폭발 손해

⑥ 보관장소 또는 작업장 내에서 일어난 좀도둑으로 인한 손해

⑦ 재고 조사 시 발견된 손해

⑧ 망실 또는 분실 손해

⑨ 사기 또는 횡령으로 인한 손해

⑩ 도난 손해가 생긴 후 30일 이내에 발견하지 못한 손해

⑪ 보관장소를 72시간 이상 비워둔 동안 생긴 도난 손해

⑫ 보험의 목적이 보관장소를 벗어나 보관되는 동안에 생긴 도난 손해

▼ **용어의 정의**

도난행위	도난행위라 함은 완력이나 기타 물리력을 사용하여 보험의 목적을 훔치거나 강탈하거나 무단으로 장소를 이동시켜 피보험자가 소유, 사용, 관리할 수 없는 상태로 만드는 것을 말한다(다만, 외부로부터 침입 시에는 침입한 흔적 또는 도구, 폭발물, 완력, 기타의 물리력을 사용한 흔적이 뚜렷하여야 한다).
피보험자의 가족, 친족	민법 제779조 및 제777조의 규정에 따른다(다만 피보험자가 법인인 경우에는 그 이사 및 법인의 업무를 집행하는 기관의 업무종사자와 법정대리인의 가족, 친족도 포함한다).
망실, 분실	망실(忘失)이라 함은 보관하는 자 또는 관리하는 자가 보험의 목적을 보관 또는 관리하던 장소 및 시간에 대한 기억을 되살리지 못하여 보험의 목적을 잃어버리는 것을 말하며, 분실(紛失)이라 함은 보관하는 자 또는 관리하는 자가 보관·관리에 일상적인 주의를 태만히 하여 보험의 목적을 잃어버리는 것을 말한다.

(3) 돼지(豚) 부문

1) 댐 또는 제방 등의 붕괴로 생긴 손해. 다만, 붕괴가 보상하는 손해에서 정한 위험(화재 및 풍재·수재·설해·지진)으로 발생된 손해는 보상

2) 바람, 비, 눈, 우박 또는 모래먼지가 들어옴으로써 생긴 손해. 다만, 보험의 목적이 들어 있는 건물이 풍재·수재·설해·지진으로 직접 파손되어 보험의 목적에 생긴 손해는 보상

3) 추위, 서리, 얼음으로 생긴 손해

4) 발전기, 여자기(정류기 포함), 변류기, 변압기, 전압조정기, 축전기, 개폐기, 차단기, 피뢰기, 배전반 및 그 밖의 전기장치 또는 설비의 전기적 사고로 생긴 손해. 그러나 그 결과로 생긴 화재손해는 보상

5) 화재 및 풍재·수재·설해·지진 발생으로 방재 또는 긴급피난 시 피난처에서 사료공급, 보호, 환기, 수의사의 검진, 소독 등 사고의 예방 및 손해의 경감을 위하여 당연하고 필요한 안전대책을 강구하지 않아 발생한 손해

6) 모돈의 유산으로 인한 태아 폐사 또는 성장 저하로 인한 직·간접 손해

7) 보험목적이 도난 또는 행방불명된 경우

(4) 가금(家禽) 부문

1) 댐 또는 제방 등의 붕괴로 생긴 손해. 다만, 붕괴가 보상하는 손해에서 정한 위험(화재 및 풍재·수재·설해·지진)으로 발생된 손해는 보상

2) 바람, 비, 눈, 우박 또는 모래먼지가 들어옴으로써 생긴 손해. 다만, 보험의 목적이 들어 있는 건물이 풍재·수재·설해·지진으로 직접 파손되어 보험의 목적에 생긴 손해는 보상

3) 추위, 서리, 얼음으로 생긴 손해

4) 발전기, 여자기(정류기 포함), 변류기, 변압기, 전압조정기, 축전기, 개폐기, 차단기, 피뢰기, 배전반 및 그 밖의 전기장치 또는 설비의 전기적 사고로 생긴 손해. 그러나 그 결과로 생긴 화재손해는 보상

5) 화재 및 풍재·수재·설해·지진 발생으로 방재 또는 긴급피난 시 피난처에서 사료공급, 보호, 환기, 수의사의 검진, 소독 등 사고의 예방 및 손해의 경감을 위하여 당연하고 필요한 안전대책을 강구하지 않아 발생한 손해

6) 성장 저하, 산란율 저하로 인한 직·간접 손해

7) 보험목적이 도난 또는 행방불명된 경우

(5) 말(馬) 부문

1) 사료공급 및 보호, 피난처 제공, 수의사의 검진, 소독 등 사고의 예방 및 손해의 경감을 위하여 당연하고 필요한 안전대책을 강구하지 않아 발생한 손해

2) 계약자 또는 피보험자가 보험가입 가축의 번식장애, 경제능력저하 또는 전신쇠약, 성장 지체·저하에 의해 도태시키는 경우

3) 개체 표시인 귀표가 오손, 훼손, 멸실되는 등 목적물을 객관적으로 확인할 수 없는 상태에서 발생한 손해

4) 외과적 치료행위로 인한 폐사 손해. 다만, 보험목적의 생명 유지를 위하여 질병, 질환 및 상해의 치료가 필요하다고 자격 있는 수의사가 확인하고 치료한 경우에는 제외

5) 독극물의 투약에 의한 폐사 손해

6) 정부, 공공기관, 학교 및 연구기관 등에서 학술 또는 연구용으로 공여하여 발생된 손해. 다만, 재해보험사업자의 승낙을 얻은 경우에는 제외

7) 보상하는 손해 이외의 사고로 재해보험사업자 등 관련 기관으로부터 긴급 출하 지시를 통보(구두, 유선 및 문서 등) 받았음에도 불구하고 계속하여 사육 또는 치료하다 발생된 손해 및 자격 있는 수의사가 도살하여야 할 것으로 확인하였으나 이를 방치하여 발생한 손해

8) 보험목적이 도난 또는 행방불명된 경우

9) 제1회 보험료 등을 납입한 날의 다음 월 응당일(다음월 응당일이 없는 경우는 다음 월 마지막 날로 한다) 이내에 발생한 긴급도축과 화재·풍수해에 의한 직접손해 이외의 질병 등에 의한 폐사로 인한 손해. 보험기간 중에 계약자가 보험목적을 추가하고 그에 해당하는 보험료를 납입한 경우에도 같음. 다만, 이 규정은 재해보험사업자가 정하는 기간 내에 1년 이상의 계약을 다시 체결하는 경우에는 미적용

(6) 종모우(種牡牛) 부문

1) 사료공급 및 보호, 피난처제공, 수의사의 검진, 소독 등 사고의 예방 및 손해의 경감을 위하여 당연하고 필요한 안전대책을 강구하지 않아 발생한 손해

2) 계약자 또는 피보험자가 보험가입 가축의 번식장애, 경제능력저하 또는 전신쇠약, 성장지체·저하에 의해 도태시키는 경우

3) 독극물의 투약에 의한 폐사 손해

4) 외과적 치료행위로 인한 폐사 손해. 다만, 보험목적의 생명 유지를 위하여 질병, 질환 및 상해의 치료가 필요하다고 자격 있는 수의사가 확인하고 치료한 경우에는 제외

5) 개체표시인 귀표가 오손, 훼손, 멸실되는 등 목적물을 객관적으로 확인할 수 없는 상태에서 발생한 손해

6) 정부, 공공기관, 학교 및 연구기관 등에서 학술 또는 연구용으로 공여하여 발생된 손해. 다만, 재해보험사업자의 승낙을 얻은 경우에는 제외

7) 보상하는 손해 이외의 사고로 재해보험사업자 등 관련 기관으로부터 긴급 출하 지시를 통보(구두, 유선 및 문서 등) 받았음에도 불구하고 계속하여 사육 또는 치료하다 발생된 손해 및 자격 있는 수의사가 도살하여야 할 것으로 확인하였으나 이를 방치하여 발생한 손해

8) 보험목적이 도난 또는 행방불명된 경우

9) 제1회 보험료 등을 납입한 날의 다음 월 응당일(다음월 응당일이 없는 경우는 다음 월 마지막 날로 한다) 이내에 발생한 긴급도축과 화재·풍수해에 의한 직접손해 이외의 질병 등에 의한 폐사로 인한 손해. 보험기간 중에 계약자가 보험목적을 추가하고 그에 해당하는 보험료를 납입한 경우에도 같음. 다만, 이 규정은 재해보험사업자가 정하는 기간 내에 1년 이상의 계약을 다시 체결하는 경우에는 미적용

(7) 기타 가축(家畜) 부문

1) 댐 또는 제방 등의 붕괴로 생긴 손해. 다만, 붕괴가 보상하는 손해에서 정한 위험(화재 및 풍재·수재·설해·지진)으로 발생된 손해는 보상

2) 바람, 비, 눈, 우박 또는 모래먼지가 들어옴으로써 생긴 손해. 다만, 보험의 목적이 들어 있는 건물이 풍재·수재·설해·지진으로 직접 파손되어 보험의 목적에 생긴 손해는 보상

3) 추위, 서리, 얼음으로 생긴 손해

4) 발전기, 여자기(정류기 포함), 변류기, 변압기, 전압조정기, 축전기, 개폐기, 차단기, 피뢰기, 배전반 및 그 밖의 전기장치 또는 설비의 전기적 사고로 생긴 손해. 그러나 그 결과로 생긴 화재손해는 보상

5) 화재 및 풍재·수재·설해·지진 발생으로 방재 또는 긴급피난 시 피난처에서 사료공급, 보호, 환기, 수의사의 검진, 소독 등 사고의 예방 및 손해의 경감을 위하여 당연하고 필요한 안전대책을 강구하지 않아 발생한 손해

6) 10kg 미만(1마리 기준)의 양이 폐사하여 발생한 손해

7) 벌의 경우 CCD(Colony Collapse Disorder : 벌떼폐사장애), 농약, 밀원수(蜜原樹)의 황화현상(黃化現象), 공사장의 소음, 전자파로 인하여 발생한 손해 및 꿀벌의 손해가 없는 벌통만의 손해

8) 보험목적이 도난 또는 행방불명된 경우

(8) 축사(畜舍) 부문

1) 화재 또는 풍재·수재·설해·지진 발생 시 도난 또는 분실로 생긴 손해

2) 보험의 목적이 발효, 자연발열 또는 자연발화로 생긴 손해. 그러나 자연발열 또는 자연발화로 연소된 다른 보험의 목적에 생긴 손해는 보상

3) 풍재·수재·설해·지진과 관계없이 댐 또는 제방이 터지거나 무너져 생긴 손해

4) 바람, 비, 눈, 우박 또는 모래먼지가 들어옴으로써 생긴 손해. 그러나 보험의 목적이 들어있는 건물이 풍재·수재·설해·지진으로 직접 파손되어 보험의목적에 생긴 손해는 보상

5) 추위, 서리, 얼음으로 생긴 손해

6) 발전기, 여자기(정류기 포함), 변류기, 변압기, 전압조정기, 축전기, 개폐기, 차단기, 피

뢰기, 배전반 및 그 밖의 전기기기 또는 장치의 전기적 사고로 생긴 손해. 그러나 그 결과로 생긴 화재 손해는 보상

7) 풍재의 직접, 간접에 관계 없이 보험의 목적인 네온사인 장치에 전기적 사고로 생긴 손해 및 건식 전구의 필라멘트 만에 생긴 손해

8) 국가 및 지방자치단체의 명령에 의한 재산의 소각 및 이와 유사한 손해

가축재해보험 특별약관

1. 가축재해보험 특별약관의 의의

(1) 특별약관은 보통약관의 규정을 바꾸거나 보충하거나 배제하기 위하여 쓰이는 약관이다.

(2) 현행 가축재해보험 약관에서는 일반조항에 대한 7개의 특별약관과 각 부문별로 13개의 특별약관(소 1개, 돼지 2개, 돼지·가금 공통 2개, 말 4개, 기타 가축 3개, 축사 1개)까지 총 20개의 특별약관을 두고 있다.

(3) 특별약관에서 정하고 있지 않은 사항은 보통약관의 일반조항 및 해당 부문별 제 규정을 따른다.

2. 일반조항 특별약관

부문	일반조항 특별약관
공통	공동인수 특별약관
	지정대리청구서비스 특별약관
	보험료분납 특별약관
	화재대물배상책임 특별약관
	동물복지인증계약 특별약관 ※ 동물복지축산농장인증(농림축산검역본부) 시 보험요율 5% 할인
	구내폭발위험보장 특별약관
소	협정보험가액 특별약관(유량검정젖소 가입 시)
돼지	협정보험가액 특별약관(종돈 가입 시)
가금	협정보험가액 특별약관

(1) 협정보험가액 특별약관

1) 특별약관에서 적용하는 가축에 대하여 계약 체결 시 재해보험사업자와 계약자 또는 피보험자와 협의하여 정한 보험 가입금액을 보험기간 중에 보험가액 및 보험가입금액으로 하는 기평가보험 특약이다.

2) 이 특별약관이 적용되는 약관 가축은 종빈우(種牝牛), 종모돈(種牡豚), 종빈돈(種牝豚), 자돈(仔豚 ; 포유돈, 이유돈), 종가금(種家禽), 유량검정젖소이다.

3) 유량검정젖소

① 요건을 충족하는 유량검정젖소는 시가에 관계없이 협정보험가액 특약으로 보험 가입이 가능하다.

② 유량젖소 : 젖소개량사업소의 검정사업에 참여하는 농가 중에서 일정한 요건을 충족하는 농가(직전 월의 305일 평균유량이 10,000kg 이상이고 평균 체세포수가 30만 마리 이하를 충족하는 농가)의 소(최근 산차 305일 유량이 11,000kg 이상이고, 체세포수가 20만 마리 이하인 젖소)를 의미한다.

(2) 공동인수 특별약관

재해보험사업자가 상호협정을 체결하여 보험계약을 공동으로 인수하고 사고 발생 시 보험금을 인수비율에 따라서 부담하는 특별약관이다.

(3) 지정대리청구서비스 특별약관

계약자가 보통약관 또는 특별약관에서 정한 보험금을 직접 청구할 수 없는 특별한 사정이 있을 경우에 대비하여 계약 체결 시 또는 계약체결 이후에 보험금을 대리 청구 및 수령할 수 있는 대리청구인을 지정할 수 있는데 이러한 대리청구인의 요건 및 보험금 대리 청구 및 수령 절차 등을 규정하고 있는 특약이다.

(4) 보험료분납 특별약관

계약자가 보험료를 분할하여 납부하고자 하는 경우 보험료 분납의 요건 및 절차 등에 관하여 규정하고 있는 특약이다.

(5) 화재대물배상책임 특별약관

피보험자가 축사구내에서 발생한 화재사고로 인하여 타인의 재물에 손해를 입혀서 법률상의 손해배상책임을 부담함으로써 입은 손해를 보상하여 주는 특약이다.

(6) 동물복지인증계약 특별약관

농림축산검역본부로부터 동물복지축산농장 인증을 받은 축산농장이 가축재해보험에 가입하는 경우 보험료 할인 혜택을 부여하는 특약이다.

(7) 구내폭발위험보장 특별약관

1) 보험의 목적이 있는 구내에서 생긴 폭발, 파열(폭발, 파열이라 함은 급격한 산화반응을 포함하는 파괴 또는 그 현상을 말한다)로 보험의 목적에 생긴 손해를 보상하는 특약이다.
2) 그러나 기관, 기기, 증기기관, 내연기관, 수도관, 수관, 유압기, 수압기 등의 물리적인 폭발, 파열이나 기계의 운동부분 또는 회전부분이 분해되어 날아 흩어지므로 인해 생긴 손해는 보상하지 않는다.

3. 각 부문별 특별약관

부문	특별약관
소	소도체결함보장 특별약관
돼지	질병위험보장 특별약관
	축산휴지위험보장 특별약관
	전기적 장치 위험보장 특별약관
	폭염재해보장 추가특별약관 ※ 전기적 장치 특별약관 가입자만 가입가능
가금	전기적 장치 위험보장 특별약관
	폭염재해보장 추가특별약관 ※ 전기적 장치 특별약관 가입자만 가입가능
말	씨수말 번식첫해 선천성 불임 확장보장 특별약관
	말(馬)운송위험 확장보장 특별약관
	경주마 부적격 특별약관 (경주마, 제주마, 육성마 가입 시 자동 담보)
	경주마 보험기간 설정에 관한 특별약관
기타가축	폐사·긴급도축 확장보장 특별약관(사슴, 양 가입 시 자동 담보)
	꿀벌 낭충봉아부패병보장 특별약관
	꿀벌 부저병보장 특별약관
축사	설해손해 부보장 추가특별약관 ※ 돈사, 가금사에 한하여 가입 가능

(1) 부문1 소(牛) 특별약관

1) 소(牛)도체결함보장 특별약관

① 도축장에서 소(牛)를 도축하면 이후 축산물품질평가사가 도체에 대하여 등급을 판정하고 그 판정내용을 표시하는 "등급판정인"을 도체에 찍고 등급판정과정에서 도체에 결함이 발견되면 추가로 "결함인"을 찍게 된다.

② 결함인

㉠ 결함인은 결함 유형에 따라서 근출혈, 수종, 근염, 외상, 근육 제거, 기타의 결함으로 6종류로 분류하여 판정한다.

㉡ 이러한 결함인은 이후 경매 시 경락가격에 많은 영향을 미치게 되므로 도축 후 경매 시까지 발견된 예상치 못한 소 도체 결함으로 인하여 경락가격이 하락하여 발생되는 손해를 보상하여 주는 특약이 소(牛)도체결함보장 특약이다.

㉢ 단, 특약에서는 경매 후 발견된 결함으로 인한 손해는 보상하지 않는다.

(2) 부문2 돼지(豚) 특별약관

　1) 돼지 질병위험보장 특별약관

　　① 가축재해보험 돼지부문 보통약관에서는 화재 및 풍재·수재·설해·지진을 직접적인 원인으로 한 폐사로 인하여 입은 손해만 보상하고 있으나, 이외에 질병을 직접적인 원인으로 한 폐사로 인하여 입은 손해도 보상하여 주는 특약이다.

　　② 모든 질병을 담보하는 것이 아니라 주로 포유자돈이나 이유자돈에서 큰 피해를 입히는 3가지 질병으로 인한 폐사로 입은 손해에 한정하여 담보하고 있다.

　　　㉠ 보상하는 질병 3가지 종류 : 전염성위장염(TGE virus 감염증), 돼지유행성설사병(PED virus 감염증), 로타바이러스감염증(Rota virus 감염증)

　　　㉡ 상기 3가지 질병을 직접적인 원인으로 보험기간 중에 질병으로 폐사하거나 보험기간 종료일 이전에 질병의 발생을 서면 통지한 후 30일 이내에 폐사한 경우 그 손해를 보상한다.

　　③ 상기 질병에 대한 진단 확정 : 전문 수의사가 조직(fixed tissue) 또는 분변, 혈액검사 등에 대한 형광항체법 또는 PCR(중합효소연쇄반응) 진단법 등을 기초로 진단하여야 한다.

　　④ 불가피한 사유로 병리학적 진단이 가능하지 않을 때는 예외적·보충적으로 임상학적 진단도 증거로 인정된다.

　2) 돼지 축산휴지위험보장 특별약관

　　보험기간 동안에 보험증권에 명기된 구내에서 보통약관 및 특별약관에서 보상하는 사고의 원인으로 구내 가축의 보험금 지급이 확정되고 피보험자가 영위하는 축산업이 중단 또는 휴지 되었을 때 생긴 손해액을 보상하는 특약이다.

(3) 부문2 돼지(豚)·부문3 가금(家禽) 특별약관

　1) 전기적 장치 위험보장 특별약관

　　① 가축재해보험 돼지부문과 가금부문에서는 전기장치 또는 설비의 전기적 사고로 생긴 손해를 보상하지 않는 손해로 규정하고 있는데, 그럼에도 불구하고 이러한 전기적 장치로 인한 손해를 보상하는 특약으로 돼지, 가금 부문에 공통 적용되는 특별약관이다.

　　② 특약에서는 여자기(정류기 포함), 변류기, 변압기, 전압조정기, 축전기, 개폐기, 차단기, 피뢰기, 배전반 및 이와 비슷한 전기장치 또는 설비 중 그 전기장치 또는 설비가 파괴 또는 변조되어 온도의 변화로 보험의 목적에 손해가 발생하였을 경우에 그 손해를 보상한다.

　　③ 단, 보험자가 인정하는 특별한 경우를 제외하고 사고 발생한 때로부터 24시간 이내에 폐사된 보험목적에 한하여 보상한다.

2) 폭염재해보장 추가특별약관

① 가축재해보험 돼지·가금 부문 보통약관에서 폭염의 직접적인 원인으로 인하여 보험의 목적에 발생한 손해를 보상하지 않는 손해로 규정하고 있는데, 그럼에도 불구하고 이러한 폭염으로 인한 손해를 보상하는 특약이다.

② 보험목적 수용장소 지역에 발효된 폭염특보의 발령 전 24시간(1일) 전부터 해제 후 24시간(1일) 이내에 폐사되는 보험목적에 한하여 보상하며 보험기간 종료일까지 폭염특보가 해제되지 않은 경우에는 보험기간 종료일을 폭염특보 해제일로 본다.

(4) 부문4 말(馬) 특별약관

1) 씨수말 번식 첫해 선천성 불임 확장보장 특별약관

보험목적이 보험기간 중 불임이라고 판단이 된 경우에 보상하는 특약으로 아래의 사유(불임)로 인해 발생 또는 증가된 손해는 보상하지 않는다.

① 씨수말 내·외부 생식기의 감염으로 일어난 불임

② 씨암말의 성병으로부터 일어난 불임

③ 어떠한 이유로든지 교배시키지 않아서 일어난 불임

④ 씨수말의 외상, 질병, 전염병으로부터 유래된 불임

2) 말(馬) 운송위험 확장보장 특별약관

보험의 목적인 말을 운송 중에 보통약관 말(馬) 부문의 보상하는 손해에서 정한 손해가 발생한 경우에 보상하는 특약으로 단, 다음의 사유로 발생한 손해는 보상하지 않는다.

① 운송 차량의 덮개 또는 화물의 포장 불완전으로 생긴 손해

② 도로교통법 시행령 제22조(운행상의 안전기준)의 적재중량과 적재용량 기준을 초과하여 적재함으로써 생긴 손해

③ 수탁물이 수하인에게 인도된 후 14일을 초과하여 발견된 손해

▼ 도로교통법 시행령 22조

제22조(운행상의 안전기준) 법 제39조 제1항 본문에서 "대통령령으로 정하는 운행상의 안전기준"이란 다음 각 호를 말한다.

1. 자동차(고속버스 운송사업용 자동차 및 화물자동차는 제외한다)의 승차인원은 승차정원의 110퍼센트 이내일 것. 다만, 고속도로에서는 승차정원을 넘어서 운행할 수 없다.
2. 고속버스 운송사업용 자동차 및 화물자동차의 승차인원은 승차정원 이내일 것
3. 화물자동차의 적재중량은 구조 및 성능에 따르는 적재중량의 110퍼센트 이내일 것
4. 자동차(화물자동차, 이륜자동차 및 소형 3륜 자동차만 해당한다)의 적재용량은 다음 각 목의 구분에 따른 기준을 넘지 아니할 것
   가. 길이 : 자동차 길이에 그 길이의 10분의 1을 더한 길이. 다만, 이륜자동차는 그 승차장치의 길이 또는 적재장치의 길이에 30센티미터를 더한 길이를 말한다.

나. **너비** : 자동차의 후사경(後寫鏡)으로 뒤쪽을 확인할 수 있는 범위(후사경의 높이보다 화물을 낮게 적재한 경우에는 그 화물을, 후사경의 높이보다 화물을 높게 적재한 경우에는 뒤쪽을 확인할 수 있는 범위를 말한다)의 너비를 말한다.

다. **높이** : 화물자동차는 지상으로부터 4미터(도로 구조의 보전과 통행의 안전에 지장이 없다고 인정하여 고시한 도로 노선의 경우에는 4미터 20센티미터), 소형 3륜 자동차는 지상으로부터 2미터 50센티미터, 이륜자동차는 지상으로부터 2미터의 높이를 말한다.[전문개정 2013. 6. 28.]

3) 경주마 부적격 특별약관

① 보험의 목적인 경주마 혹은 경주용으로 육성하는 육성마가 건염, 인대염, 골절 혹은 경주 중 실명으로 인한 경주마 부적격 판정(건염, 인대염, 골절 혹은 경주중 실명으로 인한 경주마 부적격 여부의 판단은 한국마사회 마필보건소의 판정 결과에 따른다)을 받은 경우 보상하는 특약이다.

② 단, 보험의 목적인 경주마가 경주마 부적격 판정 이후 종모마 혹은 종빈마로 용도가 변동된 경우에는 보상하지 않는다.

4) 경주마 보험기간 설정에 관한 특별약관

보통약관에서는 질병 등에 의한 폐사는 보험자의 책임이 발생하는 제1회 보험료 등을 받은 날로부터 1개월 이후에 폐사한 경우만 보상하고 있으나, 보험의 목적이 경주마인 경우에는 1개월 이내의 질병 등에 의한 폐사도 보상한다는 특약이다.

(5) 부문5 종모우(특별약관 없음)

(6) 부문6 기타 가축 특별약관

1) 폐사·긴급도축 확장보장 특별약관

기타 가축 사슴과 양의 경우 보통약관에서 화재 및 풍재·수재·설해·지진의 직접적인 원인으로 보험목적이 폐사한 경우 보상하고 있으나 사슴과 양이 이 특약에 가입하는 경우에는 질병 또는 불의의 사고로 인한 폐사 및 긴급도축의 경우에도 보상하는 특약이다.

2) 꿀벌 낭충봉아부패병보장 특별약관

보통보험약관에서 "가축전염병예방법 제2조(정의)에서 정하는 가축전염병에 의한 폐사로 인한 손해 및 정부 및 공공기관의 살처분 또는 도태 권고로 발생한 손해"는 보상하지 않는 손해로 규정하고 있으나 벌통의 꿀벌이 제2종 가축전염병인 꿀벌 낭충봉아부패병으로 폐사(감염 벌통 소각 포함)했을 경우 벌통의 손해를 보상하는 특약이다.

3) 꿀벌 부저병보장 특별약관

보통보험약관에서 "가축전염병예방법 제2조(정의)에서 정하는 가축전염병에 의한 폐사로 인한 손해 및 정부 및 공공기관의 살처분 또는 도태 권고로 발생한 손해"는 보상하지 않는 손해로 규정하고 있으나 벌통의 꿀벌이 제3종 가축전염병인 꿀벌 부저병으로 폐사(감염 벌통 소각 포함)했을 경우 벌통의 손해를 보상하는 특약이다.

▼ 가축전염병예방법에서 정하는 가축전염병(가축전염병예방법 제2조)

제1종 가축전염병
우역(牛疫), 우폐역(牛肺疫), 구제역(口蹄疫), 가성우역(假性牛疫), 블루텅병, 리프트계곡열, 럼피스킨병, 양두(羊痘), 수포성구내염(水疱性口內炎), 아프리카마역(馬疫), 아프리카돼지열병, 돼지열병, 돼지수포병(水疱病), 뉴캣슬병, 고병원성 조류(鳥類)인플루엔자 및 그 밖에 이에 준하는 질병으로서 농림축산식품부령으로 정하는 가축의 전염성 질병

제2종 가축전염병
탄저(炭疽), 기종저(氣腫疽), 브루셀라병, 결핵병(結核病), 요네병, 소해면상뇌증(海綿狀腦症), 큐열, 돼지오제스키병, 돼지일본뇌염, 돼지테센병, 스크래피(양해면상뇌증), 비저(鼻疽), 말전염성빈혈, 말바이러스성동맥염(動脈炎), 구역, 말전염성자궁염(傳染性子宮炎), 동부말뇌염(腦炎), 서부말뇌염, 베네수엘라말뇌염, 추백리(雛白痢 : 병아리흰설사병), 가금(家禽)티푸스, 가금콜레라, 광견병(狂犬病), 사슴만성소모성질병(慢性消耗性疾病) 및 그 밖에 이에 준하는 질병으로서 [주1]농림축산식품부령으로 정하는 가축의 전염성 질병

제3종 가축전염병
소유행열, 소아카바네병, 닭마이코플라스마병, 저병원성 조류인플루엔자, 부저병 및 그 밖에 이에 준하는 질병으로서 [주2]농림축산식품부령으로 정하는 가축의 전염성 질병

※ 주1) 타이레리아병(Theileriosis, 타이레리아 팔바 및 애눌라타만 해당한다)・바베시아병(Babesiosis, 바베시아 비제미나 및 보비스만 해당한다)・아나플라즈마(Anaplasmosis, 아나플라즈마 마지날레만 해당한다)・오리바이러스성간염・오리바이러스성장염・마(馬)웨스트나일열・돼지인플루엔자(H5 또는 H7 혈청형 바이러스 및 신종 인플루엔자 A(H1N1) 바이러스만 해당한다)・낭충봉아부패병

※ 주2) 소전염성비기관염(傳染性鼻氣管染)・소류코시스(Leukosis, 지방병성소류코시스만 해당한다)・소렙토스피라병(Leptospirosis)・돼지전염성위장염・돼지단독・돼지생식기호흡기증후군・돼지유행성설사・돼지위축성비염・닭뇌척수염・닭전염성후두기관염・닭전염성기관지염・마렉병(Marek's disease)・닭전염성에프(F)낭(囊)병

(7) 부문7 축사 특별약관

1) 설해손해 부보장 특별약관

가축재해보험 보통약관 축사 부문에서 설해로 인한 손해는 보상하는 손해로 규정하고 있음에도 불구하고, 이 약관에 의하여 돈사(豚舍)와 가금사(家禽舍)에 발생한 설해로 인한 손해를 보상하지 않는 특약이다. 단, 이에 따른 보험료 할인율(돈사 4.9%, 가금사 9.4%)이 적용된다.

01 다음 가축재해보험의 주요내용 중 "가축재해보험 사업개요"에서 (   ) 안에 들어갈 알맞은 말을 쓰시오.

> [가축재해보험의 사업개요]
>
> (1) 목적 : 자연재해, 화재, 질병 등에 대한 가축 피해를 보상하여 (①) 및 (②)에 기여함을 목적으로 한다.
> (2) 보상재해 : (①), (②), (③) 등이다.
> (3) 보장내용 : (   ) 자기부담비율에 따라 손해액의 60~100% 지급한다.

02 다음 가축재해보험의 주요내용 중 "가축재해보험 세부 사업내용"에서 (   ) 안에 들어갈 알맞은 말을 쓰시오.

> [가축재해보험의 세부 사업내용]
>
> (1) 보험목적물
>   ① (   ) : 소, 돼지, 말, 닭, 오리, 꿩, 메추리, 칠면조, 타조, 거위, 관상조, 사슴, 양, 꿀벌, 토끼, 오소리
>   ② (   ) : 부속물, 부착물, 부속시설 등
> (2) 보험가입단위
>   ① 가축재해보험은 사육하는 (   )를 전부 보험가입하는 것이 원칙이다.
>   ② 단, (   )은 개별가입 가능하다.
>   ③ 1년 이내 출하 예정인 경우 (   ) 현황 70% 이상이면 가입할 수 있다.
> (3) 보험 판매기간 : (   ) 가입 가능하다.

03 다음 가축재해보험의 세부 사업내용 중 "보험가입 단계(절차)"에서 (　) 안에 들어갈 알맞은 말을 쓰시오.

> [가축재해보험의 보험가입 단계(절차)]
>
> 보험가입안내(대리점 등) → (①) → 사전 현지 확인 → (②) 및 보험료 수납(보험가입금액 및 보험료 산정) → 보험증권 발급

04 다음 가축재해보험의 세부 사업내용 중 "보험금 지급"에서 (　) 안에 들어갈 알맞은 말을 쓰시오.

> [가축재해보험의 보험금 지급]
>
> (1) 재해보험사업자는 계약자(또는 피보험자)가 보험금 청구서를 제출할 때 지급할 보험금을 지체 없이 결정하고 (　) 이내에 보험금을 지급한다.
> (2) 지급할 보험금이 확정되기 전 피보험자의 보험금 지급 청구가 있는 경우 재해보험 사업자는 추정보험금의 (　) 상당액을 가지급금으로 지급이 가능하다.

05 다음 가축재해보험의 세부 사업내용 중 "손해평가"에서 (　) 안에 들어갈 알맞은 말을 쓰시오.

> [가축재해보험의 손해평가]
>
> (1) 재해보험사업자는 「농어업재해보험법」 제11조 및 농림축산식품부장관이 정하여 고시하는 「농어업재해보험 손해평가요령」에 따라 손해평가를 실시하고, 손해평가할 때 고의로 진실을 숨기거나 (　)로 하여서는 안 된다.
> (2) 재해보험사업자는 손해평가의 (　) 확보를 위하여 보험목적물에 대한 수의사진단 및 검안할 때 시·군 공수의사, 수의사로 하여금 진단 및 검안을 실시하도록 한다.
> (3) (　) 사진은 귀표가 정확하게 나오도록 하고, 매장(埋葬)할 때 매장장소가 확인되도록 전체 배경화면이 나오는 사진을 추가하고, 검안(檢案)할 때 해부(解剖) 사진을 첨부하여야 한다.
> (4) 진단서, (　) 등은 상단에 연도별 일련번호 표기 및 법정서식을 사용하여야 한다[「수의사법 시행규칙」 제9조(진단서의 발급 등)].

06 다음 가축재해보험의 개요 중 "정부지원 내용"에서 (   ) 안에 들어갈 알맞은 말을 쓰시오.

[가축재해보험의 정부지원]

(1) **정부지원 대상** : 가축재해보험목적물을 사육하는 (   )이다.

(2) **정부지원 요건** : 정부지원 요건은 농업경영체를 등록하고, 축산업 허가(등록)를 받은 자로 다음과 같다.

　1)「농어업경영체법」제4조에 따라 해당 축종으로 (   )를 등록한 자

　2)「축산법」제22조 제1항 및 제3항에 따른 축산업 (   )를 받은 자

　3)「농업식품기본법」시행령 제4조 제1호의 농·축협으로 축산업 허가(등록)를 받은 자

　　① 「축산법」제22조 제5항에 의한 축산업등록 제외대상은 해당축종으로 (   )를 등록한 경우 지원

　　② 「가축전염병 예방법」제19조에 따라 (   )이 없는 경우 지원

　　③ 농·축협은「축산법」제22조 제5항에 의한 (   ) 제외대상도 지원

　4) (   )는 적법한 건물(시설 포함)로 건축물관리대장 또는 가설 건축물 관리대장이 있어야 하고, 가축 주계약 가입금액 최소 10만원 이상인 경우 정부 지원이 가능하다[단, 건축물 대장상 주택용도 시 정부지원 제외, 「가축전염병 예방법」제19조에 따라 사육가축이 없는 경우 주계약이 최소 1만원 이상인 경우].

(3) **정부지원** : 가축재해보험에 가입한 재해보험가입자의 납입 보험료의 (①) 지원단, 농업인 (주민등록번호) 또는 법인별(법인등록번호) (②) 한도 지원한다.

　1) 보험 가입하여 (③) 국고지원을 받고 계약만기일 전 중도 해지한 후 보험을 재가입할 경우 (④) 국고 한도 내 지원 가능하다.

　2) 말은 한 마리당 가입액 4,000만원 한도 내 보험료의 50%를 지원하되, 4,000만원 초과하는 경우는 초과금액의 (⑤)까지 가입금액을 산정하여 보험료의 50%를 지원한다(외국산 경주마는 정부지원 제외).

07 다음 가축재해보험의 세부 내용 중 "보험목적물"에서 (   )에 들어갈 알맞은 말을 쓰시오.

구분	주계약							
(1) 소(牛)보험 : 총 4종	한우	( )	젖소	( )				
(2) 돼지(豚)보험	돼지							
(3) 가금(家禽)류 보험 : 총 8종	( )	( )	( )	( )	타조	거위	칠면조	관상조
(4) 말(馬)보험 : 총 6종	( )	( )	종빈마	종모마	( )	( )		
(5) 기타가축(家畜) 보험 : 총 5종	( )	( )	오소리	토끼	( )			

08 다음 소(牛)의 보상하는 손해에서 (   ) 안에 들어갈 알맞은 말을 쓰시오.

구분		보상하는 사고	자기부담금
주계약 (보통 약관)	한우 육우 젖소	• (①)을 제외한 질병 또는 각종 사고 (풍해·수해·설해 등 자연재해, 화재)로 인한 폐사 • 부상(경추골절, 사지골절, 탈구·탈골), 난산, 산욕마비, 급성고창증 및 젖소의 유량 감소로 (②)을 하여야 하는 경우 ※ 젖소유량감소는 유방염, 불임 및 각종 대사성 질병으로 인하여 젖소로서의 (③)가 없는 경우에 한함 ※ 신규가입일 경우 가입일로부터 (④) 이내 질병 관련 사고(긴급도축 제외)는 보상하지 아니함 • 소 도난 및 행방불명에 의한 손해 ※ 도난손해는 보험증권에 기재된 보관장소 내에 보관되어 있는 동안에 불법침입자, 절도 또는 강도의 도난행위로 입은 직접손해(가축의 상해, 폐사 포함)에 한함 • (⑤) 잔존물 처리비용	보험금의 20%, 30%, 40%
	종모우	• 연속 (⑥) 동안 정상적으로 정액을 생산하지 못하고, 종모우로서의 경제적 가치가 없다고 판정 시 ※ 정액생산은 6주 동안 일주일에 2번에 걸쳐 정액을 채취한 후 이를 근거로 경제적 도살여부 판단 • 그 외 보상하는 사고는 한우·육우·젖소와 동일	보험금의 20%

	(⑦)	• 화재(벼락 포함)에 의한 손해 • 화재(벼락 포함)에 따른 소방손해 • 풍재, 수재, 설해, 지진에 의한 손해 • 화재(벼락 포함) 및 풍재, 수재, 설해, 지진에 의한 피난 손해 • 잔존물 제거비용	• 풍재·수재·설해·지진 : 지급보험금 계산 방식에 따라 계산한 금액에 0%, 5%, 10%을 곱한 금액 또는 50만원 중 큰 금액 • 화재 : 지급보험금 계산 방식에 따라 계산한 금액에 자기부담비율 0%, 5%, 10%를 곱한 금액
특별 약관	소 (⑧) 보장	• 도축장에서 도축되어 경매시까지 발견된 도체의 결함(근출혈, 수종, 근염, 외상, 근육제거, 기타 등)으로 손해액이 발생한 경우	보험금의 (⑨)%
	(⑩) 가액	• 협의 평가로 보험 가입한 금액 ※ 시가와 관계없이 가입금액을 보험가액으로 평가	주계약, 특약조건 준용
	화재대물 배상책임	• 축사 화재로 인해 인접 농가에 피해가 발생한 경우	–

09 소(牛), 말(馬), 돼지(豚), 가금(家禽)류의 보상하는 사고 "공통적인 특별약관" 3가지를 쓰시오.

10   말(馬)의 보상하는 사고 "특별약관" 6가지를 쓰시오.

11   꿀벌의 보상하는 사고 "특별약관" (   )에 들어갈 알맞은 말을 쓰시오.
           (1) (   )특약 , (2) (   )특약

01   (1) ① 농가 소득, ② 경영안정
           (2) ① 자연재해, ② 화재, ③ 질병
           (3) 축종별

02   (1) ① 가축(16종), ② 축산시설물
           (2) ① 가축 및 축사, ② 종모우와 말, ③ 소 이력제
           (3) 연중

03   ① 가입신청(농가), ② 청약서 작성

04   (1) 7일, (2) 50%

05   (1) 허위, (2) 공정성, (3) 소(牛) 사고, (4) 폐사진단서

06   (1) 개인 또는 법인
           (2) 1) 농업경영정보, 2) 허가(등록), 3) ① 농업경영정보, ② 보험목적물, ③ 축산업등록, 4) 축사
           (3) ① 50%, ② 5천만원, ③ 4천만원, ④ 1천만원, ⑤ 70%

07   (1) 육우, 종모우, (3) 닭, 오리, 꿩, 메추리, (4) 경주마, 육성마, 일반마, 제주마, (5) 사슴, 양, 꿀벌

08   ① 법정전염병, ② 긴급도축, ③ 경제적 가치, ④ 1개월, ⑤ 가축사체, ⑥ 6주, ⑦ 축사, ⑧ 도체결함
           ⑨ 20, ⑩ 협정보험

09   (1) 구내폭발위험보장, (2) 축사특약, (3) 화재대물배상

10   (1) 구내폭발위험보장, (2) 축사특약, (3) 화재대물배상, (4) 말 운송위험, (5) 씨수말번식첫해담보특약,
           (6) 경주마부적격특별약관

11   (1) 낭충봉아부패병, (2) 부저병보장

손해평가사 _ 2차 제1과목
농작물재해보험 및 가축재해보험의
이론과 실무

PART
06

기출문제분석

- 2015년(제1회)~2022년(제8회) 기출문제
- 최신 개정관계법령 및 농업정책보험금융원 이론서
  최종본(2023. 4. 28.)에 따른 해설 수록

01 다음 농작물재해보험 업무방법에서 정하는 용어를 순서대로 답란에 쓰시오. 5점

> - (   ) : 영양조건, 기간, 기온, 일조시간 등 필요조건이 다 차서 꽃눈이 형성되는 현상을
>   말한다.
> - (   ) : 가입수확량 산정 및 적과종료 전 보험사고 시 감수량산정의 기준이 되는 수확량을
>   말한다.
> - (   ) : 신초(新梢, 햇가지)가 1~2mm 정도 자라기 시작하는 현상을 말한다.
> - (   ) : 보상하는 재해 이외의 원인으로 수확량이 감소되었다고 평가되는 부분을 말하며,
>   계약 당시 이미 발생한 피해, 병해충으로 인한 피해 및 제초상태 불량 등으로 인한
>   수확감소량으로서 피해를 산정 시 감수량에서 제외한다.
> - (   ) : 농작물재해보험에 있어 피보험이익을 금전으로 평가한 금액으로 보험목적에 발생
>   할 수 있는 최대 손해액을 말한다(회사가 실제 지급하는 보험금은 보험가액을 초과
>   할 수 없다).

정답 및 해설

- **(꽃눈 분화)** : 영양조건, 기간, 기온, 일조시간 등 필요조건이 다 차서 꽃눈이 형성되는 현상을 말한다.
- **(평년착과량)** : 가입수확량 산정 및 적과종료 전 보험사고 시 감수량산정의 기준이 되는 수확량으로 해당 과수원의 과거 적과후착과량 조사자료를 감안하여 산출한다.
- **(신초 발아)** : 신초(新梢, 햇가지)가 1~2mm 정도 자라기 시작하는 현상을 말한다.
- **(미보상감수량)** : 보상하는 재해 이외의 원인으로 수확량이 감소되었다고 평가되는 부분을 말하며, 계약 당시 이미 발생한 피해, 병해충으로 인한 피해 및 제초상태 불량 등으로 인한 수확감소량으로서 피해를 산정 시 감수량에서 제외한다.
- **(보험가액)** : 농작물재해보험에 있어 피보험이익을 금전으로 평가한 금액으로 보험목적에 발생할 수 있는 최대 손해액을 말한다(회사가 실제 지급하는 보험금은 보험가액을 초과할 수 없다).

02 다음 종합위험방식 상품의 보험가입자격 및 대상으로 ( )의 내용을 순서대로 쓰시오. `5점`

> • 콩 : 개별 농지당 보험가입금액 ( )만원 이상
> • 고구마 : 농지당 보험가입금액 ( )만원 이상
> • 가을감자 : 농지당 보험가입금액 ( )만원 이상
> • 차(茶) : ( )년생 이상의 차나무에서 익년에 수확하는 햇차
> • 옥수수 : 농지당 보험가입금액 ( )만원 이상

정답 및 해설

※ 농업정책보험금융원 이론서(업무방법)에 따라 기출문제 수정 서술함
• 콩 : 개별 농지당 보험가입금액 (100)만원 이상
• 고구마 : 농지당 보험가입금액 (200)만원 이상
• 가을감자 : 농지당 보험가입금액 (200)만원 이상
• 차(茶) : (7)년생 이상의 차나무에서 익년에 수확하는 햇차
• 옥수수 : 농지당 보험가입금액 (100)만원 이상

02-1 다음 종합위험방식 상품의 보험가입자격이 되는 최소경작면적을 쓰시오. `5점`

> • 포도 : _____ m²   • 참다래 : _____ m²
> • 대추 : _____ m²   • 차(茶) : _____ m²

정답 및 해설

※ 농업정책보험금융원 이론서(업무방법)에 따라 기출문제 수정 서술함

포도 · 참다래 · 대추	비가림시설은 단지 단위로 가입(구조체 + 피복재)하고 최소 가입면적은 200㎡ 이상이다.
차(茶)	계약인수는 농지 단위로 가입하고 개별 농지당 최저 보험가입면적은 1,000㎡ 이상이다(단, 하나의 리, 동에 있는 각각 1,000㎡ 미만의 두 개의 농지는 하나의 농지로 취급하여 계약이 가능하다).

03 종합위험방식 벼 상품 및 업무방법에서 정하는 용어를 순서대로 답란에 쓰시오. 5점

- ( ) : 못자리 등에서 기른 모를 농지로 옮겨 심는 일
- ( ) : 물이 있는 논에 파종 하루 전 물을 빼고 종자를 일정간격으로 점파하는 파종 방법
- ( ) : 벼의 이삭이 줄기 밖으로 자란 상태
- ( ) : 개간, 복토 등을 통해 논으로 변경한 농지
- ( ) : 태풍이나 비바람 등의 자연현상으로 인하여 연안지대 경지에 바닷물이 들어와서 발생한 피해

정답 및 해설

※ 농업정책보험금융원 이론서(업무방법)에 따라 기출문제 수정 서술함

- (이앙) : 못자리 등에서 기른 모를 농지로 옮겨 심는 일
- (담수직파) : 물이 있는 논에 종자를 파종하는 방법
- (출수) : 벼(조곡)의 이삭이 줄기 밖으로 자란 상태
- (전환지) : 개간, 복토 등을 통해 논으로 변경한 농지
- (조해(潮害)) : 태풍이나 비바람 등의 자연현상으로 인하여 연안지대 경지에 바닷물이 들어와서 발생한 피해

04 다음 적과전종합위험방식Ⅱ 과수품목별 보험가입이 가능한 주수의 합을 구하시오. 5점

구분	재배형태	가입하는 해의 수령	주수
사과	밀식재배	2년	200주
배	–	3년	250주
단감	–	4년	180주
떫은감	–	5년	260주
사과	일반재배	6년	195주

정답 및 해설

※ 농업정책보험금융원 이론서(업무방법)에 따라 기출문제 수정 서술함

705주

>> ① 적과전종합위험방식Ⅱ 과수품목별 보험가입 기준은 나무 수령(나이)이 다음 기준 미만인 경우 보험가입이 제한된다.

> ㉠ 사과 : 3년(밀식재배), 4년(반밀식재배), 5년(일반재배)
> ㉡ 배 : 3년
> ㉢ 단감, 떫은감 : 5년

② 위 문제 조건에서 보험가입이 가능한 품목
사과(일반재배, 5년) : 195주
배(3년) : 250주
떫은 감(5년) : 260주
보험가입이 가능한 주수의 합 : 705주(= 195주 + 250주 + 260주)

05 다음 농작물재해보험의 청약철회기준에 관한 설명 중 괄호 안에 들어갈 내용을 순서대로 답란에 쓰시오. 5점

청약철회는 보험증권을 받은 날로부터 (㉠)일 이내에서 그 청약을 철회할 수 있다. 다만, (㉡)로부터 (㉢)일을 초과한 경우에는 청약을 철회할 수 없다.

정답 및 해설

㉠ 15, ㉡ 청약한 날, ㉢ 30
≫ 청약철회는 보험증권을 받은 날로부터 (㉠ 15)일 이내에서 그 청약을 철회할 수 있다. 다만, (㉡ 청약한 날)로부터 (㉢ 30)일을 초과한 경우에는 청약을 철회할 수 없으며, 법인은 청약철회가 불가하다.

06 다음은 보험가입 거절 사례이다. 농작물재해보험 가입이 거절된 사유를 보험가입자격과 인수제한 과수원 기준으로 모두 서술하시오. 15점

2015년 A씨는 아내와 경북 ○○시로 귀농하여 B씨 소유의 농지를 아내 명의로 임차하였다. 해당 농지는 하천에 소재하는 면적 99㎡의 과수원으로 2018년 태풍으로 제방과 둑이 유실되어 2022년 현재 복구되지 않은 상태이다. A씨는 2020년 4월 반밀식재배방식으로 사과 1년생 묘목 300주를 가식한 후 2022년 3월 농작물재해보험 적과전종합위험Ⅱ방식으로 가입하려 한다. 실제 경작은 A씨 본인이 하지만 보험계약자를 서울에서 직장생활을 하는 아들 명의로 요청하였다.

※ 농업정책보험금융원 이론서(업무방법)에 따라 기출문제 수정 서술함

1. **보험가입자격**

    보험가입자격기준은 「농어업경영체 육성 및 지원에 관한 법률」 제4조에 따른 농업경영체로 등록한 자(농업인, 농업법인)로서 농업인 및 임차농 여부와 관계없이 국내에서 보험대상 농작물을 통상의 영농방법으로 실제 경작하는 주된 경작자이다. 계약자를 주된 경작자가 아닌 가족 등의 명의로 할 수 없다. 그러므로 전제조건에서 보험계약자를 서울에서 직장생활하는 아들명의로 요청한 것은 거절사유에 해당한다.

2. **인수제한 과수원** : 적과전종합위험Ⅱ방식 농작물재해보험을 가입할 때 인수제한 과수원 기준에서 사과품목의 경우 전제조건을 살펴보면 다음과 같다.

    1) 반밀식재배 시 나무 수령(나이)이 4년 미만인 과수원(농지)인 경우 인수를 제한한다.

        (전제조건에서 2020년 4월 반밀식재배방식으로 사과 1년생 묘목 300주를 가식한 후 2022년 3월 농작물재해보험 적과전종합위험Ⅱ방식으로 가입하려 하므로 나무 수령(나이)은 만 3년 미만임)

        ※ 수령(나이) : 나무의 나이를 말하며, 묘목이 가입과수원에 식재된 해를 1년으로 한다.

    2) A씨가 임차한 농지는 태풍으로 제방과 둑이 유실되어 2022년 현재 복구되지 않은 상태인데, 실질적으로 하천부지 및 상습침수지역에 소재한 과수원(농지)인 경우에는 인수를 제한한다(전제조건에서 해당 과수원(농지)는 하천부지에 소재함).

    3) 과수원에 식재한 사과나무는 가식되어 있는 상태인 과수원(농지)인 경우 인수를 제한한다(전제조건에서 해당과수원(농지)는 2020년 4월 반밀식재배방식으로 사과 1년생 묘목 300주를 가식한 후 2022년 3월 농작물재해보험 적과전종합위험Ⅱ방식으로 가입하려 함).

≫ **농작물재해보험 적과전종합위험Ⅱ방식 과수품목(사과, 배, 단감, 떫은감)**

    (1) **보험가입자격**

        1) 「농어업경영체 육성 및 지원에 관한 법률」 제4조에 따른 농업경영체로 등록한 자(농업인, 농업법인)로서 농업인 및 임차농 여부와 관계없이 국내에서 보험대상 농작물을 통상의 영농 방법으로 실제 경작하는 주된 경작자이다.

            ① 계약자를 주된 경작자가 아닌 가족 등의 명의로 할 수 없다.

            ② 과수원을 다른 사람에게 임대한 경우에 임차농은 보험에 가입할 수 있지만 과수원 소유자는 가입할 수 없다.

        2) 법인, 외국인, 미성년자, 피한정후견인(한정치산자), 피성년후견인(금치산자)도 보험에 가입할 수 있다. 미성년자, 피한정후견인(한정치산자)은 법정대리인(친권자, 후견인)의 동의 또는 대리가 있어야 하며, 피성년후견인은 법정대리인이 대리하여야 한다.

    (2) **보험가입 대상**

        특정위험방식 과수품목 가입대상은 사과, 배, 단감, 떫은감이다.

    (3) **계약인수 단위(보험가입기준)**

        보험가입기준(계약인수 단위)은 다음과 같이 적용한다.

        1) 계약인수는 과수원 단위로 가입하고 개별과수원당 최저 보험가입금액은 **200만원 이상**으로 한다.

            ① 과수원이라 함은 한 덩어리의 토지의 개념으로, 필지(지번)와는 관계없이 실제 경작하는 단위이므로 한 덩어리 과수원이 여러 필지로 나누어져 있더라도 하나의 농지로 취급하며, 보험대상작물을 재배하는 하나의 경작지를 말한다.

            ② 다만, 같은 동(洞) 또는 리(理) 안에 있는 각각 보험가입금액 **200만원 미만**의 두 개의 과수원은 하나의 과수원으로 보고 계약 인수 가능하다.

③ 과수원 전체를 벌목하여 새로운 유목을 심은 경우에는 신규 과수원으로 가입·처리한다.

2) 농협은 농협 관할구역에 속한 과수원에 한하여 인수할 수 있으며 계약자가 동일한 관할구역 내에 여러 개의 과수원을 소유하고 있는 경우에는 하나의 농협에 가입하는 것을 원칙으로 한다.

(4) 인수제한 목적물(과수원)

1) 보통약관(주계약) 부문

① 보험대상 농작물의 보험가입금액이 **200만원 미만**인 과수원은 인수를 제한한다.

② **가입하는 해의 품목별 나무 수령(나이)이 다음 기준 미만인 경우**는 인수를 제한한다.

㉠ 사과 : 밀식재배 3년, **반밀식재배 4년**, 일반재배 5년

㉡ 배 : 3년

㉢ 단감·떫은감 : 5년

※ 수령(나이) : 나무의 나이를 말하며, 묘목이 가입과수원에 식재된 해를 1년으로 한다.

③ 시험연구를 위해 재배되는 과수원은 인수를 제한한다.

④ **하천부지** 및 상습침수 지역에 **소재**(재배)하는 과수원은 인수를 제한한다.

⑤ **가식(假植)되어 있는** 과수원은 인수를 제한한다.

⑥ 전정, 비배관리 잘못 또는 품종갱신 등의 이유로 수확량이 현저하게 감소할 것이 예상되는 과수원은 인수를 제한한다.

⑦ 통상적인 영농활동(병충해방제, 시비관리, 적과 등)을 하지 않는 과수원은 인수를 제한한다.

⑧ 하나의 과수원에 식재된 과수(나무) 중 일부 나무만 가입하는 과수원은 인수를 제한한다.

⑨ 가입사무소 또는 계약자를 달리하여 중복 가입하는 과수원은 인수를 제한한다.

⑩ 도서지역의 경우 연륙교가 설치되어 있지 않고 정기선이 운항하지 않는 등 신속한 손해평가가 불가능한 지역에 소재한 과수원은 인수를 제한한다.

⑪ 도시계획 등에 편입되어 수확종료 전에 소유권 변동 또는 형질변경 등이 예정되어 있는 과수원은 인수를 제한한다.

⑫ 품목이 혼식된 과수원은 인수를 제한한다(단, 주품목의 결과주수가 90% 이상인 과수원은 주품목에 한하여 가입 가능).

⑬ 판매를 목적으로 경작하지 않는 과수원은 인수를 제한한다.

⑭ 보험가입 이전에 자연재해 등의 피해로 인하여 당해연도의 정상적인 결실에 영향이 있는 과수원은 인수를 제한한다.

⑮ 기타 인수가 부적절한 과수원은 인수를 제한한다.

07 다음 상품에 해당하는 보장방식을 [보기]에서 모두 선택하고 보장종료일을 예시와 같이 서술하시오. 15점

> [보기]
> 수확감소보장, 생산비보장, 경작불능보장, 과실손해보장, 재파종보장

> 예 양파
> (1) 수확감소보장 – 이듬해 수확기(단, 6월 30일 초과 불가)
> (2) 경작불능보장 – 이듬해 수확개시 시점

옥수수	
마늘	
고구마	
차	
복분자	

정답 및 해설

옥수수	(1) 수확감소보장 – 수확기종료 시점(단, 9월 30일을 초과할 수 없음) (2) 경작불능보장 – 수확 개시 시점
마늘	(1) 수확감소보장 – 수확기종료 시점(단, 6월 30일을 초과할 수 없음) (2) 경작불능보장 – 수확 개시 시점 (3) 재파종보장 – 10월 31일
고구마	(1) 수확감소보장 – 수확기종료 시점(단, 10월 31일을 초과할 수 없음) (2) 경작불능보장 – 수확 개시 시점
차	(1) 수확감소보장 – 햇차 수확 종료 시점(단, 5월 10일을 초과할 수 없음)
복분자	(1) 경작불능보장 – 수확 개시 시점(이듬해 5월 31일을 초과할 수 없음) (2) 과실손해보장 　① (Y + 1)년 5월 31일 이전 – 수정 완료시점 　② (Y + 1)년 6월 1일 이후 – (Y + 1)년 수확기종료 시점 [단, (Y + 1)년 6월 20일을 초과할 수 없음]

※ "Y"는 해당품목 판매개시일이 속하는 연도를 말하며, "(Y + 1)"년은 Y년 이후에 도래하는 연도를 말함
※ 과실손해보장에서 보험의 목적(대상품목)은 (Y + 1)년에 수확하는 과실을 말함

08 특정위험보장 인삼재배시설(해가림시설)에서 정하는 잔가율에 관하여 서술하시오. 15점

정답 및 해설

※ 농업정책보험금융원 이론서(업무방법)에 따라 기출문제 수정 서술함

잔가율 : 잔가율 20%와 자체유형별 내용연수를 기준으로 경년감가율을 산출한다. 내용연수가 경과한 경우라도 현재 정상 사용 중에 있는 시설을 당해 목적물의 경제성을 고려하여 잔가율을 최대 30%로 수정한다.

08-1 종합위험방식 원예시설 업무방법에서 정하는 잔가율에 관하여 서술하시오. 15점

정답 및 해설

※ 본문제는 출제 당시 2015년 업무방법서에 따라 기출문제 서술함

잔가율
① 유형고정자산의 내용연수 만료시에 있어서 잔존가액의 재조달가액에 대한 비율로 보통 10~20% 정도로 정하는데 하우스의 경우 20%를 적용한다.
② 내용연수가 경과한 경우라도 현재 정상 사용 중에 있는 하우스는 당해 목적물의 경제성을 고려하여 최대 30%로 수정한다.
③ 고정식하우스의 경우 보험가입 전 5년 이내 구조체의 20% 이상을 교체하는 개보수가 이루어진 경우에는 그 경과연수와 관계없이 현재가액을 재조달가액의 50%까지 수정하여 평가할 수 있다.

09 농작물재해보험 업무방법에서 정하는 적과전종합위험방식의 보상하지 않는 손해에 관하여 서술하시오(단, 적과종료 이후에 한함). 15점

정답 및 해설

[적과종료 이후에 보상하지 않는 손해]
① 계약자, 피보험자 또는 이들의 법정대리인의 고의 또는 중대한 과실로 생긴 손해를 말한다.
② 수확기에 계약자 또는 피보험자의 고의 또는 중대한 과실로 수확하지 못하여 발생한 손해를 말한다.
③ 제초작업, 시비관리 등 통상적인 영농활동을 하지 않아 발생한 손해를 말한다.
④ 보상하지 아니하는 재해로 제방, 댐 등이 붕괴되어 발생한 손해를 말한다.
⑤ 원인의 직·간접을 묻지 않고 병해충으로 발생한 손해를 말한다.
⑥ 최대순간풍속 14m/sec 미만의 바람으로 발생한 손해를 말한다.
⑦ 보상하는 자연재해로 인하여 발생한 동녹(과실에 발생하는 검은 반점 병) 등 간접 손해를 말한다.
⑧ 보상하는 손해에 해당하지 않은 재해로 발생하는 손해를 말한다.
⑨ 농업인의 부적절한 잎소지(잎제거)로 인하여 발생하는 손해를 말한다.
⑩ 저장한 과실에서 나타나는 손해를 말한다.
⑪ 저장성 약화, 과실 경도 약화 등 육안으로 판별되지 않는 손해를 말한다.
⑫ 병으로 인해 낙엽이 발생하여 태양광에 과실이 노출됨으로써 발생한 손해를 말한다.
⑬ 「식물방역법」 제36조(방제명령 등)에 의거 금지 병해충인 과수 화상병에 의한 폐원으로 인한 손해 및 정부 공공기관의 매립으로 발생한 손해를 말한다.

10 다음 사례를 읽고 농작물재해보험 업무방법에서 정하는 기준에 따라 인수 가능 여부와 해당사유를 서술하시오. 15점

> A씨는 ○○시에서 6년 전 간척된 △△리 1번지(본인 소유 농지 4,200㎡)와 4년 전 간척된 △△리 100번지(임차한 농지 1,000㎡, △△리 1번지와 인접한 농지)에 벼를 경작하고 있다. 최근 3년 연속으로 ○○시에 집중호우가 내려 호우경보가 발령되었고, A씨가 경작하고 있는 농지(△△리 1번지, △△리 100번지)에도 매년 침수피해가 발생하였다. 이에 A씨는 농작물재해보험에 가입하고자 가입금액을 산출한 결과 △△리 1번지 농지는 180만원, △△리 100번지 농지는 50만원이 산출되었다.

(1) 인수 가능 여부 :

(2) 해당사유 :

정답 및 해설

※ 농업정책보험금융원 이론서(업무방법)에 따라 기출문제 수정 서술함

(1) 인수 가능 여부

　　△△리 1번지 농지는 인수 가능하지만, △△리 100번지 농지는 인수 불가능하다.

(2) 해당사유

구분	해당사유	농지구분	인수 가능	인수 불가능
1) 보험계약 인수단위	2020년 말 업무방법서에는 개별 농지당 가입금액은 50만원 미만은 인수제한됨(출제 당시 2015년 업무방법서에는 200만원 미만이면 인수제한됨. 참조)	① △△리 1번지 농지 (180만원)	○	
		② △△리 100번지 농지 (50만원)	○	
2) 최근 3년 연속 침수 피해	연속 침수피해 농지는 인수제한됨(단, 호우주의보 및 호우경보 등 기상특보에 의한 재해 피해는 인수 가능함)	① △△리 1번지 농지	○	
		② △△리 100번지 농지	○	
3) 간척된 농지	최근 5년 이내 간척된 농지는 인수 제한됨	① △△리 1번지 농지 (6년 전 간척)	○	
		② △△리 100번지 농지 (4년 전 간척)		○

∴ 주어진 조건에 따라 해당사유에 의한 인수 가능 여부 결론
　① △△리 1번지 농지 : 인수 가능
　② △△리 100번지 농지 : 인수 불가능(최근 5년 이내 간척된 농지는 인수제한됨)

≫ (1) 보험가입기준(계약인수 단위)
　　보험가입기준(계약인수 단위)은 다음과 같이 적용한다.
　　1) 계약인수는 농지 단위로 가입하고, 개별 농지당 최저 보험가입금액은 50만원 이상으로 한다.
　　　① 단, 가입금액이 50만원 미만의 농지라도 인접농지의 면적과 합하여 50만원 이상이 되면 통합하여 하나의 농지로 가입할 수 있다.

② 통합하는 농지의 개수 제한은 없으나 가입 후 농지를 분리할 수 없다.

③ 하나의 농지 내에 품종, 재배방식, 이앙일자가 상이한 경우에는 품종, 재배방식은 가장 많은 것으로, 이앙일자는 마지막으로 이앙한 날짜로 한다.

④ 다만, 숙기가 동일하지 않은 경우 한 품종이 90% 이상 재식되어 있지 않으면 가입할 수 없다.

2) 1인 1증권 계약의 체결

① 1인이 경작하는 다수의 농지가 있는 경우, 그 농지의 전체를 하나의 증권으로 보험계약을 체결한다.

② 다만, 읍·면·동을 달리하는 농지를 가입하는 경우, 기타 보험사업자가 필요하다고 인정하는 경우는 예외로 한다.

3) 농지의 구성방법

① 리(동) 단위로 가입한다.

② 동일 "리(동)" 내에 있는 여러 농지를 묶어 하나의 경지 번호를 부여한다.

③ 가입하는 농지가 여러 리(동)에 있는 경우 각 리(동)마다 각각 경지를 구성하고 보험계약은 여러 경지를 묶어 하나의 계약으로 가입한다.

④ 전산조작 시 리(동)별 목적물 등록을 별도로 하여 리(동)별로 경지가 구성되도록 한다.

(2) 인수제한 목적물(농지)

1) 보통약관(주계약) 부문

① 하천부지에 소재한 농지는 인수를 제한한다.

② 최근 3년 연속 침수피해를 입은 농지는 인수를 제한한다(다만, 호우주의보 및 호우경보 등 기상특보에 해당되는 재해로 피해를 입은 경우는 제외).

③ 최근 5년 이내에 간척된 농지는 인수를 제한한다.

④ 밭벼를 재배하는 농지는 인수를 제한한다.

⑤ 농업용지가 다른 용도로 전용되어 수용예정지로 결정된 농지는 인수를 제한한다.

⑥ 보험가입 전 벼의 피해가 확인된 농지는 인수를 제한한다.

⑦ 통상적인 재배 및 영농활동을 하지 않는다고 판단되는 농지는 인수를 제한한다.

⑧ 보험목적물을 수확하여 판매를 목적으로 경작하지 않은 농지(예 채종농지)는 인수를 제한한다.

⑨ 군사시설보호구역 중 통제보호구역(민간인 통제선 이북 또는 군사기지 및 군사시설의 최외곽 경계선으로부터 300m 범위 이내 지역) 내의 농지는 인수를 제한한다(단, 통상적인 영농활동 및 손해평가가 가능하다고 판단되는 농지는 영업점장 전결로 인수 가능).

⑩ 전환지(개간, 복토 등을 통해 논으로 변경한 농지), 휴경지 등 농지로 변경하여 경작한지 3년 이내인 농지는 인수를 제한한다.

⑪ 오염 및 훼손 등의 피해를 입어 복구가 완전히 이루어지지 않은 농지는 인수를 제한한다.

⑫ 기타 인수가 부적절한 농지는 인수를 제한한다.

01 다음은 농작물재해보험 업무방법 통칙 내 용어의 정의로 괄호 안에 들어갈 옳은 내용을 답란에 쓰시오. 5점

> "평년수확량"이란 가입연도 직전 (㉠) 중 보험에 가입한 연도의 (㉡)와(과) (㉢)을(를) (㉣)에 따라 가중평균하여 산출한 해당 과수원(농지)에 기대되는 수확량을 말한다.

정답 및 해설

㉠ 5년, ㉡ 실제수확량, ㉢ 표준수확량, ㉣ 가입횟수

» "평년수확량"이란 가입연도 직전 (㉠ 5년) 중 보험에 가입한 연도의 (㉡ 실제수확량)과 (㉢ 표준수확량)을 (㉣ 가입횟수)에 따라 가중평균하여 산출한 해당 과수원(농지)에 기대되는 수확량을 말한다. 평년수확량 의 산출과 관련된 세부사항은 회사가 작성한 업무방법을 따른다.

※ 표준수확량 : 가입품목의 품종, 수령, 재배방식 등에 따라 정해진 수확량을 말한다.

02 다음과 같이 4개의 사과 과수원을 경작하고 있는 A씨가 적과전종합위험Ⅱ 보험상품에 가입하고자 할 경우, 계약인수 단위 규정에 따라 (1) 보험가입이 가능한 과수원 구성과 (2) 그 이유를 쓰시오. 5점

구분	가입조건	소재지
1번 과수원	"후지" 품종 4년생 보험가입금액 120만원	서울시 종로구 부암동
2번 과수원	"홍로" 품종 3년생 보험가입금액 70만원	서울시 종로구 부암동
3번 과수원	"미얀마" 품종 5년생 보험가입금액 110만원	서울시 종로구 부암동
4번 과수원	"쓰가루" 품종 6년생 보험가입금액 190만원	서울시 종로구 신영동

정답 및 해설

※ 농업정책보험금융원 이론서(업무방법)에 따라 기출문제 수정 서술함

(1) 과수원의 구성 : 1번 과수원 + 3번 과수원

　1) 1번, 2번, 3번, 4번 과수원은 모두 최저 보험가입금액 200만원 미만으로 가입이 불가하다.

　2) 다만, 하나의 동(洞), 리(理) 안에 있는 각각 보험가입금액 200만원 미만의 두 개의 과수원은 하나의 과수원으로 보고 계약 인수 가능하다. 그러므로 서울시 종로구 부암동에 있는 1번 과수원(120만원)과 3번 과수원(110만원)의 보험가입금액은 합하여 230만원이 되므로, 이를 하나의 과수원으로 계약 인수 가능하다.

(2) 이유 : 계약인수 단위(보험가입기준)

보험가입기준(계약인수 단위)은 다음과 같이 적용한다.

1) 계약인수는 과수원 단위로 가입하고 개별과수원당 최저 보험가입금액은 200만원 이상으로 한다.

　① 과수원이라 함은 한 덩어리의 토지의 개념으로 필지(지번)와는 관계없이 실제 경작하는 단위이므로 한 덩어리 과수원이 여러 필지로 나누어져 있더라도 하나의 농지로 취급하여 보험대상작물을 재배하는 하나의 경작지를 말한다.

　② 다만, 같은 동(洞) 또는 리(理) 안에 있는 각각 보험가입액 200만원 미만의 두 개의 과수원은 하나의 과수원으로 보고 계약 인수 가능하다.

02-1 다음과 같이 4개의 사과 과수원을 경작하고 있는 A씨가 특정위험방식 보험상품에 가입하고자 할 경우, 계약인수 단위 규정에 따라 (1) 보험가입이 가능한 과수원 구성과 (2) 그 이유를 쓰시오. 5점

구분	가입조건	소재지
1번 과수원	"후지" 품종 4년생 보험가입금액 160만원	서울시 종로구 부암동
2번 과수원	"홍로" 품종 3년생 보험가입금액 130만원	서울시 종로구 부암동
3번 과수원	"미얀마" 품종 5년생 보험가입금액 150만원	서울시 종로구 부암동
4번 과수원	"쓰가루" 품종 6년생 보험가입금액 290만원	서울시 종로구 신영동

정답 및 해설

※ 본문제는 2016년 업무방법서에 따라 기출문제 서술함

(1) 과수원의 구성 : 1번 과수원 + 3번 과수원

1) 1번, 2번, 3번, 4번 과수원은 모두 최저 보험가입금액이 300만원 미만으로 가입이 불가하다.

2) 다만, 하나의 동(洞), 리(理) 안에 있는 각각 보험가입금액 300만원 미만의 두 개의 과수원은 하나의 과수원으로 보고 계약 인수 가능하다. 그러므로 서울시 종로구 부암동에 있는 1번 과수원(160만원)과 3번 과수원(150만원)의 보험가입금액은 합하여 310만원이 되므로, 이를 하나의 과수원으로 계약 인수 가능하다.

(2) 이유 : 계약인수 단위(보험가입기준)

보험가입기준(계약인수 단위)은 다음과 같이 적용한다.

1) 계약인수는 과수원 단위로 가입하고 개별과수원당 최저 보험가입금액은 300만원 이상으로 한다.

　① 과수원이라 함은 한 덩어리의 토지의 개념으로 필지(지번)와는 관계없이 실제 경작하는 단위이므로 한 덩어리 과수원이 여러 필지로 나누어져 있더라도 하나의 농지로 취급하여 보험대상작물을 재배하는 하나의 경작지를 말한다.

　② 다만, 같은 동(洞) 또는 리(理) 안에 있는 각각 보험가입금액 300만원 미만의 두 개의 과수원은 하나의 과수원으로 보고 계약 인수 가능하나 보험가입금액 300만원 이상인 과수원에 다른 과수원을 더하여 계약 인수 불가하다.

03

다음의 조건으로 농업용 시설물 및 시설작물을 종합위험방식 원예시설보험에 가입하려고 하였으나 거절되었다. 그 이유를 쓰시오(단, 주어진 조건 외에는 고려하지 않는다). 5점

> - 시설하우스 조건 : 폭 10m, 높이 3.5m, 길이 100m, 구조안전성 분석결과 허용 풍속 10.2m/s
> - 시설작물의 재식밀도 : 오이 1,600주/10a

정답 및 해설

※ 농업정책보험금융원 이론서(업무방법)에 따라 기출문제 수정 서술함
→ 2016년 출제 당시 업무방법서와 대조하여 기출문제 정답 및 해설 서술함

(1) 이유

① 출제 당시 2016년 업무방법서에 다음과 같이 인수제한된다는 규정으로 보험가입이 거절되었으나, 2017년 업무방법서 개정으로 규정이 삭제되어 현재는 보험계약 인수가 가능하게 되었다.

> ※ 2017년 업무방법서 개정으로 다음 규정이 삭제되어 현재는 인수제한조건에는 해당하지 않음
> - 구조안전성 분석결과 허용 적설심이 7.9cm 미만 또는 허용 풍속이 10.5m/s 미만인 시설은 인수를 제한한다.
> - 주서까래가 ø22.2mm 미만의 파이프로 시공된 시설은 인수를 제한한다.
> - 가로대가 없는 시설은 인수를 제한한다.
> - 시설 폭 3cm 미만, 시설높이 1.5m 미만, 시설 길이 5m 미만인 시설은 인수를 제한한다.

② 오이의 경우 재식밀도가 1,500주/10a 미만일 경우 인수를 제한하지만 이 조건에 해당하지 않는다.

(2) 결론

2017년 업무방법서 개정 이후로 현재는 인수제한조건에 해당하지 않으므로 보험인수가 가능하다.

≫ 농업용 시설물 및 부대시설의 인수제한 목적물은 다음과 같다.

① 판매를 목적으로 시설작물을 재배하지 않는 시설은 인수를 제한한다.
② 작업동, 창고동 등 시설작물 경작용으로 사용되지 않는 시설은 인수를 제한한다(농업용 시설물 1동의 면적을 80% 이상 작물재배용으로 사용하는 경우 가입이 가능).
③ 피복재가 없거나 시설작물을 재배하고 있지 않는 시설은 인수를 제한한다(다만, 지역적 기후특성 등에 따른 한시적 휴경은 제외).
④ 목재, 죽재로 시공된 시설은 인수를 제한한다.
⑤ 버섯재배사 및 비가림시설은 인수를 제한한다.
⑥ 1년 이내에 철거 예정인 고정식 시설은 인수를 제한한다.
⑦ 구조체, 피복재 등 목적물이 변형되거나 훼손된 시설은 인수를 제한한다.
⑧ 목적물의 소유권에 대한 확인이 불가능한 시설은 인수를 제한한다.
⑨ 건축 또는 공사 중인 시설은 인수를 제한한다.
⑩ 하천부지 및 상습침수지역에 소재한 시설은 인수를 제한한다(다만, 수재위험 부보장 특약에 가입하여 풍재만은 보장 가능).
⑪ 정부에서 보험료의 일부를 지원하는 다른 계약에 이미 가입되어 있는 시설은 인수를 제한한다.
⑫ 기타 인수에 부적절한 하우스 및 부대시설은 인수를 제한한다.

04 농작물재해보험계약이 무효로 되었을 때의 보험료 환급에 관한 설명이다. (   )에 들어갈 내용을 답란에 쓰시오. 5점

> (1) 계약자 또는 피보험자의 책임 없는 사유에 의하는 경우, 무효의 경우에는 계약자가 납입한 보험료를 (㉠) 환급한다.
> (2) 계약자 또는 피보험자의 책임 있는 사유에 의하는 경우에는 품목별 해당 월 (㉡)에 따라 계산된 환급보험료를 지급한다.
> (3) 계약자 또는 피보험자의 고의 또는 (㉢)로 무효가 된 경우는 보험료를 반환하지 않는다.
> (4) 계약의 무효, 효력상실 또는 해지로 인하여 반환해야 할 보험료가 있을 때에는 계약자는 환급금을 청구하여야 하며, 청구일의 다음 날부터 지급일까지의 기간에 대하여 보험개발원이 공시하는 (㉣)을(를) 연단위 복리로 계산한 금액을 더하여 지급한다.

정답 및 해설

※ 농업정책보험금융원 이론서(업무방법)에 따라 기출문제 수정 서술함

㉠ 전액, ㉡ 미경과비율, ㉢ 중대한 과실, ㉣ 보험계약 대출이율

≫ (1) 계약자 또는 피보험자의 책임 없는 사유에 의하는 경우에는 계약자가 납입한 보험료를 (㉠ 전액) 환급한다(무효의 경우).
(2) 계약자 또는 피보험자의 책임 있는 사유에 의하는 경우에는 품목별 해당 월 (㉡ 미경과비율)에 따라 계산된 환급보험료를 지급한다.
(3) 계약자 또는 피보험자의 고의 또는 (㉢ 중대한 과실)로 무효가 된 경우는 보험료를 반환하지 않는다.
(4) 계약의 무효, 효력상실 또는 해지로 인하여 반환해야 할 보험료가 있을 때에는 계약자는 환급금을 청구하여야 하며, 청구일의 다음 날부터 지급일까지의 기간에 대하여 보험개발원이 공시하는 (㉣ 보험계약 대출이율)을(를) 연단위 복리로 계산한 금액을 더하여 지급한다.

05 다음 조건에 따라 적과전 종합위험방식 보험상품에 가입할 경우, 과실손해보장 보통약관 보험료를 산출하시오. 5점

> • 품목 : 사과
> • 보험가입금액 : 10,000,000원
> • 지역별 보험약관 보험요율 : 20%
> • 손해율에 따른 할인·할증률 : 20%
> • 방재시설 할인율 : 10%
> • 전년도 무사고 할인율 : 5%

정답 및 해설

※ 농업정책보험금융원 이론서(업무방법)에 따라 기출문제 수정 서술함

보험료 : 2,070,000원

≫ 과실손해보장 보통약관 적용보험료

= 보통약관 가입금액 × 지역별 보통약관 영업요율 × (1 − 부보장 및 한정보장 특별약관 할인율) × (1 + 손해율에 따른 할인·할증률 − 전년도 무사고 할인율) × (1 − 방재시설할인율)

= 10,000,000원 × 0.2 × (1 + 0.2 − 0.05) × (1 − 0.1)

= 2,070,000원

05-1 다음 조건에 따라 특정위험방식 보험상품에 가입할 경우, 보험료를 산출하시오. 5점

- 품목 : 사과
- 보험가입금액 : 10,000,000원
- 보험요율 : 20%
- 과수원별 할인·할증률 : 20%
- 방재시설 할인율 : 10%
- 숙기별 할인·할증률 : −5%

정답 및 해설

※ 본문제는 2016년 업무방법서에 따라 서술함

보험료 : 2,052,000원

≫ 보험료 = 보험가입금액 × 보험요율 × (1 ± 과수원별 할인·할증률) × (1 − 방재시설할인율) × (1 ± 숙기별 할인·할증률)

= 10,000,000원 × 0.2 × (1 + 0.2) × (1 − 0.1) × (1 − 0.05)

= 2,052,000원

06 적과전종합위험방식 보험상품에 가입하는 경우 다음과 같은 조건에서 (1) 과실손해보장의 자기부담금, (2) 태풍(강풍)·집중호우 나무손해보장특약의 보험가입금액, (3) 태풍(강풍)·집중호우 나무손해보장특약의 자기부담금을 산출하시오(단, 결과주수 1주당 가입가격은 10만원이다). 15점

> "신고" 배 6년생 700주를 실제 경작하고 있는 A씨는 최근 3년간 동 보험에 가입하였으며, 3년간 수령한 보험금이 순보험료의 50% 이하였다. 과실손해보장의 보험가입금액은 1,000만원으로 최저 자기부담비율을 선택하고, 특약으로는 태풍(강풍)·집중호우 나무손해보장특약만을 선택하여 보험에 가입하고자 한다.

구분	내용
(1) 주계약의 자기부담금	① 풀이과정 : ② 답 :
(2) 태풍(강풍)·집중호우 나무손해보장 특약의 보험가입금액	① 풀이과정 : ② 답 :
(3) 태풍(강풍)·집중호우 나무손해보장 특약의 자기부담금	① 풀이과정 : ② 답 :

정답 및 해설

※ 농업정책보험금융원 이론서[업무방법]에 따라 기출문제 수정 서술함

구분	내용
(1) 주계약의 자기부담금	① 풀이과정 자기부담비율 적용 기준 **10%형** : 최근 3년간 연속 보험가입과수원으로서 3년간 수령한 보험금이 순보험료의 100% 이하인 경우에 한하여 선택 가능 **15%형** : 최근 2년간 연속 보험가입과수원으로서 2년간 수령한 보험금이 순보험료의 100% 이하인 경우에 한하여 선택 가능 **20%형 및 30%형** : 제한 없음 자기부담비율 = 10% 주계약의 자기부담금 = 보험가입금액 × 자기부담비율 　　　　　　　　　　 = 1,000만원 × 0.1 = 100만원 ② 답 : 100만원

(2) 태풍(강풍)·집중 호우 나무손해보장 특약의 보험가입금액	① 풀이과정 : 나무손해보장특약의 보험가입금액은 보험에 가입한 결과주수(700 주)에 1주당 가입가격(10만원)을 곱하여 계산한 금액으로 산출한다. ② 답 : 7,000만원 　보험가입금액 = 보험에 가입한 결과주수(700주) × 1주당 가입가격(10만원/주) 　　　　　　　 = 7,000만원
(3) 태풍(강풍)·집중 호우 나무손해보장 특약의 자기부담금	① 풀이과정 : 나무손해보장특약의 자기부담비율은 보험가입금액의 5%로 한다. ② 답 : 350만원 　자기부담금 = 보험가입금액(7,000만원) × 자기부담비율(0.05) = 350만원

06-1

적과전종합위험방식 보험상품에 가입하는 경우 다음과 같은 조건에서 (1) 주계약의 자기부담금, (2) 태풍(강풍)·집중호우 나무손해보장특약의 보험가입금액, (3) 태풍(강풍)·집중호우 나무손해보장특약의 자기부담금을 산출하시오(단, 풀이과정을 반드시 쓰시오). 15점

> "신고" 배 6년생 700주를 실제 경작하고 있는 A씨는 최근 3년간 동 보험에 가입하였으며, 보험금을 1회 지급받은 사실이 있다. 주계약의 보험가입금액은 1,000만원으로 최저 자기부담비율을 선택하고, 특약으로는 태풍(강풍)·집중호우 나무손해보장특약만을 선택하여 보험에 가입하고자 한다.

구분	내용
(1) 주계약 자기부담금	① 풀이과정 : ② 답 :
(2) 태풍(강풍)·집중호우 나무손해보장 특약의 보험가입금액	① 풀이과정 : ② 답 :
(3) 태풍(강풍)·집중호우 나무손해보장 특약의 자기부담금	① 풀이과정 : ② 답 :

정답 및 해설

※ 본문제는 2016년 업무방법서에 따라 기출문제 서술함

구분	내용
(1) 주계약의 자기 부담금	① 풀이과정 　1) 주계약의 자기부담금은 주계약의 보험가입금액에 선택한 자기부담비율을 곱 　　하여 산출한다. 즉, 주계약의 자기부담비율은 계약할 때 계약자가 선택한 비 　　율(10%, 15%, 20%, 30% 등)로 하며, 과실손해보장의 자기부담비율은 지급보 　　험금을 계산할 때 피해율에서 차감하는 비율로서, 계약할 때 계약자가 선택 　　한 비율(10%, 15%, 20%, 30% 등)을 말한다. 　2) 자기부담비율 적용기준 　　ⓐ 10%형 : 최근 3년간 연속 보험가입과수원으로서 3년간 보험금 지급 사실 　　　이 없는 경우에 한하여 선택가능하다.

	ⓑ **15%형** : 최근 2년간 연속 보험가입과수원으로서 2년간 보험금 지급 사실이 없는 경우에 한하여 선택가능하다. ⓒ **20%형 및 30%형** : 제한 없음 ② 답 : <u>200만원</u> 　1) 최근 3년간 연속 보험가입과수원으로서 3년간 수령한 보험금을 1회 지급받은 사실이 있는 경우에 해당하므로 자기부담비율 **20%형** 선택이 가능하다. 　2) 자기부담금 = 1,000만원 × 0.2 = 200만원
(2) 태풍(강풍)·집중호우 나무손해보장특약의 보험가입금액	① 풀이과정 나무손해보장특약의 보험가입금액은 보험에 가입한 결과주수(700주)에 1주당 가입가격(10만원)을 곱하여 계산한 금액으로 산출한다. ② 답 : <u>7,000만원</u> 　보험가입금액 = 보험에 가입한 결과주수(700주) × 1주당 가입가격(10만원/주) 　　　　　　　 = 7,000만원
(3) 태풍(강풍)·집중호우 나무손해보장특약의 자기부담금	① 풀이과정 나무손해보장특약의 자기부담비율은 보험가입금액의 5%로 한다. ② 답 : <u>350만원</u> 　자기부담금 = 보험가입금액(7,000만원) × 자기부담비율(0.05) = 350만원

07 종합위험방식 포도 품목의 (1) 표준수확량, (2) 면적에 대한 산출식을 쓰고, (3) 주간거리·열간거리 측정방법에 관하여 서술하시오(단, 단위를 사용할 경우는 반드시 기입하시오). [15점]

구분	내용
(1) 표준수확량	
(2) 면적	
(3) 주간거리·열간거리 측정방법	

정답 및 해설

※ 농업정책보험금융원 이론서(업무방법)에 따라 기출문제 수정 서술함

구분	내용
(1) 표준수확량	표준수확량 = 품종·수령별 표준수확량 × 면적
(2) 면적	면적 = 주간거리(m) × 열간거리(m) × 주수(주)
(3) 주간거리·열간거리 측정방법	① 전체 이랑의 약 30% 수준으로 표본이랑을 선정한다. ② 한 이랑당 연속되는 4개 나무의 주간거리·열간거리를 측정한다. ③ 전체 조사된 주간거리·열간거리의 평균을 소수점 첫째 자리까지 m로 입력한다.

08 단감 "부유" 품종을 경작하는 A씨는 적과전종합위험방식Ⅱ 보험에 가입하면서 적과종료 이전 특정위험 5종 한정보장 특별약관에도 가입하였다. (1) 보험가입금액이 감액된 경우의 차액 보험료 산출방법에 대해 서술하고, (2) 다음 조건의 차액보험료를 계산하시오(단, 풀이과정을 반드시 쓰시오). 15점

> - 적과후착과량 : 1,000kg
> - 평년착과량 : 1,300kg
> - 주계약 보험가입금액 : 1,000만원
> - 계약자부담보험금 : 100만원
> - 과수원별 할인·할증률 : 0%
> - 감액분 계약자부담보험금 : 10만원
> - 감액미경과비율 : 83%
> - 미납입보험료 : 없음

(1) 차액보험료 산출방법 :

(2) 차액보험료 계산 :

> **정답 및 해설**

※ 농업정책보험금융원 이론서(업무방법)에 따라 기출문제 수정 서술함

(1) 차액보험료 산출방법
  1) 적과전 사고가 없으나, 적과후착과량이 평년착과량보다 적게 되는 경우 보험가입금액을 감액한다.
  2) 보험가입금액을 감액한 경우 아래와 같이 계산한 차액보험료를 환급한다.
   ① **차액보험료** = (감액분 계약자부담보험료 × 감액미경과비율) – 미납입보험료
   ② 차액보험료는 적과후착과수 조사일이 속한 달의 다음 달 말일 이내에 지급한다.

(2) 차액보험료 계산 : 83,000원
  차액보험료 = (감액분 계약자부담보험료 × 감액미경과비율) – 미납입보험료
        = (감액분 계약자부담보험료(10만원) × 감액미경과비율(83%)) – 미납입보험료(0원)
        = (10만원 × 0.83)
        = 83,000원

08-1 단감 "부유" 품종을 경작하는 A씨는 특정위험방식 보험에 가입하면서 보험가입금액 증액특약을 선택하였다. (1) 보험가입금액이 감액된 경우의 차액보험료 산출방법에 대해 서술하고, (2) 다음 조건의 차액보험료를 계산하시오(단, 풀이과정을 반드시 쓰시오). 15점

- 평년착과량 : 1,000kg
- 가입수확량 : 1,300kg
- 주계약 보험가입금액 : 1,000만원
- 보험가입금액 증액특약 가입금액 : 300만원
- 주계약 순보험요율 : 10%
- 보험가입금액 증액특약 순보험요율 : 5%
- 과수원별 할인·할증률 : 0%
- 방재시설 : 없음
- 기준수확량 : 1,100kg
- 순보험료 대비 계약자부담보험료 비율 : 20%
- 감액미경과비율 : 85%
- 미납입보험료 : 없음

(1) 차액보험료 산출방법 :

(2) 차액보험료 계산 :

정답 및 해설

※ 2020년 업무방법서에서 삭제된 내용으로 2018년 업무방법서에 따라 기출문제 수정 서술함
(1) 차액보험료 산출방법
1) 가입수확량이 기준수확량을 초과한 경우 그 초과분은 제외하도록 가입수확량을 조정하고 보험가입금액을 감액한다. 따라서, 보험에 가입한 결과주수가 과수원 내 실제결과주수를 초과하는 경우에는 보험가입금액을 감액한다.
2) 보통약관에 따라 보험가입금액을 감액한 경우
① **차액보험료** = (감액분 계약자부담보험료 × 감액미경과비율) − 미납입보험료
② 차액보험료는 적과후착과수 조사일이 속한 달의 다음 달 말일 이내에 지급한다.
3) 보험가입금액 증액특약에 따라 보험가입금액을 감액한 경우
① 기준수확량이 가입수확량보다 적고 평년착과량보다 많거나 같으면 기준수확량을 초과하여 가입한 부분에 대한 계약자부담보험료를 전액 환급한다.
② 기준수확량이 평년착과량보다 적으면 상기 차액보험료 산출식에 따라 계산한 차액보험료를 환급한다.
(2) 차액보험료 계산 : 17,000원
1) 기준수확량(1,100kg)이 가입수확량(1,300kg)보다 적고 평년착과량(1,000kg)보다 많으므로 기준수확량을 초과하여 가입한 부분(200kg)에 대한 계약자부담보험료를 전액환급한다.
2) 주계약 보험가입금액이 1,000만원이고, 증액특약 가입금액이 300만원이므로 증액된 보험가입액은 1,300만원이다.
3) 감액된 보험가입금액 : 1,100만원
= **증액된 보험가입액**(1,300만원) × { **기준수확량**(1,100kg) ÷ **가입수확량**(1,300kg)}
= 1,100만원

4) 가입수확량은 기준수확량을 200kg을 초과하므로 동일한 비율만큼 감액하면 감액대상 증액특약 보험가입금액은 200만원이다.

① 감액분 계약자부담보험료 : 20,000원

= 증액특약 보험가입금액(200만원) × 보험가입금액 증액특약 순보험요율(5%) × 순보험료 대비 계약자부담보험료 비율(20%) = 200만원 × 0.05 × 0.2 = 20,000원

② **차액보험료** = {감액분 계약자부담보험료(20,000원) × 감액미경과비율(85%)} − 미납입보험료 (0원) = (20,000원 × 0.85%) − 0원 = 17,000원

---

09 강원도 철원으로 귀농한 A씨는 100,000㎡ 논의 "오대벼"를 주계약 보험가입액 1억원, 병해충 보장특약을 선택하여 친환경재배방식으로 농작물재해보험에 가입하고자 한다. 다음의 추가 조건에 따른 보험료를 계산하시오. 15점

[추가조건]
- 철원지역 주계약 기본영업요율 : 1%
- 손해율에 따른 할인·할증률 : 25%
- 전연도무사고할인율 : 5%
- 친환경재배 시 할증률 : 30%
- 직파재배 농지할증률 : 20%
- 평년수확량 초과가입 시 할증률 : 5%
- 순보험료의 정부지원 보조보험료 : 50%
- 순보험료의 지자체지원 보조보험료 : 30%
- 상기 보험요율은 순보험요율이다.

(1) 풀이과정 :

(2) 답 :

정답 및 해설

※ 농업정책보험금융원 이론서(업무방법)에 따라 기출문제 수정 서술함

보험료 산출방법

(1) 풀이과정 : 병해충보장 특별약관 적용보험료 = 특별약관 보험가입금액(1억원) × 지역별 기본 영업요율 (1%) × {1 + 손해율에 따른 할인·할증률(25%)} × {1 + 친환경 재배 시 할증률(30%)} × {1 + 직파재배 농지 할증률(20%)}

= 1억원 × 0.01 × (1 + 0.25) × (1 + 0.3) × (1 + 0.2)

= 1,950,000원

(2) 답 : 1,950,000원

09-1 강원도 철원으로 귀농한 A씨는 100,000㎡ 논의 "오대벼"를 주계약 보험가입액 1억원, 무사고환급보장특약을 선택하여 친환경재배방식으로 농작물재해보험에 가입하고자 한다. 다음의 추가조건에 따른 (1) 주계약 보험료, (2) 무사고환급특약 보험가입금액, (3) 무사고환급특약 보험료를 계산하시오(단, 무사고환급보장특약 보험가입금액을 산출 시 천원 단위 미만은 절사한다). 15점

[추가조건]
- 철원지역 주계약 기본영업요율 : 1%
- 무사고환급보장특약 보장비율 : 70%
- 무사고환급보장특약 보험요율 : 80%
- 계약자할인·할증률 : 30%
- 순보험료의 정부지원 보조보험료 : 50%
- 순보험료의 지자체지원 보조보험료 : 30%
- 상기 보험요율은 순보험요율이다.

구분	내용
(1) 주계약 보험료	① 풀이과정 : ② 답 :
(2) 무사고환급보장 특약 보험가입금액	① 풀이과정 : ② 답 :
(3) 무사고환급 특약보험료	① 풀이과정 : ② 답 :

정답 및 해설

※ 2020년 업무방법서에서 "무사고환급보장특약 보험가입금액" 및 "무사고환급특약 보험료" 항목은 삭제된 내용으로 2016년 업무방법서에 따라 기출문제 수정 서술함

구분	내용
(1) 주계약 보험료	① 풀이과정 1) 주계약 보험료는 보험가입금액에 보험요율, (1 ± 계약자할인·할증률) 및 (1 + 친환경재배 할증률)을 곱하여 산출한다. 친환경재배(무농약재배, 유기농재배) 시에만 할증률 30%가 적용된다. 2) 주계약 보험료 = 주계약 보험가입금액(1억원) × 지역별 기본(특약)영업요율(1%) × {1 ± 계약자할인·할증률(30%)} × {1 + 친환경재배 할증률(30%)} = 1억원 × 0.01 × (1 + 0.3) × (1 + 0.3) = 169만원 ② 답 : <u>169만원</u>

(2) 무사고환급보장 특약 보험가입금액	① 풀이과정 　1) 무사고환급보장특약 보험가입금액은 농지단위로 산출하며 주보장 계약자 부 　　담보험료에 보험가입시 정한 보장비율(70%)을 곱하여 산출한다(1,000원 단 　　위 미만 절사). 　2) 주보장 계약 당시 부담보험료 　　= 주계약 보험료(169만원) × {1 − 정부지원 보조보험료(50%) − 지자체지원 　　　보조보험료(30%)} 　　= 169만원 × (1 − 0.5 − 0.3) = 338,000원 　3) 보험가입금액 = 주보장 계약자 부담보험료(338,000원) × 보장비율(70%) 　　　　　　　　　　= 338,000원 × 0.7 = 236,000원 ② 답 : 236,000원 (1,000원 단위 미만 절사)
(3) 무사고환급 특약보험료	① 풀이과정 　1) 무사고환급보장특약 보험료는 무사고환급보장특약 보험가입액(236,000원) 　　에 보험요율(80%)을 곱하여 산출하며 할인·할증률은 적용하지 않는다. 　2) 무사고환급보장특약 보험료 　　= 보장특약 보험가입액(236,000원) × 보험요율(80%) = 236,000원 × 0.8 　　= 188,000원 ② 답 : 188,000원

10 농업수입감소보장방식의 양파 품목에 있어 (1) 경작불능 보험금과 (2) 인수제한농지(10개 이상)를 쓰시오(단, 경작불능 보험금은 자기부담비율에 따른 지급액 포함). 15점

구분	내용
(1) 경작불능 보험금	
(2) 인수제한농지(10개 이상)	

구분	내용
(1) 경작불능 보험금	1) 경작불능 보험금의 지급요건 ① 보험기간 내에 보상하는 재해로 인해 출현된 식물체의 피해율이 65% 이상 ② 계약자가 경작불능 보험금을 신청한 경우 　　┌─────────────┬─────────────────────────┐ 　　│ 자기부담비율 │ 지급액 │ 　　├─────────────┼─────────────────────────┤ 　　│ 20%형 │ 보험가입금액 × 40% │ 　　│ 30%형 │ 보험가입금액 × 35% │ 　　│ 40%형 │ 보험가입금액 × 30% │ 　　└─────────────┴─────────────────────────┘ ※ 경작불능 보험금은 회사가 보험 목적물이 산지폐기된 것을 확인하고 지급 ※ 계약자 또는 피보험자가 보험목적물을 수확하여 시장 등으로 유통한 것이 　확인되는 경우에는 경작불능 보험금 지급 불가 2) 지급기한 : 청구서류를 접수하면, 지체 없이 지급할 보험금을 결정하고, 지급할 보험금이 결정되면 7일 이내에 지급한다. 3) 경작불능 보험금을 지급하여 계약이 소멸된 경우에는 수확감소보험금을 지급하지 않는다.
(2) 인수제한농지 (10개 이상)	1) 보험가입금액이 200만원 미만인 농지 2) 통상적인 재배 및 영농활동을 하지 않는 농지 3) 극조생종, 조생종, 중만생종을 혼식한 농지 4) 재식밀도가 23,000주/10a 미만, 40,000주/10a 초과한 농지 5) 9월 30일 이전 정식한 농지 6) 양파 식물체가 똑바로 정식되지 않은 농지(70° 이하로 정식된 농지) 7) 부적절한 품종을 재배하는 농지(예 고랭지 봄파종 재배 적응 품종, 게투린, 고떼이황, 고랭지 여름, 덴신, 마운틴1호, 스프링골드, 사포로기, 울프, 장생대고, 장일황, 하루히구마, 히구마 등) 8) 다른 작물과 혼식되어 있는 농지 9) 무멀칭농지 10) 시설재배 농지 11) 하천부지 및 상습침수 지역에 소재한 농지 12) 판매를 목적으로 경작하지 않는 농지 13) 군사시설보호구역 중 통제보호구역 내의 농지(단, 통상적인 영농활동 및 손해평가가 가능하다고 판단되는 농지는 영업점장 전결로 인수 가능) ※ 통제보호구역 : 민간인통제선 이북지역 또는 군사기지 및 군사시설의 최외곽 경계선으로부터 300미터 범위 이내의 지역 14) 연륙교가 설치되지 않거나 정기선이 운항하지 않는 등 신속한 손해평가가 불가능한 도서지역 농지 15) 기타 인수가 부적절한 농지

01 농작물재해보험의 업무방법 통칙에서 정하는 용어의 정의로 (   )에 들어갈 내용을 답란에 쓰시오. 5점

> • "보험의 목적"은 보험에 가입한 농작물로 보험증권에 기재된 농작물 또는 (㉠), (㉡), (㉢) 및 농작물을 말한다.
> • "표준수확량"이란 과거의 통계를 바탕으로 농지별 재배환경, (㉣), (㉤) 등을 고려하여 산출한 예상 수확량을 말한다.

정답 및 해설

㉠ 나무, ㉡ 시설작물 재배용·농업용 시설물, ㉢ 부대시설, ㉣ 비배관리, ㉤ 재배방식

> • "보험의 목적"은 보험에 가입한 농작물로 보험증권에 기재된 농작물 또는 (㉠ 나무), (㉡ 시설작물 재배용·농업용 시설물), (㉢ 부대시설) 및 농작물을 말한다.
> • "표준수확량"이란 과거의 통계를 바탕으로 농지별 재배환경, (㉣ 비배관리), (㉤ 재배방식) 등을 고려하여 산출한 예상 수확량을 말한다.

02 다음은 농작물재해보험 적과전종합위험Ⅱ 과수품목의 과실손해보장 보통약관의 대상재해별 보험기간에 대한 기준이다. (   )에 들어갈 알맞은 날짜를 답란에 쓰시오. 5점

구분		보험기간	
		시기	종기
적과종료 이전	자연재해	계약체결일 24시	사과, 배 : (㉠)
적과종료 이후	가을동상해	(㉡)	사과, 배 : (㉢)
			단감, 떫은감 : Y년 수확기종료 시점(다만, Y년 11월 15일을 초과할 수 없음)

정답 및 해설

※ 농업정책보험금융원 이론서(업무방법)에 따라 기출문제 수정 서술함
㉠ 적과종료 시점(다만, Y년 6월 30일을 초과할 수 없음)
㉡ Y년 9월 1일
㉢ Y년 수확기종료 시점(다만, Y년 11월 10일을 초과할 수 없음)
» [적과전종합위험Ⅱ 과수품목의 과실손해보장 특별약관]

구분		대상재해		대상품목	보험기간	
보장	약관				시기	종기
과실손해보장	보통약관	적과종료 이전	자연재해 조수해 화재	사과, 배	계약체결일 24시	㉠ <u>적과종료 시점(다만, Y년 6월 30일을 초과할 수 없음)</u>
				단감, 떫은감	계약체결일 24시	적과종료 시점(다만, Y년 7월 31일을 초과할 수 없음)
		적과종료 이후	태풍(강풍) 우박 집중호우 화재 지진	사과, 배, 단감, 떫은감	적과종료 이후	Y년 수확기종료 시점(다만, Y년 11월 30일을 초과할 수 없음)
			가을동상해보장	사과, 배	㉡ <u>Y년 9월 1일</u>	㉢ <u>Y년 수확기종료 시점(다만, Y년 11월 10일을 초과할 수 없음)</u>
				단감, 떫은감	㉡ <u>Y년 9월 1일</u>	Y년 수확기종료 시점(다만, Y년 11월 15일을 초과할 수 없음)
			일소피해보장	사과, 배, 단감, 떫은감	적과종료 이후	Y년 9월 30일

02-1 다음은 농작물재해보험 특정위험방식 과수품목의 과실손해보장 특별약관의 대상재해별 보험기간에 대한 기준이다. ( )에 들어갈 알맞은 날짜를 답란에 쓰시오. 5점

구분	보장개시	보장종료
봄동상해	발아기, 다만 발아기가 경과한 경우 계약체결일 24시	(㉠)
가을동상해	(㉡)	사과, 배 : (㉢)
		단감, 떫은감 : 11월 5일, 15일 중 택일

정답 및 해설

※ 본문제는 2017년 업무방법서에 따라 서술함

㉠ 5월 31일, ㉡ 9월 1일, ㉢ 11월 10일

≫ [특정위험방식 과수품목의 과실손해보장 특별약관]

구분		대상재해	대상품목	보험기간	
보장	약관			보장개시	보장종료
과실손해보장	특별약관	봄동상해	사과, 배, 단감, 떫은감	발아기, 다만 발아기가 경과한 경우 계약체결일 24시	(㉠ 5월 31일)
		가을동상해	사과, 배	(㉡ 9월 1일)	사과, 배 : (㉢ 11월 10일)
			단감, 떫은감	(㉡ 9월 1일)	계약할 때 계약자가 선택한 날 : 11월 5일, 15일 중 택일

03 농작물재해보험보험 자두 품목의 아래 손해 중 보상하는 손해는 "O"로, 보상하지 않는 손해는 "×"로 ( )에 표기하시오. 5점

① 원인의 직·간접을 묻지 않고 병해충으로 발생한 손해 ( )
② 제초작업, 시비관리 등 통상적인 영농활동을 하지 않아 발생한 손해 ( )
③ 기온이 0℃ 이상에서 발생한 이상저온에 의한 손해 ( )
④ 계약체결 시점 현재 기상청에서 발령하고 있는 기상특보 발령 지역의 기상특보 관련 재해로 인한 손해 ( )
⑤ 최대순간풍속 14m/s 미만의 바람으로 발생하는 손해 ( )

정답 및 해설

① ×, ② ×, ③ O, ④ ×, ⑤ ×

≫ ①, ②, ④ 자두 품목의 보상하지 않는 손해에 해당한다.

③ 기온이 0℃ 이상에서 발생한 이상저온에 의한 손해는 자연재해 중 보상하는 재해 **"냉해"**에 해당한다.

※ **냉해** : 생육기간 중에 기온이 0℃ 이상에서 생육적온 이하 이상저온의 냉온(冷溫)으로 인하여 발생하는 피해를 말한다.

⑤ 최대순간풍속 14m/s 미만의 바람으로 발생하는 손해는 자연재해 중 보상하는 재해 **"강풍"**에 해당하지 않으므로 보상하지 않는다.

※ **태풍(강풍)** : 기상청에서 태풍에 대한 기상특보(태풍주의보 또는 태풍경보)를 발령한 때 발령 지역의 바람과 비를 말하며, 최대순간풍속 <u>14m/sec 이상의 바람</u>(이하 "강풍"이라 한다)을 포함한다. 이때 강풍은 과수원에서 가장 가까운 3개 기상관측소(기상청 설치 또는 기상청이 인증하고 실시간 관측 자료를 확인할 수 있는 관측소)에 나타난 측정자료 중 가장 큰 수치의 자료로 판정한다.

[농작물재해보험보험 자두 품목의 (1) 보상하는 손해, (2) 보상하지 않는 손해 참조]

(1) 보상하는 손해

1) 자연재해 : 태풍피해, 우박피해, 동상해, 호우피해, 강풍피해, 냉해(冷害), 한해(旱害), 조해(潮解), 설해(雪害), 폭염(暴炎), 기타 자연재해 등

구분	정의
태풍(강풍) 피해	기상청이 태풍주의보 또는 태풍특보를 발령할 때 발령 지역의 바람과 비로 인하여 발생하는 피해를 말한다. 최대순간풍속 <u>14m/sec 이상의 바람</u>(이하 "강풍"이라 한다)을 포함한다. 이때 강풍은 과수원에서 가장 가까운 3개 기상관측소(기상청 설치 또는 기상청이 인증하고 실시간 관측 자료를 확인할 수 있는 관측소)에 나타난 측정자료 중 가장 큰 수치의 자료로 판정한다.
우박피해	적란운과 봉우리적운 속에서 성장하는 얼음알갱이나 얼음덩이가 내려 발생하는 피해를 말한다.
동상해	서리 또는 기온의 하강으로 인하여 농작물 등이 얼어서 발생하는 피해를 말한다.
호우피해	평균적인 강우량 이상의 많은 양의 비로 인하여 발생하는 피해를 말한다.
강풍피해	강한 바람 또는 돌풍으로 인하여 발생하는 피해를 말한다.
한해 (가뭄피해)	장기간의 지속적인 강우 부족에 의한 토양수분 부족으로 인하여 발생하는 피해를 말한다.
냉해(冷害)	농작물의 성장기간 중 작물의 생육에 지장을 초래할 정도의 찬 기온으로 인하여 발생하는 피해를 말한다.
조해(潮解)	태풍이나 비바람 등의 자연현상으로 인하여 연안지대의 경지에 바닷물이 들어와서 발생하는 피해를 말한다.
설해(雪害)	눈으로 인하여 발생하는 피해를 말한다.
폭염(暴炎)	매우 심한 더위로 인하여 발생하는 피해를 말한다.
기타 자연재해	상기 자연재해에 준하는 자연현상으로 인하여 발생하는 피해를 말한다.

2) 조수해(鳥獸害) : 새나 짐승으로 인하여 발생하는 손해를 말한다.

3) 화재 : 화재로 인하여 발생하는 피해를 말한다.

(2) 보상하지 않는 손해

구분	내용
수확 감소 보장	① 계약자, 피보험자(법인인 경우에는 그 이사 또는 법인의 업무를 집행하는 그 밖의 기관) 또는 이들의 법정대리인의 고의 또는 중대한 과실로 생긴 손해를 말한다. ② 수확기에 계약자 또는 피보험자의 고의 또는 중대한 과실로 수확하지 못하여 발생한 손해를 말한다. ③ 제초작업, 시비관리 등 통상적인 영농활동을 하지 않아 발생한 손해를 말한다. ④ 보상하지 아니하는 재해로 제방, 댐 등이 붕괴되어 발생한 손해를 말한다. ⑤ 원인의 직·간접을 묻지 않고 병해충으로 발생한 손해를 말한다. ⑥ 보험의 목적의 하우스, 부대시설 등의 노후 및 하자로 생긴 손해를 말한다. ⑦ 보상하는 손해에 해당하지 않은 재해로 발생하는 손해를 말한다. ⑧ 계약체결 시점 현재 기상청에서 발령하고 있는 기상특보 발령 지역의 기상특보 관련 재해(태풍, 호우, 홍수, 강풍, 풍랑, 해일, 대설, 폭염 등)로 인한 손해를 말한다.
나무 손해 보장	① 계약자, 피보험자(법인인 경우에는 그 이사 또는 법인의 업무를 집행하는 그 밖의 기관) 또는 이들의 법정대리인의 고의 또는 중대한 과실로 생긴 손해를 말한다. ② 제초작업, 시비관리 등 통상적인 영농활동을 하지 않아 발생한 손해를 말한다. ③ 보상하지 아니하는 재해로 제방, 댐 등이 붕괴되어 발생한 손해를 말한다. ④ 피해를 입었으나 회생 가능한 나무의 손해를 말한다. ⑤ 토양관리 및 재배기술의 잘못 적용으로 인해 생기는 나무 손해를 말한다. ⑥ 병충해 등 간접손해에 의해 생긴 나무 손해를 말한다. ⑦ 하우스, 부대시설 등의 노후 및 하자로 생긴 손해를 말한다. ⑧ 계약체결 시점 현재 기상청에서 발령하고 있는 기상특보 발령 지역의 기상특보 관련 재해(태풍, 호우, 홍수, 강풍, 풍랑, 해일, 대설, 폭염 등)로 인한 손해를 말한다. ⑨ 보상하는 손해에 해당하지 않은 재해로 발생한 손해를 말한다.

04 ○○도 △△시 관내에서 매실과수원(천매 10년생, 200주)을 하는 A씨는 농작물재해보험 매실 품목의 나무손해보장특약에 200주를 가입한 상태에서 보험기간 내 침수로 50주가 고사되는 피해를 입었다. A씨의 피해에 대한 나무손해보장특약의 보험금 산출식을 쓰고, 해당보험금을 계산하시오. 5점

① 매실품목 나무손해보장특약의 보험금 산출식

> 지급보험금 = 보험가입금액 × (피해율 − 자기부담비율 5%)
> ※ 피해율 = 피해주수(고사된 나무) ÷ 실제결과주수

② 보험금 : 2,000,000원

> - 매실품목 나무손해보장특약 **보험가입금액**
>   = 가입주수 × 가입가격(50,000원/주)
>   = 200주 × 50,000원/주
>   = 10,000,000원
> - 피해율 = 피해주수(고사된 나무) ÷ 실제결과주수
>   = 50주 ÷ 200주
>   = 0.25(=25%)
> - **지급보험금** = 보험가입금액 × (피해율 − 자기부담비율 5%)
>   = 가입주수(200주) × 가입가격(50,000원/주) × {피해율(0.25) − 자기부담비율(0.05)}
>   = 보험가입금액(10,000,000원) × {피해율(0.25) − 자기부담비율(0.05)}
>   ∴ **지급보험금 = 2,000,000원**

05 가축재해보험 한우·육우·젖소의 가입대상 및 정부지원 기준 중 (　)에 들어갈 내용을 답란에 쓰시오. 5점

가입대상	한우, 육우 : 생후 (㉠)일령 이상 (㉡)세 미만 젖소 : 생후 (㉢)일령 이상 (㉣)세 미만
지원비율	납입보험료의 (㉤)% 국고지원

㉠ 15, ㉡ 13, ㉢ 15, ㉣ 13, ㉤ 50

≫ [한우·육우·젖소의 가입대상 및 정부지원 기준]

가입대상	한우, 육우 : 생후 (㉠ 15)일령 이상 (㉡ 13)세 미만 젖소 : 생후 (㉢ 15)일령 이상 (㉣ 13)세 미만
지원비율	납입보험료의 (㉤ 50)% 국고지원 납입보험료의 25~40% 일부 지자체 지원

06 농작물재해보험 업무방법에 따른 적과전종합위험 Ⅱ 나무손해보장 특별약관에서 정하는 보상하는 손해와 보상하지 않는 손해를 답란에 각각 서술하시오. 15점

보상하는 손해	
보상하지 않는 손해	

정답 및 해설

※ 농업정책보험금융원 이론서(업무방법)에 따라 기출문제 수정 서술함

보상하는 손해	보험의 목적(나무)이 보통약관에서 보상하는 손해로 정한 재해로 인하여 입은 손해
보상하지 않는 손해	① 보상하지 아니하는 재해로 제방, 댐 등이 붕괴되어 발생한 손해를 말한다. ② 피해를 입었으나 회생 가능한 나무의 손해를 말한다. ③ 토양관리 및 재배기술의 잘못 적용으로 인해 생기는 나무 손해를 말한다. ④ 병충해 등 간접손해에 의해 생긴 나무 손해를 말한다.

07 농작물재해보험 원예시설 업무방법에서 정하는 자기부담금과 소손해면책금에 대하여 서술하시오. 15점

정답 및 해설

(1) 자기부담금(농업용 시설물 및 부대시설에 적용)
  ① 보험사고로 인하여 발생한 손해에 대하여 계약자 또는 피보험자가 부담하는 일정금액으로 자기부담금 이하의 손해는 보험금이 지급되지 않는다.
  ② 단지 단위, 1사고당 적용한다.
  ③ 자기부담금 적용
    ㉠ **농업용 시설물, 부대시설** : 30만원 ≦ × (목적물별 손해액의 10%) ≦ 100만원의 범위에서 자기부담금을 차감한다.
    ㉡ 단, 피복재 단독사고 : 10만원 ≦ × (목적물별 손해액의 10%) ≦ 30만원의 범위에서 자기부담금을 차감한다.

구분	내용
농업용 시설물, 부대시설	30만원 ≦ × ≦ 1
피복재 단독사고	10만원 ≦ × ≦ 30만원

  ④ 화재 손해 : 자기부담금을 적용하지 않는다(미적용).

(2) 소손해면책금 : 시설작물에 적용
　① 시설작물은 단지 단위로 가입한다.
　② 보상하는 재해로 1사고당 생산비보험금이 10만원 이하인 경우 보험금이 지급되지 않고, 소손해면책금을 초과하는 손해액 전액을 보험금으로 지급한다.
　③ 소손해면책금 : 10만원

08 농작물재해보험 종합위험방식 벼 품목의 업무방법에서 정하는 보험금 지급사유와 지급금액 산출식을 답란에 서술하시오(단, 자기부담금비율은 15%형 기준임). 15점

구분	지급사유	지급액 산출식
경작불능 보험금		
수확감소 보험금		
수확불능 보험금		

정답 및 해설

구분	지급사유	지급액 산출식
경작불능 보험금	보험기간 내에 보상하는 손해로 식물체 피해율이 65% 이상이고, 계약자가 경작불능 보험금을 신청한 경우 지급한다.	보험가입금액 × 42% **(자기부담금비율은 15%형 기준)**
수확감소 보험금	보상하는 재해로 인해 자기부담비율을 초과한 경우 지급한다.	보험가입금액 × (피해율 − 자기부담비율)
수확불능 보험금	보험기간 내에 보상하는 손해로 제현율이 65% 미만으로 떨어져 정상 벼로써 출하가 불가능하게 되고, 계약자가 수확불능 보험금을 신청한 경우 지급한다.	보험가입금액의 57% **(자기부담금비율은 15%형 기준)**

(1) 경작불능 보험금 지급금액 산출방식
　1) 지급사유 : 보험기간 내에 보상하는 손해로 식물체 피해율이 65% 이상이고, 계약자가 경작불능 보험금을 신청한 경우 아래의 표와 같이 계산한다.
　2) 지급금액 산출식

> **지급금액** = 보험가입금액 × 자기부담비율에 따른 일정비율

자기부담비율	경작불능 보험금
10%형	보험가입금액의 45%
15%형	보험가입금액의 42%
20%형	보험가입금액의 40%
30%형	보험가입금액의 35%
40%형	보험가입금액의 30%

   ① 경작불능 보험금을 지급한 경우 그 손해보상의 원인이 생긴 때로부터 해당 농지의 계약이 소멸한다(수확감소 보험금 미지급).
   ② 경작불능 보험금은 회사가 보험목적물이 산지폐기된 것을 확인하고 지급한다.
   ③ 계약자 또는 피보험자가 보험목적물을 수확하여 시장 등으로 유통한 것이 확인되는 경우에는 경작불능 보험금 지급이 불가하다.

(2) 수확감소 보험금 지급금액 산출방식

1) 지급사유 : 보상하는 재해로 인해 자기부담비율을 초과한 수확량 감소가 발생한 경우 아래의 식에 따라 계산한다.

2) 지급금액 산출식

> **보험금** = 보험가입금액 × (피해율 − 자기부담비율)
>
> ※ **피해율** = (평년수확량 − 수확량 − 미보상감수량) ÷ 평년수확량

   ① 식물체 고사면적이 65% 이상인 경작불능 보험금 대상인 경우, 수확감소 보험금 지급이 불가능하다.
   ② 경작불능 보험금 및 수확불능 보험금을 지급하여 계약이 소멸된 경우에는 수확감소 보험금을 지급하지 않는다.

(3) 수확불능 보험금 지급금액 산출방식

1) 지급사유 : 보험기간 내에 보상하는 손해로 제현율이 65% 미만으로 떨어져 정상 벼로써 출하가 불가능하게 되고, 계약자가 수확불능 보험금을 신청한 경우 아래의 표와 같이 계산한다.

2) 지급액 산출식

> **지급금액** = 보험가입금액 × 자기부담비율에 따른 일정비율

자기부담비율	경작불능 보험금
10%형	보험가입금액의 60%
15%형	보험가입금액의 57%
20%형	보험가입금액의 55%
30%형	보험가입금액의 50%
40%형	보험가입금액의 45%

   ① 수확불능 보험금을 지급한 경우 그 손해보상의 원인이 생긴 때로부터 해당 농지의 계약이 소멸한다(수확감소 보험금 미지급).
   ② 수확불능 보험금은 회사가 보험목적물이 산지폐기된 것을 확인하고 지급한다.
   ③ 계약자 또는 피보험자가 보험목적물을 수확하여 시장 등으로 유통한 것이 확인되는 경우에는 수확불능 보험금 지급이 불가하다.

09 농업수입감소보장방식 포도 품목 캠벨얼리(노지)의 (1) 기준가격(원/kg)과 (2) 수확기 가격(원/kg)을 구하고, 산출식을 답란에 서술하시오(단, 2017년에 수확하는 포도를 2016년 11월에 보험가입하였고, 농가취비율은 80.0%로 정함). 15점

연도	서울 가락도매시장 캠벨얼리(노지) 연도별 평균가격(원/kg)	
	중품	상품
2011	3,500	3,700
2012	3,000	3,600
2013	3,200	5,400
2014	2,500	3,200
2015	3,000	3,600
2016	2,900	3,700
2017	3,000	3,900

(1) 기준가격	
(2) 수확기 가격	

정답 및 해설

※ 본문제는 2017년 업무방법서에 따라 서술함

(1) 기준가격	1) 기준가격 : 2,712원
	2) 산출식 :
	    기준가격 = 올림픽평균값 × 농가수취비율
	        = 3,390원 × 0.8 = 2,712원

(2) 수확기 가격	1) 수확기 가격 : 2,760원
	2) 산출식 :
	    수확기 가격 = 수확연도 서울 가락도매시장 중품과 상품평균가격 × 농가수취비율
	        = 3,450원 × 0.8 = 2,760원
	※ 수확연도 서울 가락도매시장 중품과 상품평균가격
	    = {중품평균가격(3,014원 = 약 3,000원) + 상품평균가격(3,871원 = 약 3,900원)}
	        ÷ 2 = 3,450원
	※ 농가수취비율 : 80%

≫ 1. 기준가격

서울 가락도매시장 연도별 중품과 상품 평균가격의 보험가입 직전 5년(가입연도 포함) 올림픽평균값에 농가수취비율을 곱하여 산출한다.

① 연도별 평균가격 : 연도별 가격구분별 기초통계기간의 일별 가격을 평균하여 산출한다.

연도	서울 가락도매시장 캠벨얼리(노지) 연도별 평균가격(원/kg)		
	중품	상품	평균가격
2011	3,500	3,700	3,600
2012	3,000	3,600	3,300
2013	3,200	5,400	4,300
2014	2,500	3,200	2,850
2015	3,000	3,600	3,300
2016	2,900	3,700	3,300
2017	3,000	3,900	3,450

② 올림픽평균값 : <u>3,390원</u>

    최댓값과 최솟값을 제외한 평균값

    = 최대평균값(4,300원)과 최소평균값(2,850원)을 제외한 평균값

    = (3,600 + 3,300 + 3,300 + 3,300 + 3,450) ÷ 5

    = 3,390

③ 농가수취비율 : 80%

> (1) 기준가격
>
>   1) 기준가격 : <u>2,712원</u>
>
>   2) 산출식 :
>
>   기준가격 = 올림픽평균값 × 농가수취비율
>
>   = 3,390원 × 0.8
>
>   = 2,712원

2. 수확기 가격

    수확연도 가격구분별 기초통계기간의 서울 가락도매시장 중품과 상품평균가격에 농가수취비율을 곱하여 산출한다.

    ① 수확연도 서울 가락도매시장 중품과 상품평균가격

        = {중품평균가격(3,014원 = 약 3,000원) + 상품평균가격(3,871원 = 약 3,900원)} ÷ 2

        = <u>3,450원</u>

    ② 수확기 가격

        = 수확연도 서울 가락도매시장 중품과 상품평균가격 × 농가수취비율

        = 3,450원 × 0.8

        = <u>2,760원</u>

(2) 수확기 가격
　　1) 수확기 가격 : <u>2,760원</u>
　　2) 산출식 :
　　　　수확기 가격 = 수확연도 서울 가락도매시장 중품과 상품 평균가격 × 농가수취비율
　　　　　　　　　　 = 3,450원 × 0.8
　　　　　　　　　　 = 2,760원
　※ 수확연도 서울 가락도매시장 중품과 상품 평균가격
　　 = {중품평균가격(3,014원 = 약 3,000원) + 상품평균가격(3,871원 = 약 3,900원)} ÷ 2
　　 = <u>3,450원</u>
　※ 농가수취비율 : <u>80%</u>

10 가축재해보험의 업무방법에서 정하는 (1) 유량검정젖소의 정의와 (2) 가입기준(① 대상농가, ② 대상젖소)에 관하여 답란에 서술하시오. [15점]

정답 및 해설

(1) 유량검정젖소의 정의

유량검정젖소란 검정농가의 <u>젖소 중 유량이 우수</u>하여 <u>상품성이 높은 젖소</u>를 말하며, 시가와 관계없이 협정보험가액 특약으로 가입한다.

(2) 유량검정젖소의 가입기준

① 대상농가

농가 기준 직전월의 <u>305일 평균유량이 10,000kg 이상</u>이고, 평균 <u>체세포수가 30만마리 이하</u>를 충족하는 농가가 대상이다.

② 대상젖소

대상농가 기준을 충족하는 농가의 젖소 중 최근 산차 <u>305일 유량이 11,000kg 이상</u>이고, <u>체세포수가 20만마리 이하</u>인 젖소가 대상이다.

01 다음은 계약인수 현지조사 요령에서 현지조사 항목에 관한 내용이다. ( ) 안에 들어갈 용어를 순서대로 쓰시오. 5점

> • 과수작물 현지 조사 항목 : 면적, 품종, 수령, 주수, (①), (②), (③), 기타 적정성
> • 밭작물, 원예시설 현지조사 항목 : 가입면적, 식재, (④), (⑤)의 적정성 등

정답 및 해설

① 재식간격, ② 인수제한사항, ③ 방재시설, ④ 재배, ⑤ 농지구분

≫ 계약인수 현지조사 요령

1. 과수작물
   1) 재해보험을 가입하고자 하는 모든 과수원을 대상으로 보험료 수납 전에 과수원 방문을 통해서 실시한다.
   2) 현지조사 항목 : 면적, 품종, 수령, 주수, 재식간격, 인수제한사항, 방재시설, 기타 적정성

2. 밭작물, 원예시설
   1) 재해보험에 가입하고자 하는 모든 농지를 대상으로 보험료 수납 전에 농지(하우스) 방문을 통해 실시한다.
   2) 현지조사 항목 : 가입면적, 식재, 재배, 농지구분의 적정성 등

02 종합위험보장 원예시설 보험의 계약인수와 관련하여 맞는 내용은 "O"로, 틀린 내용은 "×"로 표기하여 순서대로 나열하시오. 5점

> ① 단동하우스와 연동하우스의 최소가입면적이 200㎡로 같고, 유리온실은 가입면적의 제한이 없다. (   )
> ② 6개월 후에 철거 예정인 고정식 시설은 인수제한 목적물에 해당하지 않는다. (   )
> ③ 작물의 재배면적이 시설면적의 50% 미만인 경우 인수를 제한한다. (   )
> ④ 고정식하우스는 존치기간이 1년 미만인 하우스로 시설작물 경작 후 하우스를 철거하여 노지작물을 재배하는 농지의 하우스를 말한다. (   )

정답 및 해설

① ×, ② ×, ③ ×, ④ ×

≫ ① 단동하우스와 연동하우스의 최소가입면적이 300㎡로 같고, 유리온실은 가입면적의 제한이 없다.
  ② 1년 이내에 철거 예정인 고정식 시설은 인수제한 목적물에 해당하지 않는다.
  ③ 작물의 재배면적이 시설면적의 80% 미만인 경우 인수를 제한한다.
  ④ 이동식하우스는 존치기간이 1년 미만인 하우스로 시설작물 경작 후 하우스를 철거하여 노지작물을 재배하는 농지의 하우스를 말한다. 고정식하우스는 존치기간이 1년 이상인 하우스로 한시적 휴경기간을 포함한다.

03 적과전종합위험과수 상품에서 다음 조건에 따라 올해 2018년의 평년착과량을 구하시오 (단, 제시된 조건 외의 다른 조건은 고려하지 않음). 5점

(단위 : 개)

구분	2013년	2014년	2015년	2016년	2017년
표준수확량	7,900	7,300	8,700	8,900	9,200
적과후착과량	미가입	6,500	5,600	미가입	7,100

※ 기준표준수확량은 2013년부터 2017년까지 8,500개로 매년 동일한 것으로 가정함

※ 2018년 기준표준수확량은 9,350개임

정답 및 해설

※ 농업정책보험금융원 이론서(업무방법)에 따라 기출문제 수정 서술함
7,920개
≫ 평년착과량 산출방법

  ※ 평년착과량 = $\{A + (B - A) \times (1 - \frac{Y}{5})\} \times \frac{C}{D}$

  1) A = Σ과거 5년간 적과후착과량 ÷ Y(과거 5년간 가입횟수)
     6,400개 = (6,500개 + 5,600개 + 7,100개) ÷ 3
  2) B = Σ과거 5년간 표준수확량 ÷ Y(과거 5년간 가입횟수)
     8,400개 = (7,300개 + 8,700개 + 9,200개) ÷ 3
  3) Y(3회) = 과거 5년간 가입횟수
  4) C(9,350개) = 금년도 기준표준수확량
  5) D = Σ과거 5년간 기준표준수확량 ÷ Y(과거 5년간 가입횟수)
     8,500개 = (8,500개 + 8,500개 + 8,500개) ÷ 3

  > ∴ 평년착과량 = $\{A + (B - A) \times (1 - \frac{Y}{5})\} \times \frac{C}{D}$
  >
  > = $\{6,400개 + (8,400개 - 6,400개) \times (1 - \frac{3}{5})\} \times \frac{9,350개}{8,500개}$
  >
  > = (6,400개 + 2,000개 × 0.4) × 1.1
  > = 7,920개

※ 평년착과량
① 정의 : 가입수확량 산정 및 적과종료 전 보험사고 시 감수량 산정의 기준이 되는 착과량을 말한다.
② 평년착과량은 자연재해가 없는 이상적인 상황에서 수확할 수 있는 수확량이 아니라 평년 수준의 재해가 있다는 것을 전제로 한다.
③ 최근 5년 이내에 보험가입한 경험이 있는 과수원은 최근 5개년의 적과후착과량 및 표준수확량에 의해 평년착과량을 산정하며, 신규가입하는 과수원은 표준수확량을 기준으로 평년착과량을 산정한다.
④ 용도 : 보험가입금액(가입수확량)의 결정 및 적과종료 전 보험사고(우박피해, 봄동상해 피해) 시 감수량 산정을 위한 기준으로 활용한다.
⑤ 산출방법
　ⓐ 과거수확량 자료가 없는 경우(신규 보험가입 시) : 산출된 표준수확량의 100%를 평년착과량으로 결정한다.
　ⓑ 과거수확량 자료가 있는 경우(최근 5년 이내 보험가입 경험 있는 경우) : 아래와 같이 산출된 평년착과량의 100%를 평년착과량으로 결정한다.

$$※ \text{평년착과량} = \{A + (B - A) \times (1 - \frac{Y}{5})\} \times \frac{C}{D}$$

　－ A = Σ과거 5년간 적과후착과량 ÷ Y
　－ B = Σ과거 5년간 표준수확량 ÷ Y
　－ Y = 과거 5년간 가입횟수
　－ C = 금년도 기준표준수확량
　－ D = Σ과거 5년간 기준표준수확량 ÷ Y

※ 기준표준수확량 : 아래 품목별 표준수확량표에 의해 산출한 표준수확량
● 사과 : 일반재배방식의 표준수확량
● 배 : 소식재배방식의 표준수확량
● 단감, 떫은감 : 표준수확량표의 표준수확량

※ 과거기준표준수확량(D) 할인 적용
● 대상품목 : 사과
● 3년생 : 50%, 4년생 : 75%

> ※ 종합위험보장방식 대추 품목 비가림시설
>
> (1) 보험가입금액
>
> 비가림시설보장 보험가입금액 : 대추 비가림시설의 ㎡당 시설비에 비가림시설 면적을 곱하여
> 산정하며, 산정된 금액의 80~130% 범위 내에서 계약자가 보험가입금액을 결정한다.
>
> > 비가림시설보장 보험가입금액 = 대추 비가림시설의 ㎡당 시설비 × 비가림시설 면적
>
> ① 보험가입금액의 최솟값 = 비가림시설 가입면적(2,500㎡) × 대추비가림시설의 ㎡당 시설비
>   (19,000원) × 산정된 금액의 최소범위(0.8) = 38,000,000원
> ② 보험가입금액의 최댓값 = 비가림시설 가입면적(2,500㎡) × 대추비가림시설의 ㎡당 시설비
>   (19,000원) × 산정된 금액의 최대범위(1.3) = 61,750,000원
>
> (2) 보험료의 산출
>
> 비가림시설보장 적용보험료(주계약)
>
> > 비가림시설 보험가입금액 × 지역별 비가림시설 보통약관 영업요율

06 적과전 종합위험 과실손해보장의 보험가입금액에 관하여 다음 내용을 서술하시오. 15점

> ① 보험가입금액 설정방법
> ② 가입가격
> ③ 보험가입금액의 감액

정답 및 해설

※ 농업정책보험금융원 이론서(업무방법)에 따라 기출문제 수정 서술함

① 보험가입금액 설정방법

가입수확량에 가입가격을 곱하여 산출하며, 만원 단위 미만은 절사

② 가입가격

보험에 가입할 때 결정하는 과실의 kg당 평균가격으로 한 과수원에 다수의 품종이 혼식된 경우에도 품종과 관계없이 동일하다.

③ 보험가입금액의 감액

가입수확량이 적과후착과수 조사결과에 의해 산출된 기준수확량을 초과하는 경우에는 그 초과분은 제외되도록 가입수확량이 조정되며, 보험가입금액을 감액할 수 있다.

※ 본문제는 2018년 업무방법서에 따라 서술함

---

① 보험가입금액 설정방법

"보통약관 가입수확량 결정에 다른 보험가입금액"에도 불구하고 계약자는 평년착과량의 일정 범위 (110~130%) 내에서 가입수확량을 선택하여 보험가입금액을 결정할 수 있다.

② 인수전제조건

과거 5개년간 해당 연도별 기준수확량이 당해연도 평년착과량의 105%를 초과하는 횟수가 2개년 이상인 경우만 해당하며, 초과횟수가 2개년 이상인 경우에는 평년착과량의 120%까지 증액을 허용하며, 초과횟수가 3개년 이상인 경우 평년착과량의 130%까지 증액을 허용한다.

③ 안내관련 유의사항에서 보험가고 발생시 증액특약에 미치는 영향

㉠ 적과후착과수조사 이전, 우박으로 인한 보험사고가 발생한 경우 과실손해보장 보험가입증액특약 은 해제되며, 가입수확량은 평년착과량의 100%로 조정되고 증액특약 가입분에 대한 계약자 부담 보험료는 전액 환급 처리된다.

㉡ 우박 외 적과전 보험사고가 발생한 경우 가입금액 증액특약은 해제되지 않으나, 보험가입금액은 적과후착과량 과수조사 결과에 따라 감액될 수 있다.

---

07 종합위험방식 고추 품목에 관한 다음 내용을 각각 서술하시오. 15점

① 다음 독립된 A, B, C 농지 각각의 보험가입 가능 여부와 그 이유(단, 각각 제시된 조건 이외는 고려하지 않음)

- A 농지 : 가입금액이 100만원으로 농지 10a당 재식주수가 4,000주로 고추정식 1년 전 인삼을 재배
- B 농지 : 가입금액이 200만원으로 농지 10a당 재식주수가 2,000주로 4월 2일 고추를 터널재배형식만으로 식재
- C 농지 : 연륙교가 설치된 도서지역에 위치하여 10a당 재식주수가 5,000주로 전농지가 비닐멀칭이 된 노지재배

② 병충해가 있는 경우 생산비보장보험금 계산식

③ 수확기 이전에 보험 사고가 발생한 경우 경과비율 계산식

정답 및 해설

① 독립된 A, B, C 농지 각각의 보험가입 가능 여부와 그 이유

㉠ A 농지 : 보험가입이 불가능하다.
- 이유 : 계약인수는 농지 단위로 가입하고 개별농지당 최저보험가입금액은 200만원 이상(A 농지 가입금액이 100만원)이므로 보험가입이 불가능하다.

ⓛ B 농지 : 보험가입이 **가능**하다.
 – 이유 : 개별농지당 최저보험가입금액은 **200만원 이상**이고, 농지 10a당 재식주수가 **1,500주 이상~4,000주 이하**인 농지에 해당하며, <u>4월 1일 이전과 5월 31일 이후에 고추를 식재한 농지</u>가 아니며, 비닐멀칭 노지재배 및 <u>터널재배</u> 형식의 농지이기 때문에 보험가입이 가능하다.

ⓒ C 농지 : 보험가입이 **불가능**하다.
 – 이유 : 농지 10a당 재식주수가 <u>1,500주 이상~4,000주 이하</u>인 농지에 보험가입이 가능하나, 재식주수가 5,000주이기 때문에 보험가입이 **불가능**하다.

※ [종합위험보장 고추 품목]

1. **보험가입기준(계약인수 단위)** : 보험가입기준(계약인수 단위)은 다음과 같이 적용한다.

 (1) 계약인수는 농지 단위로 가입하고 개별 농지당 최저 보험가입금액은 **200만원 이상**으로 한다.
  ① 다만, 같은 동(洞) 또는 리(理) 안에 있는 각각 보험가입금액 200만원 미만의 두 개의 농지는 하나의 농지로 보고 계약 인수 가능하나 보험가입금액 200만원 이상인 농지에 다른 농지를 더하여 계약 인수 불가하다.
  ② 10a당 재식주수가 <u>1,500주 이상</u>이고 <u>4,000주 이하</u>인 농지는 가입 가능하다.

 (2) **인수제한 목적물(농지)** : 보통약관(주계약) 부문
  ① 보험계약 시 피해가 확인된 농지는 인수를 제한한다.
  ② 노지재배, <u>터널재배</u> 이외의 재배작형으로 재배하는 농지는 인수를 제한한다.
  ③ 비닐멀칭이 되어 있지 않은 농지는 인수를 제한한다.
  ④ 여러 품목이 혼재된 농지는 인수를 제한한다.
  ⑤ 하천부지 및 상습침수 지역에 소재한 농지는 인수를 제한한다.
  ⑥ 직파한 농지는 인수를 제한한다.
  ⑦ <u>4월 1일 이전과 5월 31일 이후</u>에 고추를 식재한 농지는 인수를 제한한다.
  ⑧ 동일 농지 내 재배법이 동일하지 않은 농지는 인수를 제한한다(단, 보장생산비가 낮은 재배방법으로 가입하는 경우 인수 가능).
  ⑨ 고추정식 <u>6개월 이내에 인삼을 재배한 농지</u>는 인수를 제한한다.
  ⑩ 수확 이후 건조하는 과정상의 홍고추 또는 풋고추 형태로 판매하기 위해 재배되는 고추의 시설(비닐하우스, 온실 등)에서 재배되는 고추는 인수를 제한한다.
  ⑪ 군사시설보호구역 중 통제보호구역(민간인 통제선 이북 또는 군사기지 및 군사시설의 최외곽 경계선으로부터 300m 범위 이내 지역) 내의 농지는 인수를 제한한다(단, 통상적인 영농활동 및 손해평가가 가능하다고 판단되는 농지는 영업점장 전결로 인수 가능).
  ⑫ 기타 인수가 부적절한 농지는 인수를 제한한다.

---

② **병충해가 있는 경우 생산비보장보험금 계산식**

※ **병충해가 있는 경우 생산비보장보험금**
 = (잔존보험가입금액 × 경과비율 × 피해율 × 병충해 등급별 인정비율) − 자기부담금
 ㉠ 잔존보험가입금액 = 보험가입금액 − 보상액(기 발생 생산비보장보험금 합계액)
 ㉡ 자기부담금은 잔존보험가입금액에 보험가입을 할 때 계약자가 선택한 비율 3% 또는 5%을 곱한 금액을 말한다.

③ 수확기 이전에 보험 사고가 발생한 경우 경과비율 계산식

> ※ 수확기 이전에 보험사고가 발생한 경우 경과비율
> = 준비기생산비계수 + {(1 − 준비기생산비계수) × (생장일수 ÷ 표준생장일수)}
> ㉠ 준비기생산비계수 : 54.4%
> ㉡ 생장일수 : 정식일로부터 사고발생일까지 경과일수를 말한다.
> ㉢ 표준생장일수(정식일로부터 수확개시일까지 표준적인 생장일수) : 사전에 설정된 값으로 100
>   이다.
> ㉣ 생장일수 ÷ 표준생장일수 값은 1을 초과할 수 없다.

08 과실손해보장의 일소피해담보 특별약관에 관한 다음 내용을 각각 서술하시오. 15점

> ① 일소피해의 정의
> ② 일소피해담보 보통약관의 담보조건
> ③ 일소피해담보 보통약관의 적과전 종합위험 보장방식과 적과전 종합위험Ⅱ 보장방식의 보
>   험기간 비교

정답 및 해설

※ 농업정책보험금융원 이론서(업무방법)에 따라 기출문제 수정 서술함

① 일소피해의 정의

폭염(暴炎)으로 인해 보험의 목적에 일소(日燒)가 발생하여 생긴 피해를 말하며, 일소는 과실이 태양광에 노출되어 과피 또는 과육이 괴사되어 검게 그을리거나 변색되는 현상을 말한다.

② 일소피해담보 보통약관의 담보조건

㉠ 폭염은 대한민국 기상청에서 폭염특보(폭염주의보 또는 폭염경보)를 발령한 때 과수원에서 가장 가까운 3개 기상관측소(기상청 설치 또는 기상청이 인증하고 실시간 관측 자료를 확인할 수 있는 관측소)로 측정한 낮 최고기온이 연속 2일 이상 33℃ 이상으로 관측된 경우를 말한다.

㉡ 폭염특보가 발령한 때부터 해제한 날까지(또는 해제 후 72시간, 즉 3일 이내) 일소가 발생한 보험의 목적에 한하여 보상하며, 이때 폭염특보는 과수원이 위치한 지역의 폭염특보를 적용한다.

③ 일소피해담보 보통약관의 적과전 종합위험 보장방식과 적과전 종합위험Ⅱ 보장방식의 보험기간 비교

구분	보험기간	
	시기	종기
적과전 종합위험 보장방식	적과종료 이후	(Y + 1)년 9월 30일
적과전 종합위험Ⅱ 보장방식	적과종료 이후	Y년 9월 30일

※ "Y"는 해당 품목 판매개시일이 속하는 연도, "(Y + 1)"은 Y년 이후에 도래하는 연도를 말함

※ 아래는 2018년 업무방법서에 따라 서술함

① 일소피해의 정의

일소는 과실이 태양광에 직접적으로 노출되어 과피 또는 과육이 괴사되어 검게 그을리거나 착색되는 현상을 말한다.

② 일소피해담보 보통약관의 담보조건

㉠ 폭염으로 인해 보험의 목적에 일소(日燒)가 발생하여 생긴 손해를 보상한다.

㉡ 폭염은 대한민국 기상청에서 폭염특보(폭염주의보 또는 폭염경보)를 발령한 때 발령지역의 기온을 말하며, 폭염특보가 발령한 때부터 해제 후 72시간(3일) 이내에 일소가 발생한 보험의 목적에 한하여 보상한다.

③ 일소피해담보 특약의 특정위험 담보방식과 적과전종합위험 담보방식의 보험기간 비교

구분	보험기간	
	시기	종기
특정위험 담보방식	8월 1일	9월 30일
적과전종합위험 담보방식	(Y + 1)년 8월 1일	(Y + 1)년 9월 30일

09 보험회사에 의한 보험계약 해지에 관한 다음 내용을 각각 서술하시오. 15점

① 보험회사에 의한 보험계약 해지 불가 사유 4가지
② 보험회사에 의한 보험계약 해지 시 보험회사가 지급할 환급보험료 산출식
③ 보험회사에 의한 보험계약 해지 시 보험료 환급에 따른 적용이율

정답 및 해설

① 보험회사에 의한 보험계약 해지 불가 사유 4가지

㉠ 회사가 계약 당시에 그 사실을 알았거나 과실로 인하여 알지 못하였을 때

㉡ 회사가 그 사실을 안 날부터 1개월 이상 지났거나 또는 제1회 보험료 등을 받은 때부터 보험금 지급사유가 발생하지 않고 2년이 지났을 때

㉢ 계약을 체결한 날부터 3년이 지났을 때

㉣ 보험을 모집한 자가 계약자 또는 피보험자에게 알릴 기회를 주지 않았거나 계약자 또는 피보험자가 사실대로 알리는 것을 방해한 경우, 계약자 또는 피보험자에게 사실대로 알리지 않게 하였거나 부실한 사항을 알릴 것을 권유했을 때

② 보험회사에 의한 보험계약 해지 시 보험회사가 지급할 환급보험료 산출식

보험료 환급은 품목별 해당월 미경과비율에 따라 계산된 환급보험료를 지급한다.

환급보험료 = (계약자부담보험료 × 해당 담보별 미경과비율)

③ 보험회사에 의한 보험계약 해지 시 보험료 환급에 따른 적용이율

해지로 인하여 회사가 환급해야할 보험료가 있을 때에는 계약자는 환급금을 청구하여야 하며, 회사는 청구일의 다음날부터 지급일까지의 기간에 대하여 보험개발원이 공시하는 보험계약대출이율을 연단위 복리로 계산한 금액을 더하여 지급한다.

10 가축재해보험 젖소 사고 시 월령에 따른 보험가액을 산출하고자 한다. 각 사례별(①~⑤)로 보험가액 계산과정과 값을 쓰시오(단, 유량검정젖소 가입 시는 제외, 만원 미만 절사). **15점**

〈사고 전전월 전국산지 평균가격〉

- 분유떼기 암컷 : 100만원
- 수정단계 : 300만원
- 초산우 : 350만원
- 다산우 : 480만원
- 노산우 : 330만원

---

① 월령 2개월 질병사고 폐사

② 월령 11개월 대사성 질병 폐사

③ 월령 20개월 유량감소 긴급 도축

④ 월령 35개월 급성고창 폐사

⑤ 월령 60개월 사지골절 폐사

정답 및 해설

① 월령 2개월 질병사고 폐사

연령(월령)이 2개월 미만(질병사고는 3개월 미만)일 때에는 분유떼기 암컷 가격의 50%를 적용한다.

㉠ 보험가액 계산 과정
- 보험가액 산출식
  월령 2개월 질병사고 폐사 보험가액 = 분유떼기 암컷가격 × 50%
  = 100만원 × 50%
㉡ 월령 2개월 질병사고 폐사 보험가액 = 50만원

---

② 월령 11개월 대사성 질병 폐사

㉠ 보험가액 계산 과정
- 보험가액 산출식
  월령 11개월 대사성 질병 폐사 보험가액
  = 분유떼기 암컷가격 + {(수정단계가격 − 분유떼기 암컷가격)} ÷ 6 × (사고월령 − 7개월)
  = 100만원 + {(300만원 − 100만원) ÷ 6} × (11개월 − 7개월)
  = 233.33만원
㉡ 월령 11개월 대사성 질병 폐사 보험가액 = 233만원(만원 미만 절사)

---

③ 월령 20개월 유량감소 긴급 도축

> ㉠ 보험가액 계산 과정
> - 보험가액 산출식
>   월령 20개월 유량감소 긴급 도축 보험가액
>   = 수정단계가격 + {(초산우가격 − 수정단계가격) ÷ 6} × (사고월령 − 18개월)
>   = 300만원 + {(350만원 − 300만원) ÷ 6} × (20개월 − 18개월)
>   = 316.67만원
> ㉡ 월령 20개월 유량감소 긴급 도축 보험가액 = 316만원(만원 미만 절사)

④ 월령 35개월 급성고창 폐사

> ㉠ 보험가액 계산 과정
> - 보험가액 산출식
>   월령 35개월 급성고창 폐사 보험가액
>   = 초산우가격 + {(다산우가격 − 초산우가격) ÷ 9} × (사고월령 − 31개월)
>   = 350만원 + {(480만원 − 350만원) ÷ 9} × (35개월 − 31개월)
>   = 407.78만원
> ㉡ 월령 35개월 급성고창 폐사 보험가액 = 407만원(만원 미만 절사)

⑤ 월령 60개월 사지골절 폐사

> ㉠ 보험가액 계산 과정
> - 보험가액 산출식
>   월령 60개월 사지골절 폐사 보험가액
>   = 다산우가격 + {(노산우가격 − 다산우가격) ÷ 12} × (사고월령 − 55개월)
>   = 480만원 + {(300만원 − 480만원) ÷ 12} × (60개월 − 55개월)
>   = 405만원
> ㉡ 월령 60개월 사지골절 폐사 보험가액 = 405만원

01 　농작물재해보험의 업무방법 통칙에서 정하는 용어의 정의로 (　　) 안에 들어갈 내용을 쓰시오. 5점

> • "보험가액"이란 농작물재해보험에 있어 (　①　)을(를) (　②　)으로 평가한 금액으로 보험목적에 발생할 수 있는 (　③　)을(를) 말한다.
> • "적과후착과수"란 통상적인 (　④　) 및 (　⑤　) 종료 시점의 나무에 달린 과실수(착과수)를 말한다.

정답 및 해설

① 피보험이익, ② 금전, ③ 최대손해액, ④ 적과, ⑤ 자연낙과

02 　농업수입감소보장 양파 상품의 내용 중 보험금의 계산식에 관한 것이다. 다음 내용에서 (　　)의 ① 용어와 ② 정의를 쓰시오. 5점

> 실제수입 = {조사수확량 + (　　)} × min(농지별 기준가격, 농지별 수확기 가격)

정답 및 해설

① 용어 : 미보상감수량
② 정의
　　"미보상 감수량"이란 보상하는 재해이외의 원인으로 수확량이 감소되었다고 평가되는 부분을 말하며, 계약 당시 이미 발생한 피해, 병해충으로 인한 피해 및 제초상태 불량 등으로 인한 수확감소량으로서 피해율 산정시 감수량에서 제외한다.
》 실제수입 = {조사수확량 + (**미보상감수량**)} × min(농지별 기준가격, 농지별 수확기 가격)

03 종합위험보장 참다래 상품에서 다음 조건에 따라 2020년의 평년수확량을 구하시오(단, 주어진 조건 이외의 다른 조건은 고려하지 않음). 5점

※ 2020년의 표준수확량은 8,200kg

구분	2015년	2016년	2017년	2018년	2019년	합계	평균
평년수확량	8,000	8,100	8,100	8,300	8,400	40,900	8,180
표준수확량	8,200	8,200	8,200	8,200	8,200	41,000	8,200
조사수확량	7,000	4,000	무사고	무사고	8,500	–	–
가입 여부	가입	가입	가입	가입	가입	–	–

정답 및 해설

2020년 평년수확량 : 7,540kg

2020년 평년수확량 = $\{A + (B - A) \times (1 - \frac{Y}{5})\} \times \frac{C}{B}$

$7,540kg = \{7,540kg + (8,200kg - 7,540kg) \times (1 - \frac{5}{5})\} \times \frac{8,200kg}{8,200kg}$

》 1. 과거수확량 산출

> ㉠ 사고가 발생하지 않아 수확량조사를 하지 않은 경우 : MAX(표준수확량, 평년수확량) × 110%
> ㉡ 사고가 발생하여 수확량조사를 한 경우
>
> | 구분 | 수확량 |
> |------|--------|
> | 조사수확량 > 평년수확량 × 50% | 조사수확량 |
> | 조사수확량 ≤ 평년수확량 × 50% | 평년수확량 × 50% |

1) 2015년(사고가 발생하여 수확량조사를 한 경우)
   조사수확량(7,000kg) > 평년수확량(8,000kg) × 50% = (4,000kg)이므로 [7,000kg]
2) 2016년(사고가 발생하여 수확량조사를 한 경우)
   조사수확량(4,000kg) ≤ 평년수확량(8,100kg) × 50% = (4,050kg)이므로 [4,050kg]
3) 2017년(사고가 발생하지 않아 수확량조사를 하지 않은 경우)
   평년수확량(8,100kg) × 110% = 8,910kg과 표준수확량(8,200kg) × 110% = 9,020kg 중 큰 값을 사용하므로 [9,020kg]
4) 2018년(사고가 발생하지 않아 수확량조사를 하지 않은 경우)
   표준수확량(8,200kg) × 110% = 9,020kg과 평년수확량(8,300kg) × 110% = 9,130kg 중 큰 값을 사용하므로 [9,130kg]
5) 2019년(사고가 발생하지 않아 수확량조사를 한 경우)
   조사수확량(8,500kg) > 평년수확량(8,400kg) × 50% = (4,200kg)이므로 [8,500kg]
2. 2020년 평년수확량[과거수확량 자료(최근 5년 이내 보험가입 경험)가 있는 경우]

   2020년 평년수확량 = $\{A + (B - A) \times (1 - \frac{Y}{5})\} \times \frac{C}{B}$

   $7,540kg = \{7,540kg + (8,200kg - 7,540kg) \times (1 - \frac{5}{5})\} \times \frac{8,200kg}{8,200kg}$

1) A(과거평균수확량) = Σ과거 5년간 수확량 ÷ Y

   A <u>(7,540kg)</u> = (7,000kg + 4,050kg + 9,020kg + 9,130kg + 8,500kg) ÷ 5

2) B(과거평균표준수확량) = Σ과거 5년간 표준수확량 ÷ Y

   B <u>(8,200kg)</u> = (41,000kg) ÷ 5

3) C = 금년도 표준수확량

   C = <u>8,200kg</u>

4) Y = 과거 수확량 산출연도 횟수

   Y = <u>5</u>

※ 다만, 평년수확량은 보험가입연도 표준수확량의 130%를 초과할 수 없다.

※ **평년수확량**

① **정의** : 농지의 기후가 평년 수준이고 비배관리 등 영농활동을 평년 수준으로 실시하였을 때 기대할 수 있는 수확량을 말하며 보험가입금액의 결정 및 보험금 지급 시 감수량 산정을 위한 기준으로 활용한다.

② 평년수확량은 자연재해가 없는 이상적인 상황에서 수확할 수 있는 수확량이 아니라 평년 수준의 재해가 있다는 것을 전제로 한다.

③ 최근 5년 이내에 보험가입한 경험이 있는 과수원은 최근 5개년의 수확량 및 표준수확량에 의해 평년수확량을 산정하며, 신규가입하는 과수원은 표준수확량을 기준으로 평년수확량을 산정한다.

④ **산출방법**

  ㉠ 과거수확량 자료가 없는 경우(신규 보험가입 시) : 산출된 표준수확량의 100%를 평년수확량으로 결정한다.

  ㉡ 과거수확량 자료가 있는 경우(최근 5년 이내 보험가입 경험 있는 경우) : 아래와 같이 산출한다.

$$평년수확량 = \{A + (B - A) \times (1 - \frac{Y}{5})\} \times \frac{C}{B}$$

- A(과거평균수확량) = Σ과거 5년간 수확량 ÷ Y
- B(과거평균표준수확량) = Σ과거 5년간 표준수확량 ÷ Y
- Y = 과거 수확량 산출연도 횟수
- C = 금년도 표준수확량

※ 다만, 평년수확량은 보험가입연도 표준수확량의 130%를 초과할 수 없다.

⑤ **과거수확량 산출**

  ㉠ 사고가 발생하지 않아 수확량조사를 하지 않은 경우 : MAX(표준수확량, 평년수확량) × 110%

  ㉡ 사고가 발생하여 수확량조사를 한 경우

구분	수확량
조사수확량 > 평년수확량 × 50%	조사수확량
조사수확량 ≤ 평년수확량 × 50%	평년수확량 × 50%

04 돼지를 기르는 축산농 A씨는 ① 폭염으로 폐사된 돼지와 ② 축사 화재로 타인에게 배상할 손해를 대비하기 위해 가축재해보험에 가입하고자 한다. 이때, 반드시 가입해야 하는 2가지 특약을 ①의 경우와 ②의 경우로 나누어 각각 쓰시오. 5점

> **정답 및 해설**

① 폭염으로 폐사된 돼지
- 전기적 장치 위험보장 특별약관
- 폭염재해보장 추가특별약관(다만, 전기적 장치 위험보장 특별약관 가입자만 가입 가능)
② 축사 화재로 타인에게 배상할 손해
- 축사 특별약관
- 화재대물배상책임 특별약관(다만, 축사 특별약관 가입자만 가입 가능)

05 가축재해보험 소, 돼지 상품에 관한 다음 내용을 쓰시오. 5점

> ① 협정보험가액 특약을 가입할 수 있는 세부 축종명
> ② 공통인수 제한 계약사항

> **정답 및 해설**

※ 본문제는 출제 당시 업무방법서에 따라 서술함
(1) 협정보험가액 특약을 가입할 수 있는 세부 축종명
　　① 소 상품 : 유량검정젖소 가입 시
　　② 돼지 상품 : 종돈 가입 시
(2) 공통인수 제한 계약사항
　　① 사육장소 내 가축 중 일부만을 보험에 가입하는 경우 인수를 제한한다.
　　　　※ 가축재해보험은 사육장소 내 모든 소, 돼지를 가입하여야 한다.
　　② 사육장소 내 일부 축사만 가입하는 경우 인수를 제한한다.
　　　　※ 가축재해보험은 사육장소 내 모든 축사를 가입하여야 한다(다만, 축사의 경우 가축이 없는 관리사 및 퇴비사는 가입을 제외).
　　③ 주계약 및 축사 특약의 가입금액이 기준가액 대비 50~150% 이외의 경우는 인수를 제한한다.

06 적과전 종합위험방식 과수상품의 부보비율에 따른 보험금 계산에 관한 다음 내용을 서술 하시오. 15점

① 가입수확량이 기준수확량의 80% 미만인 경우 부보비율에 따른 보험금을 다시 계산하여 지급 하는 사례
② 가입수확량이 기준수확량의 80% 미만임에도 불구하고 보험금을 다시 계산하여 지급하지 않는 사례
③ 부보비율에 따른 보험금 계산식

정답 및 해설

(1) 가입수확량이 기준수확량의 80% 미만인 경우 부보비율에 따른 보험금을 다시 계산하여 지급하는 사례
　① 고의 또는 중대한 과실로 중요한 사항(과수원의 주수, 수령, 품종 등)에 대하여 사실과 다르게 알린 경우이다.
　② 뚜렷한 위험의 변경 또는 증가와 관련된 계약 후 알릴 의무를 이행하지 않은 경우이다.
(2) 가입수확량이 기준수확량의 80% 미만임에도 불구하고 보험금을 다시 계산하여 지급하지 않는 사례
　① 회사가 계약 당시에 그 사실을 알았거나 과실로 인하여 알지 못하였을 경우이다.
　② 보험을 모집한 자가 계약자 또는 피보험자에게 알릴 기회를 주지 않았거나 사실대로 알리는 것을 방해한 경우이다.
　③ 계약자나 피보험자가 사실대로 알리지 않게 하였거나 부실한 사항을 알릴 것을 권유하였을 경우이다.
　④ 다만, 보험을 모집한 자의 행위가 없었다 하더라도 계약자 또는 피보험자가 사실대로 알리지 않거나 부실한 사항을 알렸다고 인정되는 경우 보험금을 다시 계산하여 지급할 수 있다.
(3) 부보비율에 따른 보험금 계산식

보험금 = 계산된 보험금 × (가입수확량 ÷ 기준수확량의 80%)

07 ○○도 △△시 관내 농업용 시설물에서 딸기를 재배하는 A씨, 시금치를 재배하는 B씨, 부추를 재배하는 C씨, 장미를 재배하는 D씨는 모두 농작물재해보험 종합위험방식 원예시설 상품에 가입한 상태에서 자연재해로 시설물의 직접적인 피해를 받았다. 이때 A, B, C, D씨의 작물에 대한 지급보험금 산출식을 각각 쓰시오(단, D씨의 장미는 보상하는 재해로 나무가 죽은 경우에 해당함). 15점

정답 및 해설

(1) 딸기를 재배하는 A씨
지급보험금 = 보험가입면적 × 피해작물 단위면적당 보장생산비 × 경과비율 × 피해율
(2) 시금치를 재배하는 B씨
지급보험금 = 보험가입면적 × 피해작물 단위면적당 보장생산비 × 경과비율 × 피해율
(3) 부추를 재배하는 C씨
지급보험금 = 부추 재배면적 × 부추 단위면적당 보장생산비 × 피해율 × 70%
(4) 장미를 재배하는 D씨(보상하는 재해로 나무가 죽은 경우)
지급보험금 = 장미 재배면적 × 장미 단위면적당 나무고사 보장생산비 × 피해율

08 농작물재해보험 종합위험 수확감소보장 상품에 관한 내용이다. 다음 보장방식에 대한 보험의 목적과 보험금 지급사유를 서술하고, 보험금 산출식을 쓰시오. 15점

① 재이앙·재직파보장
② 재파종보장
③ 재정식보장

정답 및 해설

(1) 재이앙·재직파보장
① **보험의 목적** : 보험료 납입일이 속하는 해에 가입한 농지에 이앙된 벼이다.
② **보험금의 지급사유** : 보상하는 재해로 면적피해율(고사면적비율)이 10%를 초과하고, 재이앙·재직파한 경우이다.
③ **보험금 산출식** : 보험가입금액 × 25% × 면적비율
※ 면적피해율 10% 이하는 면책사고임(면적피해율 = 피해면적 ÷ 보험가입면적)
(2) 재파종보장
① **보험의 목적** : 보험료 납입일이 속하는 해에 가입한 농지에 파종되어 이듬해에 수확하는 마늘이다.
② **보험금 지급사유** : 보험계약일 24시부터 당해연도 10월 31일까지 보상하는 재해로 인해 마늘이 10a당 30,000주 미만으로 출현되어 10a당 30,000주 이상으로 재파종한 경우이다.
③ **보험금 산출식** : 보험가입금액 × 35% × 표준출현 피해율
※ 표준출현 피해율(10a기준) = (30,000주 - 출현주수) ÷ 30,000주

(3) 재정식보장
　① 보험의 목적 : 보험료 납입일이 속하는 해에 가입한 농지에 정식한 노지 **양배추**이다.
　② 보험금 지급사유 : 보상하는 재해로 면적피해율이 자기부담비율을 초과하고, 재정식한 경우이다.
　③ 보험금 산출식 : 보험가입금액 × 20% × 면적피해율
　　※ 면적피해율 = 피해면적 ÷ 보험가입면적

09 농작물재해보험 종합위험 수확감소보장 복숭아 상품에 관한 내용이다. 다음 조건에 대한 ① 보험금 지급사유와 ② 지급시기를 서술하고 ③ 보험금을 구하시오(단, 보험금은 계산과정을 반드시 쓰시오). 15점

---

1. 계약사항
 • 보험가입품목 : (종합)복숭아
 • 품종 : 백도
 • 수령 : 10년
 • 가입주수 : 150주
 • 보험가입가격 : 25,000,000원
 • 평년수량 : 9,000kg
 • 가입수확량 : 9,000kg
 • 자기부담비율 : 2년 연속 가입 및 2년간 수령보험금이 순보험료의 100% 이하인 과수원
　　　　　　　　 으로 최저 자기부담비율 선택
 • 특별약관 : 수확감소 추가보장
2. 조사내용
 • 사고접수 : 2019. 7. 5. 기타 자연재해, 병충해
 • 조사일 : 2019. 7. 6.
 • 사고조사내용 : 강풍, 병충해(복숭아순나방)
 • 수확량 : 4,500kg(병충해과실무게 포함)
 • 병충해과실무게 : 1,200kg
 • 미보상비율 : 10%

정답 및 해설

(1) 보험금 지급사유
　수확감소보험금은 보상하는 재해로 인해 평년수확량 대비 자기부담비율 이상의 수확감소량이 발생한 경우이다.
(2) 지급시기
　① 수확기 경과 후 보험금 청구서류를 접수하면, 지체없이 지급할 보험금을 결정하고 지급할 보험금이 결정되면 7일 이내에 지급한다.
　② 수확기 경과 후 보험금 청구서류를 접수하면, 지급할 보험금이 결정되기 전이라도 피보험자의 청구가 있을 때에는 회사가 추정한 보험금의 50% 상당액을 가(假)지급 보험금으로 지급한다.

(3) 보험금 계산

① 수확감소보험금

지급액 = 보험가입금액 × (피해율 − 자기부담비율)

※ 피해율 = {(평년수확량 − 수확량 − 미보상감수량) + 병충해감수량} ÷ 평년수확량 − 미보상감수량

= (평년수확량 − 수확량) × Max(미보상비율)

<u>450kg</u> = (9,000kg − 4,500kg) × 10%

※ **병충해감수량** = 세균구멍병으로 입은 피해를 보상하므로 0kg

※ 피해율 = {(평년수확량 − 수확량 − 미보상감수량) ÷ 병충해감수량} ÷ 평년수확량

= {(9,000kg − 4,500kg − **450kg**) + 0kg} ÷ 9,000kg

= 45%

※ **보험가입금액** = 25,000,000

자기부담비율 = 15%(2년 연속 가입 및 2년간 수령보험금이 순보험료의 100% 이하인 과수원으로 최저 자기부담비율 15%를 선택)

∴ **지급액** = 보험가입금액 × (피해율 − 자기부담비율)

= 25,000,000 × (45% − 15%)

= <u>7,500,000</u>

② 수확감소 추가보장 특약

지급액 = 보험가입금액 × (피해율 × 10%)

※ 피해율 = (평년수확량 − 수확량 − 미보상감수량) ÷ 평년수확량

<u>45%</u> = (9,000kg − 4,500kg) ÷ 9,000kg

∴ **지급액** = 보험가입금액 × (피해율 × 10%)

= 25,000,000 × (45% × 10%)

= <u>1,125,000</u>

③ 총 지급 보험금

∴ **총 지급 보험금** = ① (수확감소보험금 지급액) + ② (수확감소 추가보장 특약 지급액)

<u>8,625,000</u> = ① <u>(7,500,000)</u> + ② <u>(1,125,000)</u>

10 종합위험보장 유자, 무화과, 포도, 감귤 상품을 요약한 내용이다. 다음 (   )에 들어갈 내용을 쓰시오. 15점

품목	구분	대상재해	보험기간		나무(1주)당 보험가입금액
			시기	종기	
유자	수확감소 보장	자연재해 조수해 화재	계약체결일 24시	(①)	–
	나무손해 보장		Y년 12월 1일 (다만, 12월 1일 이후 보험에 가입하는 경우에는 계약체결일 24시)	(Y+1)년 11월 30일	(②)
무화과	과실손해 보장	자연재해 조수해 화재	계약체결일 24시	(③)	–
	(④)		(⑤)	(⑥)	–
	나무손해 보장	자연재해 조수해 화재	Y년 12월 1일 (다만, 12월 1일 이후 보험에 가입하는 경우에는 계약체결일 24시)	(Y+1)년 11월 30일	(⑦)
포도	비가림과수 손해보장	자연재해 조수해 화재	계약체결일 24시	(⑧)	–
	나무손해 보장		Y년 12월 1일 (다만, 12월 1일 이후 보험에 가입하는 경우에는 계약체결일 24시)	(Y+1)년 11월 30일	(⑨)
감귤	종합위험 과실손해 보장	자연재해 조수해 화재	발아기 (다만, 발아기가 경과한 경우에는 계약체결일 24시)	수확기 종료 시점 (다만, 11월 30일을 초과할 수 없음)	–
	나무손해 보장		발아기 (다만, 발아기가 경과한 경우에는 계약체결일 24시)	(⑩)	(⑪)

① (Y + 1)년 최초 수확 직전, 다만, 10월 31일을 초과할 수 없음

② 5만원

③ (Y + 1)년 7월 31일

④ 태풍(강풍), 우박

⑤ (Y + 1)년 8월 1일

⑥ (Y + 1)년 수확기종료 시점, 다만, (Y + 1)년 11월 20일을 초과할 수 없음

⑦ 3만원

⑧ 수확기종료 시점 (Y + 1)년, 다만, (Y + 1)년 11월 20일을 초과할 수 없음

⑨ 4만원

⑩ 이듬해 2월 말

⑪ 10만원

01 농작물재해보험의 업무방법 통칙에서 정하는 용어의 정의로 (   ) 안에 들어갈 내용을 쓰시오.
5점

- "과수원(농지)"이라 함은 (①)의 토지의 개념으로 (②)와(과)는 관계없이 과실(농작물)을 재배하는 하나의 경작지를 의미한다.
- (③)(이)란 보험사고로 인하여 발생한 손해에 대하여 계약자 또는 피보험자가 부담하는 일정 비율로 보험가입금액에 대한 비율을 말한다.
- "신초 발아기"란 과수원에서 전체 신초가 (④)% 정도 발아한 시점을 말한다.
- "개화기"란 꽃이 피는 시기를 말하며, 작물의 생물조사에서의 개화기는 꽃이 (⑤)% 정도 핀 날의 시점을 말한다.

정답 및 해설

① 한 덩어리, ② 필지(지번), ③ 자기부담비율, ④ 50, ⑤ 40

≫ 용어 정의

- "과수원(농지)"이라 함은 (① 한 덩어리)의 토지의 개념으로 (② 필지(지번))와는 관계없이 과실(농작물)을 재배하는 하나의 경작지를 의미한다.
- (③ 자기부담비율)이란 보험사고로 인하여 발생한 손해에 대하여 계약자 또는 피보험자가 부담하는 일정비율로 보험가입금액에 대한 비율을 말한다.
- "신초 발아기"란 과수원에서 전체 신초가 (④ 50)% 정도 발아한 시점을 말한다.
- "개화기"란 꽃이 피는 시기를 말하며, 작물의 생물조사에서의 개화기는 꽃이 (⑤ 40)% 정도 핀 날의 시점을 말한다.

02 농작물재해보험 종합위험보장 밭작물 품목 중 출현율이 90% 미만인 농지를 인수제한하는 품목 4가지를 모두 쓰시오(단, 농작물재해보험 판매상품 기준으로 한다). 5점

정답 및 해설

① 콩, ② 옥수수, ③ 봄감자, ④ 감자(고랭지 재배)

≫ 인수제한 목적물(농지)

(보험가입 당시 출현 후 고사된 싹은 출현이 안 된 것으로 판단)

(1) 밭작물 중 출현율이 90% 미만인 농지	① 농업수입감소보장 콩 상품 ② 종합위험보장 옥수수 상품 ③ 종합위험보장 봄감자 상품 ④ 종합위험보장 감자(고랭지 재배) 상품
(2) 밭작물 중 출현율이 85% 미만인 농지	종합위험보장 팥 상품
(3) 밭작물 중 출현율이 80% 미만인 농지	종합위험보장 보리 상품

03 농작물재해보험 중 종합위험보장 과수품목의 보험기간에 대한 기준이다. (   )에 들어갈 내용을 쓰시오. 5점

구분		보장개시	보장종료
해당보장 및 약관	목적물		
수확감소보장 보통약관	밤	(①) 단, (①)가 경과한 경우에는 계약체결일 24시	수확기종료 시점 단, (②)을 초과할 수 없음
보통약관	이듬해에 맺은 참다래 과실	(③) 단, (③)가 경과한 경우에는 계약체결일 24시	해당 꽃눈이 성장하여 맺은 과실의 수확기종료 시점 단, 이듬해 (④)을 초과할 수 없음
비가림과수 손해보장	대추	(⑤) 단, (⑤)가 경과한 경우에는 계약체결일 24시	수확기종료 시점 단, (②)을 초과할 수 없음

정답 및 해설

① 발아기, ② 10월 31일, ③ 꽃눈분화기, ④ 11월 30일, ⑤ 신초발아기

구분		보장개시	보장종료
해당보장 및 약관	목적물		
수확감소보장 보통약관	밤	(① 발아기) 단, (① 발아기)가 경과한 경우에는 계약체결일 24시	수확기종료 시점 단, (② 10월 31일)을 초과할 수 없음
보통약관	이듬해에 맺은 참다래 과실	(③ 꽃눈분화기) 단, (③ 꽃눈분화기)가 경과한 경우에는 계약체결일 24시	해당 꽃눈이 성장하여 맺은 과실의 수확기종료 시점 단, 이듬해 (④ 11월 30일)을 초과할 수 없음
비가림과수 손해보장	대추	(⑤ 신초발아기) 단, (⑤ 신초발아기)가 경과한 경우에는 계약체결일 24시	수확기종료 시점 단, (② 10월 31일)을 초과할 수 없음

04 종합위험보장 쪽파(실파) 상품은 사업지역, 파종 및 수확기에 따라 1형과 2형으로 구분된다. ( )에 들어갈 내용을 쓰시오. 5점

- 1형 : (①) 지역에서 (②) 이전에 파종하거나, (③) 지역에서 재배하여 (④)에 수확하는 노지 쪽파(실파)
- 2형 : (①) 지역에서 (②) 이후에 파종하여 (⑤)에 수확하는 노지 쪽파(실파)

정답 및 해설

① 충남 아산, ② 9월 15일, ③ 전남 보성, ④ 당해연도, ⑤ 이듬해 4~5월

- 1형 : (① 충남 아산) 지역에서 (② 9월 15일) 이전에 파종하거나, (③ 전남 보성) 지역에서 재배하여 (④ 당해연도)에 수확하는 노지 쪽파(실파)
- 2형 : (① 충남 아산) 지역에서 (② 9월 15일) 이후에 파종하여 (⑤ 이듬해 4~5월)에 수확하는 노지 쪽파(실파)

05 종합위험보장 고추 상품의 계약인수관련 생산비 산출방법이다. ( )에 들어갈 내용을 쓰시오. `5점`

> • 농촌진흥청에서 매년 발행하는 "지역별 농산물 소득자료"의 경영비와 (①)에 (②)와 (③)를 합산하여 표준생산비를 도 또는 전국단위로 산출
> • 산출한 표준생산비를 (④)별(준비기, 생장기, 수확기)로 배분
> • 수확기에 투입되는 생산비는 수확과 더불어 회수되므로 표준생산비에서 (⑤)를 차감하여 보험가입대상 생산비 산출

정답 및 해설

① 자가노력비, ② 자본용역비, ③ 토지용역비, ④ 재배기간, ⑤ 수확기생산비

>> • 농촌진흥청에서 매년 발행하는 "지역별 농산물 소득자료"의 경영비와 (① 자가노력비)에 (② 자본용역비)와 (③ 토지용역비)를 합산하여 표준생산비를 도 또는 전국단위로 산출
> • 산출한 표준생산비를 (④ 재배기간)별(준비기, 생장기, 수확기)로 배분
> • 수확기에 투입되는 생산비는 수확과 더불어 회수되므로 표준생산비에서 (⑤ 수확기생산비)를 차감하여 보험가입대상 생산비 산출

06 종합위험과수 자두 상품에서 (1) 수확감소보장의 자기부담비율과 그 (2) 적용기준을 각 비율별로 서술하시오. `15점`

정답 및 해설

(1) 수확감소보장의 자기부담비율
지급보험금을 계산할 때 자기부담비율은 지급보험금을 계산할 때 피해율에서 차감하는 비율로서, 보험계약 시 보험계약자가 선택한 비율(10%, 15%, 20%, 30%, 40% 등)을 말한다.
(2) 수확감소보장 자기부담비율 적용기준
① 10%형 : 최근 3년간 연속 보험가입과수원으로서 3년간 수령한 보험금이 순보험료의 100% 이하인 경우에 한하여 선택 가능하다.
② 15%형 : 최근 2년간 연속 보험가입과수원으로서 2년간 수령한 보험금이 순보험료의 100% 이하인 경우에 한하여 선택 가능하다.
③ 20%형, 30%형, 40%형 : 제한 없음

07 종합위험보장 (1) 복숭아 상품의 평년수확량 산출식을 쓰고, (2) 산출식 구성요소에 대해 설명하시오[단, 과거수확량 자료가 있는 경우(최근 5년 이내 2회의 보험가입 경험이 있는 경우)에 해당하며, 과거수확량 산출 관련 조건은 배제한다]. 15점

정답 및 해설

(1) 평년수확량 산출식

$$평년수확량 = \{A + (B - A) \times (1 - \frac{Y}{5})\} \times \frac{C}{B}$$

(2) 산출식 구성요소
  ① A(과거평균수확량) : Σ과거 5년간 수확량 ÷ Y
  ② B(과거평균표준수확량) : Σ과거 5년간 표준수확량 ÷ Y
  ③ C(표준수확량) : 가입하는 해의 표준수확량
  ④ Y : 과거 수확량 산출연도 횟수(2회)
    ※ 다만, 평년수확량은 보험가입연도 표준수확량의 130%를 초과할 수 없다.

≫ 평년수확량
  ① 정의 : 농지의 기후가 평년 수준이고 비배관리 등 영농활동을 평년 수준으로 실시하였을 때 기대할 수 있는 수확량을 말하며 보험가입금액의 결정 및 보험금 지급 시 감수량 산정을 위한 기준으로 활용한다.
  ② 평년수확량은 자연재해가 없는 이상적인 상황에서 수확할 수 있는 수확량이 아니라 평년 수준의 재해가 있다는 것을 전제로 한다.
  ③ 최근 5년 이내에 보험가입한 경험이 있는 과수원은 최근 5개년의 수확량 및 표준수확량에 의해 평년수확량을 산정하며, 신규가입하는 과수원은 표준수확량을 기준으로 평년수확량을 산정한다.

08 종합위험과수 밤 상품의 (1) 표준수확량 산출식을 쓰고, 다음 조건에 따라 가입한 과수원의 (2) 재식밀도와 (3) 표준수확량(kg)을 구하시오. 15점

- 기준주수 면적 : 27,000㎡
- 지역·품종·수령별 표준수확량 : 30kg
- 최대인정주수 면적 : 18,000㎡
- 가입주수 : 500주
- 밤나무재배 면적 : 20,000㎡

정답 및 해설

(1) 표준수확량 산출식

> 표준수확량 = 품종별·수령별 표준수확량 × 재식밀도지수 × 가입주수
> • 재식밀도지수 = 0.64 + (C − B) ÷ {(A − B) ÷ 36} ÷ 100
> (A : 기준주수 면적, B : 최대인정주수 면적, C : 밤나무 재배면적)

(2) 재식밀도 : 0.72

> • 재식밀도지수 : 0.72
> = 0.64 + (C : 밤나무 재배면적 − B : 최대인정주수 면적) ÷ {(A : 기준주수 면적 − B : 최대인정
>   주수 면적) ÷ 36} ÷ 100
> = 0.64 + (C : 20,000㎡ − B : 18,000㎡) ÷ {(A : 27,000㎡ − B : 18,000㎡) ÷ 36} ÷ 100
> = 0.64 + (20,000㎡ − 18,000㎡) ÷ {(27,000㎡ − 18,000㎡) ÷ 36} ÷ 100
> = 0.72

(3) 표준수확량(kg) : 10,800kg

> 표준수확량 = 품종별·수령별 표준수확량 × 재식밀도지수 × 가입주수
> • 재식밀도지수 = 0.64 + (C − B) ÷ {(A − B) ÷ 36} ÷ 100
> (A : 기준주수 면적, B : 최대인정주수 면적, C : 밤나무 재배면적)
> • 표준수확량
> = 품종별·수령별 표준수확량(30kg) × 재식밀도지수(0.72) × 가입주수(500주)
> = 30kg × 0.72 × 500주
> = 10,800kg

09 농작물재해보험 상품 중 비가림시설 또는 해가림시설에 관한 다음 보험가입금액을 구하시오.
15점

(1) 포도(단지 단위) 비가림시설의 최소 가입면적에서 최소 보험가입금액

(2) 대추(단지 단위) 비가림시설의 가입면적 300㎡에서 최대 보험가입금액

(3) 인삼해가림시설의 보험가입금액(다음 조건일 때)

> • 단위면적당 시설비 : 30,000원
> • 가입(재식)면적 : 300㎡
> • 시설유형 : 목재
> • 내용연수 : 6년
> • 시설연도 : 2014년 4월
> • 가입시기 : 2019년 11월

정답 및 해설

(1) **포도**(단지 단위) 비가림시설의 최소 가입면적에서 <u>최소 보험가입금액</u>

  1) 정답 : <u>2,880,000원</u>

  2) 해설

    • 비가림시설보장 보험가입금액 : 포도 비가림시설의 m²당 시설비(18,000원)에 비가림시설 면적을 곱하여 산정하며, 산정된 금액의 <u>80</u>~130% 범위 내에서 계약자가 보험가입금액을 결정한다.

    • 최소 보험가입금액

      = 최소가입면적(200m²) × 포도 비가림시설의 m²당 시설비(18,000원/m²) × <u>80%</u>

      = 200m² × 18,000원/m² × 0.8

      = 2,880,000원

(2) **대추**(단지 단위) 비가림시설의 가입면적 300m²에서 <u>최대 보험가입금액</u>

  1) 정답 : <u>7,410,000원</u>

  2) 해설

    • 비가림시설보장 보험가입금액 : 대추 비가림시설의 m²당 시설비(19,000원)에 비가림시설 면적(300m²)을 곱하여 산정하며, 산정된 금액의 80~<u>130%</u> 범위 내에서 계약자가 보험가입금액을 결정한다.

    • 최대 보험가입금액

      = 비가림시설 가입면적(300m²) × 대추 비가림시설의 m²당 시설비(19,000원/m²) × <u>130%</u>

      = 300m² × 19,000원/m² × 1.3

      = 7,410,000원

(3) **인삼**해가림시설의 보험가입금액(다음 조건일 때)

> • 단위면적당 시설비 : 30,000원
> • 가입(재식)면적 : 300m²
> • 시설유형 : 목재
> • 내용연수 : 6년
> • 시설연도 : 2014년 4월
> • 가입시기 : 2019년 11월

  1) 정답 : 인삼해가림시설의 보험가입금액은 <u>3,000,000원</u>(천원 단위에서 절사)

  2) 해설

    ∴ 인삼해가림시설의 보험가입금액

    = 재조달가액 × (1 − 감가상각률)

    = <u>9,000,000원</u> × (1 − <u>0.6665</u>)

    = 9,000,000원 × 0.3335

    = 3,001,500원

    ≒ 3,000,000원(천원 단위에서 절사)

    ① 재조달가액 : <u>9,000,000원</u>

      재조달가액은 단위면적당 시설비에 재배면적을 곱하여 산출한다.

      = 단위면적당 시설비 × 가입(재식)면적

      = 단위면적당 시설비(30,000원/m²) × 재배면적(300m²)

      = 30,000원 × 300m²

      = 9,000,000원

② 감가상각률 : <u>66.65%</u>

경과기간(<u>5년</u>) × 경년감가율(<u>13.33%</u>)

= 5년 × 13.33%

= 66.65%

ⓐ 연 단위 감가상각 적용 경과기간 = 2019년 11월 − 2014년 4월

= 5년 7개월(1년 미만은 미적용)

= 5년

ⓑ 보험가입금액 산정을 위한 경년감가율 : <u>13.33%</u>

유형	내용연수	경년감가율
목재	<u>6년</u>	<u>13.33%</u>
철재	18년	4.44%

※ 해가림시설 보험가입금액 최근 업무방법서 참조

보험가입금액 = 재조달가액 × (1 − 감가상각률)

① 재조달가액 : 단위면적당 시설비에 재배면적을 곱하여 산출한다.

재조달가액 = 단위면적당 시설비 × 재배면적

② 보험가입금액 산정을 위한 감가상각

ⓐ 경년감가율 적용시점과 <u>연단위 감가상각</u>

ⓐ 감가상각은 보험가입 시점을 기준으로 적용하며, 보험가입금액은 보험기간 동안 동일하다.

ⓑ 연단위 감가상각을 <u>적용하며</u> 경과기간이 <u>1년 미만은 미적용</u>한다.

시설연도	가입시기	경과기간
2021년 5월	2022년 11월	1년 6개월 → 경과기간 1년 적용

ⓑ <u>잔가율</u> : 잔가율 20%와 자체 유형별 내용연수를 기준으로 경년감가율을 산출하였고, 내용연수가 경과한 경우라도 현재 정상 사용 중에 있는 시설을 당해 목적물의 경제성을 고려하여 잔가율을 최대 30%로 수정한다.

ⓒ 보험가입금액 산정을 위한 <u>경년감가율</u>

유형	내용연수	경년감가율
목재	6년	13.33%
철재	18년	4.44%

10 가축 재해보험 축사 특약에 관한 다음 내용을 쓰시오. 15점

(1) 보험가액 계산식

(2) 수정잔가율 적용 사유와 적용 비율

(3) 수정잔가율 적용 예외 경우와 그 적용 비율

정답 및 해설

(1) 보험가액 계산식
- 현재가액 = 신가축가액 − 감가공제액
- ※ 감가공제액 = 신가축가액 × 감가율
- ※ 감가율 = 경년감가율 × 경과년수

(2) 수정잔가율 적용 사유와 적용 비율

가축재해보험의 축사특약에서는 축사사용 도중 지속적인 개·보수가 이루어지고 있는 점을 감안하여 한국감정원의 「건물신축단가표」의 내용연수(감가율)를 적용하고, 내용연수가 경과한 건물에 대해 30%까지인 수정잔가율을 70%까지(단, 보온덮개는 50%) 적용하여 보험금을 지급한다.

(3) 수정잔가율 적용 예외 경우와 그 적용 비율

보험의 목적인 축사가 손해를 입은 장소에서 실제로 수리 또는 복구되지 아니한 때에는 부당이득금지를 위해 수정잔가율은 30%로 인정한다.

01 종합위험보장 벼(조사료용 벼 제외) 상품의 병해충보장특별약관에서 보장하는 병해충을 5가지만 쓰시오. 5점

정답 및 해설

① 흰(빛)잎마름병, ② 줄무늬잎마름병, ③ 벼멸구, ④ 도열병, ⑤ 세균성벼알마름병, ⑥ 먹노린재,
⑦ 깨씨무늬병
≫ 위 정답 내용 중 5가지만 선택하여 작성하면 된다.

02 콩, 마늘, 양파 품목에서 종합위험보장 상품과 비교하여 농업수입감소보장 상품에 추가로 적용되는 농지의 보험가입자격을 쓰시오. 5점

정답 및 해설

사업지역에서 보험대상 농작물을 경작하는 개인 또는 법인으로 과거 5년 중 2년 이상 콩, 마늘, 양파 보험을 가입하여 수확량 실적을 쌓은 농지

03 보험가입금액 100,000,000원, 자기부담비율 20%의 종합위험보장 마늘 상품에 가입하였다. 보험계약 후 당해연도 10월 31일까지 보상하는 재해로 인해 마늘이 10a당 27,000주가 출현되어 10a당 33,000주로 재파종한 경우 재파종보험금의 계산과정과 값을 쓰시오. 5점

정답 및 해설

재파종 보험금 : 3,500,000원
재파종 보험금 = 보험가입금액 × 35% × 표준출현 피해율
= 100,000,000(1억)원 × 0.35 × 0.1 = 3,500,000원
※ 표준출현 피해율(10a 기준) = (30,000 − 출현주수) ÷ 30,000
= (30,000 − 27,000) ÷ 30,000
= 10%

04 돼지를 사육하는 A농장의 계약자가 "가축재해보험"에 가입하려고 한다. 다음 물음에 답하시오 (단, 보험사업자가 제시한 기준가액으로 계산한다). 5점

농장	사육두수		
A농장	비육돈	모돈	웅돈
	50두	20두	10두

(1) 일괄가입방식 보험가입금액의 계산과정과 값을 쓰시오.

(2) 질병위험보장특약 보험가입금액의 계산과정과 값을 쓰시오.

정답 및 해설

(1) 일괄가입방식 보험가입금액의 계산과정과 값을 쓰시오.
   보험가입금액 = <u>24,240,000원</u>
   　　　　　　 = 사육두수 × 303,000원
   　　　　　　 = 80두 × 303,000원
   　　　　　　 = 24,240,000원

(2) 질병위험보장특약 보험가입금액의 계산과정과 값을 쓰시오.
   보험가입금액 = <u>5,000,000원</u>
   　　　　　　 = 모돈수 × 2.5 × 100,000원
   　　　　　　 = 20두 × 2.5 × 100,000원
   　　　　　　 = 5,000,000원

05 종합위험보장 상품에서 보험가입 시 과거수확량자료가 없는 경우 산출된 표준수확량의 70%를 평년수확량으로 결정하는 품목 중 특약으로 나무손해보장을 가입할 수 있는 품목 2가지를 모두 쓰시오. 5점

정답 및 해설

살구, 유자
≫ 표준수확량의 70%를 평년수확량으로 결정하는 품목은 유자, 살구, 팥, 사과대추 등이다.

06 업무방법에서 정하는 보험사기 방지에 관한 내용이다. (   )에 들어갈 내용을 각각 쓰시오.

15점

성립요건	• (①) 또는 보험대상자에게 고의가 있을 것 : (①) 또는 보험 대상자의 고의에 회사를 기망하여 착오에 빠트리는 고의와 그 착오로 인해 승낙의 의사표시를 하게 하는 것이 있음 • (②) 행위가 있을 것 : (②)이란 허위진술을 하거나 진실을 은폐하는 것, 통상 진실이 아닌 사실을 진실이라 표시하는 행위를 말하거나 알려야 할 경우에 침묵, 진실을 은폐하는 것도 (②) 행위에 해당 • 상대방의 회사가 착오에 빠지는 것 : 상대방의 회사가 착오에 빠지는 것에 대하여 회사의 (③) 유무는 문제가 되지 않음
보험사기조치	• 청구한 사고보험금 (④) 가능 • 약관에 의거하여 해당 (⑤)할 수 있음

정답 및 해설

① 계약자, ② 기망, ③ 과실, ④ 지급거절, ⑤ 계약취소

성립요건	• (① 계약자) 또는 보험대상자에게 고의가 있을 것 : (① 계약자) 또는 보험대상자의 고의에 회사를 기망하여 착오에 빠트리는 고의와 그 착오로 인해 승낙의 의사표시를 하게 하는 것이 있음 • (② 기망) 행위가 있을 것 : (② 기망)이란 허위진술을 하거나 진실을 은폐하는 것, 통상 진실이 아닌 사실을 진실이라 표시하는 행위를 말하거나 알려야 할 경우에 침묵, 진실을 은폐하는 것도 (② 기망) 행위에 해당 • 상대방의 회사가 착오에 빠지는 것 : 상대방의 회사가 착오에 빠지는 것에 대하여 회사의 (③ 과실) 유무는 문제가 되지 않음
보험사기조치	• 청구한 사고보험금 (④ 지급거절) 가능 • 약관에 의거하여 해당 (⑤ 계약취소)할 수 있음

07 업무방법서에서 정하는 종합위험 수확감소보장방식 밭작물 품목의 품목별 표본구간별 수확량 조사방법에 관한 내용이다. ( )에 들어갈 내용을 각각 쓰시오. 15점

품목	표본구간별 수확량조사
옥수수	표본구간 내 작물을 수확한 후 착립장 길이에 따라 상(①), 중(②), 하(③)(으)로 구분한 후 해당 개수를 조사
차(茶)	표본구간 중 두 곳에 (④) 테를 두고 테 내의 수확이 완료된 새싹의 수를 세고, 남아있는 모든 새싹(1심2엽)을 따서 개수를 세고 무게를 조사
감자	표본구간 내 작물을 수확한 후 정상 감자, 병충해별 20% 이하, 21~40% 이하, 41~60% 이하, 61~80% 이하, 81~100% 이하 발병 감자로 구분하여 해당 병충해명과 무게를 조사하고 최대 지름이 (⑤) 미만이거나 피해정도 50% 이상인 감자의 무게는 실제 무게의 50%를 조사 무게로 함

정답 및 해설

① 17cm 이상, ② 15cm 이상 17cm 미만, ③ 15cm 미만, ④ 20cm × 20cm, ⑤ 5cm

품목	표본구간별 수확량조사
옥수수	표본구간 내 작물을 수확한 후 착립장 길이에 따라 상(① 17cm 이상), 중(② 15cm 이상 17cm 미만), 하(③ 15cm 미만)로 구분한 후 해당 개수를 조사
차(茶)	표본구간 중 두 곳에 (④ 20cm × 20cm) 테를 두고 테 내의 수확이 완료된 새싹의 수를 세고, 남아있는 모든 새싹(1심2엽)을 따서 개수를 세고 무게를 조사
감자	표본구간 내 작물을 수확한 후 정상 감자, 병충해별 20% 이하, 21~40% 이하, 41~60% 이하, 61~80% 이하, 81~100% 이하 발병 감자로 구분하여 해당 병충해명과 무게를 조사하고 최대 지름이 (⑤ 5cm) 미만이거나 피해정도 50% 이상인 감자의 무게는 실제 무게의 50%를 조사 무게로 함

08 적과전 종합위험방식 II 사과품목에서 착과수조사를 실시하고자 한다. 과수원의 현황(품종, 재배방식, 수령, 주수)이 다음과 같이 확인되었을 때 ①, ②, ③, ④에 대해서는 계산과정과 값을 쓰고, ⑤에 대해서는 산정식을 쓰시오(단, 적정표본주수 최솟값은 소수점 첫째자리에서 올림하여 다음 예시와 같이 구하시오. 예시 : 10.2 → 11로 기재). 5점

- 과수의 현황

품종	재배방식	수령	실제결과주수	고사주수
스가루	반밀식	10	620	10
후지	밀식	5	60	30

- 적과후착과수 적정표본주수

품종	재배방식	수령	조사대상주수	적정표본주수	적정표본주수 산정식
스가루	반밀식	10	(①)	(③)	(⑤)
후지	밀식	5	(②)	(④)	

정답 및 해설

① 스가루 조사대상주수 : 610주
　조사대상주수 = 실제결과주수 − 고사주수 − 미보상주수 − 수확불능주수
　　　　　　　　 = 620 − 10 − 0 − 0
　　　　　　　　 = 620 − 10
　　　　　　　　 = 610주

② 후지 조사대상주수 : 30주
　조사대상주수 = 실제결과주수 − 고사주수 − 미보상주수 − 수확불능주수
　　　　　　　　 = 60 − 30 − 0 − 0
　　　　　　　　 = 60 − 30
　　　　　　　　 = 30주

③ 스가루 적정표본주수 : 13주
　적정표본주수 = 전체표본주수 × (품종별 조사대상주수 ÷ 전체 조사대상주수)
　　　　　　　　 = 13 × (610 ÷ 640)
　　　　　　　　 = 12.39
　　　　　　　　 ≒ 13주

④ 후지 적정표본주수 : 1주
　적정표본주수 = 전체표본주수 × (품종별 조사대상주수 ÷ 전체 조사대상주수)
　　　　　　　　 = 13 × (30 ÷ 640)
　　　　　　　　 = 0.609
　　　　　　　　 ≒ 1주

⑤ 스가루 적정표본주수 : 전체표본주수 × (품종별 조사대상주수 ÷ 전체 조사대상주수)
　• 스가루 품종 적정표본주수 = 13 × (610 ÷ 640) = 12.39 ≒ 13주
　• 후지 품종 적정표본주수 = 13 × (30 ÷ 640) = 0.609 ≒ 1주

09 종합위험 수확감소보장방식 논작물 관련 내용이다. 계약사항과 조사내용을 참조하여 피해율의 계산과정과 값을 쓰시오. 15점

- 계약사항

품목	가입면적	평년수확량	표준수확량
벼	2,500㎡	6,000kg	5,000kg

• **적과후착과수 적정표본주수**

조사종류	조사수확비율	피해정도	피해면적비율	미보상비율
수확량조사 (수량요소조사)	70%	경미	10% 이상 30% 미만	10%

정답 및 해설

※ 조사비율 70%, 피해면적 보정계수 1.1, 병충해 언급이 없으므로 병충해 단독사고 아닌 경우 피해율을 구한다.

> **피해율** = 32.25%
> ∴ 피해율 = (평년수확량 − 수확량 − 미보상감수량) ÷ 평년수확량
> = (6,000kg − 3,850kg − 215kg) ÷ 6,000kg
> = 32.25%
> • **수확량** : 3,850kg
> 수확량 = 표준수확량 × 조사수확비율 × 피해면적 보정계수
> = 5,000kg × 0.7 × 1.1
> = 3,850kg
> • **미보상감수량** : 215kg
> 미보상감수량 = (평년수확량 − 수확량) × 미보상비율
> = (6,000kg − 3,850kg) × 0.1
> = 215kg

10 업무방법에서 정하는 가축재해보험 구상권의 의의 및 발생유형에 관한 내용이다. ①~⑤에 들어갈 용어를 각각 쓰시오. 15점

의의	• 구상권이라 함은 보험금 지급 후 보험자가 제3자(타인)에게 가지는 손해배상 청구권을 (①) 취득하여 그 타인에 대하여 가지는 (②)의 권리를 말한다.
발생유형	• 생산물(제조물)의 (③)(으)로 인한 화재 • (④) 사고 건에 대하여 선 보상처리 후 타 보험사에 분담금 청구 • 무보험차량에 의한 (⑤)

정답 및 해설

① 대위, ② 반환청구, ③ 결함, ④ 중복보험, ⑤ 타차일방과실

의의	• 구상권이라 함은 보험금 지급 후 보험자가 제3자(타인)에게 가지는 손해 배상청구권을 (① 대위) 취득하여 그 타인에 대하여 가지는 (② 반환청구)의 권리를 말한다.
발생유형	• 생산물(제조물)의 (③ 결함)(으)로 인한 화재 • (④ 중복보험) 사고 건에 대하여 선 보상처리 후 타 보험사에 분담금 청구 • 무보험차량에 의한 (⑤ 타차일방과실)

01 위험관리 방법 중 물리적 위험관리(위험통제를 통한 대비) 방법 5가지를 쓰시오. 5점

정답 및 해설

① 위험회피, ② 손실통제, ③ 위험요소의 분리, ④ 계약을 통한 위험 전가, ⑤ 위험의 자가 보유

02 농업재해의 특성 5가지만 쓰시오. 5점

정답 및 해설

① 불예측성, ② 광역성, ③ 동시성·복합성, ④ 계절성, ⑤ 피해의 대규모성, ⑥ 불가항력성

03 보통보험약관의 해석에 관한 내용이다. (   )에 들어갈 내용을 쓰시오. 5점

> • 기본원칙
>   보험약관은 보험계약의 성질과 관련하여 (①)에 따라 공정하게 해석되어야 하며, 계약자에
>   따라 다르게 해석되어서는 안 된다. 보험 약관상의 (②) 조항과 (③) 조항 간에 충돌이
>   발생하는 경우 (③) 조항이 우선한다.
> • 작성자 불이익의 원칙
>   보험약관의 내용이 모호한 경우에는 (④)에게 엄격·불리하게 (⑤)에게 유리하게 풀이하
>   여야 한다.

정답 및 해설

① 신의성실의 원칙, ② 인쇄, ③ 수기, ④ 보험자, ⑤ 계약자

04 농작물재해보험대상 밭작물 품목 중 자기부담금이 잔존보험 가입금액의 3% 또는 5%인 품목 2가지를 쓰시오. 5점

정답 및 해설

① 고추, ② 브로콜리

05 인수심사의 인수제한 목적물에 관한 내용이다. (   )에 들어갈 내용을 쓰시오. 5점

- 오미자 : 주간거리가 (①   )cm 이상으로 과도하게 넓은 과수원
- 포도 : 가입하는 해의 나무 수령이 (②   )년 미만인 과수원
- 복분자 : 가입연도 기준, 수령이 1년 이하 또는 (③   )년 이상인 포기로만 구성된 과수원
- 보리 : 파종을 10월 1일 이전과 11월 (④   )일 이후에 실시한 농지
- 양파 : 재식밀도가 (⑤   )주/10a 미만, 40,000주/10a 초과한 농지

정답 및 해설

① 50, ② 3, ③ 11, ④ 20, ⑤ 23,000

06 농업수입감소보장방식 '콩'에 관한 내용이다. 계약내용과 조사내용을 참조하여 다음 물음에 답하시오(피해율은 %로 소수점 둘째자리 미만 절사. 예시 : 12.678% → 12.67%). 15점

- 계약내용
  - 보험가입일 : 2021년 6월 20일
  - 평년수확량 : 1,500kg
  - 가입수확량 : 1,500kg
  - 자기부담비율 : 20%
  - 농가수취비율 : 80%
  - 전체재배면적 : 2,500㎡(백태 1,500㎡, 서리태 1,000)
- 조사내용
  - 조사일 : 2021년 10월 20일
  - 전체 재배면적 : 2,500㎡(백태 1,500㎡, 서리태 1,000㎡)
  - 수확량 : 1,000kg

■ 서울 양곡도매시장 연도별 '백태' 평균가격(원/kg)

연도 등급	2016	2017	2018	2019	2020	2021
상품	6,300	6,300	7,200	7,400	7,600	6,400
중품	6,100	6,000	6,800	7,000	7,100	6,200

■ 서울 양곡도매시장 연도별 '서리태' 평균가격(원/kg)

연도 등급	2016	2017	2018	2019	2020	2021
상품	7,800	8,400	7,800	7,500	8,600	8,400
중품	7,400	8,200	7,200	6,900	8,200	8,200

물음1) 기준가격의 계산과정과 값을 쓰시오. 5점

물음2) 수확기가격의 계산과정과 값을 쓰시오. 5점

물음3) 농업수입감소보험금의 계산과정과 값을 쓰시오. 5점

정답 및 해설

물음1) 기준가격(5점)
① 정답 : 5,840원
  기준가격 = (㉠ 백태 기준가격 평균값 + ㉡ 서리태 기준가격 평균값) ÷ 2
      = (㉠ 5,440원 + ㉡ 6,240원) ÷ 2 = 5,840원
② 계산과정
  ㉠ 백태 기준가격 : 5,440원
    = [{(6,300원 + 6,100원) ÷ 2 + (7,200원 + 6,800원) ÷ 2 + (7,400원 + 7,000원) ÷ 2} ÷ 3] × 농가수취비율

= [(6,200원 + 7,000원 + 7,200원) ÷ 3] × 0.8

= <u>5,440원</u>

※ 과거 5년 중 가장 작은 값(2017년)과 가장 큰 값(2020년)을 제외한 3년 평균값을 구한다.

ⓒ 서리태 기준가격 : <u>6,240원</u>

= [{(7,800원 + 7,400원) ÷ 2 + (8,400원 + 8,200원) ÷ 2 + (7,800원 + 7,200원) ÷ 2} ÷ 3] × 농가수취비율

= [(7,600원 + 8,300원 + 7,500원) ÷ 3] × 0.8

= <u>6,240원</u>

※ 과거 5년 중 가장 작은 값(2019년)과 가장 큰 값(2020년)을 제외한 3년 평균값을 구한다.

물음2) 수확기가격(5점)

① 정답 : <u>5,840원</u>

수확기가격 = (㉠ 백태 수확기가격 + ㉡ 서리태 수확기가격) ÷ 2

= (5,040원 + 6,640원) ÷ 2

= <u>5,840원</u>

② 계산과정

㉠ 백태 수확기가격 = {(6,400원 + 6,200원) ÷ 2} × 농가수취비율

= {(6,400원 + 6,200원) ÷ 2} × 0.8

= <u>5,040원</u>

※ 계약연도 및 조사내용 연도의 2021년도 수확기가격을 구한다.

㉡ 서리태 수확기가격 = {(8,400원 + 8,200원) ÷ 2} × 농가수취비율

= {(8,400원 + 8,200원) ÷ 2} × 0.8

= <u>6,640원</u>

※ 계약연도 및 조사내용 연도의 즉, 2021년도 수확기가격을 구한다.

물음3) 농업수입감소보험금(5점)

① 정답 : <u>1,167,708(백십육만칠천칠백팔)원</u>

농업수입감소보험금 = ㉠ 보험가입금액 × (㉡ 피해율 − ㉢ 자기부담비율)

= 8,760,000(팔백칠십육만)원 × (0.3333 − 0.2)

= <u>1,167,708(백십육만칠천칠백팔)원</u>

② 계산과정

㉠ 보험가입금액 = 1,500원 × 5,840원

= 8,760,000(팔백칠십육만)원

㉡ 피해율 = (ⓐ 기준수입 − ⓑ 실제수입) ÷ ⓐ 기준수입

= (ⓐ 8,760,000(팔백칠십육만)원 − ⓑ 5,840,000(오백팔십사만)원)

÷ ⓐ 8,760,000(팔백칠십육만)원

= 33.33%

ⓐ 기준수입 = 평년수확량 × 기준가격

= 1,500kg × 5,840원

= 8,760,000(팔백칠십육만)원

ⓑ 실제수입 = (조사수확량 + 미보상감수량) × Min(수확기가격, 기준가격)

= (1,000kg + 0) × 5,840원

= 5,840,000(오백팔십사만)원

07 농작물재해보험 "벼"에 관한 내용이다. 다음 물음에 답하시오(단, 보통약관과 특별약관 보험가입금액은 동일하며, 병해충특약에 가입되어 있음). 15점

> • 계약사항 등
>   – 보험가입일 : 2022년 5월 22일
>   – 품목 : 벼
>   – 재배방식 : 친환경 직파 재배
>   – 가입수확량 : 4,500kg
>   – 보통약관 기본 영업요율 : 12%
>   – 특별약관 기본 영업요율 : 5%
>   – 손해율에 따른 할인율 : 13%
>   – 직파재배 농지 할증률 : 10%
>   – 친환경 재배 시 할증율 : 8%
> • 조사내용
>   – 민간 RPC(양곡처리장) 지수 : 1.2
>   – 농협 RPC 계약재배 수매가(원/kg)
>
> | 연도 | 수매가 | 연도 | 수매가 | 연도 | 수매가 |
> |------|--------|------|--------|------|--------|
> | 2016 | 1,300 | 2018 | 1,600 | 2020 | 2,000 |
> | 2017 | 1,400 | 2019 | 1,800 | 2021 | 2,200 |

물음1) 보험가입금액의 계산과정과 값을 쓰시오. 5점

물음2) 수확감소보장 보통약관(주계약) 적용보험료의 계산과정과 값을 쓰시오.(천원 단위 미만 절사) 5점

물음3) 병충해보장 특별약관 적용보험료의 계산과정과 값을 쓰시오.(천원 단위 미만 절사) 5점

정답 및 해설

물음1) 보험가입금액(5점)
① 정답 : 9,720,000(구백칠십이만)원
② 계산과정
  보험가입금액 = 가입수확량 × 가입가격
      = 4,500kg × 2,160원/kg
      = 9,720,000(구백칠십이만)원
  ∴ 가입가격 = {(보험계약일 과거 5년 수매가 총합) × 민간 RPC(양곡처리장) 지수} ÷ 5
      = {(2,200원 + 2,000원 + 1,800원 + 1,600원 + 1,400원) × 1.2} ÷ 5
      = 2,160원/kg

물음2) 수확감소보장 보통약관 적용보험료(5점)
① 정답 : 1,205,000(백이십만오천)원

② 계산과정

보험료 = 보험가입금액 × 보통약관 기본 영업요율 × 할인할증률(손해율, 직파재배, 친환경)

= 9,720,000(구백칠십이만)원 × 0.12 × (1 − 0.13) × (1 + 0.1) × (1 + 0.08)

= 1,205,000(백이십만오천)원

물음3) 병충해보장 특별약관 적용보험료(5점)

① 정답 : <u>502,000(오십만이천)원</u>

② 계산과정

보험료 = 보험가입금액 × 특별약관 기본 영업요율 × 할인할증률(손해율, 직파재배, 친환경)

= 9,720,000(구백칠십이만)원 × 0.05 × (1 − 0.13) × (1 + 0.1) × (1 + 0.08)

= 502,000(오십만이천)원

---

08 다음은 '사과'의 적과전 종합위험방식 계약에 관한 사항이다. 다음 물음에 답하시오(단, 주어진 조건 외 다른 조건은 고려하지 않음). 15점

구분	품목	보장수준(%)				
		60	70	80	85	90
국고보조율(%)	사과, 배, 단감, 떫은감	60	60	50	40	38

〈조건〉

- 품목 : 사과(적과전종합위험방식)
- 순보험요율 : 15%
- 할인·할증률 : 100%
- 착과감소보험금 보장수준 : 70%형
- 가입금액 : 1,000만원(주계약)
- 부가보험요율 : 2.5%
- 자기부담비율 : 20%형

물음1) 영업보험료의 계산과정과 값을 쓰시오. 5점

물음2) 부가보험료의 계산과정과 값을 쓰시오. 5점

물음3) 농가부담보험료의 계산과정과 값을 쓰시오. 5점

정답 및 해설

물음1) 영업보험료(5점)

① 정답 : <u>1,750,000(백칠십오만)원</u>

② 계산과정

영업보험료 = ㉠ 순보험료 + ㉡ 부가보험료

= 1,500,000(백오십만)원 + 250,000(이십오만)원

= <u>1,750,000(백칠십오만)원</u>

㉠ 순보험료 = 보험가입금액 × 순보험요율 × 할인·할증률

= 10,000,000(천만)원 × 0.15 × 100%

= <u>1,500,000(백오십만)원</u>

　　　　　ⓛ 부가보험료 = 보험가입금액 × 부가보험요율
　　　　　　　　　　　　 = 10,000,000(천만)원 × 0.025
　　　　　　　　　　　　 = <u>250,000(이십오만)원</u>

물음2) 부가보험료(5점)
① 정답 : <u>250,000(이십오만)원</u>
② 계산과정
　　부가보험료 = 보험가입금액 × 부가보험요율
　　　　　　　　 = 10,000,000(천만)원 × 0.025
　　　　　　　　 = <u>250,000(이십오만)원</u>

물음3) 농가부담보험료(5점)
① 정답 : <u>750,000(칠십오만)원</u>
② 계산과정
　　보험료 = 보험가입금액 × 순보험요율 × 할인·할증률 × (1 − 정부보장율)
　　　　　 = 10,000,000(천만)원 × 0.15 × 100% × (1 − 50%)
　　　　　 = <u>750,000(칠십오만)원</u>

---

09 다음과 같은 '인삼'의 해가림시설이 있다. 다음 물음에 답하시오(단, 주어진 조건 외 다른 조건은 고려하지 않음). `15점`

> • 가입시기 : 2022년 6월
> • 농지 내 재료별(목재, 철재)로 구획되어 해가림시설이 설치되어 있음
>
> > 〈해가림시설(목재)〉
> > ○ 시설년도 : 2015년 9월
> > ○ 면적 : 4,000㎡
> > ○ 단위면적당 시설비 : 30,000원/㎡
> > ※ 해가림시설 정상 사용 중
>
> > 〈해가림시설(철재)〉
> > ○ 전체면적 : 6,000㎡
> > 　면적 ① : 4,500㎡(시설년도 2017년 3월)
> > 　면적 ② : 1,500㎡(시설년도 2019년 3월)
> > ○ 단위면적당 시설비 : 50,000원/㎡
> > ※ 해가림시설 정상 사용 중이며, 면적 ①, ②는 동일 농지에 설치

물음1) 해가림시설(목재)의 보험가입금액의 계산과정과 값을 쓰시오. `5점`

물음2) 해가림시설(철재)의 보험가입금액의 계산과정과 값을 쓰시오. `10점`

정답 및 해설

물음1) 해가림시설(목재)의 보험가입금액(5점)
① 정답 : 24,024,000(이천사백이만사천)원
② 계산과정
　　보험가입금액 = 단위면적당 시설비 × 면적 × (1 − 감가상각률)
　　　　　　　　 = 30,000원 × 4,000㎡ × (1 − 0.7998)
　　　　　　　　 = 24,024,000(이천사백이만사천)원
　　∴ 감가상각률 = 6년 × 0.1333
　　　　　　　　 = 0.7998

물음2) 해가림시설(철재)의 보험가입금액(10점)
① 정답 : 240,060,000(이억사천육만)원
② 계산과정
　　보험가입금액 = ㉠ + ㉡
　　　　　　　　 = 240,060,000(이억사천육만)원
　　㉠ 보험가입금액 = 단위면적당 시설비 × 면적 × (1 − 감가상각률)
　　　　　　　　　 = 50,000(오만)원 × 4,500㎡ × (1 − 0.222)
　　　　　　　　　 = 175,050,000(일억칠천오백오만)원
　　∴ 감가상각률 = 5년 × 0.0444
　　　　　　　　 = 0.222
　　㉡ 보험가입금액 = 단위면적당 시설비 × 면적 × (1 − 감가상각률)
　　　　　　　　　 = 50,000(오만)원 × 1,500㎡ × (1 − 0.1332)
　　　　　　　　　 = 65,010,000(육천오백일만)원
　　∴ 감가상각률 = 3년 × 0.0444
　　　　　　　　 = 0.1332

10 다음의 내용을 참고하여 물음에 답하시오(단, 주어진 조건 외 다른 조건은 고려하지 않음).
15점

> 가축재해보험(소)에 가입하였다. 보험가입 기간 중 甲과 동일한 마을에 사는 乙 소유의 사냥개 3마리가 경사를 탈출하여 甲 소유의 축사에 있는 소 1마리를 물어 죽이는 사고가 발생했다. 조사 결과 폐사한 소는 가축재해보험에 정상적으로 가입되어 있었다.
> – A보험회사의 면·부책 : 부책
> – 폐사한 소의 가입금액 및 손해액 : 500만원(자기부담금 20%)
> – 乙의 과실 : 100%

물음1) A보험회사가 甲에게 지급할 보험금의 계산과정과 값을 쓰시오. 5점

물음2) A보험회사의 ① 보험자대위의 대상(손해발생 책임자), ② 보험자대위의 구분(종류), ③ 대위금액을 쓰시오. 10점

정답 및 해설

물음1) A보험회사가 甲에게 지급할 보험금(5점)
① 정답 : 4,000,000(사백만)원
② 계산과정
　　보험금 = 손해액 – 자기부담금
　　　　　 = 5,000,000(오백만)원 – 1,000,000(백만)원
　　　　　 = 4,000,000(사백만)원
　　∴ 자기부담금 = 손해액 × 자기부담비율
　　　　　　　　 = 5,000,000(오백만)원 × 20%
　　　　　　　　 = 1,000,000(백만)원

물음2) A보험회사의 보험자대위의 대상, 보험자대위의 구분, 대위금액(10점)
정답
① 보험자대위의 대상(손해발생 책임자) : 乙(을)
② 보험자대위의 구분(종류) : 제3자에 대한 보험대위(청구권 대위)
③ 대위금액 : 4,000,000(사백만)원

손해평가사 _ 2차 제1과목

농작물재해보험 및 가축재해보험의

이론과 실무

주요 법령 및 참고문헌

[시행 2022. 6. 1] [법률 제18529호, 2021. 11. 30, 일부개정]

제1장 총칙

제1조(목적)

이 법은 농어업재해로 인하여 발생하는 농작물, 임산물, 양식수산물, 가축과 농어업용 시설물의 피해에 따른 손해를 보상하기 위한 농어업재해보험에 관한 사항을 규정함으로써 농어업 경영의 안정과 생산성 향상에 이바지하고 국민경제의 균형 있는 발전에 기여함을 목적으로 한다. 〈개정 2011. 7. 25.〉

제2조(정의)

이 법에서 사용하는 용어의 뜻은 다음과 같다. 〈개정 2011. 7. 25., 2013. 3. 23.〉

1. "농어업재해"란 농작물·임산물·가축 및 농업용 시설물에 발생하는 자연재해·병충해·조수해(鳥獸害)·질병 또는 화재(이하 "농업재해"라 한다)와 양식수산물 및 어업용 시설물에 발생하는 자연재해·질병 또는 화재(이하 "어업재해"라 한다)를 말한다.
2. "농어업재해보험"이란 농어업재해로 발생하는 재산 피해에 따른 손해를 보상하기 위한 보험을 말한다.
3. "보험가입금액"이란 보험가입자의 재산 피해에 따른 손해가 발생한 경우 보험에서 최대로 보상할 수 있는 한도액으로서 보험가입자와 보험사업자 간에 약정한 금액을 말한다.
4. "보험료"란 보험가입자와 보험사업자 간의 약정에 따라 보험가입자가 보험사업자에게 내야 하는 금액을 말한다.
5. "보험금"이란 보험가입자에게 재해로 인한 재산 피해에 따른 손해가 발생한 경우 보험가입자와 보험사업자 간의 약정에 따라 보험사업자가 보험가입자에게 지급하는 금액을 말한다.
6. "시범사업"이란 농어업재해보험사업(이하 "재해보험사업"이라 한다)을 전국적으로 실시하기 전에 보험의 효용성 및 보험 실시 가능성 등을 검증하기 위하여 일정 기간 제한된 지역에서 실시하는 보험사업을 말한다.

제2조의2(기본계획 및 시행계획의 수립·시행)

① 농림축산식품부장관과 해양수산부장관은 농어업재해보험(이하 "재해보험"이라 한다)의 활성화를 위하여 제3조에 따른 농업재해보험심의회 또는 어업재해보험심의회의 심의를 거쳐 재해보험 발전 기본계획(이하 "기본계획"이라 한다)을 5년마다 수립·시행하여야 한다.

② 기본계획에는 다음 각 호의 사항이 포함되어야 한다.

1. 재해보험사업의 발전 방향 및 목표
2. 재해보험의 종류별 가입률 제고 방안에 관한 사항
3. 재해보험의 대상 품목 및 대상 지역에 관한 사항

4. 재해보험사업에 대한 지원 및 평가에 관한 사항

5. 그 밖에 재해보험 활성화를 위하여 농림축산식품부장관 또는 해양수산부장관이 필요하다고 인정하는 사항

③ 농림축산식품부장관과 해양수산부장관은 기본계획에 따라 매년 재해보험 발전 시행계획(이하 "시행계획"이라 한다)을 수립·시행하여야 한다.

④ 농림축산식품부장관과 해양수산부장관은 기본계획 및 시행계획을 수립하고자 할 경우 제26조에 따른 통계자료를 반영하여야 한다.

⑤ 농림축산식품부장관 또는 해양수산부장관은 기본계획 및 시행계획의 수립·시행을 위하여 필요한 경우에는 관계 중앙행정기관의 장, 지방자치단체의 장, 관련 기관·단체의 장에게 관련 자료 및 정보의 제공을 요청할 수 있다. 이 경우 자료 및 정보의 제공을 요청받은 자는 특별한 사유가 없으면 그 요청에 따라야 한다.

⑥ 그 밖에 기본계획 및 시행계획의 수립·시행에 필요한 사항은 대통령령으로 정한다.

[본조신설 2021. 11. 30.]

제3조(심의회)

① 이 법에 따른 재해보험 및 농어업재해재보험(이하 "재보험"이라 한다)에 관한 다음 각 호의 사항을 심의하기 위하여 농림축산식품부장관 소속으로 농업재해보험심의회를 두고, 해양수산부장관 소속으로 어업재해보험심의회를 둔다. 〈개정 2013. 3. 23., 2021. 11. 30.〉

1. 재해보험 목적물의 선정에 관한 사항

2. 재해보험에서 보상하는 재해의 범위에 관한 사항

3. 재해보험사업에 대한 재정지원에 관한 사항

4. 손해평가의 방법과 절차에 관한 사항

5. 농어업재해재보험사업(이하 "재보험사업"이라 한다)에 대한 정부의 책임범위에 관한 사항

6. 재보험사업 관련 자금의 수입과 지출의 적정성에 관한 사항

6의2. 제2조의2 제1항에 따른 기본계획의 수립·시행에 관한 사항

7. 다른 법률에서 농업재해보험심의회 또는 어업재해보험심의회(이하 "심의회"라 한다)의 심의 사항으로 정하고 있는 사항

8. 그 밖에 농림축산식품부장관 또는 해양수산부장관이 필요하다고 인정하는 사항

② 심의회는 위원장 및 부위원장 각 1명을 포함한 21명 이내의 위원으로 구성한다.

③ 심의회의 위원장은 각각 농림축산식품부차관 및 해양수산부차관으로 하고, 부위원장은 위원 중에서 호선(互選)한다. 〈개정 2013. 3. 23.〉

④ 심의회의 위원은 다음 각 호의 어느 하나에 해당하는 사람 중에서 각각 농림축산식품부장관 또는 해양수산부장관이 임명하거나 위촉하는 사람으로 한다. 이 경우 다음 각 호에 해당하는 사람이 각각 1명 이상 포함되어야 한다. 〈개정 2011. 7. 25., 2013. 3. 23., 2014. 11. 19., 2017. 7. 26., 2020. 2. 11.〉

   1. 농림축산식품부장관 또는 해양수산부장관이 재해보험이나 농어업에 관한 학식과 경험이 풍부하다고 인정하는 사람

   2. 농림축산식품부 또는 해양수산부의 재해보험을 담당하는 3급 공무원 또는 고위공무원단에 속하는 공무원

   3. 자연재해 또는 보험 관련 업무를 담당하는 기획재정부·행정안전부·금융위원회·산림청의 3급 공무원 또는 고위공무원단에 속하는 공무원

⑤ 제4항 제1호의 위원의 임기는 3년으로 한다.

⑥ 심의회는 그 심의 사항을 검토·조정하고, 심의회의 심의를 보조하게 하기 위하여 심의회에 분과위원회를 둘 수 있다.

⑦ 심의회는 제1항 각 호의 사항을 심의하기 위하여 필요한 경우에는 농어업재해보험에 관하여 전문지식이 있는 자, 농어업인 또는 이해관계자의 의견을 들을 수 있다. 〈신설 2020. 12. 8.〉

⑧ 제1항부터 제7항까지에서 규정한 사항 외에 심의회 및 분과위원회의 구성과 운영 등에 필요한 사항은 대통령령으로 정한다. 〈개정 2020. 12. 8.〉

[제목개정 2013. 3. 23.]

제2장 재해보험사업

제4조(재해보험의 종류 등)

재해보험의 종류는 농작물재해보험, 임산물재해보험, 가축재해보험 및 양식수산물재해보험으로 한다. 이 중 농작물재해보험, 임산물재해보험 및 가축재해보험과 관련된 사항은 농림축산식품부장관이, 양식수산물재해보험과 관련된 사항은 해양수산부장관이 각각 관장한다. 〈개정 2011. 7. 25., 2013. 3. 23.〉

[제목개정 2013. 3. 23.]

제5조(보험목적물)

보험목적물은 다음 각 호의 구분에 따르되, 그 구체적인 범위는 보험의 효용성 및 보험 실시 가능성 등을 종합적으로 고려하여 농업재해보험심의회 또는 어업재해보험심의회를 거쳐 농림축산식품부장관 또는 해양수산부장관이 고시한다. 〈개정 2011. 7. 25., 2015. 8. 11.〉

   1. 농작물재해보험: 농작물 및 농업용 시설물

   1의2. 임산물재해보험: 임산물 및 임업용 시설물

   2. 가축재해보험: 가축 및 축산시설물

   3. 양식수산물재해보험: 양식수산물 및 양식시설물

제6조(보상의 범위 등)

① 재해보험에서 보상하는 재해의 범위는 해당 재해의 발생빈도, 피해 정도 및 객관적인 손해 평가방법 등을 고려하여 재해보험의 종류별로 대통령령으로 정한다. 〈개정 2016. 12. 2.〉

② 정부는 재해보험에서 보상하는 재해의 범위를 확대하기 위하여 노력하여야 한다. 〈신설

2016. 12. 2.〉

[제목개정 2016. 12. 2.]

제7조(보험가입자)

재해보험에 가입할 수 있는 자는 농림업, 축산업, 양식수산업에 종사하는 개인 또는 법인으로 하고, 구체적인 보험가입자의 기준은 대통령령으로 정한다.

제8조(보험사업자)

① 재해보험사업을 할 수 있는 자는 다음 각 호와 같다. 〈개정 2011. 7. 25.〉

    1. 삭제 〈2011. 3. 31.〉

    2. 「수산업협동조합법」에 따른 수산업협동조합중앙회(이하 "수협중앙회"라 한다)

    2의2. 「산림조합법」에 따른 산림조합중앙회

    3. 「보험업법」에 따른 보험회사

② 제1항에 따라 재해보험사업을 하려는 자는 농림축산식품부장관 또는 해양수산부장관과 재해 보험사업의 약정을 체결하여야 한다. 〈개정 2013. 3. 23.〉

③ 제2항에 따른 약정을 체결하려는 자는 다음 각 호의 서류를 농림축산식품부장관 또는 해양 수산부장관에게 제출하여야 한다. 〈개정 2013. 3. 23.〉

    1. 사업방법서, 보험약관, 보험료 및 책임준비금산출방법서

    2. 그 밖에 대통령령으로 정하는 서류

④ 제2항에 따른 재해보험사업의 약정을 체결하는 데 필요한 사항은 대통령령으로 정한다.

제9조(보험료율의 산정)

제8조 제2항에 따라 농림축산식품부장관 또는 해양수산부장관과 재해보험사업의 약정을 체결한 자(이하 "재해보험사업자"라 한다)는 재해보험의 보험료율을 객관적이고 합리적인 통계자료를 기초로 하여 보험목적물별 또는 보상방식별로 산정하되, 다음 각 호의 구분에 따른 단위로 산정하여야 한다. 〈개정 2013. 3. 23., 2017. 11. 28., 2021. 11. 30.〉

    1. 행정구역 단위: 특별시·광역시·도·특별자치도 또는 시(특별자치시와 「제주특별자치도 설치 및 국제자유도시 조성을 위한 특별법」 제10조 제2항에 따라 설치된 행정시를 포함한다)·군·자치구. 다만, 「보험업법」 제129조에 따른 보험료율 산출의 원칙에 부합하는 경우에는 자치구가 아닌 구·읍·면·동 단위로도 보험료율을 산정할 수 있다.

    2. 권역 단위: 농림축산식품부장관 또는 해양수산부장관이 행정구역 단위와는 따로 구분하여 고시하는 지역 단위

[제목개정 2017. 11. 28.]

제10조(보험모집)

① 재해보험을 모집할 수 있는 자는 다음 각 호와 같다. 〈개정 2011. 3. 31., 2011. 7. 25., 2016. 5. 29.〉

1. 산림조합중앙회와 그 회원조합의 임직원, 수협중앙회와 그 회원조합 및 「수산업협동조합
   법」에 따라 설립된 수협은행의 임직원
2. 「수산업협동조합법」 제60조(제108조, 제113조 및 제168조에 따라 준용되는 경우를 포함한
   다)의 공제규약에 따른 공제모집인으로서 수협중앙회장 또는 그 회원조합장이 인정하는 자
2의2. 「산림조합법」 제48조(제122조에 따라 준용되는 경우를 포함한다)의 공제규정에 따른
   공제모집인으로서 산림조합중앙회장이나 그 회원조합장이 인정하는 자
3. 「보험업법」 제83조 제1항에 따라 보험을 모집할 수 있는 자

② 제1항에 따라 재해보험의 모집 업무에 종사하는 자가 사용하는 재해보험 안내자료 및 금지
행위에 관하여는 「보험업법」 제95조·제97조, 제98조 및 「금융소비자 보호에 관한 법률」
제21조를 준용한다. 다만, 재해보험사업자가 수협중앙회, 산림조합중앙회인 경우에는 「보험
업법」 제95조 제1항 제5호를 준용하지 아니하며, 「농업협동조합법」, 「수산업협동조합법」, 「산림
조합법」에 따른 조합이 그 조합원에게 이 법에 따른 보험상품의 보험료 일부를 지원하는
경우에는 「보험업법」 제98조에도 불구하고 해당 보험계약의 체결 또는 모집과 관련한 특별
이익의 제공으로 보지 아니한다. 〈개정 2011. 3. 31., 2011. 7. 25., 2012. 12. 18., 2020.
3. 24.〉

제10조의2(사고예방의무 등)

① 보험가입자는 재해로 인한 사고의 예방을 위하여 노력하여야 한다.
② 재해보험사업자는 사고 예방을 위하여 보험가입자가 납입한 보험료의 일부를 되돌려줄 수
있다. 〈개정 2020. 2. 11.〉
[본조신설 2016. 12. 2.]

제11조(손해평가 등)

① 재해보험사업자는 보험목적물에 관한 지식과 경험을 갖춘 사람 또는 그 밖의 관계 전문가
를 손해평가인으로 위촉하여 손해평가를 담당하게 하거나 제11조의2에 따른 손해평가사(이
하 "손해평가사"라 한다) 또는 「보험업법」 제186조에 따른 손해사정사에게 손해평가를 담당
하게 할 수 있다. 〈개정 2014. 6. 3., 2020. 2. 11.〉
② 제1항에 따른 손해평가인과 손해평가사 및 「보험업법」 제186조에 따른 손해사정사는 농림
축산식품부장관 또는 해양수산부장관이 정하여 고시하는 손해평가 요령에 따라 손해평가를
하여야 한다. 이 경우 공정하고 객관적으로 손해평가를 하여야 하며, 고의로 진실을 숨기거나
거짓으로 손해평가를 하여서는 아니 된다. 〈개정 2013. 3. 23., 2014. 6. 3., 2016. 12. 2.〉
③ 재해보험사업자는 공정하고 객관적인 손해평가를 위하여 동일 시·군·구(자치구를 말한다)
내에서 교차손해평가(손해평가인 상호간에 담당지역을 교차하여 평가하는 것을 말한다. 이
하 같다)를 수행할 수 있다. 이 경우 교차손해평가의 절차·방법 등에 필요한 사항은 농림
축산식품부장관 또는 해양수산부장관이 정한다. 〈신설 2016. 12. 2.〉
④ 농림축산식품부장관 또는 해양수산부장관은 제2항에 따른 손해평가 요령을 고시하려면 미

⑤ 농림축산식품부장관 또는 해양수산부장관은 제1항에 따른 손해평가인이 공정하고 객관적인 손해평가를 수행할 수 있도록 연 1회 이상 정기교육을 실시하여야 한다. 〈신설 2016. 12. 2.〉

⑥ 농림축산식품부장관 또는 해양수산부장관은 손해평가인 간의 손해평가에 관한 기술·정보의 교환을 지원할 수 있다. 〈신설 2016. 12. 2.〉

⑦ 제1항에 따라 손해평가인으로 위촉될 수 있는 사람의 자격 요건, 제5항에 따른 정기교육, 제6항에 따른 기술·정보의 교환 지원 및 손해평가 실무교육 등에 필요한 사항은 대통령령으로 정한다. 〈개정 2016. 12. 2., 2020. 2. 11.〉

[제목개정 2016. 12. 2.]

제11조의2(손해평가사)

농림축산식품부장관은 공정하고 객관적인 손해평가를 촉진하기 위하여 손해평가사 제도를 운영한다.

[본조신설 2014. 6. 3.]

제11조의3(손해평가사의 업무)

손해평가사는 농작물재해보험 및 가축재해보험에 관하여 다음 각 호의 업무를 수행한다.

1. 피해사실의 확인
2. 보험가액 및 손해액의 평가
3. 그 밖의 손해평가에 필요한 사항

[본조신설 2014. 6. 3.]

제11조의4(손해평가사의 시험 등)

① 손해평가사가 되려는 사람은 농림축산식품부장관이 실시하는 손해평가사 자격시험에 합격하여야 한다.

② 보험목적물 또는 관련 분야에 관한 전문 지식과 경험을 갖추었다고 인정되는 대통령령으로 정하는 기준에 해당하는 사람에게는 손해평가사 자격시험 과목의 일부를 면제할 수 있다.

③ 농림축산식품부장관은 다음 각 호의 어느 하나에 해당하는 사람에 대하여는 그 시험을 정지시키거나 무효로 하고 그 처분 사실을 지체 없이 알려야 한다. 〈신설 2015. 8. 11.〉

1. 부정한 방법으로 시험에 응시한 사람
2. 시험에서 부정한 행위를 한 사람

④ 다음 각 호에 해당하는 사람은 그 처분이 있은 날부터 2년이 지나지 아니한 경우 제1항에 따른 손해평가사 자격시험에 응시하지 못한다. 〈개정 2015. 8. 11.〉

1. 제3항에 따라 정지·무효 처분을 받은 사람
2. 제11조의5에 따라 손해평가사 자격이 취소된 사람

⑤ 제1항 및 제2항에 따른 손해평가사 자격시험의 실시, 응시수수료, 시험과목, 시험과목의 면제, 시험방법, 합격기준 및 자격증 발급 등에 필요한 사항은 대통령령으로 정한다. 〈개정

2015. 8. 11.〉

⑥ 손해평가사는 다른 사람에게 그 명의를 사용하게 하거나 다른 사람에게 그 자격증을 대여해서는 아니 된다. 〈신설 2020. 2. 11.〉

⑦ 누구든지 손해평가사의 자격을 취득하지 아니하고 그 명의를 사용하거나 자격증을 대여받아서는 아니 되며, 명의의 사용이나 자격증의 대여를 알선해서도 아니 된다. 〈신설 2020. 2. 11.〉
[본조신설 2014. 6. 3.]

제11조의5(손해평가사의 자격 취소)

① 농림축산식품부장관은 다음 각 호의 어느 하나에 해당하는 사람에 대하여 손해평가사 자격을 취소할 수 있다. 다만, 제1호 및 제5호에 해당하는 경우에는 자격을 취소하여야 한다. 〈개정 2020. 2. 11.〉

　1. 손해평가사의 자격을 거짓 또는 부정한 방법으로 취득한 사람

　2. 거짓으로 손해평가를 한 사람

　3. 제11조의4 제6항을 위반하여 다른 사람에게 손해평가사의 명의를 사용하게 하거나 그 자격증을 대여한 사람

　4. 제11조의4 제7항을 위반하여 손해평가사 명의의 사용이나 자격증의 대여를 알선한 사람

　5. 업무정지 기간 중에 손해평가 업무를 수행한 사람

② 제1항에 따른 자격 취소 처분의 세부기준은 대통령령으로 정한다. 〈신설 2020. 2. 11.〉
[본조신설 2014. 6. 3.]

제11조의6(손해평가사의 감독)

① 농림축산식품부장관은 손해평가사가 그 직무를 게을리하거나 직무를 수행하면서 부적절한 행위를 하였다고 인정하면 1년 이내의 기간을 정하여 업무의 정지를 명할 수 있다. 〈개정 2020. 2. 11.〉

② 제1항에 따른 업무 정지 처분의 세부기준은 대통령령으로 정한다. 〈신설 2020. 2. 11.〉
[본조신설 2014. 6. 3.]

제11조의7(보험금수급전용계좌)

① 재해보험사업자는 수급권자의 신청이 있는 경우에는 보험금을 수급권자 명의의 지정된 계좌(이하 "보험금수급전용계좌"라 한다)로 입금하여야 한다. 다만, 정보통신장애나 그 밖에 대통령령으로 정하는 불가피한 사유로 보험금을 보험금수급계좌로 이체할 수 없을 때에는 현금 지급 등 대통령령으로 정하는 바에 따라 보험금을 지급할 수 있다.

② 보험금수급전용계좌의 해당 금융기관은 이 법에 따른 보험금만이 보험금수급전용계좌에 입금되도록 관리하여야 한다.

③ 제1항에 따른 신청의 방법·절차와 제2항에 따른 보험금수급전용계좌의 관리에 필요한 사항은 대통령령으로 정한다.

[본조신설 2020. 2. 11.]

제12조(수급권의 보호)

① 재해보험의 보험금을 지급받을 권리는 압류할 수 없다. 다만, 보험목적물이 담보로 제공된 경우에는 그러하지 아니하다. 〈개정 2020. 2. 11.〉

② 제11조의7 제1항에 따라 지정된 보험금수급전용계좌의 예금 중 대통령령으로 정하는 액수 이하의 금액에 관한 채권은 압류할 수 없다. 〈신설 2020. 2. 11.〉

제13조(보험목적물의 양도에 따른 권리 및 의무의 승계)

재해보험가입자가 재해보험에 가입된 보험목적물을 양도하는 경우 그 양수인은 재해보험계약에 관한 양도인의 권리 및 의무를 승계한 것으로 추정한다.

제14조(업무 위탁)

재해보험사업자는 재해보험사업을 원활히 수행하기 위하여 필요한 경우에는 보험모집 및 손해평가 등 재해보험 업무의 일부를 대통령령으로 정하는 자에게 위탁할 수 있다.

제15조(회계 구분)

재해보험사업자는 재해보험사업의 회계를 다른 회계와 구분하여 회계처리함으로써 손익관계를 명확히 하여야 한다.

제16조

삭제 〈2015. 8. 11.〉

제17조(분쟁조정)

재해보험과 관련된 분쟁의 조정(調停)은 「금융소비자 보호에 관한 법률」 제33조부터 제43조까지의 규정에 따른다. 〈개정 2020. 3. 24.〉

제18조(「보험업법」 등의 적용)

① 이 법에 따른 재해보험사업에 대하여는 「보험업법」 제104조부터 제107조까지, 제118조 제1항, 제119조, 제120조, 제124조, 제127조, 제128조, 제131조부터 제133조까지, 제134조 제1항, 제136조, 제162조, 제176조 및 제181조 제1항을 적용한다. 이 경우 "보험회사"는 "보험사업자"로 본다. 〈개정 2015. 8. 11., 2020. 3. 24.〉

② 이 법에 따른 재해보험사업에 대해서는 「금융소비자 보호에 관한 법률」 제45조를 적용한다. 이 경우 "금융상품직접판매업자"는 "보험사업자"로 본다. 〈신설 2020. 3. 24.〉

[제목개정 2020. 3. 24.]

제19조(재정지원)

① 정부는 예산의 범위에서 재해보험가입자가 부담하는 보험료의 일부와 재해보험사업자의 재해보험의 운영 및 관리에 필요한 비용(이하 "운영비"라 한다)의 전부 또는 일부를 지원할 수 있다. 이 경우 지방자치단체는 예산의 범위에서 재해보험가입자가 부담하는 보험료의 일부

를 추가로 지원할 수 있다. 〈개정 2011. 7. 25.〉

② 농림축산식품부장관·해양수산부장관 및 지방자치단체의 장은 제1항에 따른 지원 금액을 재해보험사업자에게 지급하여야 한다. 〈개정 2011. 7. 25., 2013. 3. 23.〉

③ 「풍수해보험법」에 따른 풍수해보험에 가입한 자가 동일한 보험목적물을 대상으로 재해보험에 가입할 경우에는 제1항에도 불구하고 정부가 재정지원을 하지 아니한다.

④ 제1항에 따른 보험료와 운영비의 지원 방법 및 지원 절차 등에 필요한 사항은 대통령령으로 정한다.

제3장 재보험사업 및 농어업재해재보험기금

제20조(재보험사업)

① 정부는 재해보험에 관한 재보험사업을 할 수 있다.

② 농림축산식품부장관 또는 해양수산부장관은 재보험에 가입하려는 재해보험사업자와 다음 각 호의 사항이 포함된 재보험 약정을 체결하여야 한다. 〈개정 2013. 3. 23.〉

    1. 재해보험사업자가 정부에 내야 할 보험료(이하 "재보험료"라 한다)에 관한 사항

    2. 정부가 지급하여야 할 보험금(이하 "재보험금"이라 한다)에 관한 사항

    3. 그 밖에 재보험수수료 등 재보험 약정에 관한 것으로서 대통령령으로 정하는 사항

③ 농림축산식품부장관은 해양수산부장관과 협의를 거쳐 재보험사업에 관한 업무의 일부를 「농업·농촌 및 식품산업 기본법」 제63조의2 제1항에 따라 설립된 농업정책보험금융원(이하 "농업정책보험금융원"이라 한다)에 위탁할 수 있다. 〈신설 2014. 6. 3., 2017. 3. 14.〉

제21조(기금의 설치)

농림축산식품부장관은 해양수산부장관과 협의하여 공동으로 재보험사업에 필요한 재원에 충당하기 위하여 농어업재해재보험기금(이하 "기금"이라 한다)을 설치한다. 〈개정 2013. 3. 23.〉

제22조(기금의 조성)

① 기금은 다음 각 호의 재원으로 조성한다. 〈개정 2016. 12. 2.〉

    1. 제20조 제2항 제1호에 따라 받은 재보험료

    2. 정부, 정부 외의 자 및 다른 기금으로부터 받은 출연금

    3. 재보험금의 회수 자금

    4. 기금의 운용수익금과 그 밖의 수입금

    5. 제2항에 따른 차입금

    6. 「농어촌구조개선 특별회계법」 제5조 제2항 제7호에 따라 농어촌구조개선 특별회계의 농어촌특별세사업계정으로부터 받은 전입금

② 농림축산식품부장관은 기금의 운용에 필요하다고 인정되는 경우에는 해양수산부장관과 협의하여 기금의 부담으로 금융기관, 다른 기금 또는 다른 회계로부터 자금을 차입할 수 있다. 〈개정 2013. 3. 23.〉

제23조(기금의 용도)

기금은 다음 각 호에 해당하는 용도에 사용한다. 〈개정 2013. 3. 23.〉

1. 제20조 제2항 제2호에 따른 재보험금의 지급
2. 제22조 제2항에 따른 차입금의 원리금 상환
3. 기금의 관리·운용에 필요한 경비(위탁경비를 포함한다)의 지출
4. 그 밖에 농림축산식품부장관이 해양수산부장관과 협의하여 재보험사업을 유지·개선하는 데에 필요하다고 인정하는 경비의 지출

제24조(기금의 관리·운용)

① 기금은 농림축산식품부장관이 해양수산부장관과 협의하여 관리·운용한다. 〈개정 2013. 3. 23.〉
② 농림축산식품부장관은 해양수산부장관과 협의를 거쳐 기금의 관리·운용에 관한 사무의 일부를 농업정책보험금융원에 위탁할 수 있다. 〈개정 2013. 3. 23., 2017. 3. 14.〉
③ 제1항 및 제2항에서 규정한 사항 외에 기금의 관리·운용에 필요한 사항은 대통령령으로 정한다.

제25조(기금의 회계기관)

① 농림축산식품부장관은 해양수산부장관과 협의하여 기금의 수입과 지출에 관한 사무를 수행하게 하기 위하여 소속 공무원 중에서 기금수입징수관, 기금재무관, 기금지출관 및 기금출납공무원을 임명한다. 〈개정 2013. 3. 23.〉
② 농림축산식품부장관은 제24조 제2항에 따라 기금의 관리·운용에 관한 사무를 위탁한 경우에는 해양수산부장관과 협의하여 농업정책보험금융원의 임원 중에서 기금수입담당임원과 기금지출원인행위담당임원을, 그 직원 중에서 기금지출원과 기금출납원을 각각 임명하여야 한다. 이 경우 기금수입담당임원은 기금수입징수관의 업무를, 기금지출원인행위담당임원은 기금재무관의 업무를, 기금지출원은 기금지출관의 업무를, 기금출납원은 기금출납공무원의 업무를 수행한다. 〈개정 2013. 3. 23., 2017. 3. 14.〉

제4장 보험사업의 관리

제25조의2(농어업재해보험사업의 관리)

① 농림축산식품부장관 또는 해양수산부장관은 재해보험사업을 효율적으로 추진하기 위하여 다음 각 호의 업무를 수행한다. 〈개정 2020. 2. 11., 2020. 5. 26.〉

1. 재해보험사업의 관리·감독
2. 재해보험 상품의 연구 및 보급
3. 재해 관련 통계 생산 및 데이터베이스 구축·분석
4. 손해평가인력의 육성
5. 손해평가기법의 연구·개발 및 보급

② 농림축산식품부장관 또는 해양수산부장관은 다음 각 호의 업무를 농업정책보험금융원에 위탁

할 수 있다. 〈개정 2017. 3. 14., 2020. 5. 26.〉

1. 제1항 제1호부터 제5호까지의 업무
2. 제8조 제2항에 따른 재해보험사업의 약정 체결 관련 업무
3. 제11조의2에 따른 손해평가사 제도 운용 관련 업무
4. 그 밖에 재해보험사업과 관련하여 농림축산식품부장관 또는 해양수산부장관이 위탁하는 업무

③ 농림축산식품부장관은 제11조의4에 따른 손해평가사 자격시험의 실시 및 관리에 관한 업무를 「한국산업인력공단법」에 따른 한국산업인력공단에 위탁할 수 있다. 〈신설 2017. 3. 14.〉

[본조신설 2014. 6. 3.]

[제목개정 2020. 5. 26.]

제26조(통계의 수집·관리 등)

① 농림축산식품부장관 또는 해양수산부장관은 보험대상의 현황, 보험확대 예비품목(제3조 제1항 제1호에 따라 선정한 보험목적물 도입예정 품목을 말한다)의 현황, 피해 규모, 피해 원인 등 보험상품의 운영 및 개발에 필요한 통계자료를 수집·관리하여야 하며, 이를 위하여 관계 중앙행정기관 및 지방자치단체의 장에게 필요한 자료를 요청할 수 있다. 〈개정 2013. 3. 23., 2016. 12. 2.〉

② 제1항에 따라 자료를 요청받은 경우 관계 중앙행정기관 및 지방자치단체의 장은 특별한 사유가 없으면 요청에 따라야 한다.

③ 농림축산식품부장관 또는 해양수산부장관은 재해보험사업의 건전한 운영을 위하여 재해보험 제도 및 상품 개발 등을 위한 조사·연구, 관련 기술의 개발 및 전문인력 양성 등의 진흥 시책을 마련하여야 한다. 〈개정 2013. 3. 23.〉

④ 농림축산식품부장관 및 해양수산부장관은 제1항 및 제3항에 따른 통계의 수집·관리, 조사·연구 등에 관한 업무를 대통령령으로 정하는 자에게 위탁할 수 있다. 〈개정 2013. 3. 23.〉

제27조(시범사업)

① 재해보험사업자는 신규 보험상품을 도입하려는 경우 등 필요한 경우에는 농림축산식품부장관 또는 해양수산부장관과 협의하여 시범사업을 할 수 있다. 〈개정 2013. 3. 23.〉

② 정부는 시범사업의 원활한 운영을 위하여 필요한 지원을 할 수 있다.

③ 제1항 및 제2항에 따른 시범사업 실시에 관한 구체적인 사항은 대통령령으로 정한다.

제28조(보험가입의 촉진 등)

정부는 농어업인의 재해대비의식을 고양하고 재해보험의 가입을 촉진하기 위하여 교육·홍보 및 보험가입자에 대한 정책자금 지원, 신용보증 지원 등을 할 수 있다. 〈개정 2016. 12. 2.〉

제28조의2(보험가입촉진계획의 수립)

① 재해보험사업자는 농어업재해보험 가입 촉진을 위하여 보험가입촉진계획을 매년 수립하여

농림축산식품부장관 또는 해양수산부장관에게 제출하여야 한다.

② 보험가입촉진계획의 내용 및 그 밖에 필요한 사항은 대통령령으로 정한다.

[본조신설 2016. 12. 2.]

제29조(보고 등)

농림축산식품부장관 또는 해양수산부장관은 재해보험의 건전한 운영과 재해보험가입자의 보호를 위하여 필요하다고 인정되는 경우에는 재해보험사업자에게 재해보험사업에 관한 업무 처리 상황을 보고하게 하거나 관계 서류의 제출을 요구할 수 있다. 〈개정 2013. 3. 23.〉

제29조의2(청문)

농림축산식품부장관은 다음 각 호의 어느 하나에 해당하는 처분을 하려면 청문을 하여야 한다.

1. 제11조의5에 따른 손해평가사의 자격 취소
2. 제11조의6에 따른 손해평가사의 업무 정지

[본조신설 2014. 6. 3.]

제5장 벌칙

제30조(벌칙)

① 제10조 제2항에서 준용하는 「보험업법」 제98조에 따른 금품 등을 제공(같은 조 제3호의 경우에는 보험금 지급의 약속을 말한다)한 자 또는 이를 요구하여 받은 보험가입자는 3년 이하의 징역 또는 3천만원 이하의 벌금에 처한다. 〈개정 2017. 11. 28.〉

② 다음 각 호의 어느 하나에 해당하는 자는 1년 이하의 징역 또는 1천만원 이하의 벌금에 처한다. 〈개정 2020. 2. 11.〉

1. 제10조 제1항을 위반하여 모집을 한 자
2. 제11조 제2항 후단을 위반하여 고의로 진실을 숨기거나 거짓으로 손해평가를 한 자
3. 제11조의4 제6항을 위반하여 다른 사람에게 손해평가사의 명의를 사용하게 하거나 그 자격증을 대여한 자
4. 제11조의4 제7항을 위반하여 손해평가사의 명의를 사용하거나 그 자격증을 대여받은 자 또는 명의의 사용이나 자격증의 대여를 알선한 자

③ 제15조를 위반하여 회계를 처리한 자는 500만원 이하의 벌금에 처한다.

제31조(양벌규정)

법인의 대표자나 법인 또는 개인의 대리인, 사용인, 그 밖의 종업원이 그 법인 또는 개인의 업무에 관하여 제30조의 위반행위를 하면 그 행위자를 벌하는 외에 그 법인 또는 개인에게도 해당 조문의 벌금형을 과(科)한다. 다만, 법인 또는 개인이 그 위반행위를 방지하기 위하여 해당 업무에 관하여 상당한 주의와 감독을 게을리하지 아니한 경우에는 그러하지 아니하다.

제32조(과태료)

① 재해보험사업자가 제10조 제2항에서 준용하는 「보험업법」 제95조를 위반하여 보험안내를 한 경우에는 1천만원 이하의 과태료를 부과한다.

② 재해보험사업자의 발기인, 설립위원, 임원, 집행간부, 일반간부직원, 파산관재인 및 청산인이 다음 각 호의 어느 하나에 해당하면 500만원 이하의 과태료를 부과한다. 〈개정 2015. 8. 11., 2020. 3. 24.〉

　1. 제18조 제1항에서 적용하는 「보험업법」 제120조에 따른 책임준비금과 비상위험준비금을 계상하지 아니하거나 이를 따로 작성한 장부에 각각 기재하지 아니한 경우

　2. 제18조 제1항에서 적용하는 「보험업법」 제131조 제1항·제2항 및 제4항에 따른 명령을 위반한 경우

　3. 제18조 제1항에서 적용하는 「보험업법」 제133조에 따른 검사를 거부·방해 또는 기피한 경우

③ 다음 각 호의 어느 하나에 해당하는 자에게는 500만원 이하의 과태료를 부과한다. 〈개정 2020. 3. 24.〉

　1. 제10조 제2항에서 준용하는 「보험업법」 제95조를 위반하여 보험안내를 한 자로서 재해보험사업자가 아닌 자

　2. 제10조 제2항에서 준용하는 「보험업법」 제97조 제1항 또는 「금융소비자 보호에 관한 법률」 제21조를 위반하여 보험계약의 체결 또는 모집에 관한 금지행위를 한 자

　3. 제29조에 따른 보고 또는 관계 서류 제출을 하지 아니하거나 보고 또는 관계 서류 제출을 거짓으로 한 자

④ 제1항, 제2항 제1호 및 제3항에 따른 과태료는 농림축산식품부장관 또는 해양수산부장관이, 제2항 제2호 및 제3호에 따른 과태료는 금융위원회가 대통령령으로 정하는 바에 따라 각각 부과·징수한다. 〈개정 2013. 3. 23.〉

부칙 〈법률 제18529호, 2021. 11. 30.〉

제1조(시행일) 이 법은 공포 후 6개월이 경과한 날부터 시행한다. 다만, 제9조의 개정규정은 2022년 1월 1일부터 시행한다.

제2조(보험료율 산정의 행정구역·권역 단위에 관한 적용례) 제9조의 개정규정은 같은 개정규정 시행 이후 보험료율을 산정하는 경우부터 적용한다.

농어업재해보험법 시행령

[시행 2022. 1. 1] [대통령령 제32296호, 2021. 12. 31, 일부개정]

제1조(목적)

이 영은 「농어업재해보험법」에서 위임된 사항과 그 시행에 필요한 사항을 규정함을 목적으로 한다.

제2조(위원장의 직무)

① 「농어업재해보험법」(이하 "법"이라 한다) 제3조에 따른 농업재해보험심의회 또는 어업재해 보험심의회(이하 "심의회"라 한다)의 위원장(이하 "위원장"이라 한다)은 심의회를 대표하며, 심의회의 업무를 총괄한다. 〈개정 2013. 3. 23.〉

② 심의회의 부위원장은 위원장을 보좌하며, 위원장이 부득이한 사유로 직무를 수행할 수 없을 때에는 그 직무를 대행한다.

제3조(회의)

① 위원장은 심의회의 회의를 소집하며, 그 의장이 된다.

② 심의회의 회의는 재적위원 3분의 1 이상의 요구가 있을 때 또는 위원장이 필요하다고 인정 할 때에 소집한다.

③ 심의회의 회의는 재적위원 과반수의 출석으로 개의(開議)하고, 출석위원 과반수의 찬성으로 의결한다.

제3조의2(위원의 해촉)

농림축산식품부장관 또는 해양수산부장관은 법 제3조 제4항 제1호에 따른 위원이 다음 각 호 의 어느 하나에 해당하는 경우에는 해당 위원을 해촉(解囑)할 수 있다.

　　1. 심신장애로 인하여 직무를 수행할 수 없게 된 경우

　　2. 직무와 관련된 비위사실이 있는 경우

　　3. 직무태만, 품위손상이나 그 밖의 사유로 인하여 위원으로 적합하지 아니하다고 인정되는 경우

　　4. 위원 스스로 직무를 수행하는 것이 곤란하다고 의사를 밝히는 경우

[본조신설 2016. 1. 22.]

제4조(분과위원회)

① 법 제3조 제6항에 따라 심의회에 다음 각 호의 구분에 따른 분과위원회를 둔다. 〈개정 2016. 1. 22.〉

　　1. 법 제3조에 따른 농업재해보험심의회(이하 "농업재해보험심의회"라 한다)의 경우 : 농업 인안전보험 분과위원회

　　2. 법 제3조에 따른 어업재해보험심의회(이하 "어업재해보험심의회"라 한다)의 경우에는 다음 각 목의 분과위원회

　　　가. 어업인안전보험 분과위원회

　　　나. 어선원 및 어선 재해보상보험 분과위원회

② 제1항에 따른 농업인안전보험 분과위원회, 어업인안전보험 분과위원회 또는 어선원 및 어선 재해보상보험 분과위원회(이하 "분과위원회"라 한다)는 다음 각 호의 구분에 따른 사항을 검토·조정하여 농업재해보험심의회 또는 어업재해보험심의회에 보고한다. 〈개정 2016. 1. 22.〉

　　1. 농업인안전보험 분과위원회 : 「농어업인의 안전보험 및 안전재해예방에 관한 법률」 제5조에 따른 심의사항 중 농업인안전보험에 관한 사항

　　2. 어업인안전보험 분과위원회 : 「농어업인의 안전보험 및 안전재해예방에 관한 법률」 제5조에 따른 심의사항 중 어업인안전보험에 관한 사항

　　3. 어선원 및 어선 재해보상보험 분과위원회 : 「어선원 및 어선 재해보상보험법」 제7조에 따른 심의사항

③ 분과위원회는 분과위원장 1명을 포함한 9명 이내의 분과위원으로 성별을 고려하여 구성한다. 〈개정 2016. 1. 22.〉

④ 분과위원장 및 분과위원은 심의회의 위원 중에서 전문적인 지식과 경험 등을 고려하여 위원장이 지명한다.

⑤ 분과위원회의 회의는 위원장 또는 분과위원장이 필요하다고 인정할 때에 소집한다.

⑥ 제1항부터 제5항까지에서 규정한 사항 외에 분과위원장의 직무 및 분과위원회의 회의에 관해서는 제2조 제1항 및 제3조 제1항·제3항을 준용한다.

제5조(수당 등)

심의회 또는 분과위원회에 출석한 위원 또는 분과위원에게는 예산의 범위에서 수당, 여비 또는 그 밖에 필요한 경비를 지급할 수 있다. 다만, 공무원인 위원 또는 분과위원이 그 소관 업무와 직접 관련하여 심의회 또는 분과위원회에 출석한 경우에는 그러하지 아니하다.

제6조(운영세칙)

제2조, 제3조, 제3조의2, 제4조 및 제5조에서 규정한 사항 외에 심의회 또는 분과위원회의 운영에 필요한 사항은 심의회의 의결을 거쳐 위원장이 정한다. 〈개정 2016. 1. 22.〉

제7조

삭제 〈2016. 1. 22.〉

제8조(재해보험에서 보상하는 재해의 범위)

법 제6조 제1항에 따라 재해보험에서 보상하는 재해의 범위는 별표 1과 같다. 〈개정 2017. 5. 29.〉

제9조(보험가입자의 기준)

법 제7조에 따른 보험가입자의 기준은 다음 각 호의 구분에 따른다. 〈개정 2011. 12. 28., 2017. 5. 29.〉

　　1. 농작물재해보험 : 법 제5조에 따라 농림축산식품부장관이 고시하는 농작물을 재배하는 자

1의2. 임산물재해보험 : 법 제5조에 따라 농림축산식품부장관이 고시하는 임산물을 재배하는 자

2. 가축재해보험 : 법 제5조에 따라 농림축산식품부장관이 고시하는 가축을 사육하는 자

3. 양식수산물재해보험 : 법 제5조에 따라 해양수산부장관이 고시하는 양식수산물을 양식하는 자

제10조(재해보험사업의 약정체결)

① 법 제8조 제2항에 따라 재해보험 사업의 약정을 체결하려는 자는 농림축산식품부장관 또는 해양수산부장관이 정하는 바에 따라 재해보험사업 약정체결신청서에 같은 조 제3항 각 호에 따른 서류를 첨부하여 농림축산식품부장관 또는 해양수산부장관에게 제출하여야 한다. 〈개정 2013. 3. 23.〉

② 농림축산식품부장관 또는 해양수산부장관은 법 제8조 제2항에 따라 재해보험사업을 하려는 자와 재해보험사업의 약정을 체결할 때에는 다음 각 호의 사항이 포함된 약정서를 작성하여야 한다. 〈개정 2013. 3. 23.〉

1. 약정기간에 관한 사항

2. 재해보험사업의 약정을 체결한 자(이하 "재해보험사업자"라 한다)가 준수하여야 할 사항

3. 재해보험사업자에 대한 재정지원에 관한 사항

4. 약정의 변경·해지 등에 관한 사항

5. 그 밖에 재해보험사업의 운영에 관한 사항

③ 법 제8조 제3항 제2호에서 "대통령령으로 정하는 서류"란 정관을 말한다.

④ 제1항에 따른 제출을 받은 농림축산식품부장관 또는 해양수산부장관은 「전자정부법」 제36조 제1항에 따른 행정정보의 공동이용을 통하여 법인 등기사항증명서를 확인하여야 한다. 〈개정 2010. 5. 4., 2013. 3. 23.〉

제11조

삭제 〈2021. 12. 31.〉

제12조(손해평가인의 자격요건 등)

① 법 제11조에 따른 손해평가인으로 위촉될 수 있는 사람의 자격요건은 별표 2와 같다.

② 재해보험사업자는 제1항에 따른 손해평가인으로 위촉된 사람에 대하여 보험에 관한 기초지식, 보험약관 및 손해평가요령 등에 관한 실무교육을 하여야 한다.

③ 법 제11조 제5항에 따른 정기교육에는 다음 각 호의 사항이 포함되어야 하며, 교육시간은 4시간 이상으로 한다. 〈신설 2017. 5. 29.〉

1. 농어업재해보험에 관한 기초지식

2. 농어업재해보험의 종류별 약관

3. 손해평가의 절차 및 방법

4. 그 밖에 손해평가에 필요한 사항으로서 농림축산식품부장관 또는 해양수산부장관이 정하는 사항

④ 제3항에서 규정한 사항 외에 정기교육의 운영에 필요한 사항은 농림축산식품부장관 또는 해양수산부장관이 정하여 고시한다. 〈신설 2017. 5. 29.〉

제12조의2(손해평가사 자격시험의 실시 등)

① 법 제11조의4 제1항에 따른 손해평가사 자격시험(이하 "손해평가사 자격시험"이라 한다)은 매년 1회 실시한다. 다만, 농림축산식품부장관이 손해평가사의 수급(需給)상 필요하다고 인정하는 경우에는 2년마다 실시할 수 있다.

② 농림축산식품부장관은 손해평가사 자격시험을 실시하려면 다음 각 호의 사항을 시험 실시 90일 전까지 인터넷 홈페이지 등에 공고해야 한다. 〈개정 2020. 8. 12.〉

    1. 시험의 일시 및 장소

    2. 시험방법 및 시험과목

    3. 응시원서의 제출방법 및 응시수수료

    4. 합격자 발표의 일시 및 방법

    5. 선발예정인원(농림축산식품부장관이 수급상 필요하다고 인정하여 선발예정인원을 정한 경우만 해당한다)

    6. 그 밖에 시험의 실시에 필요한 사항

③ 손해평가사 자격시험에 응시하려는 사람은 농림축산식품부장관이 정하여 고시하는 응시원서를 농림축산식품부장관에게 제출하여야 한다.

④ 손해평가사 자격시험에 응시하려는 사람은 농림축산식품부장관이 정하여 고시하는 응시수수료를 내야 한다.

⑤ 농림축산식품부장관은 다음 각 호의 어느 하나에 해당하는 경우에는 제4항에 따라 받은 수수료를 다음 각 호의 구분에 따라 반환하여야 한다.

    1. 수수료를 과오납한 경우 : 과오납한 금액 전부

    2. 시험일 20일 전까지 접수를 취소하는 경우 : 납부한 수수료 전부

    3. 시험관리기관의 귀책사유로 시험에 응시하지 못하는 경우 : 납부한 수수료 전부

    4. 시험일 10일 전까지 접수를 취소하는 경우 : 납부한 수수료의 100분의 60

[본조신설 2014. 12. 3.]

제12조의3(손해평가사 자격시험의 방법)

① 손해평가사 자격시험은 제1차 시험과 제2차 시험으로 구분하여 실시한다. 이 경우 제2차 시험은 제1차 시험에 합격한 사람과 제12조의5에 따라 제1차 시험을 면제받은 사람을 대상으로 시행한다.

② 제1차 시험은 선택형으로 출제하는 것을 원칙으로 하되, 단답형 또는 기입형을 병행할 수 있다.

③ 제2차 시험은 서술형으로 출제하는 것을 원칙으로 하되, 단답형 또는 기입형을 병행할 수 있다.

[본조신설 2014. 12. 3.]

제12조의4(손해평가사 자격시험의 과목)

손해평가사 자격시험의 제1차 시험 과목 및 제2차 시험 과목은 별표 2의2와 같다.

[본조신설 2014. 12. 3.]

제12조의5(손해평가사 자격시험의 일부 면제)

① 법 제11조의4 제2항에서 "대통령령으로 정하는 기준에 해당하는 사람"이란 다음 각 호의 어느 하나에 해당하는 사람을 말한다.

　　1. 법 제11조 제1항에 따른 손해평가인으로 위촉된 기간이 3년 이상인 사람으로서 손해평가 업무를 수행한 경력이 있는 사람

　　2. 「보험업법」 제186조에 따른 손해사정사

　　3. 다음 각 목의 기관 또는 법인에서 손해사정 관련 업무에 3년 이상 종사한 경력이 있는 사람

　　　　가. 「금융위원회의 설치 등에 관한 법률」에 따라 설립된 금융감독원

　　　　나. 「농업협동조합법」에 따른 농업협동조합중앙회. 이 경우 법률 제10522호 농업협동조합법 일부개정법률 제134조의5의 개정규정에 따라 농협손해보험이 설립되기 전까지의 농업협동조합중앙회에 한정한다.

　　　　다. 「보험업법」 제4조에 따른 허가를 받은 손해보험회사

　　　　라. 「보험업법」 제175조에 따라 설립된 손해보험협회

　　　　마. 「보험업법」 제187조 제2항에 따른 손해사정을 업(業)으로 하는 법인

　　　　바. 「화재로 인한 재해보상과 보험가입에 관한 법률」 제11조에 따라 설립된 한국화재보험협회

② 제1항 각 호의 어느 하나에 해당하는 사람에 대해서는 손해평가사 자격시험 중 제1차 시험을 면제한다.

③ 제2항에 따라 제1차 시험을 면제받으려는 사람은 농림축산식품부장관이 정하여 고시하는 면제신청서에 제1항 각 호의 어느 하나에 해당하는 사실을 증명하는 서류를 첨부하여 농림축산식품부장관에게 신청해야 한다. 〈신설 2019. 12. 10.〉

④ 제3항에 따른 면제 신청을 받은 농림축산식품부장관은 「전자정부법」 제36조 제1항에 따른 행정정보의 공동이용을 통하여 신청인의 고용보험 피보험자격 이력내역서, 국민연금가입자 가입증명 또는 건강보험 자격득실확인서를 확인해야 한다. 다만, 신청인이 확인에 동의하지 않는 경우에는 그 서류를 첨부하도록 해야 한다. 〈신설 2019. 12. 10.〉

⑤ 제1차 시험에 합격한 사람에 대해서는 다음 회에 한정하여 제1차 시험을 면제한다. 〈개정 2019. 12. 10.〉

[본조신설 2014. 12. 3.]

제12조의6(손해평가사 자격시험의 합격기준 등)

① 손해평가사 자격시험의 제1차 시험 합격자를 결정할 때에는 매 과목 100점을 만점으로 하여 매 과목 40점 이상과 전 과목 평균 60점 이상을 득점한 사람을 합격자로 한다.

② 손해평가사 자격시험의 제2차 시험 합격자를 결정할 때에는 매 과목 100점을 만점으로 하여 매 과목 40점 이상과 전 과목 평균 60점 이상을 득점한 사람을 합격자로 한다.

③ 제2항에도 불구하고 농림축산식품부장관이 손해평가사의 수급상 필요하다고 인정하여 제12조의2 제2항 제5호에 따라 선발예정인원을 공고한 경우에는 매 과목 40점 이상을 득점한 사람 중에서 전(全) 과목 총득점이 높은 사람부터 차례로 선발예정인원에 달할 때까지에 해당하는 사람을 합격자로 한다.

④ 제3항에 따라 합격자를 결정할 때 동점자가 있어 선발예정인원을 초과하는 경우에는 해당 동점자 모두를 합격자로 한다. 이 경우 동점자의 점수는 소수점 이하 둘째자리(셋째자리 이하 버림)까지 계산한다.

⑤ 농림축산식품부장관은 손해평가사 자격시험의 최종 합격자가 결정되었을 때에는 이를 인터넷 홈페이지에 공고하여야 한다.

[본조신설 2014. 12. 3.]

제12조의7(손해평가사 자격증의 발급)

농림축산식품부장관은 손해평가사 자격시험에 합격한 사람에게 농림축산식품부장관이 정하여 고시하는 바에 따라 손해평가사 자격증을 발급하여야 한다.

[본조신설 2014. 12. 3.]

제12조의8(손해평가 등의 교육)

농림축산식품부장관은 손해평가사의 손해평가 능력 및 자질 향상을 위하여 교육을 실시할 수 있다.

[본조신설 2014. 12. 3.]

제12조의9(손해평가사 자격 취소 처분의 세부기준)

법 제11조의5 제1항에 따른 손해평가사 자격 취소 처분의 세부기준은 별표 2의3과 같다.

[본조신설 2020. 8. 12.]

제12조의10(손해평가사 업무 정지 처분의 세부기준)

법 제11조의6 제1항에 따른 손해평가사 업무 정지 처분의 세부기준은 별표 2의4와 같다.

[본조신설 2020. 8. 12.]

제12조의11(보험금수급전용계좌의 신청 방법·절차 등)

① 법 제11조의7 제1항 본문에 따라 보험금을 수급권자 명의의 지정된 계좌(이하 "보험금수급전용계좌"라 한다)로 받으려는 사람은 재해보험사업자가 정하는 보험금 지급청구서에 수급권자 명의의 보험금수급전용계좌를 기재하고, 통장의 사본(계좌번호가 기재된 면을 말한다)

을 첨부하여 재해보험사업자에게 제출해야 한다. 보험금수급전용계좌를 변경하는 경우에도 또한 같다.

② 법 제11조의7 제1항 단서에서 "대통령령으로 정하는 불가피한 사유"란 보험금수급전용계좌가 개설된 금융기관의 폐업·업무 정지 등으로 정상영업이 불가능한 경우를 말한다.

③ 재해보험사업자는 법 제11조의7 제1항 단서에 따른 사유로 보험금을 이체할 수 없을 때에는 수급권자의 신청에 따라 다른 금융기관에 개설된 보험금수급전용계좌로 이체해야 한다. 다만, 다른 보험금수급전용계좌로도 이체할 수 없는 경우에는 수급권자 본인의 주민등록증 등 신분증명서의 확인을 거쳐 보험금을 직접 현금으로 지급할 수 있다.

[본조신설 2020. 8. 12.]

제12조의12(보험금의 압류 금지)

법 제12조 제2항에서 "대통령령으로 정하는 액수"란 다음 각 호의 구분에 따른 보험금 액수를 말한다.

1. 농작물·임산물·가축 및 양식수산물의 재생산에 직접적으로 소요되는 비용의 보장을 목적으로 법 제11조의7 제1항 본문에 따라 보험금수급전용계좌로 입금된 보험금 : 입금된 보험금 전액

2. 제1호 외의 목적으로 법 제11조의7 제1항 본문에 따라 보험금수급전용계좌로 입금된 보험금 : 입금된 보험금의 2분의 1에 해당하는 액수

[본조신설 2020. 8. 12.]

제13조(업무 위탁)

법 제14조에서 "대통령령으로 정하는 자"란 다음 각 호의 자를 말한다. 〈개정 2011. 12. 28., 2014. 4. 22., 2016. 11. 8.〉

1. 「농업협동조합법」에 따라 설립된 지역농업협동조합·지역축산업협동조합 및 품목별·업종별협동조합

1의2. 「산림조합법」에 따라 설립된 지역산림조합 및 품목별·업종별산림조합

2. 「수산업협동조합법」에 따라 설립된 지구별 수산업협동조합, 업종별 수산업협동조합, 수산물가공 수산업협동조합 및 수협은행

3. 「보험업법」 제187조에 따라 손해사정을 업으로 하는 자

4. 농어업재해보험 관련 업무를 수행할 목적으로 「민법」 제32조에 따라 농림축산식품부장관 또는 해양수산부장관의 허가를 받아 설립된 비영리법인(손해평가 관련 업무를 위탁하는 경우만 해당한다)

제14조

삭제 〈2017. 5. 29.〉

제15조(보험료 및 운영비의 지원)

① 법 제19조 제1항 전단 및 제2항에 따라 보험료 또는 운영비의 지원금액을 지급받으려는 재해보험사업자는 농림축산식품부장관 또는 해양수산부장관이 정하는 바에 따라 재해보험 가입현황서나 운영비 사용계획서를 농림축산식품부장관 또는 해양수산부장관에게 제출하여야 한다. 〈개정 2011. 12. 28., 2013. 3. 23.〉

② 제1항에 따른 재해보험 가입현황서나 운영비 사용계획서를 제출받은 농림축산식품부장관 또는 해양수산부장관은 제9조에 따른 보험가입자의 기준 및 제10조 제2항 제3호에 따른 재해보험사업자에 대한 재정지원에 관한 사항 등을 확인하여 보험료 또는 운영비의 지원금액을 결정·지급한다. 〈개정 2013. 3. 23.〉

③ 법 제19조 제1항 후단 및 같은 조 제2항에 따라 지방자치단체의 장은 보험료의 일부를 추가 지원하려는 경우 재해보험 가입현황서와 제9조에 따른 보험가입자의 기준 등을 확인하여 보험료의 지원금액을 결정·지급한다. 〈신설 2011. 12. 28.〉

제16조(재보험 약정서)

법 제20조 제2항 제3호에서 "대통령령으로 정하는 사항"이란 다음 각 호의 사항을 말한다.

1. 재보험수수료에 관한 사항
2. 재보험 약정기간에 관한 사항
3. 재보험 책임범위에 관한 사항
4. 재보험 약정의 변경·해지 등에 관한 사항
5. 재보험금 지급 및 분쟁에 관한 사항
6. 그 밖에 재보험의 운영·관리에 관한 사항

제16조의2

삭제 〈2017. 5. 29.〉

제17조(기금계정의 설치)

농림축산식품부장관은 해양수산부장관과 협의하여 법 제21조에 따른 농어업재해재보험기금(이하 "기금"이라 한다)의 수입과 지출을 명확히 하기 위하여 한국은행에 기금계정을 설치하여야 한다. 〈개정 2013. 3. 23.〉

제18조(기금의 관리·운용에 관한 사무의 위탁)

① 농림축산식품부장관은 해양수산부장관과 협의하여 법 제24조 제2항에 따라 기금의 관리·운용에 관한 다음 각 호의 사무를 「농업·농촌 및 식품산업 기본법」 제63조의2에 따라 설립된 농업정책보험금융원(이하 "농업정책보험금융원"이라 한다)에 위탁한다. 〈개정 2013. 3. 23., 2017. 5. 29.〉

1. 기금의 관리·운용에 관한 회계업무
2. 법 제20조 제2항 제1호에 따른 재보험료를 납입받는 업무
3. 법 제20조 제2항 제2호에 따른 재보험금을 지급하는 업무

4. 제20조에 따른 여유자금의 운용업무

5. 그 밖에 기금의 관리·운용에 관하여 농림축산식품부장관이 해양수산부장관과 협의를 거쳐 지정하여 고시하는 업무

② 제1항에 따라 기금의 관리·운용을 위탁받은 농업정책보험금융원(이하 "기금수탁관리자"라 한다)은 기금의 관리 및 운용을 명확히 하기 위하여 기금을 다른 회계와 구분하여 회계처리 하여야 한다. 〈개정 2017. 5. 29.〉

③ 제1항 각 호의 사무처리에 드는 경비는 기금의 부담으로 한다.

제19조(기금의 결산)

① 기금수탁관리자는 회계연도마다 기금결산보고서를 작성하여 다음 회계연도 2월 15일까지 농림축산식품부장관 및 해양수산부장관에게 제출하여야 한다. 〈개정 2013. 3. 23.〉

② 농림축산식품부장관은 해양수산부장관과 협의하여 기금수탁관리자로부터 제출받은 기금결산보고서를 검토한 후 심의회의 심의를 거쳐 다음 회계연도 2월 말일까지 기획재정부장관에게 제출하여야 한다. 〈개정 2013. 3. 23.〉

③ 제1항의 기금결산보고서에는 다음 각 호의 서류를 첨부하여야 한다.

1. 결산 개요
2. 수입지출결산
3. 재무제표
4. 성과보고서
5. 그 밖에 결산의 내용을 명확하게 하기 위하여 필요한 서류

제20조(여유자금의 운용)

농림축산식품부장관은 해양수산부장관과 협의하여 기금의 여유자금을 다음 각 호의 방법으로 운용할 수 있다. 〈개정 2010. 11. 15., 2013. 3. 23.〉

1. 「은행법」에 따른 은행에의 예치
2. 국채, 공채 또는 그 밖에 「자본시장과 금융투자업에 관한 법률」 제4조에 따른 증권의 매입

제20조의2

삭제 〈2017. 5. 29.〉

제21조(통계의 수집·관리 등에 관한 업무의 위탁)

① 농림축산식품부장관 또는 해양수산부장관은 법 제26조 제4항에 따라 같은 조 제1항 및 제3항에 따른 통계의 수집·관리, 조사·연구 등에 관한 업무를 다음 각 호의 어느 하나에 해당하는 자에게 위탁할 수 있다. 〈개정 2011. 12. 28., 2013. 3. 23., 2016. 11. 8., 2017. 5. 29.〉

1. 「농업협동조합법」에 따른 농업협동조합중앙회
1의2. 「산림조합법」에 따른 산림조합중앙회
2. 「수산업협동조합법」에 따른 수산업협동조합중앙회 및 수협은행

3. 「정부출연연구기관 등의 설립·운영 및 육성에 관한 법률」 제8조에 따라 설립된 연구기관

4. 「보험업법」에 따른 보험회사, 보험요율산출기관 또는 보험계리를 업으로 하는 자

5. 「민법」 제32조에 따라 농림축산식품부장관 또는 해양수산부장관의 허가를 받아 설립된 비영리법인

6. 「공익법인의 설립·운영에 관한 법률」 제4조에 따라 농림축산식품부장관 또는 해양수산부장관의 허가를 받아 설립된 공익법인

7. 농업정책보험금융원

② 농림축산식품부장관 또는 해양수산부장관은 제1항에 따라 업무를 위탁한 때에는 위탁받은 자 및 위탁업무의 내용 등을 고시하여야 한다. 〈개정 2016. 11. 8.〉

제22조(시범사업 실시)

① 재해보험사업자는 법 제27조 제1항에 따른 시범사업을 하려면 다음 각 호의 사항이 포함된 사업계획서를 농림축산식품부장관 또는 해양수산부장관에게 제출하고 협의하여야 한다. 〈개정 2013. 3. 23.〉

1. 대상목적물, 사업지역 및 사업기간에 관한 사항

2. 보험상품에 관한 사항

3. 정부의 재정지원에 관한 사항

4. 그 밖에 농림축산식품부장관 또는 해양수산부장관이 필요하다고 인정하는 사항

② 재해보험사업자는 시범사업이 끝나면 지체 없이 다음 각 호의 사항이 포함된 사업결과보고서를 작성하여 농림축산식품부장관 또는 해양수산부장관에게 제출하여야 한다. 〈개정 2013. 3. 23.〉

1. 보험계약사항, 보험금 지급 등 전반적인 사업운영 실적에 관한 사항

2. 사업 운영과정에서 나타난 문제점 및 제도개선에 관한 사항

3. 사업의 중단·연장 및 확대 등에 관한 사항

③ 농림축산식품부장관 또는 해양수산부장관은 제2항에 따른 사업결과보고서를 받으면 그 사업결과를 바탕으로 신규 보험상품의 도입 가능성 등을 검토·평가하여야 한다. 〈개정 2013. 3. 23.〉

제22조의2(보험가입촉진계획의 제출 등)

① 법 제28조의2 제1항에 따른 보험가입촉진계획에는 다음 각 호의 사항이 포함되어야 한다.

1. 전년도의 성과분석 및 해당 연도의 사업계획

2. 해당 연도의 보험상품 운영계획

3. 농어업재해보험 교육 및 홍보계획

4. 보험상품의 개선·개발계획

5. 그 밖에 농어업재해보험 가입 촉진을 위하여 필요한 사항

② 재해보험사업자는 법 제28조의2 제1항에 따라 수립한 보험가입촉진계획을 해당 연도 1월

31일까지 농림축산식품부장관 또는 해양수산부장관에게 제출하여야 한다.

[본조신설 2017. 5. 29.]

[종전 제22조의2는 제22조의3으로 이동 〈2017. 5. 29.〉]

제22조의3(고유식별정보의 처리)

① 재해보험사업자는 법 제7조에 따른 재해보험가입자 자격 확인에 관한 사무를 수행하기 위하여 불가피한 경우 「개인정보 보호법 시행령」 제19조 제1호에 따른 주민등록번호가 포함된 자료를 처리할 수 있다.

② 재해보험사업자(법 제8조 제1항 제3호에 따른 보험회사는 제외한다)는 「상법」 제639조에 따른 타인을 위한 보험계약의 체결, 유지·관리, 보험금의 지급 등에 관한 사무를 수행하기 위하여 불가피한 경우 「개인정보 보호법 시행령」 제19조 제1호에 따른 주민등록번호가 포함된 자료를 처리할 수 있다.

③ 농림축산식품부장관(법 제25조의2 제2항 및 제3항에 따라 농림축산식품부장관의 업무를 위탁받은 자를 포함한다)은 다음 각 호의 사무를 수행하기 위하여 불가피한 경우 「개인정보 보호법 시행령」 제19조 제1호에 따른 주민등록번호가 포함된 자료를 처리할 수 있다. 〈신설 2014. 12. 3., 2017. 5. 29., 2020. 8. 12.〉

  1. 법 제11조의4에 따른 손해평가사 자격시험에 관한 사무

  2. 법 제11조의5에 따른 손해평가사의 자격 취소에 관한 사무

  3. 법 제11조의6에 따른 손해평가사의 감독에 관한 사무

  4. 법 제25조의2 제1항 제1호에 따른 재해보험사업의 관리·감독에 관한 사무

[본조신설 2014. 8. 6.]

[제22조의2에서 이동, 종전 제22조의3은 제22조의4로 이동 〈2017. 5. 29.〉]

제22조의4(규제의 재검토)

① 농림축산식품부장관 또는 해양수산부장관은 제12조 및 별표 2에 따른 손해평가인의 자격요건에 대하여 2018년 1월 1일을 기준으로 3년마다(매 3년이 되는 해의 1월 1일 전까지를 말한다) 그 타당성을 검토하여 개선 등의 조치를 하여야 한다. 〈신설 2017. 12. 12.〉

② 삭제 〈2020. 3. 3.〉

[전문개정 2016. 12. 30.]

[제22조의3에서 이동 〈2017. 5. 29.〉]

제23조(과태료의 부과기준)

법 제32조 제1항부터 제3항까지의 규정에 따른 과태료의 부과기준은 별표 3과 같다.

부칙 〈대통령령 제32296호, 2021. 12. 31.〉

이 영은 2022년 1월 1일부터 시행한다.

■ 농어업재해보험법 시행령 [별표 1] 〈개정 2016. 1. 22.〉

재해보험에서 보상하는 재해의 범위(제8조 관련)

재해보험의 종류	보상하는 재해의 범위
1. 농작물·임산물 재해보험	자연재해, 조수해(鳥獸害), 화재 및 보험목적물별로 농림축산식품부장관이 정하여 고시하는 병충해
2. 가축 재해보험	자연재해, 화재 및 보험목적물별로 농림축산식품부장관이 정하여 고시하는 질병
3. 양식수산물 재해보험	자연재해, 화재 및 보험목적물별로 해양수산부장관이 정하여 고시하는 수산질병

비고 : 재해보험사업자는 보험의 효용성 및 보험 실시 가능성 등을 종합적으로 고려하여 위의 대상 재해의 범위에서 다양한 보험상품을 운용할 수 있다.

■ 농어업재해보험법 시행령 [별표 2] 〈개정 2020. 12. 29.〉

손해평가인의 자격요건(제12조 제1항 관련)

재해 보험의 종류	손해평가인의 자격요건
농작물 재해보험	1. 재해보험 대상 농작물을 5년 이상 경작한 경력이 있는 농업인 2. 공무원으로 농림축산식품부, 농촌진흥청, 통계청 또는 지방자치단체나 그 소속기관에서 농작물재배 분야에 관한 연구·지도, 농산물 품질관리 또는 농업 통계조사 업무를 3년 이상 담당한 경력이 있는 사람 3. 교원으로 고등학교에서 농작물재배 분야 관련 과목을 5년 이상 교육한 경력이 있는 사람 4. 조교수 이상으로 「고등교육법」 제2조에 따른 학교에서 농작물재배 관련학을 3년 이상 교육한 경력이 있는 사람 5. 「보험업법」에 따른 보험회사의 임직원이나 「농업협동조합법」에 따른 중앙회와 조합의 임직원으로 영농 지원 또는 보험·공제 관련 업무를 3년 이상 담당하였거나 손해평가 업무를 2년 이상 담당한 경력이 있는 사람 6. 「고등교육법」 제2조에 따른 학교에서 농작물재배 관련학을 전공하고 농업전문 연구기관 또는 연구소에서 5년 이상 근무한 학사학위 이상 소지자 7. 「고등교육법」 제2조에 따른 전문대학에서 보험 관련 학과를 졸업한 사람 8. 「학점인정 등에 관한 법률」 제8조에 따라 전문대학의 보험 관련 학과 졸업자와 같은 수준 이상의 학력이 있다고 인정받은 사람이나 「고등교육법」 제2조에 따른 학교에

	서 80학점(보험 관련 과목 학점이 45학점 이상이어야 한다) 이상을 이수한 사람 등 제7호에 해당하는 사람과 같은 수준 이상의 학력이 있다고 인정되는 사람 9. 「농수산물 품질관리법」에 따른 농산물품질관리사 10. 재해보험 대상 농작물 분야에서 「국가기술자격법」에 따른 기사 이상의 자격을 소지한 사람
임산물 재해보험	1. 재해보험 대상 임산물을 5년 이상 경작한 경력이 있는 임업인 2. 공무원으로 농림축산식품부, 농촌진흥청, 산림청, 통계청 또는 지방자치단체나 그 소속기관에서 임산물재배 분야에 관한 연구·지도 또는 임업 통계조사 업무를 3년 이상 담당한 경력이 있는 사람 3. 교원으로 고등학교에서 임산물재배 분야 관련 과목을 5년 이상 교육한 경력이 있는 사람 4. 조교수 이상으로 「고등교육법」 제2조에 따른 학교에서 임산물재배 관련학을 3년 이상 교육한 경력이 있는 사람 5. 「보험업법」에 따른 보험회사의 임직원이나 「산림조합법」에 따른 중앙회와 조합의 임직원으로 산림경영 지원 또는 보험·공제 관련 업무를 3년 이상 담당하였거나 손해평가 업무를 2년 이상 담당한 경력이 있는 사람 6. 「고등교육법」 제2조에 따른 학교에서 임산물재배 관련학을 전공하고 임업전문 연구기관 또는 연구소에서 5년 이상 근무한 학사학위 이상 소지자 7. 「고등교육법」 제2조에 따른 전문대학에서 보험 관련 학과를 졸업한 사람 8. 「학점인정 등에 관한 법률」 제8조에 따라 전문대학의 보험 관련 학과 졸업자와 같은 수준 이상의 학력이 있다고 인정받은 사람이나 「고등교육법」 제2조에 따른 학교에서 80학점(보험 관련 과목 학점이 45학점 이상이어야 한다) 이상을 이수한 사람 등 제7호에 해당하는 사람과 같은 수준 이상의 학력이 있다고 인정되는 사람 9. 재해보험 대상 임산물 분야에서 「국가기술자격법」에 따른 기사 이상의 자격을 소지한 사람
가축 재해보험	1. 재해보험 대상 가축을 5년 이상 사육한 경력이 있는 농업인 2. 공무원으로 농림축산식품부, 농촌진흥청, 통계청 또는 지방자치단체나 그 소속기관에서 가축사육 분야에 관한 연구·지도 또는 가축 통계조사 업무를 3년 이상 담당한 경력이 있는 사람 3. 교원으로 고등학교에서 가축사육 분야 관련 과목을 5년 이상 교육한 경력이 있는 사람 4. 조교수 이상으로 「고등교육법」 제2조에 따른 학교에서 가축사육 관련학을 3년 이상 교육한 경력이 있는 사람 5. 「보험업법」에 따른 보험회사의 임직원이나 「농업협동조합법」에 따른 중앙회와 조합의 임직원으로 영농 지원 또는 보험·공제 관련 업무를 3년 이상 담당하였거나 손해평가 업무를 2년 이상 담당한 경력이 있는 사람

	6. 「고등교육법」 제2조에 따른 학교에서 가축사육 관련학을 전공하고 축산전문 연구기관 또는 연구소에서 5년 이상 근무한 학사학위 이상 소지자 7. 「고등교육법」 제2조에 따른 전문대학에서 보험 관련 학과를 졸업한 사람 8. 「학점인정 등에 관한 법률」 제8조에 따라 전문대학의 보험 관련 학과 졸업자와 같은 수준 이상의 학력이 있다고 인정받은 사람이나 「고등교육법」 제2조에 따른 학교에서 80학점(보험 관련 과목 학점이 45학점 이상이어야 한다) 이상을 이수한 사람 등 제7호에 해당하는 사람과 같은 수준 이상의 학력이 있다고 인정되는 사람 9. 「수의사법」에 따른 수의사 10. 「국가기술자격법」에 따른 축산기사 이상의 자격을 소지한 사람
양식 수산물 재해보험	1. 재해보험 대상 양식수산물을 5년 이상 양식한 경력이 있는 어업인 2. 공무원으로 해양수산부, 국립수산과학원, 국립수산물품질관리원 또는 지방자치단체에서 수산물양식 분야 또는 수산생명의학 분야에 관한 연구 또는 지도업무를 3년 이상 담당한 경력이 있는 사람 3. 교원으로 수산계 고등학교에서 수산물양식 분야 또는 수산생명의학 분야의 관련 과목을 5년 이상 교육한 경력이 있는 사람 4. 조교수 이상으로 「고등교육법」 제2조에 따른 학교에서 수산물양식 관련학 또는 수산생명의학 관련학을 3년 이상 교육한 경력이 있는 사람 5. 「보험업법」에 따른 보험회사의 임직원이나 「수산업협동조합법」에 따른 수산업협동조합중앙회, 수협은행 및 조합의 임직원으로 수산업지원 또는 보험·공제 관련 업무를 3년 이상 담당하였거나 손해평가 업무를 2년 이상 담당한 경력이 있는 사람 6. 「고등교육법」 제2조에 따른 학교에서 수산물양식 관련학 또는 수산생명의학 관련학을 전공하고 수산전문 연구기관 또는 연구소에서 5년 이상 근무한 학사학위 소지자 7. 「고등교육법」 제2조에 따른 전문대학에서 보험 관련 학과를 졸업한 사람 8. 「학점인정 등에 관한 법률」 제8조에 따라 전문대학의 보험 관련 학과 졸업자와 같은 수준 이상의 학력이 있다고 인정받은 사람이나 「고등교육법」 제2조에 따른 학교에서 80학점(보험 관련 과목 학점이 45학점 이상이어야 한다) 이상을 이수한 사람 등 제7호에 해당하는 사람과 같은 수준 이상의 학력이 있다고 인정되는 사람 9. 「수산생물질병 관리법」에 따른 수산질병관리사 10. 재해보험 대상 양식수산물 분야에서 「국가기술자격법」에 따른 기사 이상의 자격을 소지한 사람 11. 「농수산물 품질관리법」에 따른 수산물품질관리사

■ 농어업재해보험법 시행령 [별표 2의2] 〈신설 2014. 12. 3.〉

손해평가사 자격시험의 과목(제12조의4 관련)

구분	과목
1. 제1차 시험	가. 「상법」 보험편 나. 농어업재해보험법령(「농어업재해보험법」, 「농어업재해보험법 시행령」, 「농어업재해보험법 시행규칙」 및 농림축산식품부장관이 고시하는 손해평가 요령을 말한다) 다. 농학개론 중 재배학 및 원예작물학
2. 제2차 시험	가. 농작물재해보험 및 가축재해보험의 이론과 실무 나. 농작물재해보험 및 가축재해보험 손해평가의 이론과 실무

■ 농어업재해보험법 시행령 [별표 2의3] 〈신설 2020. 8. 12.〉

손해평가사 자격 취소 처분의 세부기준(제12조의9 관련)

1. 일반기준

　가. 위반행위의 횟수에 따른 행정처분의 가중된 처분 기준은 최근 3년간 같은 위반행위로 행정처분을 받은 경우에 적용한다. 이 경우 기간의 계산은 위반행위에 대해 행정처분을 받은 날과 그 처분 후에 다시 같은 위반행위를 하여 적발된 날을 기준으로 한다.

　나. 가목에 따라 가중된 행정처분을 하는 경우 가중처분의 적용 차수는 그 위반행위 전 행정처분 차수(가목에 따른 기간 내에 행정처분이 둘 이상 있었던 경우에는 높은 차수를 말한다)의 다음 차수로 한다.

　다. 위반행위가 둘 이상인 경우로서 그에 해당하는 각각의 처분기준이 다른 경우에는 그 중 무거운 처분기준에 따른다.

2. 개별기준

위반행위	근거 법조문	처분기준	
		1회 위반	2회 이상 위반
가. 손해평가사의 자격을 거짓 또는 부정한 방법으로 취득한 경우	법 제11조의5 제1항 제1호	자격 취소	
나. 거짓으로 손해평가를 한 경우	법 제11조의5 제1항 제2호	시정명령	자격 취소

다. 법 제11조의4 제6항을 위반하여 다른 사람에게 손해평가사의 명의를 사용하게 하거나 그 자격증을 대여한 경우	법 제11조의5 제1항 제3호	자격 취소	
라. 법 제11조의4 제7항을 위반하여 손해평가사 명의의 사용이나 자격증의 대여를 알선한 경우	법 제11조의5 제1항 제4호	자격 취소	
마. 업무정지 기간 중에 손해평가 업무를 수행한 경우	법 제11조의5 제1항 제5호	자격 취소	

■ **농어업재해보험법 시행령 [별표 2의4] 〈신설 2020. 8. 12.〉**

손해평가사 업무 정지 처분의 세부기준(제12조의10 관련)

1. 일반기준

가. 위반행위의 횟수에 따른 행정처분의 가중된 처분 기준은 최근 3년간 같은 위반행위로 행정처분을 받은 경우에 적용한다. 이 경우 기간의 계산은 위반행위에 대해 행정처분을 받은 날과 그 처분 후에 다시 같은 위반행위를 하여 적발된 날을 기준으로 한다.

나. 가목에 따라 가중된 행정처분을 하는 경우 가중처분의 적용 차수는 그 위반행위 전 행정처분 차수(가목에 따른 기간 내에 행정처분이 둘 이상 있었던 경우에는 높은 차수를 말한다)의 다음 차수로 한다.

다. 위반행위가 둘 이상인 경우로서 그에 해당하는 각각의 처분기준이 다른 경우에는 그 중 가장 무거운 처분기준에 따르고, 가장 무거운 처분기준의 2분의 1까지 그 기간을 늘릴 수 있다. 다만, 기간을 늘리는 경우에도 법 제11조의6 제1항에 따른 업무 정지 기간의 상한을 넘을 수 없다.

라. 농림축산식품부장관은 다음의 어느 하나에 해당하는 경우에는 제2호에 따른 처분기준의 2분의 1의 범위에서 그 기간을 줄일 수 있다.

1) 위반행위가 사소한 부주의나 오류로 인한 것으로 인정되는 경우

2) 위반의 내용·정도가 경미하다고 인정되는 경우

3) 위반행위자가 법 위반상태를 바로 정정하거나 시정하여 해소한 경우

4) 그 밖에 위반행위의 내용, 정도, 동기 및 결과 등을 고려하여 업무 정지 처분의 기간을 줄일 필요가 있다고 인정되는 경우

2. 개별기준

위반행위	근거 법조문	처분기준		
		1회 위반	2회 위반	3회 이상 위반
가. 업무 수행과 관련하여「개인정보 보호법」, 「신용정보의 이용 및 보호에 관한 법률」 등 정보 보호와 관련된 법령을 위반한 경우	법 제11조의6 제1항	업무정지 6개월	업무정지 1년	업무정지 1년
나. 업무 수행과 관련하여 보험계약자 또는 보험사업자로부터 금품 또는 향응을 제공받은 경우	법 제11조의6 제1항	업무정지 6개월	업무정지 1년	업무정지 1년
다. 자기 또는 자기와 생계를 같이 하는 4촌 이내의 친족(이하 "이해관계자"라 한다)이 가입한 보험계약에 관한 손해평가를 한 경우	법 제11조의6 제1항	업무정지 3개월	업무정지 6개월	업무정지 6개월
라. 자기 또는 이해관계자가 모집한 보험계약에 대해 손해평가를 한 경우	법 제11조의6 제1항	업무정지 3개월	업무정지 6개월	업무정지 6개월
마. 법 제11조 제2항 전단에 따른 손해평가 요령을 준수하지 않고 손해평가를 한 경우	법 제11조의6 제1항	경고	업무정지 1개월	업무정지 3개월
바. 그 밖에 손해평가사가 그 직무를 게을리하거나 직무를 수행하면서 부적절한 행위를 했다고 인정되는 경우	법 제11조의6 제1항	경고	업무정지 1개월	업무정지 3개월

■ 농어업재해보험법 시행령 [별표 3] 〈개정 2021. 3. 23.〉

과태료의 부과기준(제23조 관련)

1. 일반기준

농림축산식품부장관, 해양수산부장관 또는 금융위원회는 위반행위의 정도, 위반횟수, 위반행위의 동기와 그 결과 등을 고려하여 개별기준에 따른 해당 과태료 금액을 2분의 1의 범위에서 줄이거나 늘릴 수 있다. 다만, 늘리는 경우에도 법 제32조 제1항부터 제3항까지의 규정에 따른 과태료 금액의 상한을 초과할 수 없다.

2. 개별기준

위반행위	해당 법 조문	과태료
가. 재해보험사업자가 법 제10조 제2항에서 준용하는 「보험업법」 제95조를 위반하여 보험안내를 한 경우	법 제32조 제1항	1,000만원
나. 법 제10조 제2항에서 준용하는 「보험업법」 제95조를 위반하여 보험안내를 한 자로서 재해보험사업자가 아닌 경우	법 제32조 제3항 제1호	500만원
다. 법 제10조 제2항에서 준용하는 「보험업법」 제97조 제1항 또는 「금융소비자 보호에 관한 법률」 제21조를 위반하여 보험계약의 체결 또는 모집에 관한 금지행위를 한 경우	법 제32조 제3항 제2호	300만원
라. 재해보험사업자의 발기인, 설립위원, 임원, 집행간부, 일반간부직원, 파산관재인 및 청산인이 법 제18조 제1항에서 적용하는 「보험업법」 제120조에 따른 책임준비금 또는 비상위험준비금을 계상하지 아니하거나 이를 따로 작성한 장부에 각각 기재하지 아니한 경우	법 제32조 제2항 제1호	500만원
마. 재해보험사업자의 발기인, 설립위원, 임원, 집행간부, 일반간부직원, 파산관재인 및 청산인이 법 제18조 제1항에서 적용하는 「보험업법」 제131조 제1항·제2항 및 제4항에 따른 명령을 위반한 경우	법 제32조 제2항 제2호	300만원
바. 재해보험사업자의 발기인, 설립위원, 임원, 집행간부, 일반간부직원, 파산관재인 및 청산인이 법 제18조 제1항에서 적용하는 「보험업법」 제133조에 따른 검사를 거부·방해 또는 기피한 경우	법 제32조 제2항 제3호	200만원
사. 법 제29조에 따른 보고 또는 관계 서류 제출을 하지 아니하거나 보고 또는 관계 서류 제출을 거짓으로 한 경우	법 제32조 제3항 제3호	300만원

[농림축산식품부고시 제2019-81호, 2019. 12. 18., 일부개정.]

제1조(목적)

이 요령은 「농어업재해보험법」 제11조 제2항에 따른 손해평가에 필요한 세부사항을 규정함을 목적으로 한다.

제2조(용어의 정의)

이 요령에서 사용하는 용어의 정의는 다음 각 호와 같다.

1. "손해평가"라 함은 「농어업재해보험법」(이하 "법"이라 한다) 제2조 제1호에 따른 피해가 발생한 경우 법 제11조 및 제11조의3에 따라 손해평가인, 손해평가사 또는 손해사정사가 그 피해사실을 확인하고 평가하는 일련의 과정을 말한다.
2. "손해평가인"이라 함은 법 제11조 제1항과 「농어업재해보험법 시행령」(이하 "시행령"이라 한다) 제12조 제1항에서 정한 자 중에서 재해보험사업자가 위촉하여 손해평가업무를 담당하는 자를 말한다.
3. "손해평가사"라 함은 법 제11조의4 제1항에 따른 자격시험에 합격한 자를 말한다.
4. "손해평가보조인"이라 함은 제1호에서 정한 손해평가 업무를 보조하는 자를 말한다.
5. "농업재해보험"이란 법 제4조에 따른 농작물재해보험, 임산물재해보험 및 가축재해보험을 말한다.

제3조(손해평가인의 업무)

① 손해평가인은 다음 각 호의 업무를 수행한다.

1. 피해사실 확인
2. 보험가액 및 손해액 평가
3. 그 밖에 손해평가에 관하여 필요한 사항

② 손해평가인은 제1항의 임무를 수행하기 전에 보험가입자("피보험자"를 포함한다. 이하 동일)에게 손해평가인증을 제시하여야 한다.

제4조(손해평가인 위촉)

① 재해보험사업자는 법 제11조 제1항과 시행령 제12조 제1항에 따라 손해평가인을 위촉한 경우에는 그 자격을 표시할 수 있는 손해평가인증을 발급하여야 한다.

② 재해보험사업자는 피해 발생 시 원활한 손해평가가 이루어지도록 농업재해보험이 실시되는 시·군·자치구별 보험가입자의 수 등을 고려하여 적정 규모의 손해평가인을 위촉하여야 한다.

③ 재해보험사업자 및 법 제14조에 따라 손해평가 업무를 위탁받은 자는 손해평가 업무를 원활히 수행하기 위하여 손해평가보조인을 운용할 수 있다.

제5조(손해평가인 실무교육)

① 재해보험사업자는 제4조에 따라 위촉된 손해평가인을 대상으로 농업재해보험에 관한 기초지식, 보험상품 및 약관, 손해평가의 방법 및 절차 등 손해평가에 필요한 실무교육을 실시하여야 한다.

② 삭제

③ 제1항에 따른 손해평가인에 대하여 재해보험사업자는 소정의 교육비를 지급할 수 있다.

제5조의2(손해평가인 정기교육)

① 법 제11조 제5항에 따른 손해평가인 정기교육의 세부내용은 다음 각 호와 같다.

  1. 농업재해보험에 관한 기초지식 : 농어업재해보험법 제정 배경·구성 및 조문별 주요내용, 농업재해보험 사업현황

  2. 농업재해보험의 종류별 약관 : 농업재해보험 상품 주요내용 및 약관 일반 사항

  3. 손해평가의 절차 및 방법 : 농업재해보험 손해평가 개요, 보험목적물별 손해평가 기준 및 피해유형별 보상사례

  4. 피해유형별 현지조사표 작성 실습

② 재해보험사업자는 정기교육 대상자에게 소정의 교육비를 지급할 수 있다.

제6조(손해평가인 위촉의 취소 및 해지 등)

① 재해보험사업자는 손해평가인이 다음 각 호의 어느 하나에 해당하게 되거나 위촉당시에 해당하는 자이었음이 판명된 때에는 그 위촉을 취소하여야 한다.

  1. 피성년후견인 또는 피한정후견인

  2. 파산선고를 받은 자로서 복권되지 아니한 자

  3. 법 제30조에 의하여 벌금이상의 형을 선고받고 그 집행이 종료(집행이 종료된 것으로 보는 경우를 포함한다)되거나 집행이 면제된 날로부터 2년이 경과되지 아니한 자

  4. 동 조에 따라 위촉이 취소된 후 2년이 경과하지 아니한 자

  5. 거짓 그 밖의 부정한 방법으로 제4조에 따라 손해평가인으로 위촉된 자

  6. 업무정지 기간 중에 손해평가업무를 수행한 자

② 재해보험사업자는 손해평가인이 다음 각 호의 어느 하나에 해당하는 때에는 6개월 이내의 기간을 정하여 그 업무의 정지를 명하거나 위촉 해지 등을 할 수 있다.

  1. 법 제11조 제2항 및 이 요령의 규정을 위반한 때

  2. 법 및 이 요령에 의한 명령이나 처분을 위반한 때

  3. 업무수행과 관련하여 「개인정보보호법」, 「신용정보의 이용 및 보호에 관한 법률」 등 정보보호와 관련된 법령을 위반한 때

③ 재해보험사업자는 제1항 및 제2항에 따라 위촉을 취소하거나 업무의 정지를 명하고자 하는 때에는 손해평가인에게 청문을 실시하여야 한다. 다만, 손해평가인이 청문에 응하지 아니할 경우에는 서면으로 위촉을 취소하거나 업무의 정지를 통보할 수 있다.

④ 재해보험사업자는 손해평가인을 해촉하거나 손해평가인에게 업무의 정지를 명한 때에는 지체 없이 이유를 기재한 문서로 그 뜻을 손해평가인에게 통지하여야 한다.

⑤ 제2항에 따른 업무정지와 위촉 해지 등의 세부기준은 [별표 3]과 같다.

⑥ 재해보험사업자는 「보험업법」 제186조에 따른 손해사정사가 「농어업재해보험법」 등 관련 규정을 위반한 경우 적정한 제재가 가능하도록 각 제재의 구체적 적용기준을 마련하여 시행하여야 한다.

제7조
삭제〈2016. 1. 22〉

제8조(손해평가반 구성 등)

① 재해보험사업자는 제2조 제1호의 손해평가를 하는 경우에는 손해평가반을 구성하고 손해평가반별로 평가일정계획을 수립하여야 한다.

② 제1항에 따른 손해평가반은 다음 각 호의 어느 하나에 해당하는 자를 1인 이상 포함하여 5인 이내로 구성한다.

  1. 제2조 제2호에 따른 손해평가인

  2. 제2조 제3호에 따른 손해평가사

  3. 「보험업법」 제186조에 따른 손해사정사

③ 제2항의 규정에도 불구하고 다음 각 호의 어느 하나에 해당하는 손해평가에 대하여는 해당자를 손해평가반 구성에서 배제하여야 한다.

  1. 자기 또는 자기와 생계를 같이 하는 친족(이하 "이해관계자"라 한다)이 가입한 보험계약에 관한 손해평가

  2. 자기 또는 이해관계자가 모집한 보험계약에 관한 손해평가

  3. 직전 손해평가일로부터 30일 이내의 보험가입자간 상호 손해평가

  4. 자기가 실시한 손해평가에 대한 검증조사 및 재조사

제8조의2(교차손해평가)

① 재해보험사업자는 공정하고 객관적인 손해평가를 위하여 교차손해평가가 필요한 경우 재해보험 가입규모, 가입분포 등을 고려하여 교차손해평가 대상 시·군·구(자치구를 말한다. 이하 같다)를 선정하여야 한다.

② 재해보험사업자는 제1항에 따라 선정한 시·군·구 내에서 손해평가 경력, 타지역 조사 가능 여부 등을 고려하여 교차손해평가를 담당할 지역손해평가인을 선발하여야 한다.

③ 교차손해평가를 위해 손해평가반을 구성할 경우에는 제2항에 따라 선발된 지역손해평가인 1인 이상이 포함되어야 한다. 다만, 거대재해 발생, 평가인력 부족 등으로 신속한 손해평가가 불가피하다고 판단되는 경우 그러하지 아니할 수 있다.

제9조(피해사실 확인)

① 보험가입자가 보험책임기간 중에 피해발생 통지를 한 때에는 재해보험사업자는 손해평가 반으로 하여금 지체 없이 보험목적물의 피해사실을 확인하고 손해평가를 실시하게 하여야 한다.

② 손해평가반이 손해평가를 실시할 때에는 재해보험사업자가 해당 보험가입자의 보험계약사항 중 손해평가와 관련된 사항을 손해평가반에게 통보하여야 한다.

제10조(손해평가준비 및 평가결과 제출)

① 재해보험사업자는 손해평가반이 실시한 손해평가결과를 기록할 수 있도록 현지조사서를 마련 하여야 한다.

② 재해보험사업자는 손해평가를 실시하기 전에 제1항에 따른 현지조사서를 손해평가반에 배부 하고 손해평가시의 주의사항을 숙지시킨 후 손해평가에 임하도록 하여야 한다.

③ 손해평가반은 현지조사서에 손해평가 결과를 정확하게 작성하여 보험가입자에게 이를 설명 한 후 서명을 받아 재해보험사업자에게 제출하여야 한다. 다만, 보험가입자가 정당한 사유 없이 서명을 거부하는 경우 손해평가반은 보험가입자에게 손해평가 결과를 통지한 후 서명 없이 현지조사서를 재해보험사업자에게 제출하여야 한다.

④ 손해평가반은 보험가입자가 정당한 사유없이 손해평가를 거부하여 손해평가를 실시하지 못한 경우에는 그 피해를 인정할 수 없는 것으로 평가한다는 사실을 보험가입자에게 통지한 후 현지조사서를 재해보험사업자에게 제출하여야 한다.

⑤ 재해보험사업자는 보험가입자가 손해평가반의 손해평가결과에 대하여 설명 또는 통지를 받은 날로부터 7일 이내에 손해평가가 잘못되었음을 증빙하는 서류 또는 사진 등을 제출하는 경우 재해보험사업자는 다른 손해평가반으로 하여금 재조사를 실시하게 할 수 있다.

제11조(손해평가결과 검증)

① 재해보험사업자 및 재해보험사업의 재보험사업자는 손해평가반이 실시한 손해평가결과를 확인하기 위하여 손해평가를 실시한 보험목적물 중에서 일정수를 임의 추출하여 검증조사 를 할 수 있다.

② 농림축산식품부장관은 재해보험사업자로 하여금 제1항의 검증조사를 하게 할 수 있으며, 재해 보험사업자는 특별한 사유가 없는 한 이에 응하여야 한다.

③ 제1항 및 제2항에 따른 검증조사결과 현저한 차이가 발생되어 재조사가 불가피하다고 판단 될 경우에는 해당 손해평가반이 조사한 전체 보험목적물에 대하여 재조사를 할 수 있다.

④ 보험가입자가 정당한 사유없이 검증조사를 거부하는 경우 검증조사반은 검증조사가 불가능 하여 손해평가 결과를 확인할 수 없다는 사실을 보험가입자에게 통지한 후 검증조사결과를 작성하여 재해보험사업자에게 제출하여야 한다.

제12조(손해평가 단위)

① 보험목적물별 손해평가 단위는 다음 각 호와 같다.

  1. 농작물 : 농지별
  2. 가축 : 개별가축별(단, 벌은 벌통 단위)
  3. 농업시설물 : 보험가입 목적물별

② 제1항 제1호에서 정한 농지라 함은 하나의 보험가입금액에 해당하는 토지로 필지(지번) 등과 관계없이 농작물을 재배하는 하나의 경작지를 말하며, 방풍림, 돌담, 도로(농로 제외) 등에 의해 구획된 것 또는 동일한 울타리, 시설 등에 의해 구획된 것을 하나의 농지로 한다. 다만, 경사지에서 보이는 돌담 등으로 구획되어 있는 면적이 극히 작은 것은 동일 작업 단위 등으로 정리하여 하나의 농지에 포함할 수 있다.

제13조(농작물의 보험가액 및 보험금 산정)

① 농작물에 대한 보험가액 산정은 다음 각 호와 같다.

  1. 특정위험방식 보험가액은 적과후 착과수조사를 통해 산정한 기준수확량에 보험가입 당시의 단위당 가입가격을 곱하여 산정한다. 다만, 인삼은 가입면적에 보험가입 당시의 단위당 가입가격을 곱하여 산정하되, 보험가액에 영향을 미치는 가입면적, 연근 등이 가입당시와 다를 경우 변경할 수 있다.
  2. 적과전종합위험방식의 보험가액은 적과후착과수조사를 통해 산정한 기준수확량에 보험가입 당시의 단위당 가입가격을 곱하여 산정한다.
  3. 종합위험방식 보험가액은 보험증권에 기재된 보험목적물의 평년수확량에 보험가입 당시의 단위당 가입가격을 곱하여 산정한다. 다만, 보험가액에 영향을 미치는 가입면적, 주수, 수령, 품종 등이 가입당시와 다를 경우 변경할 수 있다.
  4. 생산비보장의 보험가액은 작물별로 보험가입 당시 정한 보험가액을 기준으로 산정한다. 다만, 보험가액에 영향을 미치는 가입면적 등이 가입당시와 다를 경우 변경할 수 있다.
  5. 나무손해보장의 보험가액은 기재된 보험목적물이 나무인 경우로 최초 보험사고 발생 시의 해당 농지 내에 심어져 있는 과실생산이 가능한 나무 수(피해 나무 수 포함)에 보험가입 당시의 나무당 가입가격을 곱하여 산정한다.

② 농작물에 대한 보험금 산정은 [별표 1]과 같다.

③ 농작물의 손해수량에 대한 품목별·재해별·시기별 조사방법은 [별표 2]와 같다.

④ 재해보험사업자는 손해평가반으로 하여금 재해발생 전부터 보험품목에 대한 평가를 위해 생육상황을 조사하게 할 수 있다. 이때 손해평가반은 조사결과 1부를 재해보험사업자에게 제출하여야 한다.

제14조(가축의 보험가액 및 손해액 산정)

① 가축에 대한 보험가액은 보험사고가 발생한 때와 곳에서 평가한 보험목적물의 수량에 적용가격을 곱하여 산정한다.

② 가축에 대한 손해액은 보험사고가 발생한 때와 곳에서 폐사 등 피해를 입은 보험목적물의 수량에 적용가격을 곱하여 산정한다.

③ 제1항 및 제2항의 적용가격은 보험사고가 발생한 때와 곳에서의 시장가격 등을 감안하여 보험약관에서 정한 방법에 따라 산정한다. 다만, 보험가입당시 보험가입자와 재해보험사업자가 보험가액 및 손해액 산정 방식을 별도로 정한 경우에는 그 방법에 따른다.

제15조(농업시설물의 보험가액 및 손해액 산정)

① 농업시설물에 대한 보험가액은 보험사고가 발생한 때와 곳에서 평가한 피해목적물의 재조달가액에서 내용연수에 따른 감가상각률을 적용하여 계산한 감가상각액을 차감하여 산정한다.

② 농업시설물에 대한 손해액은 보험사고가 발생한 때와 곳에서 산정한 피해목적물의 원상복구비용을 말한다.

③ 제1항 및 제2항에도 불구하고 보험가입당시 보험가입자와 재해보험사업자가 보험가액 및 손해액 산정 방식을 별도로 정한 경우에는 그 방법에 따른다.

제16조(손해평가업무방법서)

재해보험사업자는 이 요령의 효율적인 운용 및 시행을 위하여 필요한 세부적인 사항을 규정한 손해평가업무방법서를 작성하여야 한다.

제17조(재검토기한)

농림축산식품부장관은 이 고시에 대하여 2020년 1월 1일 기준으로 매 3년이 되는 시점(매 3년째의 12월 31일까지를 말한다)마다 그 타당성을 검토하여 개선 등의 조치를 하여야 한다.

부칙 〈제2019-81호, 2019. 12. 18.〉

이 고시는 발령한 날부터 시행한다.

[별표 1]

농작물의 보험금 산정

구분	보장 범위	산정내용	비고
특정위험방식	인삼	보험가입금액 × (피해율 − 자기부담비율) ※ 피해율 = $\left(1 - \dfrac{수확량}{연근별\ 기준수확량}\right) \times \dfrac{피해면적}{재배면적}$	인삼
적과전 종합위험방식	착과감소	(착과감소량 − 미보상감수량 − 자기부담감수량) × 가입가격 × 80%	
	과실손해	(적과종료 이후 누적감수량 − 미보상감수량 − 자기부담감수량) × 가입가격	
	나무손해보장	보험가입금액 × (피해율 − 자기부담비율) ※ 피해율 = 피해주수(고사된 나무) ÷ 실제결과주수	
종합위험방식	해가림시설	• 보험가입금액이 보험가액과 같거나 클 때 : 보험가입금액을 한도로 손해액에서 자기부담금을 차감한 금액 • 보험가입금액이 보험가액보다 작을 때 : (손해액 − 자기부담금) × (보험가입금액 ÷ 보험가액)	인삼
	비가림시설	MIN(손해액 − 자기부담금, 보험가입금액)	
	수확감소	보험가입금액 × (피해율 − 자기부담비율) ※ 피해율(벼·감자·복숭아 제외) = (평년수확량 − 수확량 − 미보상감수량) ÷ 평년수확량 ※ 피해율(벼) = (보장수확량 − 수확량 − 미보상감수량) ÷ 보장수확량 ※ 피해율(감자·복숭아) = {(평년수확량 − 수확량 − 미보상감수량) + 병충해감수량} ÷ 평년수확량	옥수수 외
		MIN(보험가입금액, 손해액) − 자기부담금 ※ 손해액 = 피해수확량 × 가입가격 ※ 자기부담금 = 보험가입금액 × 자기부담비율	옥수수
	수확량감소 추가보장	보험가입금액 × (피해율 × 10%) 단, 피해율이 자기부담비율을 초과하는 경우에 한함 ※ 피해율 = (평년수확량 − 수확량 − 미보상감수량) ÷ 평년수확량	
	나무손해	보험가입금액 × (피해율 − 자기부담비율) ※ 피해율 = 피해주수(고사된 나무) ÷ 실제결과주수	
	이앙·직파 불능	보험가입금액 × 10%	벼

종합위험방식	재이앙·재직파	보험가입금액 × 25% × 면적피해율 단, 면적피해율이 10%를 초과하고 재이앙(재직파)한 경우 ※ 면적피해율 = 피해면적 ÷ 보험가입면적	벼
	재파종	보험가입금액 × 35% × 표준출현피해율 단, 10a당 출현주수가 30,000주보다 작고, 10a당 30,000주 이상으로 재파종한 경우에 한함 ※ 표준출현피해율(10a 기준) = (30,000 - 출현주수) ÷ 30,000	마늘
	재정식	보험가입금액 × 20% × 면적피해율 단, 면적피해율이 자기부담비율을 초과하는 경우에 한함 ※ 면적피해율 = 피해면적 ÷ 보험가입면적	양배추
	경작불능	보험가입금액 × 일정비율 (자기부담비율에 따라 비율상이)	
	수확불능	보험가입금액 × 일정비율 (자기부담비율에 따라 비율상이)	벼
	생산비보장	(잔존보험가입금액 × 경과비율 × 피해율) - 자기부담금 ※ 잔존보험가입금액 = 보험가입금액 - 보상액(기 발생 생산비보장보험금 합계액) ※ 자기부담금 = 잔존보험가입금액 × 계약 시 선택한 비율	브로콜리
		• 병충해가 없는 경우 (잔존보험가입금액 × 경과비율 × 피해율) - 자기부담금 • 병충해가 있는 경우 (잔존보험가입금액 × 경과비율 × 피해율 × 병충해 등급별 인정비율) - 자기부담금 ※ 피해율 = 피해비율 × 손해정도비율 × (1 - 미보상비율) ※ 자기부담금 = 잔존보험가입금액 × 계약 시 선택한 비율	고추 (시설 고추 제외)
		보험가입금액 × (피해율 - 자기부담비율) ※ 피해율 = 피해비율 × 손해정도비율	배추, 파, 무, 단호박, 당근 (시설 무 제외)

종합위험방식	생산비보장	보험가입금액 × (피해율 - 자기부담비율) ※ 피해율 = 피해면적(㎡) ÷ 재배면적(㎡) 피해면적 : (도복으로 인한 피해면적 × 70%) + (도복 이외 피해면적 × 손해정도비율)	메밀
		보험가입면적 × 피해작물 단위면적당 보장생산비 × 경과비율 × 피해율 ※ 피해율 = 재배비율 × 피해비율 × 손해정도비율 ※ 단, 장미, 부추, 버섯은 별도로 구분하여 산출	시설작물
	농업시설물·버섯재배사·부대시설	1사고마다 재조달가액 기준으로 계산한 손해액에서 자기부담금을 차감한 금액에 보험증권에 기재된 보상비율(50~100%, 10% 단위) 만큼을 보험가입금액 내에서 보상 ※ Min(손해액 - 자기부담금, 보험가입금액) × 보상비율 다만, 보험의 목적이 손해를 입은 장소에서 실제로 수리 또는 복구를 하지 않은 때에는 재조달가액에 의한 보상을 하지 않고 시가(감가상각된 금액)로 보상	
	과실손해보장	보험가입금액 × (피해율 - 자기부담비율) ※ 피해율(7월 31일 이전에 사고가 발생한 경우) 　(평년수확량 - 수확량 - 미보상감수량) ÷ 평년수확량 ※ 피해율(8월 1일 이후에 사고가 발생한 경우) 　(1 - 수확전사고 피해율) × 경과비율 × 결과지 피해율	무화과
		보험가입금액 × (피해율 - 자기부담비율) ※ 피해율 = 고사결과모지수 ÷ 평년결과모지수	복분자
		보험가입금액 × (피해율 - 자기부담비율) ※ 피해율 = (평년결실수 - 조사결실수 - 미보상감수결실수) ÷ 평년결실수	오디
		과실손해보험금 = 손해액 - 자기부담금 ※ 손해액 = 보험가입금액 × 피해율 ※ 자기부담금 = 보험가입금액 × 자기부담비율 ※ 피해율 = (등급 내 피해과실수 + 등급 외 피해과실수 × 70%) ÷ 기준과실수	감귤

종합위험방식	과실손해보장	동상해손해보험금 = 손해액 − 자기부담금 ※ 손해액 = {보험가입금액 − (보험가입금액 × 기사고 피해율)} × 수확기 잔존비율 × 동상해피해율 ※ 자기부담금 = |보험가입금액 × min(주계약피해율 − 자기부담비율, 0)| ※ 동상해 피해율 = 수확기 동상해 피해과실수 ÷ 기준 과실수	감귤
	과실손해 추가보장	보험가입금액 × (피해율 × 10%) 단, 손해액이 자기부담금을 초과하는 경우에 한함 ※ 피해율 = (등급 내 피해과실수 + 등급 외 피해과실 수 × 70%) ÷ 기준과실수	감귤
	농업수입감소	보험가입금액 × (피해율 − 자기부담비율) ※ 피해율 = (기준수입 − 실제수입) ÷ 기준수입	

[별표 2]

농작물의 품목별 · 재해별 · 시기별 손해수량 조사방법

1. 특정위험방식 상품(인삼)

생육시기	재해	조사내용	조사시기	조사방법	비고
보험기간	태풍(강풍) · 폭설 · 집중호우 · 침수 · 화재 · 우박 · 냉해 · 폭염	수확량조사	피해 확인이 가능한 시기	보상하는 재해로 인하여 감소된 수확량조사 • 조사방법 : 전수조사 또는 표본조사	

2. 적과전종합위험방식 상품(사과, 배, 단감, 떫은감)

생육시기	재해	조사내용	조사시기	조사방법	비고
보험계약 체결일 ~ 적과전	보상하는 재해 전부	피해사실 확인 조사	사고접수 후 지체 없이	보상하는 재해로 인한 피해발생여부 조사	피해사실이 명백한 경우 생략 가능
	우박		사고접수 후 지체 없이	우박으로 인한 유과(어린과실) 및 꽃(눈) 등의 타박비율 조사 • 조사방법 : 표본조사	적과종료 이전 특정위험 5종 한정 보장 특약 가입건에 한함
6월 1일 ~ 적과전	태풍(강풍), 우박, 화재,집중호우, 지진		사고접수 후 지체 없이	보상하는 재해로 발생한 낙엽피해 정도 조사 - 단감 · 떫은감에 대해서만 실시 • 조사방법 : 표본조사	
적과후	–	적과후 착과수 조사	적과종료 후	보험가입금액의 결정 등을 위하여 해당 농지의 적과종료 후 총 착과수를 조사 • 조사방법 : 표본조사	피해와 관계없이 전 과수원 조사
적과후 ~ 수확기종료	보상하는 재해	낙과피해 조사	사고접수 후 지체 없이	재해로 인하여 떨어진 피해과실수 조사 - 낙과피해조사는 보험약관에서 정한 과실피해분류기준에 따라 구분하여 조사	

				• 조사방법 : 전수조사 또는 표본조사	
				낙엽률 조사(우박 및 일 소 제외) - 낙엽피해정도 조사 • 조사방법 : 표본조사	단감·떫은감
	우박, 일소, 가을동상해	착과피해 조사	수확 직전	재해로 인하여 달려있는 과실의 피해과실수 조사 - 착과피해조사는 보험약 관에서 정한 과실피해 분류기준에 따라 구분 하여 조사 • 조사방법 : 표본조사	
수확완료 후 ~ 보험종기	보상하는 재해 전부	고사나무 조사	수확완료 후 보험 종기 전	보상하는 재해로 고사되 거나 또는 회생이 불가능 한 나무 수를 조사 - 특약 가입 농지만 해당 • 조사방법 : 전수조사	수확완료 후 추가 고사나무가 없는 경우 생략 가능

* 전수조사는 조사대상 목적물을 전부 조사하는 것을 말하며, 표본조사는 손해평가의 효율성 제고를 위해 재해보험사업자가 통계이론을 기초로 산정한 조사표본에 대해 조사를 실시하는 것을 말함

3. 종합위험방식 상품(농업수입보장 포함)
   ① 해가림시설·비가림시설 및 원예시설

생육시기	재해	조사내용	조사시기	조사방법	비고
보험 기간 내	보상하는 재해 전부	해가림시설 조사	사고접수 후 지체 없이	보상하는 재해로 인하여 손해를 입은 시설 조사 • 조사방법 : 전수조사	인삼
		비가림시설 조사			
		시설조사			원예시설, 버섯재배사

② 수확감소보장·과실손해보장 및 농업수입보장

생육시기	재해	조사내용	조사시기	조사방법	비고
수확 전	보상하는 재해 전부	피해사실 확인 조사	사고접수 후 지체 없이	보상하는 재해로 인한 피해 발생 여부 조사(피해사실이 명백한 경우 생략 가능)	
		이앙(직파) 불능피해 조사	이앙 한계일 (7.31) 이후	이앙(직파)불능 상태 및 통상적인 영농활동 실시여부 조사 • 조사방법 : 전수조사 또는 표본조사	벼만 해당
		재이앙 (재직파) 조사	사고접수 후 지체 없이	해당농지에 보상하는 손해로 인하여 재이앙(재직파)이 필요한 면적 또는 면적비율 조사 • 조사방법 : 전수조사 또는 표본조사	벼만 해당
		재파종 조사	사고접수 후 지체 없이	해당농지에 보상하는 손해로 인하여 재파종이 필요한 면적 또는 면적비율 조사 • 조사방법 : 전수조사 또는 표본조사	마늘만 해당
		재정식 조사	사고접수 후 지체 없이	해당농지에 보상하는 손해로 인하여 재정식이 필요한 면적 또는 면적비율 조사 • 조사방법 : 전수조사 또는 표본조사	양배추만 해당
		경작불능조사	사고접수 후 지체 없이	해당농지의 피해면적비율 또는 보험목적인 식물체 피해율 조사 • 조사방법 : 전수조사 또는 표본조사	벼·밀, 밭작물 [차(茶) 제외], 복분자만 해당
		과실손해조사	수정완료 후	살아있는 결과모지수 조사 및 수정불량(송이)피해율 조사 • 조사방법 : 표본조사	복분자만 해당
			결실완료 후	결실수 조사 • 조사방법 : 표본조사	오디만 해당

		수확전 사고조사	사고접수 후 지체 없이	표본주의 과실 구분 • 조사방법 : 표본조사	감귤만 해당
수확 직전	–	착과수조사	수확직전	해당농지의 최초 품종 수확 직전 총 착과 수를 조사 – 피해와 관계없이 전 과 수원 조사 • 조사방법 : 표본조사	포도, 복숭아, 자두만 해당
	보상하는 재해 전부	수확량조사	수확직전	사고발생 농지의 수확량조사 • 조사방법 : 전수조사 또 는 표본조사	
		과실손해조사	수확직전	사고발생 농지의 과실피해 조사 • 조사방법 : 표본조사	무화과, 감귤만 해당
수확 시작 후 ~ 수확종료	보상하는 재해 전부	수확량조사	조사 가능일	사고발생 농지의 수확량 조사 • 조사방법 : 표본조사	차(茶)만 해당
			사고접수 후 지체 없이	사고발생 농지의 수확 중의 수확량 및 감수량의 확인을 통한 수확량조사 • 조사방법 : 전수조사 또 는 표본조사	
		동상해 과실손해조사	사고접수 후 지체 없이	표본주의 착과피해 조사 12월 1일 ~ 익년 2월 말일 사고 건에 한함 • 조사방법 : 표본조사	감귤만 해당
		수확불능확인 조사	조사 가능일	사고발생 농지의 제현율 및 정상 출하 불가 확인 조사 • 조사방법 : 전수조사 또 는 표본조사	벼만 해당
	태풍 (강풍), 우박	과실손해조사	사고접수 후 지체 없이	전체 열매수(전체 개화수) 및 수확 가능 열매수 조사 6월 1일 ~ 6월 20일 사고 건에 한함 • 조사방법 : 표본조사	복분자만 해당
				표본주의 고사 및 정상 결 과지수 조사 • 조사방법 : 표본조사	무화과만 해당

수확완료 후 ~ 보험종기	보상하는 재해 전부	고사나무 조사	수확완료 후 보험 종기 전	보상하는 재해로 고사되거나 또는 회생이 불가능한 나무 수를 조사 – 특약 가입 농지만 해당 • 조사방법 : 전수조사	수확완료 후 추가 고사나무가 없는 경우 생략 가능

③ 생산비 보장

생육시기	재해	조사내용	조사시기	조사방법	비고
정식(파종) ~ 수확 종료	보상하는 재해 전부	생산비 피해조사	사고발생시 마다	㉠ 재배일정 확인 ㉡ 경과비율 산출 ㉢ 피해율 산정 ㉣ 병충해 등급별 인정비율 확인(노지 고추만 해당)	
수확 전	보상하는 재해 전부	피해사실 확인 조사	사고접수 후 지체 없이	보상하는 재해로 인한 피해발생 여부 조사 (피해사실이 명백한 경우 생략 가능)	메밀, 단호박, 노지 배추, 노지 당근, 노지 파, 노지 무만 해당
		경작불능조사	사고접수 후 지체 없이	해당 농지의 피해면적비율 또는 보험목적인 식물체 피해율 조사 • 조사방법 : 전수조사 또는 표본조사	
수확 직전		생산비 피해조사	수확직전	사고발생 농지의 피해비율 및 손해정도 비율 확인을 통한 피해율 조사 • 조사방법 : 표본조사	

[별표 3]

업무정지·위촉해지 등 제재조치의 세부기준

1. 일반기준

가. 위반행위가 둘 이상인 경우로서 각각의 처분기준이 다른 경우에는 그중 무거운 처분기준을 적용한다. 다만, 각각의 처분기준이 업무정지인 경우에는 무거운 처분기준의 2분의 1까지 가중할 수 있으며, 이 경우 업무정지 기간은 6개월을 초과할 수 없다.

나. 위반행위의 횟수에 따른 제재조치의 기준은 최근 1년간 같은 위반행위로 제재조치를 받는 경우에 적용한다. 이 경우 제재조치 기준이 적용은 같은 위반행위에 대하여 최초로 제재조치를 한 날과 다시 같은 위반행위로 적발한 날을 기준으로 한다.

다. 위반행위의 내용으로 보아 고의성이 없거나 특별한 사유가 인정되는 경우에는 그 처분을 업무정지의 경우에는 2분의 1의 범위에서 경감할 수 있고, 위촉해지인 경우에는 업무정지 6개월로, 경고인 경우에는 주의 처분으로 경감할 수 있다.

2. 개별기준

위반행위	근거조문	처분기준		
		1차	2차	3차
1. 법 제11조 제2항 및 이 요령의 규정을 위반한 때	제6조 제2항 제1호			
1) 고의 또는 중대한 과실로 손해평가의 신뢰성을 크게 악화시킨 경우		위촉해지		
2) 고의로 진실을 숨기거나 거짓으로 손해평가를 한 경우		위촉해지		
3) 정당한 사유없이 손해평가반구성을 거부하는 경우		위촉해지		
4) 현장조사 없이 보험금 산정을 위해 손해평가행위를 한 경우		위촉해지		
5) 현지조사서를 허위로 작성한 경우		위촉해지		
6) 검증조사 결과 부당·부실 손해평가로 확인된 경우		경고	업무정지 3개월	위촉해지
7) 기타 업무수행상 과실로 손해평가의 신뢰성을 약화시킨 경우		주의	경고	업무정지 3개월
2. 법 및 이 요령에 의한 명령이나 처분을 위반한 때	제6조 제2항 제2호	업무정지 6개월	위촉해지	
3. 업무수행과 관련하여 「개인정보보호법」, 「신용정보의 이용 및 보호에 관한 법률」 등 정보보호와 관련된 법령을 위반한 때	제6조 제2항 제3호	위촉해지		

04 재보험사업 및 농업재해보험사업의 운영 등에 관한 규정

[시행 2020. 2. 12.] [농림축산식품부고시 제2020-16호, 2020. 2. 12., 일부개정.]

제1조(목적)

이 고시는 「농어업재해보험법」(이하 "법"이라 한다) 및 동법 시행령(이하 "영"이라 한다)에 의한 재보험사업 및 농업재해보험사업의 효율적인 관리·운영에 필요한 세부적인 사항에 대해 규정함을 목적으로 한다.

제2조(용어의 정의)

이 고시에서 사용하는 용어의 뜻은 다음과 같다.

1. "수탁기관"이라 함은 법 제20조 및 법 제25조의2에 따라 재보험사업 및 농업재해보험사업에 관한 업무를 위탁받은 농업정책보험금융원을 말한다.
2. "재해보험 가입현황서"란 재해보험사업자가 법 제19조 제1항에 따른 보험료의 일부를 지원받기 위하여 작성·제출하는 보험계약사항 및 보험료 현황이 기재된 서류를 말한다.
3. "운영비 사용계획서"란 재해보험사업자가 법 제19조 제1항에 따른 운영비의 일부 또는 전부를 지원받기 위하여 작성·제출하는 운영비사용현황이 기재된 서류를 말한다.
4. "통계작업방법서"란 농림축산식품부장관 또는 수탁기관의 장이 각 재해보험사업자에게 농업재해보험사업의 통계 축적, 보험료 및 재보험료 정산 등을 위하여 필요한 자료 작성 및 제출방법을 규정한 것으로 농업재해보험사업약정서 또는 재보험사업약정서에 첨부하는 서류를 말한다.

제3조(적용범위)

법, 영, 「농림축산식품분야재정사업관리기본규정」 및 「농특회계융자업무지침」에서 따로 정하고 있는 사항을 제외하고는 이 고시에서 정하는 바에 따른다. 다만, 양식수산물재해보험에 대해서는 적용하지 아니한다.

제4조(업무의 위탁)

삭제

제5조(위탁업무의 처리)

① 수탁기관은 위탁업무를 처리함에 있어서 재보험 및 농업재해보험사업 수행 목적에 맞도록 하여야 한다.
② 수탁기관은 위탁업무의 처리를 위하여 농업재해보험을 전담하는 부서(이하 "보험관리부서"라 한다)를 설치하고 인원 및 장비 등을 지원하여야 한다.
③ 농림축산식품부장관은 예산의 범위에서 제2항에 따른 보험관리부서의 인건비 및 경비 등을 지원하여야 한다.

제6조(약정의 체결)

① 수탁기관은 재해보험사업자와 법 제20조 제2항 및 영 제16조에서 정한 사항이 포함된 재보험사업 약정을 체결하여야 한다.

② 수탁기관은 재해보험사업자와 법 제8조 제3항 및 영 제10조 제2항에서 정한 사항이 포함된 재해보험사업 약정을 체결하여야 한다.

③ 제1항 및 제2항에 따른 약정은 매년 체결하는 것을 원칙으로 한다. 다만, 기 체결된 약정서 상에 자동연장 조항이 있고, 약정 내용이 변경되지 않는 경우에는 약정 체결을 생략할 수 있다.

제7조(재보험 사업관리)

① 수탁기관은 매년 영 제16조에서 정한 사항에 대하여 재해보험사업자와 협의하여야 한다.

② 수탁기관은 재해보험사업자가 제6조 제1항에 따라 체결한 약정을 준수하는지 여부를 조사하기 위하여 재해보험사업자에게 재보험약정서에 정한 자료의 제출을 요구할 수 있다.

③ 수탁기관은 제1항에 따른 협의결과와 제2항에 따른 조사결과를 농림축산식품부장관에게 보고하여야 한다.

④ 농림축산식품부장관은 제3항에 따라 수탁기관이 보고한 자료 등을 검토하여 재보험조건 등을 확정하거나 관련법령에 따른 필요한 조치를 강구하여야 한다.

⑤ 기타 재보험사업 관리와 관련한 구체적인 사항은 재보험사업약정서 및 「농어업재해재보험기금운용규정」에 따른다.

제8조(재해보험 사업의 관리)

① 재해보험사업자는 법 제19조 및 영 제15조에 따른 보험료 및 운영비(이하 "사업비"라 한다)를 지원받기 위해서는 재해보험 가입현황서나 운영비 사용계획서를 수탁기관에 제출하여야 한다.

② 수탁기관은 제1항에 따라 제출된 자료를 지체 없이 검토하고 그 결과를 농림축산식품부장관에게 보고하여야 한다.

③ 수탁기관은 「보조금 관리에 관한 법률」, 농업재해보험사업시행지침 및 농업재해보험사업약정서 등에 따라 재해보험사업자에 대한 사업점검 및 사업비 정산 업무를 정기적으로 수행하고 그 결과를 농림축산식품부장관에게 보고하여야 한다.

④ 수탁기관은 제2항 및 제3항의 업무에 대한 세부 검토를 위하여 재해보험사업자에게 관련법령과 농업재해보험약정서에 정한 자료의 제출을 요구할 수 있다.

⑤ 농림축산식품부장관은 제2항 및 제3항에 따라 수탁기관이 보고한 자료 등을 검토하여 사업비 지원 및 정산 금액 등을 확정하거나 관련법령에 따른 필요한 조치를 강구하여야 한다.

제9조(상품 연구 및 보급)

① 수탁기관은 농업현장의 수요 등이 반영될 수 있도록 재해보험상품 연구에 철저를 기해야 하며, 필요한 경우 재해보험사업자와 공동연구를 실시하거나 외부 전문기관에 위탁하여 실시할 수 있다.

② 재해보험사업자는 수탁기관의 재해보험상품 연구 및 보급 업무에 적극 협조하여야 하며, 재해보험상품 개발을 위하여 연구 자료가 필요한 경우 수탁기관에 그 자료를 요구할 수 있다.

제10조(재해 관련 통계 생산 및 데이터베이스 구축·분석)

① 수탁기관은 농업재해보험의 관리 및 보험상품 개발 등에 활용하기 위하여 법 제25조의2 제1항에 따라 재해 관련 통계를 생산·축적하고 데이터베이스를 구축·분석하여야 한다.

② 재해보험사업자는 재해보험상품 개발을 위하여 수탁기관의 통계 생산 자료 및 데이터베이스의 제공을 요구할 수 있다.

제11조(통계작업방법서 작성)

① 수탁기관은 재해 관련 통계를 생산·축적하고, 재보험사업 및 농업재해보험사업의 관리를 위하여 재해보험사업자와 제6조에 따른 재보험사업약정 및 재해보험사업약정 체결시 통계작업방법서를 제시하여 첨부하도록 하여야 한다.

② 통계작업방법서에는 재해보험상품의 각 계약자별·보험증권별 계약정보, 사고정보, 보험금 지급정보 등이 포함되어야 한다.

제12조(손해평가기법의 연구·개발 및 보급)

① 수탁기관은 손해평가의 신속성, 편리성 및 공정성 강화를 위하여 법 제25조의2 제1항에 따른 손해평가기법을 연구·개발하여 재해보험사업자 및 손해평가사 등에게 보급할 수 있다.

② 수탁기관은 필요한 경우 손해평가기법 연구·개발 및 보급 업무를 재해보험사업자와 공동으로 수행하거나 외부 전문기관에 위탁하여 실시할 수 있다.

③ 재해보험사업자는 수탁기관의 손해평가기법의 연구·개발 및 보급 업무에 협조하여야 한다.

제13조(손해평가사 자격시험의 응시원서 및 수수료)

① 영 제12조의2 제3항에 따라 손해평가사 자격시험에 응시하려는 사람은 한국산업인력공단 이사장이 정하는 서식에 따른 응시원서를 한국산업인력공단에 제출하여야 한다.

② 영 제12조의2 제4항에 따른 응시수수료는 다음 각 호와 같다.

1. 제1차 시험 : 2만원

2. 제2차 시험 : 3만3천원

③ 제1항에 따라 손해평가사 자격시험에 응시하려는 사람은 제2항에 따른 응시수수료를 응시원서 제출시 한국산업인력공단에 납부하여야 한다.

제13조의2(손해평가사 자격시험 면제신청서류)

영 제12조의5 제3항에 따라 제1차 시험을 면제받으려는 사람은 별지 제4호 서식에 따른 면제신청서를 농림축산식품부장관에게 제출하여야 한다.

제14조(손해평가사 자격증의 발급 등)

① 수탁기관의 장은 영 제12조의7에 따라 손해평가사 자격시험에 합격한 사람에게 별지 제1호 서식의 손해평가사 자격증을 발급하여야 한다.

② 수탁기관은 제1항에 따라 손해평가사 자격증 발급시 그 사실을 별지 제2호 서식에 따른 발행대장에 기록하여야 한다.

③ 제1항에 따라 손해평가사 자격증을 발급받은 자는 발급받은 자격증을 잃어버리거나 훼손 등으로 쓸 수 없게 된 경우 별지 제3호 서식에 따라 손해평가사 자격증 재발급 신청서를 수탁기관에 제출하여 자격증을 재발급 받을 수 있다.

제15조(손해평가사 교육 및 자격시험 등)

① 수탁기관은 법 제11조의2 및 영 제12조의8에 따라 손해평가사의 손해평가 능력 및 자질향상을 위한 교육을 실시하여야 하며, 필요한 경우 다음 각 호의 어느 하나에 해당하는 기관에게 위탁할 수 있다.

　1. 농림축산식품부 소속 교육기관

　2. 사단법인 보험연수원

　3. 제6조 제2항에 따라 약정을 체결한 재해보험사업자

　4. 「민법」 제32조에 따라 농림축산식품부장관의 허가를 받아 설립된 비영리법인

② 수탁기관 또는 제1항에 따라 위탁받은 교육기관(이하 "교육기관"이라 한다)이 실시하는 손해평가사 교육에는 다음 각 호의 내용을 포함하여야 한다.

　1. 농업재해보험 관련 법령 및 제도에 관한 사항

　2. 농업재해보험 손해평가의 이론과 실무에 관한 사항

　3. 그 밖에 농업재해보험과 관련된 교육

③ 손해평가사는 제2항에 따른 교육을 다음 각 호와 같이 이수하여야 한다.

　1. 실무교육 : 자격증 취득 후 1회 이상

　2. 보수교육 : 자격증 취득년도 후 3년마다 1회 이상

④ 교육기관은 필요한 경우 제2항에 따른 교육을 정보통신매체를 이용한 원격교육으로 실시할 수 있다.

⑤ 교육기관은 교육을 이수한 사람에게 이수증명서를 발급하여야 하며, 교육을 실시한 다음 해 1월 15일까지 수탁기관의 장에게 그 결과를 제출하여야 한다.

⑥ 수탁기관은 교육기관이 실시하는 교육에 필요한 경비(교재비, 강사료 등을 포함한다)를 예산의 범위에서 지원할 수 있다.

제16조(수탁기관의 지도·감독 등)

농림축산식품부장관은 수탁기관의 지도·감독을 위하여 필요하다고 인정할 때에는 관계서류, 장부 기타 참고자료의 제출을 명하거나 소속 공무원으로 하여금 수탁기관의 업무를 점검하게 할 수 있다.

제17조(기타 세부사항)

수탁기관은 이 고시의 시행에 필요한 세부사항에 대해서는 법, 영 및 이 고시에 저촉되지 않는 범위에서 별도로 농림축산식품부장관의 승인을 받아 제정·시행할 수 있다.

제18조(재검토기한)

농림축산식품부장관은 이 고시에 대하여 2020년 7월 1일 기준으로 매 3년이 되는 시점(매 3년째의 6월 30일까지를 말한다)마다 그 타당성을 검토하여 개선 등의 조치를 하여야 한다.

부칙 〈제2020-16호, 2020. 2. 12.〉

이 고시는 발령한 날부터 시행한다.

농업재해보험에서 보상하는 보험목적물의 범위

[시행 2020. 3. 19.] [농림축산식품부고시 제2020-21호, 2020. 3. 19., 일부개정.]

제1조(보험목적물)

농어업재해보험법 제5조에 따라 농업재해보험에서 보상하는 보험목적물의 범위는 다음 표와 같다.

재해보험의 종류	보험목적물
농작물재해보험	사과, 배, 포도, 단감, 감귤, 복숭아, 참다래, 자두, 감자, 콩, 양파, 고추, 옥수수, 고구마, 마늘, 매실, 벼, 오디, 차, 느타리버섯, 양배추, 밀, 유자, 무화과, 메밀, 인삼, 브로콜리, 양송이버섯, 새송이버섯, 배추, 무, 파, 호박, 당근, 팥, 살구, 시금치, 보리, 시설(수박, 딸기, 토마토, 오이, 참외, 풋고추, 호박, 국화, 장미, 멜론, 파프리카, 부추, 시금치, 상추, 배추, 가지, 파, 무, 백합, 카네이션, 미나리, 쑥갓)
	위 농작물의 재배시설(부대시설 포함)
임산물재해보험	떫은감, 밤, 대추, 복분자, 표고버섯, 오미자, 호두
	위 농작물의 재배시설(부대시설 포함)
가축재해보험	소, 말, 돼지, 닭, 오리, 꿩, 메추리, 칠면조, 사슴, 거위, 타조, 양, 벌, 토끼, 오소리, 관상조(觀賞鳥)
	위 가축의 축사(부대시설 포함)

제2조(재검토기한)

농림축산식품부장관은 이 고시에 대하여 2020년 7월 1일 기준으로 매 3년이 되는 시점(매 3년째의 6월 30일까지를 말한다)마다 그 타당성을 검토하여 개선 등의 조치를 하여야 한다.

부칙 〈제2020-21호, 2020. 3. 19.〉

이 고시는 발령한 날부터 시행한다.

◆ 강봉순. 2006, 『농업경영의 새로운 패러다임』, 서울대학교 농경제사회학부.
◆ 구재서·권원달·김영수·이동호. 2004, 『개정 농업경영학』, 선진문화사.
◆ 권오. 2011, 『보험학원론』, 형지사.
◆ 김미복·김용렬·김태후·이형용·박진우. 2020, 『농업재해보험의 손해평가제도 발전 방안 연구』, 한국농촌경제연구원.
◆ 김배성·김태균·김태영·백승우·신용광·안동환·유찬주·정원호. 2019, 『스마트시대 농업경영학』, 박영사.
◆ 김용택·김석현·김태균. 2003, 『농업경영학』, 한국방송통신대학교출판부.
◆ 김진만(대표 역자). 1988, Oxford Advanced Learner's Dictionary of Current English, 범문사.
◆ 김창기. 2020, 『보험학원론』, 문우사.
◆ 문원(대표 역자). 2011『원예학』, 방송통신대학교 출판부.
◆ 석승훈. 2020, 『위험한 위험』, 서울대학교출판문화원.
◆ 신창구. 2019, 『농어업재해보험법』, 지식과 감성.
◆ 심영근·이상무. 2003, 『새로 쓴 농업경영학의 이해』, 삼경문화사.
◆ 이경룡. 2013, 『보험학원론』, 영지문화사.
◆ 최경환. 2003, 『작목별 농작물재해보험의 확대 가능성 분석』, 한국농촌경제연구원.
◆ 최경환·정원호·김우태. 2013, 『농작물재해보험 조사체계 및 선진사례 분석 연구』, 한국농촌경제연구원.
◆ 최정호. 2014, 『리스크와 보험』, 청람.
◆ 한낙현·김흥기. 2008, 『위험관리와 보험』, 우용출판사.
◆ 허연. 2000, 『생활과 보험』, 문영사.
◆ 황희대. 2010, 『핵심 보험이론 및 실무』, 보험연수원.
◆ Kay. R.D., W.M.Edwards, and P.A.Duffy. 2016, Farm Management(8th edition). McGraw-Hill.
◆ P.K.Ray. 1981, Agricultural Insurance : Priciples, Organization and Application to Developing Countries, Pergamon Press Ltd., London.
◆ 농림축산식품부. 2021.1, 『2021농업재해대책업무편람』
◆ 농림축산식품부. 2021, 『농작물재해보험 사업시행지침』
◆ 농림축산식품부. 2021, 『가축재해보험 사업시행지침』
◆ 농림축산식품부. 농업정책보험금융원. 2021, 『농업정책보험 정책방향 및 업무편람』
◆ 농업정책보험금융원. 2020, 『농업재해보험연감』
◆ 농업정책보험금융원. 2020, 『농업재해보험 기본자료집』
◆ 농촌진흥청. 2021, 『농사로 : 작물개황, 재배환경 등』
◆ 농협. 농림수산식품부, 농협중앙회 농업정책보험부. 2011, 『농작물재해보험 10년사』
◆ 농협. 2021, 『농작물재해보험 및 가축재해보험 각 품목(축종)별 약관』
◆ 농협. 2021, 『농작물재해보험 및 가축재해보험 각 품목(축종)별 상품요약서』
◆ 보험경영연구회. 2013, 『리스크와 보험』, 문영사.
◆ 보험경영연구회. 2021, 『리스크와 보험(제3판)』, 문영사.
◆ (사)한국농어업재해보험협회. 2015, 『농업재해보험손해평가사』

박문각
손해평가사

2차 한권으로 합격하기

1과목 농작물재해보험 및 가축재해보험의 이론과 실무

제2판인쇄 | 2023. 6. 15. **제2판발행** | 2023. 6. 20. **편저자** | 김봉호·손송운 **발행인** | 박 용
발행처 | (주)박문각출판 **등록** | 2015년 4월 29일 제2015-000104호
주소 | 06654 서울시 서초구 효령로 283 서경 B/D 4층
팩스 | (02)723-6870 **전화** | (02)723-6869

정가 65,000원   ISBN 979-11-6987-269-0
                 ISBN 979-11-6987-268-3(세트)